꿈틀 중학 국어 Ⅲ

교재 개발에 도움을 주신 모든 선생님들께 깊이 감사드립니다.

연구진

문동열 서울

검토진

고경은 일산　김영웅 천안　김　진 분당, 수원　박수미 안산
손우택 충북 영동　송화진 김해　안슬기 안양　오지희 제주
이도실 순천　이영지 안양 평촌　정세영 베트남 호찌민　정희숙 서울

꿈틀
중학 국어
Ⅲ

이 책의 구성

I 문학 | 개념 학습 ➔ 작품 학습

개념 학습

개념을 알아야 공부를 잘한다

작품 학습

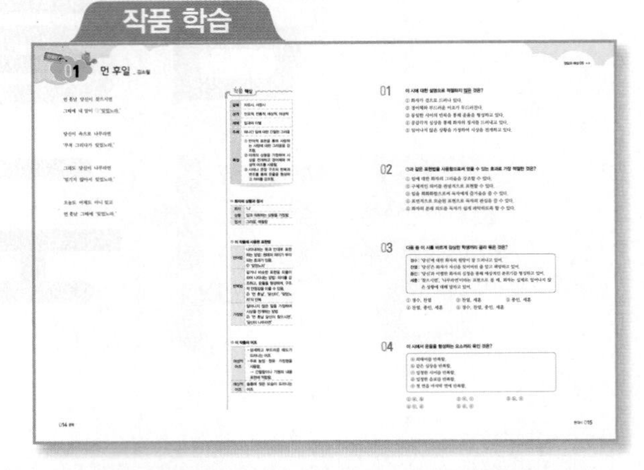

- 운문, 산문으로 나누어 중학 과정에서 꼭 알아야 할 핵심 개념을 제시하고 '개념 확인 문제'를 수록하였습니다.
- 현대시, 고전 시가, 현대 소설, 수필, 극, 고전 산문 등에서 중요한 작품들을 엄선하여 내신과 수능을 동시에 대비할 수 있는 문제를 수록하였습니다.

II 비문학 | 독해 연습 ➔ 지문 학습

독해 연습

01 제시된 정보를 있는 그대로 이해한다

지문 학습

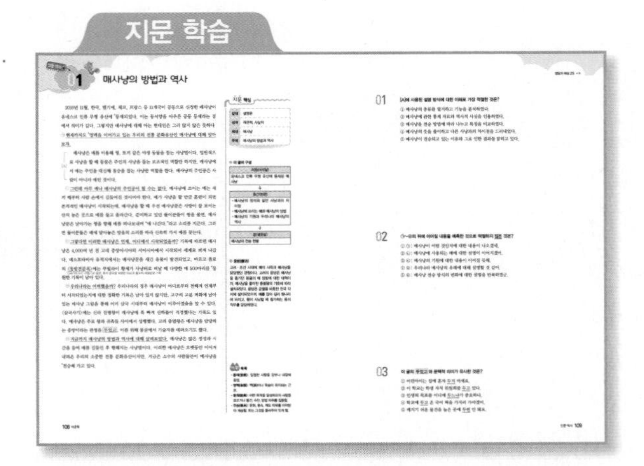

- 독해의 여섯 가지 원리를 제시해 독해의 원리와 과정을 연습할 수 있도록 하였습니다.
- 인문·역사, 사회·경제, 과학·기술, 문화·예술 등의 제재별로 지문을 엄선하여 내신과 수능을 동시에 대비할 수 있는 문제를 수록하였습니다.

이 책은?

중학 국어 전 영역에 대한 기본 학습은 물론 내신과 수능을 동시에 대비할 수 있는 교재

- ♦ 문학, 비문학, 문법의 세 가지 영역을 한 권으로 학습할 수 있습니다.
- ♦ 문학, 문법 학습의 필수 개념들을 정리하여 기초부터 다질 수 있습니다.
- ♦ 독해 연습을 통해 독해의 기본이 되는 원리와 과정부터 익힐 수 있습니다.
- ♦ 중요한 작품들과 엄선된 문제로 내신은 물론 나아가 수능까지 대비할 수 있습니다.

Ⅲ 문법 | 개념 학습 ➔ 연습 문제 ➔ 실전 문제

개념 학습

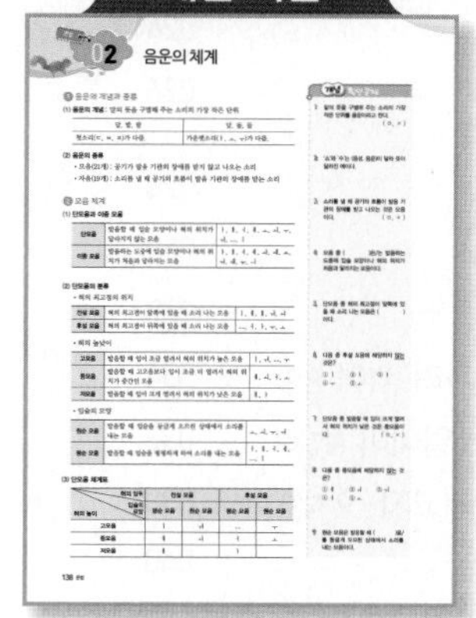

연습 문제

실전 문제

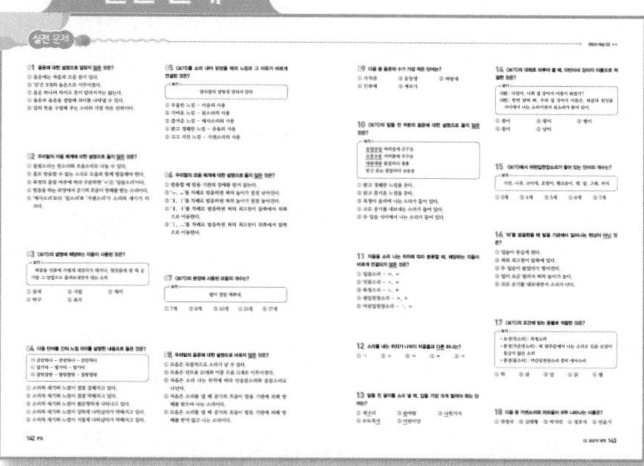

- 중학교에서 다루는 문법의 전 영역인 '언어의 본질, 음운의 체계, 품사의 종류와 특성, 어휘 체계와 양상, 단어의 정확한 발음과 표기, 문장의 짜임, 담화의 개념과 특성, 한글의 창제 원리'를 모두 수록하였습니다.
- 각 영역당 개념, 연습 문제, 실전 문제의 3단계로 구성해 기초 학습부터 실전 대비까지 한번에 할 수 있도록 하였습니다.

이 책의 차례

I 문학

Ⅱ 비문학

문법

I

문학

개념을 알아야 공부를 잘한다 – 운문

개념을 알아야 공부를 잘한다 – 산문

개념을 알아야 공부를 잘한다

❶ 시의 개념

시인의 마음이나 머릿속에 떠오르는 생각 또는 느낌을 운율이 있는 언어로 압축하여 표현한 운문 문학을 말한다.

❷ 시의 종류

(1) 형식에 따라 나눌 때

정형시	정해진 형식에 맞추어 쓴 시
자유시	정해진 형식이 없이 자유롭게 쓴 시
산문시	행의 구분이 없이 줄글로 쓴 시

(2) 내용에 따라 나눌 때

서정시	개인의 감정과 생각, 느낌을 쓴 시
서사시	역사적 사건이나 신화, 전설, 영웅의 이야기를 쓴 시
극시	연극의 형식으로 쓴 시

❸ 시의 3요소

(1) 운율(음악적 요소): 시를 읽을 때 느껴지는 말의 가락, 리듬

(2) 심상(회화적 요소): 시를 읽을 때 마음속에 떠오르는 느낌이나 모습

(3) 주제(의미적 요소): 시인이 시를 통해 말하고자 하는 중심 생각

❹ 시적 화자

- 시에서 이야기를 하는 사람으로, 시인이 자신의 생각과 느낌을 효과적으로 나타내기 위해 내세운 가공의 인물이자 허구적 대리인이다.
- 서정적 자아, 혹은 시적 자아라고도 하는 시적 화자는 시인과 일치하기도 하지만 시인과 전혀 다른 인물일 수도 있다.
- 시적 화자는 시의 표면에 드러나기도 하고 드러나지 않기도 하는데, 시의 어조와 분위기를 형성하는 역할을 한다.

❺ 시의 어조

(1) 개념: 시적 화자에 의해 나타나는 목소리로, 화자 특유의 말하는 방식이나 억양, 말투, 말의 가락을 의미한다.

(2) 특징: 화자의 태도와 정서, 시의 분위기를 형성하는 데 일정한 역할을 하며, 시어의 이미지나 느낌, 시에 사용된 문체, 서술어의 종결 어미 등으로 파악할 수 있다.

❻ 시어

(1) 음악성: 시어는 시를 읽을 때 느껴지는 말의 가락인 운율을 가지고 있으며, 이를 통해 시에 음악적인 효과를 준다.

개념 확인 문제

1 시에 대한 설명으로 알맞은 것은?

① 갈등을 중심으로 전개되는 문학이다.
② 작가의 상상력으로 꾸며 낸 산문 문학이다.
③ 작가의 생각이 비교적 직접적으로 드러나는 글이다.
④ 운율이 있는 언어로 압축하여 표현한 운문 문학이다.
⑤ '발단-전개-위기-절정-결말'의 일정한 구성 단계를 지닌다.

2 다음 시의 형식상 갈래를 쓰시오.

> 청산리 벽계수야 수이 감을 자랑 마라. / 일도 창해 하면 돌아오기 어려우니 / 명월(明月)이 만공산(滿空山)하니 쉬어 간들 어떠리. – 황진이

____

3 다음 설명에 해당하는 시의 요소를 〈보기〉에서 찾아 기호로 쓰시오.

> 보기
> ㉠ 운율 ㉡ 심상 ㉢ 주제

(1) 시인이 시를 통해 말하고자 하는 중심 생각 ( )
(2) 시를 읽을 때 마음속에 떠오르는 느낌이나 모습 ( )
(3) 시를 읽을 때 느껴지는 말의 가락, 리듬 ( )

4 다음 시의 화자로 가장 적절한 것은?

> 엄마야 누나야, 강변 살자.
> 뜰에는 반짝이는 금모래 빛,
> 뒷문 밖에는 갈잎의 노래,
> 엄마야 누나야, 강변 살자.
> – 김소월, 〈엄마야 누나야〉

① 남자아이 ② 여자아이
③ 남자 어른 ④ 여자 어른
⑤ 알 수 없음

(2) **함축성**: 시어는 지시적 · 사전적 의미가 아닌 시인이 새롭게 만들어 낸 의미를 담고 있는데, 같은 시어라도 문맥과 상황에 따라 각기 다른 함축적 의미를 지닌다.

(3) **심상(이미지)**: 시어는 마음속에 어떤 모습이나 느낌 등을 떠오르게 한다.

7 운율

(1) 운율의 종류

내재율	일정한 규칙이 겉으로 뚜렷하게 나타나지 않고 시 속에서 은근하게 느껴지는 운율
외형률	규칙적인 리듬이 겉으로 뚜렷하게 나타나는 운율. 주로 정형시에서 나타남.

(2) 운율을 형성하는 요소

① 유사하거나 같은 소리의 반복

예 알락알락 얼룩진 산새알('ㄹ'과 'ㅇ'의 반복)

② 일정한 글자 수의 반복

예 나보기가 역겨워 / 가실 때에는 / 말없이 고이 보내 / 드리오리다.(7자, 5자)

③ 일정한 끊어 읽기의 반복

예 엄마야 ∨ 누나야 ∨ 강변 살자. / 뜰에는 ∨ 반짝이는 ∨ 금모래 빛(3음보)

④ 같은 위치에서 같은 음의 반복

예 돌담에 속삭이는 햇발같이 / 풀 아래 웃음 짓는 샘물같이('~같이'의 반복)

⑤ 같거나 유사한 문장 구조의 반복

예 내를 건너서 숲으로 / 고개를 넘어서 마을로

⑥ 의성어나 의태어의 사용

예 연분홍 송이송이 하도 반가워 / 나비는 너훌너훌 춤을 춥니다.

8 심상

시각적 심상	눈으로 모양이나 빛깔을 보는 듯이 떠오르는 느낌 예 붉은 산수유 열매
후각적 심상	코로 냄새를 맡는 듯이 떠오르는 느낌 예 향긋한 풀꽃 냄새
청각적 심상	귀로 소리를 듣는 듯이 떠오르는 느낌 예 육중한 기계 굴러가는 소리
미각적 심상	혀로 맛을 보는 듯이 떠오르는 느낌 예 메마른 입술에 쓰디쓰다.
촉각적 심상	피부로 감촉을 느끼는 듯이 떠오르는 느낌 예 불현듯 아버지의 서느런 옷자락을 느끼는 것은
공감각적 심상	하나의 감각을 다른 감각으로 옮겨 표현하여 둘 이상의 감각이 동시에 떠오르게 하는 느낌 예 분수처럼 흩어지는 푸른 종소리(청각의 시각화)

개념 확인 문제

5 시를 읽을 때 느껴지는 말의 가락을 (　　　　)(이)라고 한다.

6 시어는 시인이 새롭게 만들어 낸 (지시적, 함축적) 의미를 지니고 있다.

7 다음 중 운율을 형성하는 요소가 아닌 것은?

① 유사한 소리의 반복
② 일정한 글자 수의 반복
③ 같은 문장 구조의 반복
④ 의성어나 의태어의 사용
⑤ 부드러운 느낌의 음운 사용

8 다음 시에 대한 설명으로 적절하지 않은 것은?

> 봄바람 하늘하늘 넘노는 길에 / 연분홍 살구꽃이 눈을 틉니다. //
> 연분홍 송이송이 하도 반가워 / 나비는 너훌너훌 춤을 춥니다. //
> 봄바람 하늘하늘 넘노는 길에 / 연분홍 살구꽃이 나부낍니다. //
> 연분홍 송이송이 바람에 지니 / 나비는 울며울며 돌아섭니다.
> – 김억, 〈연분홍〉

① 같은 의성어를 반복 사용하고 있다.
② 대체로 글자 수가 일정하게 반복되고 있다.
③ 같은 위치에서 같은 음이 반복 사용되었다.
④ 유사한 문장이 반복되어 음악성이 느껴진다.
⑤ 일정한 간격으로 끊어 읽을 수 있어 리듬감이 생긴다.

9 다음 시구에서 느껴지는 심상을 쓰시오.

(1) 어마씨 그리운 솜씨에 향그러운 꽃지짐 (　　　　)
(2) 새파란 초생달이 시리다. (　　　　)
(3) 간간하고 짭조름한 미역 (　　　　)

9 시의 표현 방법(수사법)

(1) 비유: 본래 표현하려고 하는 대상(원관념)을 다른 대상(보조 관념)에 빗대어 표현하는 방법

은유	원관념을 보조 관념에 연결어 없이 빗대어 표현하는 방법(A는 B이다.) 예 내 마음은 호수요.
직유	연결어(~같이, ~처럼, ~인 양 등)를 사용하여 원관념을 보조 관념에 직접 빗대어 표현하는 방법 예 나는 찬밥처럼 방에 담겨
의인	사람이 아닌 대상에 감정과 인격을 부여하여 사람처럼 표현하는 방법 예 갈대는 속으로 조용히 울고 있었다.
대유	부분으로 전체를 나타내거나, 사물의 속성이나 특징으로 그 사물 전체를 나타내는 방법 예 빼앗긴 들에도 봄은 오는가. ('들' → 조국, 국토를 의미)

(2) 상징: 추상적인 사물이나 관념을 구체적인 대상으로 대신하여 나타내는 방법. 원관념은 드러내지 않은 채 보조 관념만으로 나타낸다.

예 해야 솟아라. 해야 솟아라. 말갛게 씻은 얼굴 고운 해야 솟아라. ('해' → 희망을 상징)

(3) 변화: 문장이 단조롭고 평범하게 진행되지 않도록 변화를 주어 표현하는 방법

반어	실제로 말하고자 하는 의도와 반대로 진술하는 표현 방법 예 나 보기가 역겨워 / 가실 때에는 / 죽어도 아니 눈물 흘리오리다.
역설	겉으로는 모순되고 이치에 맞지 않지만 오히려 그 속에 어떤 진리를 담아 드러내는 표현 방법 예 님은 갔지마는 나는 님을 보내지 아니하였습니다.
도치	정상적인 문장의 배열 순서를 바꾸어 표현하는 방법 예 와서 뜯어 먹어라, 시름없이
설의	궁금해서 묻는 것이 아니라, 독자가 스스로 생각하고 판단할 수 있도록 누구나 알고 있거나 예측되는 결과를 의문의 형식으로 표현하는 방법 예 가난하다고 해서 외로움을 모르겠는가.
대구	같거나 비슷한 문장 구조를 나란히 배열하는 방법 예 풀잎에도 상처가 있다. / 꽃잎에도 상처가 있다.

(4) 강조: 표현하고자 하는 내용을 강렬하게 드러내어 표현하는 방법

반복	같거나 비슷한 단어, 어구, 문장 등을 되풀이하는 방법 예 해야 솟아라, 해야 솟아라, 말갛게 씻은 얼굴 고운 해야 솟아라.
영탄	감탄하는 말을 사용하여 놀라움, 슬픔, 감동 등의 감정을 나타내는 방법 예 산산이 부서진 이름이여! / 허공중에 헤어진 이름이여!
과장	대상을 실제보다 지나치게 크거나 작게 표현하는 방법 예 모란이 지고 말면 그뿐, 내 한 해는 다 가고 말아, / 삼백예순 날 하냥 섭섭해 우옵내다.
점층	문장의 뜻이 점점 강조되거나, 작은 것에서 점차 큰 것, 넓은 것으로 확대하여 표현하는 방법 예 겨울 귀뚜라미는 울지요. 떼를 지어 웁니다. 벽이 무너지라고 웁니다.

개념 확인 문제

10 '비유'에 대한 설명으로 적절하지 않은 것은?

① 신선하고 참신한 느낌을 준다.
② 다른 대상에 빗대는 표현법이다.
③ 사람이 아닌 것을 사람처럼 표현하기도 한다.
④ 이미지를 형성해 내어 표현 대상을 생생하게 전달한다.
⑤ 단조로움을 피하기 위해 변화를 주는 표현 방법이다.

11 원관념을 연결어 없이 보조 관념에 빗대어 '무엇은 무엇이다.'의 형태로 표현하는 방법을 (직유법, 은유법)(이)라고 한다.

12 다음 시에 쓰인 주된 비유의 방법으로 적절한 것은?

> 모가지가 길어서 슬픈 짐승이여. / 언제나 점잖은 편 말이 없구나. / 관(冠)이 향기로운 너는 / 무척 높은 족속이었나 보다.
> – 노천명, 〈사슴〉

① 은유 ② 직유
③ 의인 ④ 대유
⑤ 역설

13 나타내려고 하는 추상적인 사물이나 관념을 구체적인 대상으로 대신 표현하는 것을 '상징'이라고 한다. (○, ×)

14 다음 시구에 쓰인 표현 방법을 쓰시오.

(1) 먼 후일 당신이 찾으시면 / 그때에 내 말이 "잊었노라." ( )
(2) 흔들리지 않고 피는 꽃이 어디 있으랴. ( )
(3) 이것은 소리 없는 아우성 ( )
(4) 나는 떠난다. 청동의 표면에서 / 일제히 날아가는 진폭의 새가 되어 ( )

⑩ 고대 가요

(1) 개념 : 향찰로 표기된 향가가 나타나기 이전까지의 시기에 우리 민족이 영위하던 원시 종합 예술의 형태를 띤 집단 서사적 내용에서부터 개인적이고 서정적인 내용으로 분화된 시가까지를 총칭한다.

(2) 특징

① 전승 : 배경 설화 속에 삽입된 형태로 구전되다가 후대에 한역(漢譯)되었다.

② 형식 : 4구체의 한역시, 한글 노래 등의 형태로 전해지나, 구전되다가 후대에 기록된 것이므로 원래의 형태를 정확히 알기 어렵다.

③ 기록 : 당시에는 기록의 수단이 없어서 구전되다가 후대에 한자나 이두, 한글로 기록되는 과정에서 원래의 형태가 많이 변형되었을 것으로 추정된다.

④ 변천 : 초기의 의식요, 노동요의 성격을 지닌 집단 가요에서 점차 개인적 서정을 노래한 개인 서정 가요로 변천하였다.

(3) 주요 작품과 내용 : 〈공무도하가〉 – 임과의 사별을 슬퍼함. 〈구지가〉 – 임금의 강림을 기원함. 〈황조가〉 – 짝을 잃은 슬픔과 외로움. 〈정읍사〉 – 행상 나간 남편의 안전을 기원함. 〈해가〉 – 수로 부인의 귀환을 기원함.

(4) 의의

① 우리 시가 형식의 초기 단계를 알 수 있다.

② 국문학 역사상 최초의 서정 시가 형태를 알 수 있다.

③ 집단 서사시로부터 개인 서정시로의 변천 과정을 알 수 있다.

⑪ 향가

(1) 개념 : 본래 신라 시대에 우리말로 불린 노래를 의미하였지만, 오늘날에는 한자의 음과 뜻을 빌려 문장을 우리말 어순대로 적는 향찰로 표기한 신라의 노래를 말한다.

(2) 특징

① 작가 : 승려나 화랑과 같은 귀족 계층이 주류를 이루고 있다.

② 형식 : 4구체, 8구체, 10구체 등이 있다. 4구체 향가는 민요가 정착된 노래이고, 8구체 향가는 향가의 발전 과정에서 생긴 과도기 형태의 노래이다. 10구체 향가는 가장 정제된 형태의 노래로, '사뇌가'라 불린다.

③ 종류 : 민요와 동요(〈서동요〉), 축사(逐邪)의 노래(〈처용가〉), 화랑을 추모하는 노래(〈찬기파랑가〉), 치국안민(治國安民)의 노래(〈안민가〉), 불교 신앙의 노래(〈원왕생가〉) 등이 있다.

(3) 의의

① 국문학 역사상 최초의 정형화된 서정시이다.

② 향가의 표기 형태(향찰)는 고어 연구의 귀중한 자료이다.

⑫ 고려 가요

(1) 개념 : 향가의 쇠퇴 후 평민층에 새로이 나타나 널리 향유된 노래(민요적 시가)로, '속요', '고속가(古俗歌)', '여요', '장가'라고도 한다.

개념 확인 문제

15 향찰로 표기된 향가가 나타나기 이전까지의 시기에 창작된 우리 민족의 시가를 '고려 가요'라고 한다. (○, ×)

16 고대 가요에 대한 설명으로 적절하지 않은 것은?

① 배경 설화 속에 삽입된 형태로 전한다.
② 후대에 한자나 이두, 한글로 기록되었다.
③ 우리 시가 형식의 초기 단계를 알 수 있다.
④ 당시에는 기록의 수단이 없어 구전되었다.
⑤ 의식요, 노동요와 같은 집단 가요만이 해당된다.

17 다음 중 고대 가요에 해당하지 않는 것은?

① 〈해가〉
② 〈구지가〉
③ 〈서동요〉
④ 〈황조가〉
⑤ 〈공무도하가〉

18 '향가'는 한자의 음과 뜻을 빌려 우리말 어순대로 적는 (　　　)(으)로 표기한 신라의 노래를 말한다.

19 향가에 대한 설명으로 적절하지 않은 것은?

① 신라 시대에 불린 우리말 노래이다.
② 4구체 향가는 민요가 정착된 노래이다.
③ 표기 형태인 향찰은 고어 연구의 귀중한 자료이다.
④ 승려나 화랑과 같은 귀족 계층이 주된 작가층이었다.
⑤ 8구체 향가는 과도기 형태의 노래로 '사뇌가'라 불린다.

(2) 특징

① 작가 : 구전되다가 한글 창제 후에 문자로 기록되어 정확한 저작 연대, 작가 등을 알기 어렵다.

② 내용 : 사랑, 이별, 자연 등을 소재로 하여 소박하고 풍부한 서민들의 정서가 진솔하게 드러난다.

③ 형식 : 대체로 분절체이고, 독특한 후렴구가 발달하였다.

④ 운율 : 율격이 고정된 것은 아니지만 3 · 3 · 2조의 3음보 율격이 많이 나타난다.

(3) 의의 : 아름다운 우리말 표현, 율조의 유려함, 소박하고 꾸밈없는 감정의 표출 등으로 국문학 갈래의 백미로 평가된다.

13 한시

(1) 개념 : 한문으로 이루어진 정형시로, 원래 중국의 시가 양식이지만 한글 창제 이전에 우리나라 사람이 지었거나 한문을 주로 사용하던 상류 계층이 지은 한시는 우리 문학에 포함된다.

(2) 특징

① 형식

- 절구 : 4행. 5언 절구(한 구가 다섯 자), 7언 절구(한 구가 일곱 자). '기－승－전－결'의 구성
- 율시 : 8행. 5언 율시, 7언 율시. '수련－함련－경련－미련'의 구성
- 배율 : 5언이나 7언 율시를 열 구 이상 늘어놓은 한시

② 시상 전개 방식

- 기승전결 : 시상의 제시[기] → 시상의 발전, 심화[승] → 시상의 고조, 전환[전] → 시상의 마무리, 정서 제시[결]
- 선경 후정 : 시의 앞부분에서는 풍경을 그리듯이 보여 주고, 뒷부분에서는 화자의 정서를 표현

(3) 종류 : 크게 형식이 비교적 자유로운 당나라 이전의 한시 형식인 고체시와 엄격한 규칙을 중시하고 당나라 때부터 발달한 근체시로 나눈다.

(4) 의의 : 한글이 널리 쓰이기 전까지 한문을 주로 사용하던 양반층의 가치관과 문학 세계를 담고 있다.

14 시조

(1) 개념 : 고려 중엽에 발생하여 말엽에 완성된 정형시로 현대까지 이어진 민족 문학 갈래이다. '단가(短歌)', '신조(新調)', '가요(歌謠)' 등으로 불려 오다가, 조선 영조 때 가객 이세춘에 의해 '시절가조(時節歌調)', 즉 '시조(時調)'라고 불리게 되었다. 처음에는 신흥 사대부들이 유교적 이념을 표출하기 위한 목적으로 창작 · 향유하다가 점차 향유층이 확대되어 국민 문학으로 승화되었다.

(2) 발생과 의의

① 발생 : 10구체 향가, 민요, 무당의 노랫가락 등의 영향으로 발생하여 고려 가요의 분장(分章) 과정을 거쳐 형성되었을 것으로 본다.

개념 확인 문제

20 고려 가요는 주로 귀족층이 향유하던 문학 갈래이다. (○, ×)

21 다음 작품에 대한 설명으로 적절하지 않은 것은?

> 살어리 살어리랏다 청산에 살어리랏다
> 멀위랑 다래랑 먹고, 청산에 살어리랏다
> 얄리얄리 얄랑셩 얄라리 얄라
> － 작자 미상, 〈청산별곡〉

① 3 · 3 · 2조, 3음보의 율격을 가지고 있다.
② 'ㄹ, ㅇ' 음을 반복 사용하여 음악성이 느껴진다.
③ '얄리얄리 얄랑셩 얄라리 얄라'는 후렴구에 해당한다.
④ 한글로 기록된 최초의 작품이라는 국문학적 의의가 있다.
⑤ 고려 시대 민중들의 삶의 애환을 다룬 대표적인 고려 가요이다.

22 우리나라 사람이 지었다면 한문으로 된 한시도 우리 문학에 포함된다. (○, ×)

23 다음 설명에 해당하는 문학 갈래를 〈보기〉에서 찾아 기호로 쓰시오.

보기
㉠ 고대 가요 ㉡ 향가
㉢ 고려 가요 ㉣ 한시

(1) 국문학 역사상 최초의 정형화된 서정시이다. ( )
(2) 집단 서사시로부터 개인 서정시로의 변천 과정을 알 수 있다. ( )
(3) 아름다운 우리말 표현 등으로 국문학 갈래의 백미로 평가된다. ( )
(4) 한문을 주로 사용하던 양반층의 가치관과 문학 세계를 담고 있다. ( )

② 배경 : 고려 후기의 역사적 전환기를 맞은 신흥 사대부들이 유교적 관념과 주관적 정서를 표현하기에 적합한 양식을 찾는 과정에서 창안된 것으로 보인다.

③ 작가 : 임금부터 양반, 부녀자, 기녀에 이르기까지 다양하다.

④ 의의 : 우리나라 고유의 정형시 형태이며, 현대 시조로 계승되었다.

(3) 특징

① 형식 : 3장 6구 45자 내외가 일반적인 평시조의 형식이다.

② 운율 : 각 장은 3·4조 또는 4·4조의 음수율, 4음보가 기본이며 1, 2음절의 가감이 가능하다.

③ 종장의 형식 : 3음절로 고정되어 있는 종장의 첫 음보는 형식적 제약이 가장 엄격한 부분이다.

(4) 종류

① 평시조 : 3장 6구 45자 내외의 글자로 구성된 정형시이다. 평시조가 한 수로 되어 있으면 '단형시조'라고 하고, 2수 이상이 모여 한 작품을 이루면 '연시조'라고 한다.

② 엇시조 : 평시조의 형식에서 종장의 첫 구절을 제외하고 어느 한 구절이 평시조보다 길어지는 형태이다.

③ 사설시조 : 평시조의 형식에서 두 구절 이상이 길어지는 형태. 엇시조와 마찬가지로 길어지는 구절의 글자 수는 10자 이상이다.

⑮ 민요

(1) 개념 : 예부터 민중들 사이에서 자연 발생하여 불려 온 소박한 노래로, 작사가·작곡가가 따로 없으며 서민들의 건강한 삶과 진솔하고 소박한 정서가 직접 표출되어 있다.

(2) 특징

① 특징 : 입에서 입으로 전승되는 구전성, 정서를 직접적으로 표출하는 서정성, 서민의 일상생활을 바탕으로 하는 서민성, 일정한 정형성을 갖춘 형식성 등을 지니고 있다.

② 율격 : 2음보, 3음보, 4음보로 구성되어 있으며, 이 중 4음보가 가장 많다.

③ 길이 : 민요의 길이는 2행으로 끝나는 것도 있고 100행 이상으로 긴 것도 있다. 연속체의 긴 노래는 후렴을 경계로 하여 연을 나눈다.

(3) 종류 : 민요는 부르는 사람에 따라 남요(男謠), 부요(婦謠), 동요(童謠) 등으로 나누기도 하고, 기능에 따라 노동요, 의식요, 유희요, 정치요 등으로 나누기도 한다.

개념 확인 문제

24 '시조'는 '단가, 신조, 가요' 등으로 불리다가 조선 영조 때 가객 (   )에 의해 '시절가조'라고 불리게 되었다.

25 시조에 대한 설명으로 적절하지 않은 것은?

① 3장 6구 45자 내외가 일반적이다.
② 종장의 첫 음보는 3음절로 고정되어 있다.
③ 대체로 3·4조 또는 4·4조의 음수율로 되어 있다.
④ 양반뿐만 아니라 부녀자, 기녀 등도 작가로 활동하였다.
⑤ 조선 전기에 널리 향유되었지만 구한말에 이르러 점차 사라졌다.

26 시조 중 (   )은/는 평시조가 2수 이상 모여 한 작품을 이룬 것이다.

27 엇시조는 평시조에서 두 구절 이상이 길어지는 형태이다. (○, ×)

28 다음과 같은 갈래에 대한 설명으로 적절하지 않은 것은?

> 아리랑 아리랑 아라리요 / 아리랑 고개고개로 나를 넘겨 주게 / 눈이 오려나 비가 오려나 억수장마 지려나 / 만수산 검은 구름이 막 모여든다
>
> – 작자 미상, 〈정선 아리랑〉

① 입에서 입으로 전해지는 구전 가요이다.
② 예로부터 민중들 사이에서 불리던 소박한 노래이다.
③ 부르는 사람에 따라 남요, 부요, 동요 등으로 나눈다.
④ 후렴구를 경계로 각 연이 나뉘는 3음보의 정형시이다.
⑤ 지역과 시기에 따라 끊임없이 전승, 창작, 개사되어 당대의 정서를 반영하고 있다.

먼 후일 _ 김소월

먼 훗날 당신이 찾으시면
그때에 내 말이 ㉠'잊었노라.'

당신이 속으로 나무라면
'무척 그리다가 잊었노라.'

그래도 당신이 나무라면
'믿기지 않아서 잊었노라.'

오늘도 어제도 아니 잊고
먼 훗날 그때에 '잊었노라.'

작품 핵심

갈래	자유시, 서정시
성격	민요적, 전통적, 애상적, 여성적
제재	임과의 이별
주제	떠나간 임에 대한 간절한 그리움
특징	① 반어적 표현을 통해 사랑하는 사람에 대한 그리움을 강조함. ② 미래의 상황을 가정하여 시상을 전개하고 경어체와 여성적 어조를 사용함. ③ 시어나 문장 구조의 반복과 변조를 통해 운율을 형성하고 의미를 강조함.

화자의 상황과 정서

화자	'나'
상황	임과 재회하는 상황을 가정함.
정서	그리움, 애절함

이 작품에 사용된 표현법

반어법	나타내려는 뜻과 반대로 표현하는 방법: 원래의 의미가 부각되는 효과가 있음. 예 '잊었노라'
반복법	같거나 비슷한 표현을 되풀이하여 나타내는 방법: 의미를 강조하고, 운율을 형성하며, 구조적 안정감을 이룰 수 있음. 예 '먼 훗날', '당신이', '잊었노라'의 반복
가정법	일어나지 않은 일을 가정하여 시상을 전개하는 방법 예 '먼 훗날 당신이 찾으시면', '당신이 나무라면'

이 작품의 어조

여성적 어조	• 섬세하고 부드러운 태도가 드러나는 어조 • 주로 높임 · 청유 · 가정형을 사용함. → 간절함이나 기원의 내용 표현에 적합함.
애상적 어조	슬픔에 젖은 모습이 드러나는 어조

01 이 시에 대한 설명으로 적절하지 않은 것은?

① 화자가 겉으로 드러나 있다.
② 경어체와 부드러운 어조가 두드러진다.
③ 동일한 시어의 반복을 통해 운율을 형성하고 있다.
④ 공감각적 심상을 통해 화자의 정서를 드러내고 있다.
⑤ 일어나지 않은 상황을 가정하여 시상을 전개하고 있다.

02 ㉠과 같은 표현법을 사용함으로써 얻을 수 있는 효과로 가장 적절한 것은?

① 임에 대한 화자의 그리움을 강조할 수 있다.
② 구체적인 의미를 관념적으로 표현할 수 있다.
③ 임을 희화화함으로써 독자에게 즐거움을 줄 수 있다.
④ 표면적으로 모순된 표현으로 독자의 관심을 끌 수 있다.
⑤ 화자의 본래 의도를 독자가 쉽게 파악하도록 할 수 있다.

03 다음 중 이 시를 바르게 감상한 학생끼리 골라 묶은 것은?

경수: '당신'에 대한 화자의 원망이 잘 드러나고 있어.
찬열: '당신'은 화자가 자신을 잊어버린 줄 알고 책망하고 있어.
종인: '당신'과 이별한 화자의 심정을 통해 애상적인 분위기를 형성하고 있어.
세훈: '찾으시면', '나무라면'이라는 표현으로 볼 때, 화자는 실제로 일어나지 않은 상황에 대해 말하고 있어.

① 경수, 찬열 ② 찬열, 세훈 ③ 종인, 세훈
④ 찬열, 종인, 세훈 ⑤ 경수, 찬열, 종인, 세훈

04 이 시에서 운율을 형성하는 요소끼리 묶인 것은?

ⓐ 의태어를 반복함.
ⓑ 같은 심상을 반복함.
ⓒ 일정한 시어를 반복함.
ⓓ 일정한 음보를 반복함.
ⓔ 첫 연을 마지막 연에 반복함.

① ⓐ, ⓑ ② ⓐ, ⓒ ③ ⓑ, ⓔ
④ ⓒ, ⓓ ⑤ ⓓ, ⓔ

고향 - 백석

나는 북관에 혼자 앓아누워서
'함경도'의 다른 이름
어느 아침 ㉠ 의원을 뵈이었다.

의원은 ㉡ 여래 같은 상을 하고 ㉢ 관공의 수염을 드리워서

먼 옛적 어느 나라 신선 같은데

새끼손톱 길게 돋은 손을 내어

묵묵하니 한참 맥을 짚더니

문득 물어 ⓐ 고향이 어데냐 한다.

ⓑ 평안도 정주라는 곳이라 한즉

ⓒ 그러면 ㉣ 아무개 씨 고향이란다.

그러면 ⓓ 아무개 씨를 아느냐 한즉

의원은 빙긋이 웃음을 띠고

막역지간이라며 수염을 쓴다.

나는 ⓔ 아버지로 섬기는 이라 한즉

의원은 또다시 넌지시 웃고

말없이 팔을 잡아 맥을 보는데

손길은 따스하고 부드러워

고향도 ㉤ 아버지도 아버지의 친구도 다 있었다.

작품 핵심

갈래	자유시, 서정시
성격	서사적, 서정적
제재	고향
주제	고향과 혈육에 대한 그리움
특징	① 대화 형식의 서사적 구조로 시상을 전개함. ② 비유적 표현을 통해 인물에 대한 느낌을 드러냄. ③ 다정다감한 어조로 고향과 혈육에 대한 그리움을 환기함.

이 작품의 서사적 흐름

타향에서 몸이 아픈 화자
⬇
의원을 만남.
⬇
고향과 혈육을 떠올리며 정을 느낌.

'의원'의 인상

비유적 표현으로 '의원'의 인상을 묘사함.

- '여래 같은 상'
- '관공의 수염'
- '먼 옛적 어느 나라 신선'

⬇
절대자와 같은 신비로운 모습

'손길'의 기능

고향에 대한 그리움의 정서를 환기함.

의원의 따스하고 부드러운 손길
⬇
고향과 같은 따스함을 느낌.

쏙쏙

- **여래(如來)**: 진리로부터 진리를 따라서 온 사람이라는 뜻으로 '부처'를 달리 이르는 말.
- **막역지간(莫逆之間)**: 서로 거스르지 않는 사이라는 뜻으로, 허물이 없는 아주 친한 사이를 이르는 말.

01

이 시의 표현상 특징에 대한 설명으로 알맞지 않은 것은?

① 감각적인 심상을 활용하여 정서를 심화하고 있다.
② 대화 형식의 서사적 구조로 시상을 전개하고 있다.
③ 비유적인 표현으로 인물에 대한 인상을 묘사하고 있다.
④ 다정다감한 어조를 통해 고향에 대한 그리움을 나타내고 있다.
⑤ 시의 처음과 끝에 비슷한 문장 구조를 배열하여 주제를 강조하고 있다.

02

다음을 이 시의 화자가 쓴 일기라고 할 때, 시의 내용과 맞지 않는 것은?

XX월 XX일
얼마 전, 병이 나 앓고 있었다. ① 고향을 떠나 먼 곳에서 홀로 아픈 몸으로 있자니 외로웠다. ② 진맥을 받으려 만난 의원은 먼 옛적 어느 나라 신선같이 신비스러운 인상을 주었다. ③ 의원은 나에게 고향을 물었는데 '평안도 정주'라 했더니 미소를 지었다. ④ 까닭을 물으니 내가 아버지로 섬기는 '아무개 씨'와 막역지간이라고 하였다. 아픈 와중에도 고향을 아는 분을 만나 반가웠다. 의원은 웃는 얼굴로 맥을 짚었는데 그 손길은 따스하고 부드러웠다. ⑤ 그 손길에 고향과 가족들이 떠오르고, 타지에서 지내야 하는 현실이 새삼 서럽게 느껴졌다.

03

㉠~㉤ 중 〈보기〉의 설명에 해당하는 시어로 적절한 것은?

보기
친근하고 부드러운 이미지를 지니면서 고향을 떠나 온 화자의 마음을 위로하는 존재로, 동화적이고 신비로운 분위기를 형성하기도 한다.

① ㉠ ② ㉡ ③ ㉢ ④ ㉣ ⑤ ㉤

04

ⓐ~ⓔ를 말하는 이가 동일한 것끼리 바르게 묶은 것은?

① ⓐ, ⓑ, ⓓ ② ⓐ, ⓑ, ⓔ ③ ⓐ, ⓓ, ⓔ
④ ⓑ, ⓒ, ⓓ ⑤ ⓑ, ⓓ, ⓔ

03 참회록 _ 윤동주

파란 녹이 낀 ㉠ 구리 거울 속에

내 얼굴이 남아 있는 것은

어느 왕조의 유물이기에

이다지도 욕될까.

나는 나의 참회의 글을 한 줄에 줄이자.

—만 이십사 년 일 개월을

　무슨 기쁨을 바라 살아왔던가.

내일이나 모레나 그 어느 즐거운 날에

나는 또 한 줄의 참회록을 써야 한다.
지나간 잘못을 고백하는 기록

—그때 그 젊은 나이에

　왜 그런 부끄런 고백을 했던가.

밤이면 밤마다 나의 거울을

손바닥으로 발바닥으로 닦아 보자.

그러면 어느 운석 밑으로 홀로 걸어가는

슬픈 사람의 뒷모양이

거울 속에 나타나 온다.

작품 핵심

갈래	자유시, 서정시
성격	상징적, 고백적, 성찰적
제재	자기 삶에 대한 참회
주제	자기 성찰을 통한 참회와 현실 극복 의지
특징	① '과거 → 현재 → 미래'의 시간의 흐름에 따라 시상을 전개함. ② '거울'의 상징성을 통해 치열한 자기 성찰(참회)의 모습을 보여 줌.

화자의 상황과 정서 · 태도

화자	'나'
상황	거울을 닦으며 참회함.
정서	부끄러움
태도	성찰, 극복 의지

시어의 의미 및 역할

구리 거울	자아 성찰의 매개체. '녹이 낀 거울'은 역사의 쇠망을 보여 줌.
즐거운 날	조국 광복의 날
밤	자아 성찰의 시간, (일제 강점기의) 암담한 현실

이 작품에 사용된 표현법

'줄이자', '닦아 보자'

↓

청유형을 사용하여 자아 성찰 의지를 강하게 표현

01

이 시의 시상 전개 방식으로 알맞은 것은?

① 계절의 대비에 따라
② 공간의 이동에 따라
③ 시간의 흐름에 따라
④ 선경 후정의 방식에 따라
⑤ 수미 상관의 방식에 따라

02

각 연에 대한 설명으로 적절하지 않은 것은?

① 1연 : 과거의 역사 속에서 자신의 가치를 발견하고 있다.
② 2연 : 갈등과 고뇌의 지나온 삶에 대한 반성이 나타나 있다.
③ 3연 : 현실에 소극적으로 대응했던 자신에 대해 참회하고 있다.
④ 4연 : 끝없는 성찰로 양심을 실천하려는 모습을 보이고 있다.
⑤ 5연 : 희생을 통한 화자의 비극적인 삶을 암시하고 있다.

03

〈보기〉의 ⓐ~ⓔ 중 ㉠과 유사한 기능을 하는 것은?

보기

산모퉁이를 돌아 논가 외딴 ⓐ우물을 홀로 찾아가선 가만히 들여다봅니다.

우물 속에는 ⓑ달이 밝고 ⓒ구름이 흐르고 하늘이 펼치고 파아란 바람이 불고 ⓓ가을이 있습니다.

그리고 한 ⓔ사나이가 있습니다. / 어쩐지 그 사나이가 미워져 돌아갑니다.

돌아가다 생각하니 그 사나이가 가엾어집니다.
도로 가 들여다보니 사나이는 그대로 있습니다.

– 윤동주, 〈자화상〉

① ⓐ ② ⓑ ③ ⓒ ④ ⓓ ⑤ ⓔ

04

이 시에 대한 학생들의 감상으로 적절하지 않은 것은?

① 망국민으로서의 삶에 대한 부끄러움을 참회하기 위해 쓴 시라고 생각해.
② 어린 시절 잃어버린 소중한 것들에 대한 동경과 그리움을 담고 있는 작품이야.
③ 역사의 회복을 위해 자신을 희생하는 삶은 필연적으로 고난에 찬 삶일 수밖에 없겠어.
④ 화자는 암담한 현실에서 자신의 무력함과 소극적인 태도를 괴로워한 인물인 것 같아.
⑤ 자아 성찰을 통해 자신의 진실된 모습을 발견하고자 했던 화자의 역사의식이 잘 드러나고 있어.

현대시

04 향수 _ 정지용

넓은 벌 동쪽 끝으로
벌판. 들판
옛이야기 지줄대는 실개천이 휘돌아 나가고,
지절대는: 낮은 목소리로 시끄럽게 이야기하는
얼룩백이 황소가
해설피 금빛 게으른 울음을 우는 곳,
① 해가 질 때 빛이 약해진 모습 ② 느리고 길게
— 그곳이 차마 꿈엔들 잊힐 리야.

*질화로에 재가 식어지면
비인 밭에 밤바람 소리 말을 달리고,
엷은 졸음에 겨운 늙으신 아버지가
짚베개를 돋아 고이시는 곳,
— 그곳이 차마 꿈엔들 잊힐 리야.

흙에서 자란 내 마음 / 파아란 하늘 빛이 그리워
함부로 쏜 화살을 찾으려
풀섶 이슬에 함추름 휘적시던 곳,
'함초롬'의 사투리. 젖거나 서려 있는 모습이 가지런하고 차분한 모양
— 그곳이 차마 꿈엔들 잊힐 리야.

전설 바다에 춤추는 밤물결 같은
검은 귀밑머리 날리는 어린 누이와
아무렇지도 않고 예쁠 것도 없는
사철 발 벗은 아내가 / 따가운 햇살을 등에 지고 이삭 줍던 곳,
— 그곳이 차마 꿈엔들 잊힐 리야.

하늘에는 성근 별
물건의 사이가 뜨는
알 수도 없는 모래성으로 발을 옮기고,
서리 까마귀 우지짖고 지나가는 초라한 지붕,
가을 까마귀
흐릿한 불빛에 돌아앉아 도란도란거리는 곳,
— 그곳이 차마 꿈엔들 잊힐 리야.

작품 핵심

갈래	자유시, 서정시
성격	향토적, 전원적, 감각적
제재	고향
주제	고향에 대한 그리움
특징	① 향토적 시어와 전원적 소재가 사용됨. ② 시각과 청각 등 감각적인 이미지를 활용함. ③ 후렴구를 반복하여 구조적 안정감과 통일성을 이룸.

시상 전개 방식

화자의 시선 이동에 따른 전개

1연	'넓은 벌 동쪽 끝', '실개천'이 있는 고향의 전경
2연	'아버지가 짚베개를 돋아 고이시는' 집 안
3연	'이슬에 함추름 휘적시던' 수풀
4연	누이와 아내가 '따가운 햇살을 등에 지고 이삭 줍던' 논밭
5연	가족들과 도란거리던 집의 '초라한 지붕'

공감각적 심상

하나의 감각적 대상을 다른 종류의 감각으로 전이시켜 표현한 이미지

청각의 시각화
'해설피 금빛 게으른 울음' 시각 ← 청각
'밤바람 소리 말을 달리고' 청각 → 시각

↓

고향의 향토적인 정서와 분위기를 강조하고 환기함.

어휘 쏙쏙

- **질화로(-火爐)**: 질흙으로 구워 만든 화로. 겨울에 재를 담아 방안을 따뜻하게 유지하던 기구.

01

이 시의 특징으로 알맞지 않은 것은?

① 향토적인 시어를 사용하여 고향의 정경을 묘사하고 있다.
② 단란했던 가족의 모습을 통해 그리움의 정서가 나타나고 있다.
③ 꿈을 찾던 어린 시절의 추억을 회상하며 고향에 대한 감상을 드러내고 있다.
④ 개인적인 감상을 사회적인 차원으로 확대하여 독자의 공감을 이끌어 내고 있다.
⑤ 평화롭고 아름다운 모습과 동시에 가난했던 시절에 대한 기억도 함께 나타나고 있다.

02

이 시에 나타난 시선의 이동으로 적절한 것은?

① 바깥 풍경 → 집 안의 모습 → 수풀 → 논밭 → 밖에서 본 집
② 바깥 풍경 → 집 안의 모습 → 논밭 → 수풀 → 밖에서 본 집
③ 바깥 풍경 → 수풀 → 집 안의 모습 → 논밭 → 밖에서 본 집
④ 바깥 풍경 → 밖에서 본 집 → 수풀 → 논밭 → 집 안의 모습
⑤ 집 안의 모습 → 바깥 풍경 → 수풀 → 논밭 → 밖에서 본 집

03

이 시의 시구 중 공감각적 심상이 드러난 것은? (정답 2개)

① 해설피 금빛 게으른 울음
② 밤바람 소리 말을 달리고
③ 파아란 하늘 빛이 그리워
④ 따가운 햇살을 등에 지고
⑤ 서리 까마귀 우지짖고 지나가는 초라한 지붕

04

〈보기〉의 ㉠~㉥ 중 이 시의 후렴구에 나타난 특징으로만 묶인 것은?

보기

㉠ 그리움의 정서 강조　　㉡ 몽환적인 분위기 연출
㉢ 비극적인 정서의 심화　　㉣ 형태상의 안정감 획득
㉤ 토속적인 정서 극대화　　㉥ 반복을 통한 운율 형성

① ㉠, ㉡, ㉣　　② ㉠, ㉣, ㉥　　③ ㉡, ㉣, ㉥
④ ㉢, ㉣, ㉤　　⑤ ㉣, ㉤, ㉥

그날이 오면 _ 심훈

그날이 오면 그날이 오면은

㉠삼각산이 일어나 더덩실 춤이라도 추고

㉡한강 물이 뒤집혀 용솟음칠 그날이

이 목숨이 끊기기 전에 와 주기만 할 양이면

나는 밤하늘에 나는 까마귀와 같이

㉢종로의 *인경을 머리로 들이받아 울리오리다.

두개골은 깨어져 산산조각이 나도

기뻐서 죽사오매 오히려 무슨 한이 남으오리까.

그날이 와서 오오 그날이 와서

㉣*육조 앞 넓은 길을 울며 뛰며 뒹굴어도

그래도 넘치는 기쁨에 가슴이 미어질 듯하거든

㉤드는 칼로 이 몸의 가죽이라도 벗겨서

커다란 북을 만들어 들쳐 메고는

여러분의 행렬에 앞장을 서오리다.

우렁찬 그 소리를 한 번이라도 듣기만 하면

그 자리에 거꾸러져도 눈을 감겠소이다.

작품 핵심

갈래	자유시, 저항시
성격	의지적, 격정적
제재	조국 광복의 그날
주제	조국 광복의 그날에 대한 간절한 염원
특징	① 반복법, 과장법을 사용하여 간절한 소망과 염원을 드러내고 있음. ② 극한적 시어를 사용하여 격정적인 감정을 직설적으로 표현함. ③ 경어체의 종결 어미를 사용하여 광복에 대한 화자의 경건한 마음을 드러냄.

이 작품에 사용된 표현법

대유법	• 어떤 사물의 부분으로 전체를 나타내는 표현법 • 사물의 속성이나 특징으로 그 사물 자체를 나타내는 표현법 예 '삼각산', '한강' – '우리나라'를 의미
과장법	• 대상을 실제보다 매우 크거나 작게, 혹은 많거나 적게 표현하는 방법 • 어떤 상황이나 사실을 실제보다 부풀려 표현하는 방법 예 '두개골은 깨어져 산산조각이 나도', '드는 칼로 이 몸의 가죽이라도 벗겨서'

시어의 의미

그날	화자가 소망하는 '조국 광복의 날'
삼각산, 한강	우리나라
밤하늘	일제 강점하의 암담한 시대 상황
까마귀	고독하게 투쟁 의지를 다지는 화자

어휘 쏙쏙

• **인경(人定)**: 조선 시대에, 통행금지를 알리거나 해제하기 위하여 치던 종.
• **육조(六曹)**: 고려 · 조선 시대에, 국가의 정무를 나누어 맡아 보던 여섯 관부.

01 이 시의 표현법에 대한 설명으로 알맞지 않은 것은?

① 상황의 가정을 통해 시상을 전개하고 있다.
② 과장과 반복을 통해 주제 의식을 강조하고 있다.
③ 명령형의 문장을 사용해 화자의 의지를 드러내고 있다.
④ 의인법을 사용하여 기쁨의 정서를 역동적으로 표현하고 있다.
⑤ 극한적인 시어의 사용을 통해 화자의 소망을 강하게 드러내고 있다.

02 이 시에 나타난 화자의 태도로 가장 적절한 것은?

① 암울한 시대 상황을 원망하고 있다.
② 비참한 시대 상황을 고발하고 있다.
③ 힘든 현실을 체념적으로 받아들이고 있다.
④ 시대 상황과 관련하여 자신의 미래를 염려하고 있다.
⑤ 부정적인 시대 상황을 극복하고자 하는 의지를 드러내고 있다.

03 ㉠~㉤ 중 화자의 자기희생적 태도가 드러난 부분은?

① ㉠, ㉡　② ㉡, ㉣　③ ㉡, ㉤　④ ㉢, ㉤　⑤ ㉣, ㉤

04 〈보기〉에 나타난 시인의 생애를 참고할 때, 이 시의 화자가 바라는 '그날'의 의미로 알맞은 것은?

보기

이 시를 쓴 작가 심훈은 1901년 서울에서 태어나 1919년 경성제일고보 재학 시절 3 · 1 운동에 참여하였다는 이유로 4개월 간 복역하였다. 1924년부터 동아일보 등에서 기자 생활을 하였으며, 1930년 〈동방의 애인〉을 「조선일보」에 연재하다 일제의 검열로 중단하였다. 또한 1932년에는 시집 《그날이 오면》을 간행하려 하였으나 총독부의 검열에 걸려 반 이상이 삭제됨으로써 중단되었다. 이후 1935년 동아일보의 작품 공모에서 농민계몽 운동을 다룬 소설 〈상록수〉가 당선되었다.

① 남북이 통일되는 날
② 조국이 광복하는 날
③ 감옥에서 풀려난 날
④ 3 · 1 운동이 일어난 날
⑤ 시인의 작품집이 간행된 날

가난한 사랑 노래 _ 신경림

[A] 가난하다고 해서 외로움을 모르겠는가,
너와 헤어져 돌아오는
눈 쌓인 골목길에 새파랗게 달빛이 쏟아지는데.

가난하다고 해서 두려움이 없겠는가

두 점을 치는 소리
(점: 시각을 세던 단위)

방범대원의 호각 소리, 메밀묵 사려 소리에

눈을 뜨면 멀리 육중한 기계 굴러가는 소리.

가난하다고 해서 그리움을 버렸겠는가,

어머님 보고 싶소 수없이 뇌어 보지만,

집 뒤 감나무에 까치밥으로 하나 남았을
(까치밥: 겨울에 곡식이 없어 굶어 죽을 동물들을 위해 남겨 두는 감)

새빨간 감 바람 소리도 그려 보지만.

가난하다고 해서 사랑을 모르겠는가

내 볼에 와 닿던 네 입술의 뜨거움

사랑한다고 사랑한다고 속삭이던 네 숨결,

돌아서는 내 등 뒤에 터지던 네 울음.

가난하다고 해서 왜 모르겠는가,

가난하기 때문에 이것들을

이 모든 것들을 버려야 한다는 것을.

작품 핵심

갈래	자유시, 서정시
성격	현실적, 감각적
제재	어느 가난한 젊은이의 삶
주제	가난으로 인해 인간적인 모든 것들을 버려야 하는 슬픔과 안타까움
특징	① 유사한 문장 구조 '가난하다고 해서 ~겠는가'를 반복하여 주제를 강조함. ② 설의법, 도치법 등의 표현 방법을 활용하여 의미를 강조함.

이 작품에 사용된 표현법

설의법	• 누구나 알고 있거나 예측되는 결과를 의문문 형식으로 표현하는 방법 • 독자가 스스로 생각해 보게 하여 의미를 강조하려는 의도의 표현임. 예 '가난하다고 해서 ~ 모르겠는가' → '모르지 않는다.' 즉, 가난해도 다른 사람과 다르지 않다는 의미
도치법	• 문법에 맞는 정상적인 문장의 어순을 바꾸어 표현하는 방법 • 새로운 느낌을 주거나 의미 강조의 효과를 얻기 위함. 예 '가난하다고 해서 ~ 모르겠는가'와 '너와 헤어져 돌아오는 ~ 쏟아지는데.'의 도치 → 가난해도 외로움을 모르지 않는다는 의미를 강조

이 작품의 창작 의도

이 시는 가난 때문에 인간적인 모든 것들을 버릴 수밖에 없었던 1970~80년대 한국 도시 노동자들의 가슴 아픈 현실과 삶의 애환을 보여 주기 위해 창작되었다. 시의 화자인 '가난한 청년'은 당시의 도시 노동자를 대표하는 존재이다.

01

이 시의 표현법으로 알맞지 않은 것은?

① 시적 대상들을 감각적으로 표현하고 있다.
② 유사한 문장 구조를 반복해서 운율을 형성하고 있다.
③ 설의적 표현으로 말하고자 하는 바를 강조하고 있다.
④ 수미 상관의 구성을 통해 형태적 안정감을 주고 있다.
⑤ 외롭고 쓸쓸한 분위기를 조성하기 위해 색채 대비를 활용하고 있다.

02

이 시의 화자가 놓인 상황에 대한 설명으로 적절하지 않은 것은?

① 사랑하는 사람과 이별하였다.
② 집 뒤의 감나무를 보며 어머니를 떠올리고 있다.
③ 달빛이 비치는 겨울 골목길에서 외로움을 느끼고 있다.
④ 어머니와 고향을 그리워하지만 고향에 가지 못하고 있다.
⑤ 깊은 밤에 들리는 여러 가지 소리들로 인해 두려움을 느끼고 있다.

03

[A]와 〈보기〉의 밑줄 친 부분에 공통적으로 사용된 표현 방법으로 적절한 것은?

보기

어미는 둥지를 날개로 덮은 채 간신히 잠들었습니다.
바로 그 옆에 누가 박아 놓았을까요, 못 하나

① 반복법 ② 도치법 ③ 연쇄법 ④ 의인법 ⑤ 열거법

04

〈보기〉의 밑줄 친 내용을 참고하여 이 시를 이해한 내용으로 가장 적절한 것은?

보기

시인은 자신의 목소리를 시에 그대로 나타내기도 하지만, 다른 사람의 목소리를 빌려 그의 처지에서 보고 느낀 경험을 시로 표현하기도 한다. 이 시의 부제가 '이웃의 한 젊은이를 위하여'임을 고려하면, 이 시의 화자는 '이웃의 한 젊은이'가 될 수 있다.

① 시인과 화자는 동일인이므로, 시인은 '젊은이'이다.
② 시인과 화자는 다른 사람이지만 동일한 상황에 처해 있다.
③ 시인은 제삼자의 입장에서 '젊은이'의 삶을 거리를 두고 객관적으로 묘사하고 있다.
④ 시인은 '이웃의 한 젊은이'를 위해 자신이 직접 체험한 바를 진솔하게 드러내고 있다.
⑤ 시인은 '이웃의 젊은이'의 입장이 되어 가난한 그의 삶을 애정 어린 시선으로 그리고 있다.

봄은 _ 신동엽

봄은

㉠ 남해에서도 북녘에서도

오지 않는다.

너그럽고

빛나는

봄의 그 눈짓은,

㉡ 제주에서 두만까지

우리가 디딘

㉢ 아름다운 논밭에서 움튼다.

겨울은,

㉣ 바다와 대륙 밖에서

그 ㉤ 매서운 눈보라를 몰고 왔지만

이제 올

너그러운 봄은, ㉥ 삼천리 마을마다

우리들 가슴 속에서

움트리라.

움터서,

강산을 덮은 그 ㉦ 미움의 쇠붙이들

눈 녹이듯 흐물흐물

녹여 버리겠지.

작품 핵심

갈래	자유시, 서정시
성격	참여적, 저항적, 희망적
제재	분단의 현실
주제	통일이 오기를 바라는 간절한 마음
특징	① 상징과 비유를 통해 주제 의식을 효과적으로 드러내고 있음. ② 봄과 겨울의 대조적 이미지를 통해 분단 현실을 나타내고 통일을 기원함. ③ 단정적 어조를 통해 통일이 반드시 올 것이라는 확고한 믿음을 드러냄.

✿ 시어의 의미 및 성격

- 봄: 남과 북이 통일되는 시기
- 제주에서 두만까지 / 아름다운 논밭 / 삼천리 마을 ┐ 우리나라 국토(대유법)

↕ 대조적 이미지

- 겨울: 분단의 현실
- 남해에서도 북녘에서도 / 바다와 대륙 밖에서 ┐ 외부 세력
- 매서운 눈보라: 분단으로 인한 고통과 시련
- 미움의 쇠붙이: 폭력과 전쟁의 분단 상황(대유법)

✿ 대유법의 의미와 종류

의미	어떤 사물의 부분으로 전체를 나타내거나, 사물의 속성이나 특징으로 그 사물 자체를 나타내는 표현법
종류	• 제유법: 사물의 한 부분으로 전체를 나타냄. 예 빵이 아니면 죽음을 달라.(빵 ⊂ 음식물) • 환유법: 사물의 속성이나 특성을 빌려 나타냄. 예 펜은 칼보다 강하다.(펜 → 문화의 힘, 칼 → 무력)

01

이 시에 대한 설명으로 알맞은 것은?

① 같은 문장을 반복하여 운율을 형성하고 있다.
② 대립적인 시어를 사용하여 시상을 전개하고 있다.
③ 의문형으로 시를 끝맺음으로써 의구심을 드러내고 있다.
④ 자연적인 소재를 사용하여 자연 친화 사상을 보여 주고 있다.
⑤ '남해', '북녘' 등 국토의 일부로 우리나라 전체를 나타내고 있다.

02

이 시의 내용을 가장 바르게 이해한 사람은?

① 영준 : 추운 겨울은 우리 민족을 핍박한 외세의 폭력을 의미하고 있어.
② 선화 : 분단과 대립의 문제는 우리나라뿐 아니라 전 세계적인 문제임을 알리고 있어.
③ 정신 : 우리가 외부 세력에 대항할 수 있는 적극적이고 구체적인 방법을 제시하고 있어.
④ 경연 : 우리의 문제는 결국 우리의 손으로 해결할 수 있다는 자주적인 태도를 느낄 수 있어.
⑤ 진웅 : 어차피 대립되는 상황은 시간이 흐름에 따라 화해의 분위기로 전환될 것임을 알 수 있지.

03

㉠~㉦ 중 같은 의미의 시어로만 묶인 것은?

① ㉠, ㉢, ㉣　② ㉡, ㉢, ㉥　③ ㉡, ㉣, ㉥
④ ㉢, ㉣, ㉤　⑤ ㉣, ㉤, ㉦

04

시인의 창작 동기를 파악하며 이 시를 감상한다고 할 때, 고려해야 할 요소로 가장 알맞은 것은?

① 시적 화자의 정서와 태도
② 독자에게 주는 교훈적 의미
③ 반복을 통한 운율 형성 방법
④ 시에 사용된 심상과 표현 방법
⑤ 시가 창작된 사회 · 문화적 상황

황조가 _ 유리왕 | 헌화가 _ 소를 몰고 가던 늙은이

가 翩翩黃鳥 펄펄 나는 저 꾀꼬리,

雌雄相依 암수 서로 정답구나.

念我之獨 외로워라, 이내 몸은

誰其與歸 뉘와 함께 돌아갈꼬.

배경 설화

유리왕(고구려 제2대 왕) 3년에 왕비 송씨가 세상을 떠나자, 왕은 다시 두 여인을 아내로 맞아들였다. 한 사람은 골천 여인인 화희(禾姬)요, 다른 사람은 한나라 사람인 치희(稚姬)였다. 두 여인은 왕의 사랑을 얻기 위해서 서로 다투어 사이가 좋지 못하였다.

어느 날 왕이 기산으로 사냥을 나가 7일 동안 돌아오지 않았는데, 그때 두 여인이 싸움을 벌였다. 화희가 치희를 꾸짖기를, "너는 한나라의 비천한(보잘것없고 천한) 계집으로 무례함(언행에 예의가 없음)이 어찌 그렇게 심한가?" 하니, 치희는 부끄럽고 분하여 제집으로 돌아가 버렸다. 왕이 그 말을 듣고 말을 달려 쫓아갔으나, 치희는 노여워하며 돌아오지 않았다. 일찍이 왕이 나무 그늘 밑에서 쉬고 있었는데, 때마침 나뭇가지에 꾀꼬리들이 모여들고 있었다. 왕이 이것을 보고 느낀 바가 있어 노래를 지어 불렀다.

나 자줏빛 바위 가에

잡고 있는 암소 놓게 하시고,

나를 아니 부끄러워하시면

꽃을 꺾어 바치오리다.

배경 설화

성덕왕(신라 제33대 왕) 때에 순정공이 강릉 태수로 부임하다가 바닷가에 이르러 점심을 먹었다. 곁에는 석벽(돌로 된 벽. 여기서는 돌로 만들어진 산의 모습)이 병풍처럼 바다를 둘렀는데, 높이가 천 길(한 사람의 키 정도 길이)이나 되었다. 그 위에는 철쭉꽃이 활짝 피어 있었다. 공의 부인 수로가 그것을 보고 좌우에게 말했다.

"누가 저 꽃을 꺾어다 바치겠느냐?"

종자(시중을 드는 사람. 종)가 말했다.

"사람의 발자취가 이를 수 없는 곳입니다."

모두들 할 수 없다고 사양했다. 마침 곁으로 한 늙은이가 암소를 몰고 지나가다 부인의 말을 듣고는 그 꽃을 꺾었다. 그리고는 노래도 지어 바쳤다. 늙은이는 어떤 사람인지 알 수 없었다.

작품 핵심

가 황조가 _ 유리왕

갈래	고대 가요, 한역가(4언 4구체)
성격	서정적, 애상적
제재	꾀꼬리
주제	임과 이별한 슬픔
특징	① 자연물을 빌려 우의적으로 표현함. ② 선경 후정의 시상 전개 방식을 사용함. ③ 〈공무도하가〉와 더불어 현전하는 가장 오래된 서정시임. ④ 집단 가요에서 개인적 서정시로 넘어가는 과도기적 작품임. ⑤ 작가와 창작 연대가 뚜렷한 유일한 고대 가요임.

이 작품의 선경 후정

선경 1~2구	외적 상황
	정다운 암수 꾀꼬리

↕ 대칭 구조

후정 3~4구	내적 상황
	임을 잃은 '나'의 외로움

나 헌화가 _ 소를 몰고 가던 늙은이

갈래	향가
성격	서정적, 찬양적, 연가적
제재	꽃을 꺾어 바침.
주제	꽃을 꺾어 바치는 사랑의 노래
특징	① 아름다움을 추구하는 순수한 모습이 드러남. ② 신라 시대 때 창작되어 향찰로 표기된 우리 노래임. ③ 배경 설화에 노래가 창작된 이유가 나타남. ④ 당시 구비 전승되던 것으로 보아 민요적 특징을 지님.

시어의 의미

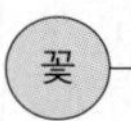

- 수로 부인에 대한 화자의 연정
- 수로 부인이 갖고 싶은 대상

01

(가)에 대한 설명으로 적절하지 않은 것은?

① 임을 잃은 슬픔을 노래한 시이다.
② 화자의 정서가 직접적으로 표현되어 있다.
③ 자연물에 화자의 감정을 이입하여 표현하였다.
④ 배경 설화 속에 삽입되어 있는 개인적 서정시이다.
⑤ 선경 후정(先景後情)의 시상 전개 방식을 취하고 있다.

02

배경 설화를 근거로 했을 때, (가)의 창작 계기가 되는 것은?

① 왕비 송씨의 죽음
② 왕이 두 여인을 아내로 맞음.
③ 왕이 기산으로 사냥을 나가 돌아오지 않음.
④ 화희가 치희에게 비천한 계집이라고 꾸짖음.
⑤ 화희와의 싸움으로 치희가 떠나 돌아오지 않음.

03

(가)와 〈보기〉의 표현상 공통점으로 알맞은 것은?

보기

사월을 아니 잊고 오시는 꾀꼬리새여.
무엇 때문에 녹사님은 옛날의 나를 잊으셨는고. – 고려 가요 〈동동〉

① 점층적 전개 ② 사실적인 묘사 ③ 반어적인 표현
④ 색채 이미지의 사용 ⑤ 객관적 상관물의 활용

04

(나)에 대한 설명으로 적절하지 않은 것은?

① 아름다움을 추구하는 내용이 담겨 있다.
② 수로 부인에 대한 추모의 정이 담긴 작품이다.
③ 배경 설화의 종자는 일반적인 능력의 사람일 것이다.
④ 배경 설화에서 늙은이가 지어 바친 노래가 〈헌화가〉임을 알 수 있다.
⑤ 배경 설화에서 늙은이가 천 길이나 되는 석벽 위의 꽃을 꺾는 것으로 보아 보통 사람이 아님을 알 수 있다.

05

(나)에 나타난 소재의 의미로 알맞지 않은 것은?

① '꽃'은 대상에 따라 두 가지 의미로 해석될 수 있다.
② 수로 부인에게 '꽃'은 가지고 싶은 대상이다.
③ 늙은이에게 '꽃'은 수로 부인에 대한 사랑이다.
④ '암소'는 수로 부인이 가진 소망을 이루어 주는 매개체이다.
⑤ '암소'는 늙은이의 모든 것으로, 큰 재산을 의미하기도 한다.

가시리 _ 작자 미상 | 송인 _ 정지상

가 가시리 가시리잇고 나는

버리고 가시리잇고 나는

위 증즐가 대평성대(大平盛代)
(위: 감탄사 / 증즐가: 악기의 소리. 의성어)

날러는 어찌 살라 하고
(날러는: 나는. 나더러는)

버리고 가시리잇고 나는

위 증즐가 대평성대(大平盛代)

잡사와 두어리마나는

선하면 아니 올세라

위 증즐가 대평성대(大平盛代)

설온 님 보내옵나니 나는

가시는 듯 돌아오소서 나는

위 증즐가 대평성대(大平盛代)

나 비 갠 ㉠긴 언덕엔 풀빛이 푸른데,

㉡남포에서 임 보내며 ㉢슬픈 노래 울먹이네.

대동강 물이야 어느 때 ㉣마를거나,

해마다 이별 눈물 ㉤푸른 물결에 더하는 것을.

雨歇長提草色多

送君南浦動悲歌

大洞江水何時盡

別淚年年添綠波

작품 핵심

가 가시리 _ 작자 미상

갈래	고려 가요
성격	서정적, 민요적, 애상적
제재	임과의 이별
주제	이별의 정한(情恨)
특징	① 반복을 통해 슬픔을 강조함. ② 여성적인 어조와 소극적 체념이 나타남. ③ 간결하고 순수한 우리말의 사용이 잘 드러남. ④ 우리 민족의 전통적인 정서인 이별의 정한(情恨)을 효과적으로 드러냄. ⑤ 고려 시대에 창작되어 조선 시대에 문자로 정착됨.

화자의 정서 변화

1연	안타까움, 슬픔
2연	슬픔의 고조와 원망
3연	체념
4연	재회에 대한 소망

나 송인 _ 정지상

갈래	한시
성격	애상적, 감각적
제재	임과의 이별
주제	이별의 슬픔
특징	① 자연 현상과 인간사를 대조하여 주제를 효과적으로 드러냄. ② 과장법을 통해 이별의 슬픔을 극대화함.

자연 현상과 인간사의 대비

자연의 아름다움
(푸른 풀빛)

↕ 대조

이별의 슬픔
(슬픈 노래)

01

(가), (나)의 공통점으로 가장 적절한 것은?

① 이별의 정한(情恨)을 주제로 다루고 있다.
② 시구의 반복을 통해 운율을 형성하고 있다.
③ 자연물에 화자의 감정을 이입하여 표현하고 있다.
④ 과장된 표현을 사용하여 화자의 정서를 강조하고 있다.
⑤ 대조적 상황을 제시하여 주제를 효과적으로 드러내고 있다.

02

(가)의 형식상 특징으로 적절하지 않은 것은?

① 기승전결의 4단 구성이다.
② 연의 구분이 뚜렷하지 않다.
③ 각 연이 후렴구를 가지고 있다.
④ a-a-b-a 구조를 보이고 있다.
⑤ 3 · 3 · 2조, 3음보의 운율을 가지고 있다.

03

(가)의 화자에 대한 설명으로 적절하지 않은 것은?

① 자신의 감정을 절제하고 있다.
② 사랑하는 임을 떠나보내고 있다.
③ 임이 다시 돌아오기를 기원하고 있다.
④ 떠나는 임에 대한 원망을 표현하고 있다.
⑤ 슬픈 마음을 제대로 표현하지 못하고 있다.

04

(나)에 대한 설명으로 적절하지 않은 것은?

① 이별시의 성격을 보인다.
② 애상적 분위기가 느껴진다.
③ 감각적 심상이 두드러지게 나타난다.
④ 자연의 아름다움과 화자의 정서가 일치한다.
⑤ 임이 떠난 상황으로 인해 정서의 극대화가 나타난다.

05

㉠~㉤에 대한 설명으로 적절하지 않은 것은?

① ㉠ : 화자의 정서를 더욱 부각하는 배경이다.
② ㉡ : 구체적 지명을 통해 상황에 사실성을 부여한다.
③ ㉢ : 화자의 정서가 청각적 이미지로 드러난다.
④ ㉣ : 대동강 물은 결코 마르지 않을 것이라는 의미이다.
⑤ ㉤ : 부정적 상황에 대한 극복 의지가 투영된 자연물이다.

하여가 _ 이방원 | 단심가 _ 정몽주
천만리 머나먼 길에 _ 왕방연

가 이런들 어떠하며 저런들 어떠하리.

만수산 드렁칡이 얽혀진들 어떠하리.
(만수산: 개성의 송악산 / 드렁칡: 언덕을 따라 뻗은 칡덩굴)

우리도 이같이 얽혀져 백 년까지 누리리라.

나 이 몸이 죽고 죽어 일백 번 고쳐 죽어,

백골이 진토되어 넋이라도 있고 없고,
(진토: 티끌과 흙 / 넋: 혼백)

임 향한 일편단심(一片丹心)이야 가실 줄이 있으랴.
(일편단심: 진심에서 우러나오는 변치 않는 마음)

다 천만리 머나먼 길에 고운 임 이별하고

내 마음 둘 데 없어 냇가에 앉았으니

저 물도 내 안과 같아서 울며 밤길 가는구나.

작품 핵심

가 하여가 _ 이방원

갈래	정형시, 평시조
성격	회유적, 설득적, 비유적, 우회적
제재	만수산 드렁칡
주제	조선 건국에 협력하도록 권유
특징	① 말하고자 하는 바를 비유적으로 돌려 말함. ② 고려 말의 시대적 상황이 반영되어 있음.

나 단심가 _ 정몽주

갈래	정형시, 평시조
성격	의지적, 직설적
제재	일편단심
주제	고려에 대한 충절
특징	① 말하고자 하는 바를 직설적으로 표현함. ② 고려 말의 시대적 상황이 반영되어 있음.

(가)와 (나)의 관계

〈하여가〉	〈단심가〉
시대 흐름에 따라 조선 건국을 위해 함께 힘쓰자.	고려의 신하로서 충절을 지키겠다.
회유	↔ 회유에 대한 거절

다 천만리 머나먼 길에 _ 왕방연

갈래	평시조, 단시조
성격	애상적, 감상적, 연군가
제재	임과의 이별
주제	임과 이별한 슬픈 마음
특징	① 흐르는 냇물에 감정을 이입하여 시적 화자의 슬픈 마음을 표현함. ② 어린 임금에 대한 죄책감과 비통한 심정을 표현함.

시어의 의미

천만리	임과 이별한 슬픔에 따른 정서적 거리감
물	시적 화자의 슬픈 마음이 이입된 자연물

01

(가)에 대한 설명으로 가장 적절한 것은?

① 직설적인 표현으로 화자의 생각을 드러낸다.
② '만수산 드렁칡'은 부정적인 세력을 나타낸다.
③ 종장의 '우리'는 양반과 서민 계층을 의미한다.
④ 화자는 자연 친화적인 태도로 주제를 강조하고 있다.
⑤ 시대의 흐름에 따라 자유롭게 얽혀서 살 것을 권유하고 있다.

02

(나)에 대한 설명으로 적절하지 않은 것은?

① (가)에 대해 동조하는 내용의 답가이다.
② 한자 성어를 사용하여 주제를 강조하였다.
③ 단호한 표현으로 화자의 의지를 드러내었다.
④ 반복법과 점층법을 사용하여 의미를 강조하였다.
⑤ 실제 일어나기 어려운 일을 과장하여 표현하였다.

03

(가), (나)를 바탕으로 당시 사회의 모습에 대해 이야기를 나눠 보았다. 적절하지 않은 의견은?

① 수민 : (가)를 통해 국가가 바뀌는 혼란스러운 시대상을 엿볼 수 있어.
② 철우 : 정치적인 목적을 가지고 상대방을 회유하는 것을 보니 요즘 우리 정치와 비슷한 것 같아.
③ 민경 : 맞아. 자기편이 되면 오랫동안 부귀영화를 누릴 수 있다고 설득하는 모습도 보여.
④ 엄지 : 하지만 (나)와 같이 국가와 왕실에 대한 충성심을 끝까지 버리지 않는 사람도 있었던 것 같아.
⑤ 소은 : (나)의 '백골이 진토되어'에서 충성심을 버리지 않은 사람들이 희생되었음을 짐작할 수 있어.

04

<보기>는 (다)의 작가에 대한 설명이다. 이를 고려하여 (다)를 이해한 내용으로 적절하지 않은 것은?

보기

이 작품의 작가는 세조의 왕위 찬탈로 단종이 폐위되었을 때 영월로 귀양 가는 단종의 압송 책임을 맡은 금부도사이다. 작가는 어린 임금을 유배지인 영월에 두고 돌아오면서 자신의 괴로운 심정을 냇물에 의탁하여 표현하였다.

① 이 작품의 '임'은 폐위된 단종을 의미한다고 볼 수 있어.
② 작가는 임금이 자신을 잊지 않기를 바라는 마음에서 이 작품을 지었을 거야.
③ 이 작품은 어린 임금을 그리워하며 그에 대한 충절을 드러냈다고 할 수 있어.
④ 냇가에서 흐느껴 울었다는 내용으로 보아 작가는 임금과의 이별을 애통해했다는 것을 알 수 있어.
⑤ 작가에 대해 알고 작품을 감상하니 '임'이 누구인지 정확하게 알게 되어 작품을 깊이 있게 감상할 수 있었어.

가노라 삼각산아 _ 김상헌 | 추강에 밤이 드니 _ 월산 대군 뫼버들 가려 꺾어 _ 홍랑

가 가노라 삼각산(三角山)아, 다시 보쟈 한강수(漢江水)야.

고국산천(故國山川)을 떠나고쟈 하랴마는

시절(時節)이 하 수상(殊常)하니 올동말동 하여라.

시절(時節): 시국(時局), 정세 / 하: 몹시, 매우

나 추강(秋江)에 밤이 드니 물결이 차노매라.

낚시 드리치니 고기 아니 무노매라.

무심(無心)한 달빛만 싣고 빈 배 저어 오노라.

다 ㉠묏버들 가려 꺾어 보내노라 님에게.

가려: 가리어, 골라

자시는 창밖에 심어 두고 보소서.

밤비에 새잎이 나거든 날인가도 여기소서.

작품 핵심

가 가노라 삼각산아 _ 김상헌

갈래	정형시, 평시조
성격	직설적, 우국가, 비분가, 절의가
제재	고국산천(삼각산, 한강수)
주제	고국을 떠나는 신하의 비통한 심정
특징	① 대유법, 의인법, 돈호법, 대구법 등의 다양한 표현 방법을 사용하여 고국에 대한 애정을 드러냄. ② 고국을 떠나는 화자의 불안하고 비통한 심정을 직설적으로 표현함.

나 추강에 밤이 드니 _ 월산 대군

갈래	정형시, 평시조
성격	한정가, 낭만적, 풍류적, 탈속적
제재	추강(秋江), 가을 달밤, 낚시
주제	가을 달밤의 풍류와 정취
특징	① '~라'라는 각운과 비슷한 문장 구조의 반복으로 운율을 형성함. ② 가을밤 강가의 정적인 분위기가 여백의 미를 추구하는 한 폭의 동양화를 떠올리게 함.

다 묏버들 가려 꺾어 _ 홍랑

갈래	정형시, 평시조
성격	이별가, 연정가, 애상적, 감상적
제재	묏버들
주제	임에게 보내는 사랑
특징	① '묏버들'을 통해 임에 대한 화자의 사랑을 표현함. ② 어순을 바꾸어 문장에 변화를 주는 도치법을 사용하여 단조로움을 피하고 신선한 느낌을 줌.

✿ '묏버들'의 역할

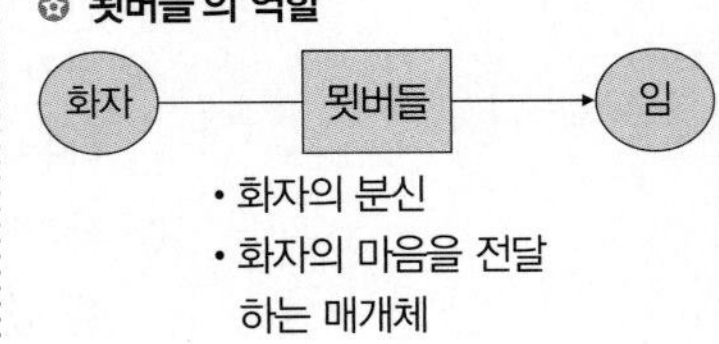

• 화자의 분신
• 화자의 마음을 전달하는 매개체

01

(가)~(다)의 공통점으로 적절하지 않은 것은? (정답 2개)

① 4음보의 율격을 느낄 수 있다.
② 3 · 4조, 4 · 4조의 음수율이 나타나고 있다.
③ 어순에 변화를 주어 단조로움에서 벗어나고 있다.
④ 종장 첫 음보의 글자 수가 3음절로 고정되어 있다.
⑤ 동일한 시어와 비슷한 문장 구조가 반복되고 있다.

02

(가)의 표현상 특징과 효과를 바르게 골라 묶은 것은?

ㄱ. 대유적인 표현 기법을 활용하고 있다.
ㄴ. 감탄사를 활용하여 고조된 정서를 드러내었다.
ㄷ. 설의적 표현을 사용하여 주제를 강화하고 있다.
ㄹ. 유사한 통사 구조를 반복해 리듬감을 드러내고 있다.

① ㄱ, ㄴ ② ㄱ, ㄷ ③ ㄱ, ㄹ
④ ㄱ, ㄷ, ㄹ ⑤ ㄱ, ㄴ, ㄷ, ㄹ

03

(나)에 드러난 시적 화자의 태도와 유사한 것은?

① 노래 삼긴 사람 시름도 하도 할샤. / 닐러 다 못 닐러 불러나 푸돗던가. / 진실로 풀릴 것이면 나도 불러 보리라. – 신흠
② 마음이 어린 후니 하는 일이 다 어리다. / 만중운산에 어느 님 오리마는 / 지는 잎 부는 바람에 행여 그인가 하노라. – 서경덕
③ 동짓달 기나긴 밤을 한 허리를 베어 내어 / 춘풍 이불 안에 서리서리 넣었다가 / 어론 임 오신 날 밤이어든 굽이굽이 펴리라. – 황진이
④ 십 년을 경영하여 초려삼간 지여 내니 / 나 한 간, 달 한 간에 청풍 한 간 맡겨 두고 / 강산은 들일 듸 업스니 둘러 두고 보리라. – 송순
⑤ 가마귀 싸우는 골에 백로야 가지 마라. / 성낸 가마귀 흰빛을 시기하니, / 청강에 깨끗이 씻은 몸을 더럽힐까 하노라. – 정몽주의 어머니

04

(다)의 ㉠에 대한 설명으로 가장 적절한 것은?

① 화자의 또 다른 모습으로 임에 대한 사랑을 드러내고 있다.
② 화자의 정서와 대비시킴으로써 임과의 사랑을 강조하고 있다.
③ 감정 이입의 대상으로 임과의 이별에 대한 원인을 제공하고 있다.
④ 의인화된 표현으로 임을 그리워하는 화자의 순수함을 상징하고 있다.
⑤ 화자의 정서를 대변하는 자연물로 떠난 임에 대한 원망을 드러내고 있다.

동짓달 기나긴 밤을 _ 황진이 | 마음이 어린 후니 _ 서경덕 어져 내 일이야 _ 황진이

가 동짓달 기나긴 밤을 한 허리를 베어 내어

춘풍 이불 안에 서리서리 넣었다가

어론 임 오신 날 밤이어든 굽이굽이 펴리라.

나 마음이 어린 후니 하는 일이 다 어리다.

만중운산(萬重雲山)에 어느 임 오리마는

지는 잎 부는 바람에 행여 그인가 하노라.

다 어져 내 일이야 그럴 줄을 모르던가

있으랴 하더면 가랴마는 제 구태여

보내고 그리는 정(情)은 나도 몰라 하노라.

작품 핵심

가 동짓달 기나긴 밤을 _ 황진이

갈래	평시조, 단시조
성격	감상적, 낭만적, 연정가
제재	연모의 정
주제	임을 기다리는 애타는 마음
특징	① 추상적인 개념을 구체적인 사물로 형상화함. ② 우리말의 묘미를 잘 드러냄.

나 마음이 어린 후니 _ 서경덕

갈래	평시조, 단시조
성격	감상적, 낭만적, 연정가
제재	기다림
주제	임을 기다리는 마음
특징	① 초장에서 자신이 어리석다고 한 다음 나머지 장에서 그 이유를 밝히고 있음. ② 공간적 배경을 통해 화자가 처한 상황과 대상과의 거리감을 드러냄.

(나)의 짜임

초장	자신의 마음이 어리석음을 고백함.	후회의 심정
중장	만중운산에 임이 올 리 없음.	이성적 판단
종장	떨어지는 잎 소리를 임으로 착각함.	인간 본연의 감정

다 어져 내 일이야 _ 황진이

갈래	평시조, 단시조
성격	애상적, 여성적, 연정적
제재	이별과 그리움
주제	이별의 회한과 그리움
특징	① 전통적인 이별의 정한을 노래함. ② 자존심과 연정 사이의 미묘한 정서를 섬세하게 표현함.

'제 구태여'의 중의성

주체를 '임'으로 볼 때는 가는 행위의 주체가 '임'이 되어 '있으라고 했다면 임이 굳이 갔으랴만'의 의미가 되고, 주체를 화자로 볼 때는 '있으라고 했다면 임이 갔으랴마는 / 내가 굳이 보내고'의 의미가 된다.

01

(가)~(다)의 공통된 창작 의도로 가장 적절한 것은?

① 자신의 태도에 대해 반성하기 위해서이다.
② 새로운 삶에 대한 의지를 다지기 위해서이다.
③ 상대가 오해하고 있는 점을 바로잡기 위해서이다.
④ 상대에게 자신이 원하는 바를 요구하기 위해서이다.
⑤ 이별의 상황에 처한 자신의 정서를 드러내기 위해서이다.

02

(가)에 나타난 표현상의 특징으로 적절하지 않은 것은?

① 추상적인 개념을 구체적인 사물로 표현하고 있다.
② 대립되는 이미지의 시어로 정서를 강조하고 있다.
③ 역설적인 표현을 통해 정감의 깊이를 드러내고 있다.
④ 의태어를 사용하여 우리말의 묘미를 잘 살리고 있다.
⑤ 참신한 비유를 통해 화자의 심리를 효과적으로 구현하고 있다.

03

(나)의 '만중운산'에 대한 설명으로 적절하지 않은 것은?

① 화자가 현재 있는 곳이다.
② 사람들이 찾아오기 힘든 곳이다.
③ 화자와 임의 거리감을 강조한다.
④ 화자가 임으로 착각하는 대상이다.
⑤ 임과 화자 사이에 놓인 장애물이다.

04

(가)와 (나)에 대한 감상으로 적절하지 않은 것은?

① (가)와 (나)의 화자 모두 사랑하는 임과 다시 만나기를 기다리고 있어.
② (가)에서 임이 없는 시간을 잘라 두었다가 임이 오면 편다는 생각이 재미있어.
③ (가)와 (나)의 화자 모두 사랑하는 임이 죽어서 임과 이별했으니 무척이나 슬플 거야.
④ (가)와 (나) 모두 '그리움'이라는 익숙한 감정을 노래했기 때문에 현재의 우리도 공감할 수 있어.
⑤ 나도 좋아하는 친구가 전학을 갔을 때 밤에 잠도 못 잔 기억이 있어. (가)와 (나)의 화자도 그때의 나와 같은 기분을 느끼지 않았을까?

05

(다)에 대한 설명으로 적절하지 않은 것은?

① 중의적인 표현이 사용되었다.
② 다양한 이미지를 활용하였다.
③ 화자의 솔직한 정서가 드러나 있다.
④ 우리말의 절묘한 구사가 돋보인다.
⑤ 감탄사를 통해 정서를 집약하고 있다.

두꺼비 파리를 물고 _ 작자 미상 | 일신이 사자 하니 _ 작자 미상 | 창 내고자 창을 내고자 _ 작자 미상

가 두꺼비 파리를 물고 두엄 위에 치달아 앉아

두엄: 풀, 짚 또는 가축의 배설물 따위를 썩힌 거름

건넛산 바라보니 백송골이 떠 있거늘 가슴이 끔찍하여 풀쩍 뛰어 내닫다가 두엄 아래 자빠졌구나.

백송골: 흰 송골매

모쳐라 날랜 나이니 망정이지 어혈질 뻔했구나.

나 일신(一身)이 사자 하니 물것 때문에 못 견디겠네.

일신(一身): 자기 한 몸

핏겨 같은 가는 이, 보리알 같은 통통한 이, 굶주린 이, 갓 깐 이, 잔 벼룩, 굵은 벼룩, 강벼룩, 왜벼룩, 기는 놈 뛰는 놈에, 비파 같은 빈대 새끼, 사령 같은 등에아비, 갈따귀, 사마귀, 흰 바퀴, 누런 바퀴, 바구미, 거저리, 부리 뾰족한 모기, 다리 기다란 모기, 야윈 모기, 살진 모기, 그리마, 뾰록이, 밤낮으로 비는 때 없이 물거니, 쏘거니, 빨거니, 뜯거니 심한 당비루가 이보다 어려워라.

핏겨: 피의 껍질
비파: 동양 현악기의 하나. 몸체는 둥글고 긴 타원형이며, 자루는 곧고 짧음
등에: '등에'의 옛말
갈따귀: 각다귀. 모양은 모기와 비슷하나 크기가 더 큰 곤충
당비루: 벌레에 의한 피부병의 일종. 또는 그 벌레

그중에 차마 못 견딜 것은 유월 복더위에 쉬파리인가 하노라.

쉬파리: 쉬파릿과의 곤충을 통틀어 이르는 말. 썩은 고기나 산 동물에 기생함

다 창 내고자 창을 내고자 이내 가슴에 창 내고자.

고모*장지 세살장지 들장지 열장지 *암톨쩌귀 *수톨쩌귀 *배목걸쇠 크나큰 장도리로 둑닥 박아 이내 가슴에 창 내고자.

장도리: 못을 박거나 뽑는 데 사용하는 도구
둑닥: 뚝딱. 일을 거침없이 손쉽게 해치우는 모양

이따금 하 답답할 제면 여닫아 볼까 하노라.

하: 몹시

작품 핵심

가 두꺼비 파리를 물고 _ 작자 미상

갈래	사설시조
성격	풍자적, 해학적, 우의적
제재	두꺼비, 파리, 백송골
주제	탐관오리의 횡포와 허장성세를 풍자
특징	① 두꺼비를 의인화하여 약육강식(弱肉强食)의 세태를 풍자함. ② '두꺼비', '파리', '백송골' 등의 상징적 소재를 사용함. ③ 우의적 수법을 통해 사회 현실을 풍자하고 희화화함.

나 일신이 사자 하니 _ 작자 미상

갈래	사설시조
성격	풍자적, 해학적, 우의적
제재	물것
주제	세상살이의 어려움과 백성들을 수탈하는 탐관오리 비판
특징	① 부정적 세태를 우의적, 해학적으로 풍자함. ② '물것'의 종류를 장황하게 열거함.

다 창 내고자 창을 내고자 _ 작자 미상

갈래	사설시조
성격	해학적, 의지적
제재	창
주제	삶의 답답함으로부터 벗어나고 싶은 마음
특징	① 현실의 고달픔을 해학적으로 표현하고 있음. ② 열거법, 반복법 등의 다양한 표현 방법을 사용함.

어휘 쏙쏙

- **장지(障-)**: 방과 방 사이, 또는 방과 마루 사이에 칸을 막아 끼우는 문.
- **암톨쩌귀**: 문설주(문짝을 끼워 달기 위해 문의 양쪽에 세운 기둥)에 박는 구멍 난 돌쩌귀.
- **수톨쩌귀**: 문짝에 박는 뾰족한 촉이 달린 돌쩌귀.
- **배목걸쇠**: 문고리를 걸거나 자물쇠를 채우기 위하여 만든 걸쇠.

01

(가)~(다)와 같은 갈래에 대한 설명으로 적절하지 않은 것은?

① 평민들도 작자층으로 참여하였다.
② 민중들의 삶과 애환을 엿볼 수 있다.
③ 초 · 중 · 종장의 3장으로 이루어진다.
④ 시를 읽을 때 운율이 겉으로 드러난다.
⑤ 형식이 자유로운 우리 고유의 시가이다.

02

(가)에서 종장의 화자를 '두꺼비'로 바꾼 창작 의도로 가장 적절한 것은?

① 백송골을 두려워하는 두꺼비의 모습을 통해 임금의 권위를 드러내려고
② 자신이 양반임을 부끄러워하는 두꺼비의 모습을 통해 양반을 비판하려고
③ 파리를 물고 비관하는 두꺼비의 모습을 통해 양반의 무능함을 보여 주려고
④ 자신의 행동을 합리화하는 두꺼비의 모습을 통해 양반의 위선을 풍자하려고
⑤ 자신을 반성하는 두꺼비의 모습을 통해 양반에 대한 긍정적인 인식을 심어 주려고

03

(나)가 우의적으로 대상을 풍자함으로써 얻을 수 있는 효과로 가장 적절한 것은?

① 화자와 대상 간의 친밀한 관계를 형성할 수 있다.
② 화자보다 대상의 처지와 심정을 더 강조할 수 있다.
③ 화자의 문제를 해결할 수 있는 방안을 제시할 수 있다.
④ 화자가 전달하려는 속뜻을 직접적으로 전달할 수 있다.
⑤ 화자가 처한 상황과 정서를 더 절실하게 나타낼 수 있다.

04

(다)의 화자에 대한 설명으로 적절하지 않은 것은?

① 마음에 창을 내고 싶어 한다.
② 답답한 마음을 달래고 싶어 한다.
③ 현실을 극복하고자 하는 의지가 있다.
④ 답답한 이유를 구체적으로 하소연하고 있다.
⑤ 고통스러운 현실에 대해 해학적 자세를 드러내고 있다.

07 시집살이 노래 _ 작자 미상

형님 온다 형님 온다 분고개로 형님 온다.

형님 마중 누가 갈까 형님 동생 내가 가지.

형님 형님 사촌 형님 시집살이 어떱뎁까?

이애 이애 그 말 마라 시집살이 개집살이.

앞밭에는 *당추 심고 뒷밭에는 고추 심어,

고추 당추 맵다 해도 시집살이 더 맵더라.

둥글둥글 수박 식기(食器) 밥 담기도 어렵더라.
수박처럼 둥글게 생긴 밥그릇

도리도리 도리소반(小盤) 수저 놓기 더 어렵더라.
둥글게 생긴 조그마한 상

오 리(五里) 물을 길어다가 십 리(十里) 방아 찧어다가,

아홉 솥에 불을 때고 열두 방에 자리 걷고,

외나무다리 어렵대야 시아버니같이 어려우랴?

나뭇잎이 푸르대야 시어머니보다 더 푸르랴?

시아버지 호랑새요 시어머니 꾸중새요,

동서(同壻) 하나 할림새요 시누 하나 뾰족새요,

[A] 시아지비 뾰중새요 남편 하나 미련새요,

자식 하난 우는 새요 나 하나만 썩는 샐세.

귀 먹어서 삼 년이요 눈 어두워 삼 년이요,

말 못 해서 삼 년이요 석삼년을 살고 나니,

배꽃 같던 요 내 얼굴 호박꽃이 다 되었네.

삼단 같던 요 내 머리 *비사리 춤이 다 되었네.

백옥(白玉) 같던 요 내 손길 오리발이 다 되었네.

열새 무명 반물치마 눈물 씻기 다 젖었네.
반물 빛깔(짙은 남색)의 치마

두 폭 붙이 행주치마 콧물 받기 다 젖었네.

울었던가 말았던가 베갯머리 소(沼)이 졌네.

그것도 소이라고 거위 한 쌍 오리 한 쌍

쌍쌍이 떼 들어오네.

작품 핵심

갈래	민요, 부요(婦謠)
성격	해학적, 서민적
제재	시집살이
주제	시집살이의 한과 체념
특징	① 문답으로 이루어진 대화 형식을 취하고 있음. ② 언어유희와 비유를 통해 해학성을 드러내고 있음.

비유적 표현

호랑새	무서운 존재
꾸중새	꾸중을 많이 하는 존재
할림새	고자질을 잘하는 존재
뾰족새	성격이 모나고 까다로운 존재
뾰중새	퉁명스럽게 꾸중하여 성을 잘 내는 존재
미련새	어리석고 둔하며 미련한 존재
우는 새	매일 울기만 하는 존재
썩는 새	속을 태우는 존재

이 작품에 사용된 다양한 표현법

열거법	'시아버지 호랑새요 시어머니 꾸중새요, ~ 나 하나만 썩는 샐세.'
비유법	인물을 새에 비유함.
대구법	'앞밭에는 당추 심고 뒷밭에는 고추 심어', '귀 먹어서 삼 년이요 ~ 말 못 해서 삼 년이요'
과장법	'오 리 물을 길어다가 십 리 방아 찧어다가', '베갯머리 소이 졌네.'

대조적 시어의 사용 효과

혼인 전		혼인 후
배꽃, 삼단, 백옥	↔ 대조	호박꽃, 비사리 춤, 오리발

→ 고된 시집살이를 강조

쏙쏙

- **당추**: 고추.
- **비사리 춤**: '비사리'는 벗겨 놓은 싸리의 껍질. '춤'은 가늘고 기름한 물건을 한 손으로 쥐어 세는 단위.

01 이 작품에 대한 설명으로 적절하지 않은 것은?

① 평범한 일상어를 사용하여 정서를 드러내고 있다.
② 4음보, 4 · 4조의 율격이 뚜렷하게 형성되고 있다.
③ 계절적 상황을 통해 화자의 처지를 부각하고 있다.
④ 비유적 표현을 통해 대상의 속성을 강조하고 있다.
⑤ 두 사람이 대화를 나누는 형식으로 이루어져 있다.

02 이 작품을 영상으로 옮기고자 할 때 적절하지 않은 장면은?

① 주인공이 시어머니께 꾸중을 듣고 눈물을 흘리는 장면
② 주인공이 자식들과 함께 연못의 오리를 바라보는 장면
③ 주인공이 하루 종일 쉴 새 없이 집안 살림을 하는 장면
④ 주인공의 외모가 결혼 후에 점차 초라하게 변해 가는 장면
⑤ 주인공이 사촌 동생을 만나 한숨을 쉬고 하소연을 하는 장면

03 이 작품에서 해학적인 표현을 사용한 이유로 가장 적절한 것은?

① 웃음을 통해 시집살이의 고통을 극복하기 위해서
② 며느리를 힘들게 하는 시댁 식구들을 놀리기 위해서
③ 고된 시집살이에서 비롯된 절망감을 강조하기 위해서
④ 시집살이의 고통을 친정 식구들에게 알리지 않기 위해서
⑤ 앞으로 좋은 일이 생길 것이라는 희망을 드러내기 위해서

04 〈보기〉를 참고하여 [A]의 상황을 이해한 내용으로 적절하지 않은 것은?

보기

〈시집살이 노래〉는 조선 시대 남성 중심의 봉건적 가족 제도와 사회 질서 속에서 힘든 시집살이를 해야 했던 여성들의 어려움과 한(恨)이 반영되어 있다.

① 화자만의 삶이 아니라 당시 여성들의 일반적인 삶으로 볼 수 있군.
② 당시 여성들은 속상한 마음을 드러내지도 못한 채 참고 살아야 했군.
③ 화자는 시집살이의 부당함을 고발하며 개선하려는 의지를 다지고 있군.
④ 화자는 시댁 식구들과 갈등을 겪으며 고통스러운 시집살이를 하고 있군.
⑤ 남성 중심의 사회에서 여성들이 겪어야 했던 삶의 애환이 반영되어 있군.

개념을 알아야 공부를 잘한다

1 소설의 개념

현실에 있음 직한 일을 작가가 상상하여 꾸며 쓴 이야기를 말한다.

2 소설의 특성

- 허구성 : 작가가 상상하여 꾸며 낸 이야기이다.
- 개연성 : 실제로 현실에서 있을 법한 이야기를 다룬다.
- 진실성 : 허구의 내용이지만, 인생의 진실이 담겨 있다.
- 서사성 : 인물, 사건, 배경 등을 갖추고 대체로 시간의 흐름에 따라 사건이 전개된다.
- 산문성 : 서술, 묘사, 대화 등에 의해 표현되며 줄글의 형태이다.
- 예술성 : 언어를 통해 형식과 표현의 아름다움을 드러내는 예술이다.

3 소설의 3요소

(1) **주제** : 작가가 작품을 통해 나타내고자 하는 중심 생각
(2) **구성** : 인과 관계에 따라 이야기를 짜임새 있게 배열하는 것
(3) **문체** : 작가의 개성이 드러나는 문장 표현 방식

4 소설 구성의 3요소

(1) **인물** : 작가가 창조한 인물로, 소설 속에 등장하여 사건 및 갈등을 일으키고 행동을 하는 사람
(2) **사건** : 인물들이 겪거나 벌이는 갈등과 행동
(3) **배경** : 사건이 일어나는 시간과 공간

5 소설의 구성 단계

발단	인물과 배경을 소개하며 사건의 실마리를 제시함.
전개	인물 간의 갈등이 시작되고 사건이 본격적으로 전개됨.
위기	갈등이 깊어지고 긴장감이 조성됨.
절정	갈등과 긴장감이 최고조에 이르며 사건 해결의 실마리가 드러남.
결말	갈등이 해소되고 사건이 마무리되며 인물의 운명이 결정됨.

6 인물

(1) **개념** : 작가의 상상력으로 창조되어 소설 속에 등장하는 사람
(2) **특징**
- 작품 속에서 행동을 하는 이로, 주제를 효과적으로 드러낸다.
- 다른 인물이나 주변의 상황과 갈등을 일으켜 사건을 전개한다.
- 작가가 꾸며 낸 인물이지만 현실의 인간상을 반영한다.

(3) **유형**

① 중요도에 따라

중심인물	소설 속에서 주인공이나 그와 비슷한 역할을 하며 비중이 큰 인물
주변 인물	소설 속에서 부수적인 역할을 하며 비중이 크지 않은 보조적 인물

개념 확인 문제

1 소설에 대한 설명으로 알맞은 것은?
① 정보의 전달을 목적으로 하는 글이다.
② 작가의 상상력으로 꾸며 낸 산문 문학이다.
③ 현실의 모습이 담기지 않은 허황된 이야기이다.
④ 실존했던 인물의 생애와 업적을 기록한 글이다.
⑤ 현실에서 벌어진 이야기를 있는 그대로 옮겨 쓴 글이다.

2 소설 속 인물은 허구의 인물이지만, 소설은 바람직한 인간의 모습을 찾고자 한다. (○, ×)

3 〈보기〉에 주로 드러나는 소설 구성의 요소를 쓰시오.

보기
소녀는 우리 마을 우리 또래의 아이들에게 어느 날 아침 갑자기 발견되었다. 선물치고는 무척이나 지저분하고 망측스러웠다. 미처 세수도 하지 못한 때꼽재기, 우리들 눈에 비친 그 애의 모습은 거의 거지나 다름없을 정도였다.

____

4 소설의 구성 단계에 대한 설명으로 알맞지 않은 것은?
① 발단 : 인물과 배경이 소개된다.
② 전개 : 사건이 전개되고 갈등이 시작된다.
③ 위기 : 갈등이 심화되고 사건 해결의 실마리가 드러난다.
④ 절정 : 갈등과 긴장감이 최고조에 이른다.
⑤ 결말 : 갈등이 해소되고 주인공의 운명이 결정된다.

② 역할에 따라

주동 인물	소설 속에서 사건을 이끌어 가는 중심인물
반동 인물	주동 인물과 대립하며 갈등을 빚는 인물

③ 성격 변화에 따라

평면적 인물	성격이 처음부터 끝까지 변하지 않는 인물
입체적 인물	사건의 전개에 따라 성격이 변하는 인물

④ 집단의 대표성에 따라

전형적 인물	특정 집단이나 계층을 대표하는 인물
개성적 인물	한 개인만의 독특한 성격이 드러나는 인물

(4) 인물의 성격 제시 방법

직접 제시	서술자가 직접 인물의 성격이나 심리 상태를 말하는 방법
간접 제시	인물의 대화나 행동, 외양 묘사를 통해 독자가 짐작하도록 하는 방법

7 갈등

(1) 개념: 인물이 사건을 겪으며 갖게 되는 대립적인 심리 상태를 말한다.

(2) 역할

- 갈등 상황을 통해 인물의 성격과 역할을 뚜렷하게 드러낸다.
- 사건을 전개하고 사건에 필연성을 부여한다.
- 독자의 관심과 흥미를 이끌어 내고, 긴장감을 불러일으킨다.
- 갈등의 해결 과정을 통해 주제를 드러낸다.

(3) 종류

① 내적 갈등: 인물의 마음속에서 일어나는 심리적 갈등

② 외적 갈등: 인물과 인물, 혹은 인물과 인물을 둘러싼 외부적 요인 사이에서 일어나는 갈등

개인과 개인의 갈등	인물 사이의 성격, 가치관, 욕구, 이해관계 등의 대립으로 일어나는 갈등
개인과 사회의 갈등	인물이 사회 제도나 윤리 등의 문제로 겪게 되는 갈등
개인과 운명의 갈등	인물이 타고난 운명 때문에 겪게 되는 갈등
개인과 자연의 갈등	인물이 자연 환경과 부딪쳐 싸우면서 겪는 갈등

8 시점

(1) 개념: 서술자가 인물이나 사건을 어떻게 바라보면서 전달하느냐에 따른 서술자의 위치

(2) 종류

1인칭	1인칭 주인공 시점	작품 속 주인공인 '나'가 자신의 이야기를 서술함.
	1인칭 관찰자 시점	작품 속의 '나'가 관찰자의 입장에서 중심인물의 이야기를 서술함.

개념 확인 문제

5 소설의 인물은 다른 인물이나 주변의 상황과 갈등을 일으켜 사건을 전개하는 역할을 한다. (○, ×)

6 소설 속에서 주동 인물과 대립하며 갈등을 빚는 인물을 (   )(이)라고 한다.

7 인물 제시 방법이 다른 하나는?

① 경범이는 무뚝뚝하다.
② 이대룡은 마음씨가 좋았다.
③ 김 반장은 이제 스물여덟의 싹싹한 총각이다.
④ 이곳 단골손님들은 우락부락한 전공들이 대부분이어서 성질들이 거칠고 급하다.
⑤ 나는 고개도 돌리려지 않고 일하던 손으로 그 감자를 도로 어깨 너머로 쑥 밀어 버렸다.

8 <보기>에서 두드러지는 소설의 갈등 양상을 쓰시오.

보기

병자들의 참담한 눈망울을 본 허준은 그들을 도저히 뿌리치고 갈 순 없다 싶었다. 그러나 사흘 반 앞으로 다가온 과거 날짜에 이백육십 리의 갈 길이 남아 있는 것이다.
'뿌리치고 가야 해……'

9 다음 각 설명에 알맞은 시점의 종류를 쓰시오.

(1) '나'가 주인공이 겪는 사건을 관찰하여 독자에게 전해 줌. (   )

(2) 작품 밖의 서술자가 전지적인 입장에서 인물들이 겪는 사건과 심리 등을 전해 줌. (   )

(3) 작품 밖의 서술자가 객관적인 입장에서 인물들이 겪는 사건을 독자에게 전해 줌. (   )

3인칭	작가 관찰자 시점	작품 밖의 서술자가 관찰자의 입장에서 인물의 말과 행동을 서술함.
	전지적 작가 시점	작품 밖의 서술자가 신과 같은 위치에서 인물의 성격과 심리까지 서술함.

9 배경

(1) 배경의 종류

① 자연적 배경 : 사건이 발생하고 인물의 행동이 일어나는 구체적인 시·공간

② 사회적 배경 : 인물을 둘러싼 사회 현실과 역사적·시대적 상황

③ 심리적 배경 : 인물의 심리적 상황이나 독특한 내면세계를 의미하며 인물의 내면 심리 묘사를 중시하는 소설에서 주로 나타난다.

④ 상황적 배경 : 인물이 처한 처지나 상황으로, 배경 자체가 상징적·암시적인 경우도 있어 주제를 형상화하는 데 깊게 관여한다.

(2) 배경의 기능

① 밝음, 암울함 등 작품의 전반적인 분위기를 형성하는 역할을 한다.

② 구체적인 지역명이나 시대, 실제 있었던 사건을 제시하여 사실성을 높인다.

③ 인물의 심리에 영향을 미치거나, 내면 심리를 간접적으로 드러낸다.

④ 앞으로의 사건 전개 방향을 암시하는 복선의 기능을 한다.

10 수필

(1) 개념 : 글쓴이의 경험에서 우러나온 생각과 느낌을 형식이나 내용의 제한 없이 자유롭고 솔직하게 표현한 글을 말한다.

(2) 특징

- 경험과 체험이 담긴 글 : 글쓴이가 실제로 겪었던 일이 나타난다.
- 개성이 잘 드러나는 글 : 글쓴이의 성격이나 인생관, 가치관 등이 그대로 드러난다.
- 형식이 자유로운 글 : 형식의 제약 없이 자유롭게 쓴다.
- 신변잡기적(身邊雜記的)인 글 : 일상생활 속의 모든 것들이 소재와 주제가 될 수 있다.
- 자기 고백적인 글 : 글쓴이의 개인적인 경험과 생각이 진솔하게 드러난다.
- 비전문적인 글 : 일상과 사물에 대한 통찰력을 지닌 사람이라면 누구나 쓸 수 있다.
- 교훈적인 글 : 글쓴이가 경험한 삶의 의의, 가치, 교훈 등을 통해 독자는 감동을 느끼고 자신의 삶을 성찰할 수 있다.
- 멋과 운치가 있는 글 : 유머와 위트를 통해 웃음을 자아내고, 지적인 감흥을 준다.

(3) 종류

	경수필	중수필
내용	글쓴이가 일상생활에서 경험한 느낌, 생각 등을 가볍게 표현한 수필	시사적·사회적 문제에 대한 글쓴이의 의견을 논리적이고 객관적인 근거를 들어 쓴 수필

개념 확인 문제

10 작품에 나타난 시대적 배경을 파악하는 방법으로 알맞지 않은 것은?

① 작품 속에 사용된 소재를 통해 파악한다.
② 작품 속 인물들의 말과 행동을 통해 파악한다.
③ 시대를 드러내는 시간적·공간적 배경을 찾아본다.
④ 현실 상황과 관련 없이 작품 속 시대 상황만 파악한다.
⑤ 작품 속 인물이 시대 상황에 대응하는 방식을 파악한다.

11 수필에 대한 설명으로 알맞은 것은?

① 실제의 사건을 객관적으로 전달하는 글이다.
② 예술 작품을 해석하여 가치를 논하는 글이다.
③ 생활의 경험을 자유롭고 솔직하게 쓴 글이다.
④ 현실에 있음 직한 일을 상상하여 꾸며 쓴 글이다.
⑤ 대상에 대한 정보를 체계적으로 설명하는 글이다.

12 수필의 특징으로 알맞지 않은 것은?

① 비전문적이다.
② 형식이 자유롭다.
③ 다양한 소재를 취할 수 있다.
④ 글쓴이의 개성이 강하게 드러난다.
⑤ 글쓴이의 허구적 대리인이 등장한다.

13 중수필에 대한 설명으로 알맞은 것은?

① 자기 고백적인 내용을 다룬다.
② 신변잡기적인 소재를 활용한다.
③ 개인적인 경험이나 생각이 나타난다.
④ 문장의 흐름이 비교적 가벼운 느낌을 준다.
⑤ 사회 문제에 대한 글쓴이의 생각이 담겨 있다.

특징	• 자기 고백적, 주관적, 감정적 • 주로 '나'가 겉으로 드러남.	• 논리적, 객관적, 사회적 • 주로 '나'가 겉으로 드러나지 않음.
종류	일기, 편지, 기행문 등	칼럼, 평론 등

(4) 수필과 소설의 비교

		수필	소설
차이점	'나'	글쓴이 자신	작가가 만들어 낸 허구적 인물
	소재	글쓴이의 일상적 경험	작가의 상상력으로 꾸며 낸 허구의 세계
	형식	자유로운 형식	'발단-전개-위기-절정-결말'의 구성 단계
	인생관	글쓴이의 인생관이 직접 제시됨.	작가의 인생관이 인물의 대화, 행동을 통해 간접적으로 제시됨.
공통점		• 줄글로 이루어진 산문 문학임. • 독자에게 감동과 교훈을 줌. • 인간의 삶을 바탕으로 함. • 여러 가지 문학적 표현 방법을 사용함.	

11 희곡

(1) 개념 : 무대 공연을 전제로 한 연극의 대본을 말한다.

(2) 특징

- 무대 공연을 위한 문학이다.
- 시간, 공간, 인물 수에 제약을 받는다.
- 인물의 대사와 행동으로 전개되는, 갈등과 대립의 문학이다.
- 사건을 현재형으로 제시하여 사건이 직접 눈앞에서 일어나는 듯한 효과를 준다.

(3) 구성단위

- 막(幕) : 무대의 막이 올랐다가 다시 내릴 때까지의 단위
- 장(場) : '막'의 하위 단위로 무대 장면이 변하지 않고 이루어지는 사건의 한 토막

(4) 구성 요소

형식적 요소	해설		첫머리에서 등장인물, 무대 장치, 배경을 설명함.
	대사	대화	등장인물끼리 주고받는 말
		독백	등장인물이 혼자서 하는 말
		방백	다른 등장인물에게는 들리지 않고 관객에게만 들리는 것으로 약속하고 하는 말
	지시문	무대 지시문	무대 장치, 분위기, 효과음, 조명 등을 지시함.
		동작 지시문	등장인물의 행동, 표정, 어조, 심리 등을 지시함.
내용적 요소	인물		희곡의 등장인물로 갈등을 빚는 주체
	사건		등장인물들이 벌이는 행위로 갈등과 긴장을 유발하는 원인
	배경		사건이 일어나는 시간과 장소

(5) 구성 단계 : 발단 – 전개 – 절정 – 하강 – 대단원

개념 확인 문제

14 〈보기〉에서 수필에 해당하는 설명을 모두 고른 것은?

보기
㉠ 글쓴이의 인생관이 그대로 드러나 있다.
㉡ 글쓴이가 상상을 통해 꾸며 낸 이야기이다.
㉢ 작품에 등장하는 '나'는 글쓴이 자신을 의미한다.
㉣ 반드시 일정한 구성 단계에 따라 이야기가 배치된다.

① ㉠, ㉡ ② ㉠, ㉢
③ ㉠, ㉣ ④ ㉡, ㉢
⑤ ㉡, ㉣

15 희곡의 특징으로 적절한 것은?

① 현재 시제를 사용한다.
② 장면을 구성단위로 삼는다.
③ 인물 간의 갈등과 대립이 드러나지 않는다.
④ 공연하기 전까지는 문학으로 보지 않는다.
⑤ '발단-전개-위기-절정-결말'의 구성 단계를 거친다.

16 희곡의 구성 요소에 대한 설명으로 적절하지 않은 것은?

① 인물 : 갈등을 빚는 주체를 말한다.
② 대화 : 등장인물들끼리 주고받는 말을 의미한다.
③ 배경 : 사건이 일어나는 시간과 장소를 가리킨다.
④ 독백 : 등장인물이 상대역 없이 혼자 하는 말을 가리킨다.
⑤ 무대 지시문 : 첫머리에서 등장인물, 무대 장치, 배경을 설명한다.

17 희곡의 구성 단계에 대한 설명으로 알맞지 않은 것은?

① 발단 : 인물과 배경을 소개한다.
② 전개 : 등장인물 간의 갈등이 심화된다.
③ 절정 : 갈등 해결의 실마리가 나타난다.
④ 하강 : 사건의 반전이 나타난다.
⑤ 대단원 : 모든 갈등이 해소된다.

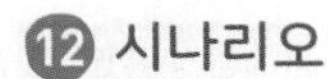

⑫ 시나리오

(1) 개념 : 상영을 전제로 영화나 드라마를 제작하기 위해 만들어진 대본이다.

(2) 특징

- 장면(Scene)을 단위로 한다.
- 대사와 행동을 통해 사건이 전개된다.
- 카메라 촬영을 위한 특수 용어가 사용된다.
- 시간, 공간, 인물 수의 제약을 거의 받지 않는다.

(3) 구성 요소

해설	첫머리에서 등장인물, 장소, 시간 등을 제시함.
대사	인물들이 주고받는 말(대화)이나 혼잣말(독백)
지시문	인물의 표정, 행동, 조명, 음악, 카메라의 위치 등을 지시하는 부분
장면 번호(S#)	장면의 순서, 장면의 전환, 시간의 흐름, 장소의 이동 등을 제시하는 부분

(4) 주요 용어

- S#(Scene Number) : 장면 번호
- NAR.(Narration) : 화면 밖에서 들려오는 인물의 대사로, 주로 인물의 내적 독백에 사용한다.
- F.I.(Fade In) : 처음에 어둡던 화면이 차차 밝아진다.
- F.O.(Fade Out) : 처음에 밝던 화면이 차차 어두워진다.
- O.L.(Over Lap) : 앞 장면에 다음 장면이 겹쳐지면서 장면이 서서히 바뀐다.
- C.U.(Close Up) : 대상의 일부분을 확대하여 보여 준다.
- E.(Effect) : 효과음(음향 효과)
- 몽타주(Montage) : 따로따로 촬영한 화면을 떼어 붙여 편집하는 기법
- 플래시 백(Flash back) : 장면의 순간적인 변화를 연속으로 보여 주는 기법으로, 긴장의 고조, 감정의 격렬함, 과거 회상 장면을 나타내는 데 쓰인다.

(5) 희곡, 시나리오, 소설의 비교

		희곡	시나리오	소설
차이점	목적	무대 공연	영화나 드라마의 제작	–
	구성단위	막과 장으로 구성	장면으로 구성	–
	표현	주로 대사와 지시문으로 표현	주로 대사와 지시문으로 표현	서술, 묘사, 대화 등으로 다양
	시 · 공간의 제약	있음.	없음.	없음.
공통점		• 작가의 상상력으로 꾸며 낸 이야기로 산문 문학의 한 갈래임. • 대립과 갈등을 본질로 함. • 인생의 진실을 추구함.		

⑬ 고전 소설

(1) 개념 : 1894년 갑오개혁 이전까지 지어진 우리 소설을 현대 소설과 구분하여 이르는 말이다.

개념 확인 문제

18 시나리오는 촬영과 편집 과정에서 다양한 특수 기술을 사용할 수 있어, 희곡보다 시간적 · 공간적 제약이 (많다, 적다).

19 시나리오에 대한 설명으로 적절하지 않은 것은?

① 장면을 단위로 한다.
② 인물 수에 제약이 크다.
③ 영화나 드라마의 대본이다.
④ 대사와 행동을 통해 사건이 전개된다.
⑤ 촬영을 위해 특수한 용어가 사용된다.

20 다음 중 시나리오의 구성 요소를 모두 찾아 쓰시오.

> 운율, 해설, 장, 대사, 비평, 지시문, 막, 사건

21 다음에서 설명하는 시나리오 용어로 알맞은 것은?

> 따로따로 촬영한 화면을 떼어 붙여 편집하는 기법으로, 사건의 진행을 축약하여 보여 주는 효과가 있다.

① E. ② F.I.
③ C.U. ④ 몽타주
⑤ 플래시 백

22 희곡, 시나리오, 소설의 공통점으로 옳은 것은?

① 막과 장으로 구성된다.
② 대립과 갈등이 드러난다.
③ 시간적 · 공간적 제약이 크다.
④ 영화나 드라마의 제작이 목적이다.
⑤ 서술자의 서술에 의해 사건이 전개된다.

(2) 특징

① 주제 : 착한 사람은 복을 받고 악한 사람은 벌을 받는다는 권선징악(勸善懲惡)적 주제가 대부분이다.

② 구성 : 대부분 시간의 흐름에 따라 전개되며, 주인공이 태어나 죽을 때까지의 이야기를 다루는 일대기적 구성을 취한다.

③ 인물 : 처음부터 끝까지 성격이 변하지 않는 평면적 인물이며, 특정 부류나 계층의 공통적인 성격을 대표하는 전형적 인물인 경우가 많다.

④ 사건 : 대부분 우연적이고 비현실적이다.

⑤ 배경 : 시간적 배경은 막연한 경우가 대부분이며, 공간적 배경은 우리나라와 중국으로 나눌 수 있으나 비현실적인 경우가 많다.

(3) 유형

구분	특징	주요 작품
애정(염정) 소설	남녀 간의 사랑을 주제로 하는 소설로, 대개 주인공들이 시련을 극복하고 사랑의 결실을 맺는 구조로 이루어짐.	〈춘향전〉, 〈숙영낭자전〉 등
사회 소설	주인공이 사회적 모순이나 제도적 한계와 맞섬으로써 사회 구조와 제도를 비판함.	〈홍길동전〉, 〈전우치전〉 등
영웅 · 군담 소설	비범한 인물의 영웅적인 삶을 다룬 소설로, 전쟁을 승리로 이끌어 나라를 위기에서 구하는 영웅의 활약상을 그림.	〈유충렬전〉, 〈박씨전〉, 〈임경업전〉 등
풍자 소설	부정적 인물들의 무능과 위선을 비판 · 풍자하여 당대 현실의 모순을 선명하게 드러냄.	〈호질〉, 〈양반전〉 등
몽자류 소설	중심인물이 꿈속에서 새로운 삶을 체험한 뒤 꿈에서 깨어나 깨달음을 얻는 이야기로, 제목에 '몽(夢)' 자가 붙음.	〈구운몽〉, 〈옥루몽〉 등
가정 소설	가족 사이의 갈등 관계, 처첩 간의 갈등, 계모의 학대 등 가정 내 불화와 그 극복 과정을 다룸.	〈사씨남정기〉, 〈장화홍련전〉 등
우화 소설	동물이나 식물 등을 의인화하여 인간 사회의 결함이나 부조리를 비판 · 풍자함.	〈장끼전〉, 〈서동지전〉 등
판소리계 소설	다양한 근원 설화를 바탕으로 구전되던 이야기가 판소리 사설을 거쳐 소설로 정착된 것으로, 서민들의 익살과 해학, 지혜와 소망 등을 담고 있음.	〈심청전〉, 〈흥부전〉, 〈춘향전〉 등

⑭ 고전 수필

(1) 개념 : 선비들의 개인적인 문집에서 시작되어 임진왜란과 병자호란의 양란 이후 크게 발전한 개화기 이전까지의 수필로, 일상생활을 통해 보고 듣고 느낀 내용을 적은 글을 말한다.

(2) 특징

- 개인의 체험이나 역사적 사실에 대한 느낌을 기록한 글들이 많다.
- 한문 수필, 궁중 수필, 일기, 기행, 내간(부녀자들이 주고받은 한글 편지) 등 형식이 다양하다.
- 운문적인 성격보다 산문적인 성격이 강하다.
- 조선 전기까지는 사대부들이 주로 창작하였으나 조선 후기에 이르러서는 부녀자와 평민도 작가로 참여하였다.

개념 확인 문제

23 우리 소설은 (   )을/를 기점으로 하여 고전 소설과 현대 소설로 구분한다.

24 고전 소설의 특징으로 적절하지 않은 것은?

① 행복한 결말
② 일대기적 구성
③ 전지적 작가 시점
④ 평면적이고 개성적인 인물
⑤ 비현실적이고 막연한 배경

25 다음 고전 소설의 유형을 쓰시오.

> 한림은 교씨를 위로하였다.
> "오늘은 이미 저물었네. 날이 밝으면 일가들을 모아 사당에 고한 후에 투부를 내칠 것이네. 그리고 자네를 부인으로 삼을 것이야. 쓸데없이 슬퍼하지 말게. 꽃 같은 얼굴만 상하겠네."
> 교씨는 눈물을 거두며 대답했다.
> "그같이 조치하시다니……. 이제 첩의 원한이 거의 풀렸습니다. 하지만 부인의 자리를 첩이 어찌 감당하겠습니까?" - 김만중, 〈사씨남정기〉

____

26 고전 수필의 특징으로 알맞지 않은 것은?

① 개화기 이전의 수필이다.
② 운문적인 성격이 강하다.
③ 글쓴이의 체험이 담겨 있다.
④ 한문 수필, 일기, 내간 등 형식이 다양하다.
⑤ 조선 후기에 이르러서는 여자와 평민도 작가로 참여하였다.

운수 좋은 날 ① _ 현진건

가 ㉠새침하게 흐린 품이 눈이 올 듯하더니, 눈은 아니 오고 얼다가 만 비가 추적추적 내리는 날이었다.

이날이야말로 *동소문 안에서 ⓐ인력거꾼 노릇을 하는 김 ⓑ첨지에게는 오래간만에도 닥친 운수 좋은 날이었다. 문안에(거기도 문밖은 아니지만) 들어간답시는 앞집 마나님을(나이가 많은 부인을 높여 부르는 말) ⓒ전찻길까지 모셔다 드린 것을 비롯하여 행여나 손님이 있을까 하고 정류장에서 어정어정하며, 내리는 사람 하나하나에게 거의 비는 듯한 눈길을 보내고 있다가, 마침내 ⓓ교원인 듯한 양복쟁이를 동광 학교(東光學校)까지 태워다 주기로 되었다.

첫 번에 ⓔ삼십 *전, 둘째 번에 오십 전 — 아침 댓바람에(아주 이른 시간) 그리 흉치 않은 일이었다. 그야말로 재수가 옴 붙어서 근 열흘 동안 돈 구경도 못한 김 첨지는 십 전짜리 백동화(구리와 니켈의 합금으로 만든 돈) 서 푼, 또는 다섯 푼이 찰깍하고 손바닥에 떨어질 제(때) 거의 눈물을 흘릴 만큼 기뻤었다. 더구나 이날 이때에 이 팔십 전이라는 돈이 그에게 얼마나 유용한지 몰랐다. 컬컬한 목에 모주(술찌끼에 물을 타서 뿌옇게 걸러낸 탁주) 한 잔도 적실 수 있거니와, 그보다도 앓는 아내에게 설렁탕 한 그릇도 사다 줄 수 있음이다.

나 "그래, 남대문 정거장까지 얼마란 말이오?"

하고 학생은 초조한 듯이 인력거꾼의 얼굴을 바라보며 혼잣말같이,

"인천 차가 열한 점에(예전에, 시간을 세던 단위) 있고, 그 다음에는 새로 두 점이든가."

라고 중얼거린다.

"일 원 오십 전만 줍시오."

이 말이 저도 모를 사이에 불쑥 김 첨지의 입에서 떨어졌다. 제 입으로 부르고도 스스로 그 엄청난 돈 액수에 놀랐다. 한꺼번에 이런 금액을 불러라도 본 지가 그 얼마 만인가! 그러자 그 돈 벌 욕기가(욕심) 병자에 대한 염려를 사르고(없애고) 말았다. 설마 오늘 내로 어떠랴 싶었다. 무슨 일이 있더라도 제일 제이의 행운을 곱친(곱절을 하거나 곱절로 잡아 셈한) 것보다도 오히려 곱절이 많은 이 행운을 놓칠 수 없다 하였다.

"일 원 오십 전은 너무 과한데."

이런 말을 하며 학생은 고개를 기웃하였다.

"아니올시다. 이수로(거리를 '리(里)'의 단위로 나타낸 수) 치면 여기서 거기가 시오 리가 넘는답니다. 또, 이런 *진날에는 좀 더 주셔야지요."

하고 빙글빙글 웃는 *차부의 얼굴에는 숨길 수 없는 기쁨이 넘쳐흘렀다.

다 이윽고 끄는 이의 다리는 무거워졌다. 자기 집 가까이 다다른 까닭이다. 새삼스러운 염려가 그의 가슴을 눌렀다.

"오늘은 나가지 말아요. 내가 이렇게 아픈데!"

이런 말이 잉잉 그의 귀에 울렸다. 그리고 병자의 움쑥 들어간 눈이 원망하는 듯

작품 핵심

갈래	현대 소설, 단편 소설
성격	사실적, 반어적, 비극적
배경	• 시간 – 1920년대 • 공간 – 어느 비 오는 겨울날 서울
시점	전지적 작가 시점
제재	인력거꾼 김 첨지의 하루
주제	일제 강점기 도시 하층민의 궁핍하고 비참한 삶
특징	① 비 오는 겨울날이라는 배경을 통해 작품 전체의 분위기를 어둡게 이끌며, 비극적 결말을 암시함. ② 비속어를 사용하여 사실감과 현장감을 느끼게 함. ③ 반어적 상황을 통해 작품의 비극성을 극대화함. ④ 일제 강점기 도시 하층민의 삶을 사실적으로 그림.

이 작품의 창작 배경

이 작품이 쓰인 1920년대는 일제의 수탈이 심해진 시기였다. 특히 일제는 1912년부터 조선 토지 조사 사업을 시행하였고 그 결과 수많은 농민이 토지를 일제에 빼앗겼다. 경제적으로 몰락한 중소 지주 및 자작농, 소작인들은 도시로 떠나 일용직 노동자가 되었다. 이러한 과정에서 도시 빈민층이 생겼는데, 이 작품은 이와 같은 시대적 상황을 인력거꾼 김 첨지의 궁핍하고 비극적인 모습을 통해 사실적으로 보여 주고 있다.

이 작품의 복선

작품 전반에 걸쳐 추적추적 내리는 비와 일 나가기를 만류하는 병든 아내의 모습 등은 다가올 비극적 결말을 암시하는 복선 구실을 한다.

어휘 쏙쏙

- **동소문(東小門)**: '혜화문'을 달리 이르는 말.
- **전(錢)**: 우리나라의 옛 화폐 단위.
- **진날**: 땅이 질척거릴 정도로 비나 눈이 오는 날.
- **차부(車夫)**: 마차나 우차 따위를 부리는 사람.

이 자기를 노리는 듯하였다. 그러자 엉엉 하고 우는 개똥이의 곡성을 들은 듯싶다. 딸꾹딸꾹 하고 숨 모으는 소리도 나는 듯싶다…….

곡성: 우는 소리

"왜 이러우? 기차 놓치겠구먼."

하고 탄 이의 초조한 부르짖음이 간신히 그의 귀에 들려왔다. 언뜻 깨달으니 김 첨지는 인력거 채를 쥔 채 길 한복판에 엉거주춤 멈춰 있지 않은가?

"예, 예."

하고 김 첨지는 또다시 달음질하였다. 집이 차차 멀어 갈수록 김 첨지의 걸음에는 다시금 신이 나기 시작하였다. 다리를 재게 놀려야만 쉴 새 없이 자기의 머리에 떠오르는 모든 근심과 걱정을 잊을 듯이.

달음질: 달음박질. 급히 뛰어 달려감

재게: 동작이 재빠르게

01

이 글에 대한 설명으로 적절하지 않은 것은?

① 인물 내면의 분열을 사실적으로 표현하였다.
② 가난을 소재로 하여 당시의 삶의 모습을 그렸다.
③ 1920년대의 사회상을 나타내는 말들이 많이 쓰였다.
④ 배경 묘사를 통해 주제나 사건의 성격을 암시하였다.
⑤ 주인공은 일제 강점하에서 비참한 삶을 살아가는 하층민이다.

02

집과의 거리에 따른 김 첨지의 심리 및 걸음에 관한 설명으로 적절한 것은?

① 집과 가까워질수록 걸음은 빨라진다.
② 집과 가까워질수록 다리는 가벼워진다.
③ 집과 가까워질수록 불안감으로 다리는 무거워진다.
④ 집과 멀어질수록 다리에 힘이 빠져 걸음이 느려진다.
⑤ 집과 멀어질수록 걱정과 불안감으로 다리는 무거워진다.

03

ⓐ~ⓔ 중, 시대적 배경을 드러내는 소재가 아닌 것은?

① ⓐ ② ⓑ ③ ⓒ ④ ⓓ ⑤ ⓔ

04

이 글에서 ㉠의 역할로 적절하지 않은 것은?

① 인물의 불안한 심리를 반영한다.
② 주인공에게 다가올 불행을 암시한다.
③ 고단한 삶의 상황과 분위기를 나타낸다.
④ 부정적 현실에서 벗어날 수 있음을 암시한다.
⑤ 작품의 분위기를 음산하고 암울하게 이끌어 간다.

운수 좋은 날 ❷ _ 현진건

중간 부분 줄거리 거듭되는 행운으로 큰돈을 번 김 첨지는, 일을 마치고 막상 집이 가까워져 오자 불안감과 두려움에 귀가를 늦추고 싶어 한다. 그럴 즈음 김 첨지는 친구 치삼을 만나고, 치삼과 함께 선술집에서 술을 마신다. 계속해서 술을 마시며 불안감에 이상한 언행을 하던 김 첨지는 취중에도 아내가 먹고 싶어 하던 설렁탕을 사 가지고 집으로 돌아온다. 하지만 집에 도착한 김 첨지는 불길한 침묵과 마주하게 된다.

라 하여간, 김 첨지는 방문을 왈칵 열었다. 구역을 나게 하는 추기, 떨어진 삿자리 밑에서 나온 먼지내, 빨지 않은 기저귀에서 나는 똥내와 오줌내, 가지각색 때가 켜켜이 앉은 옷 내, 병인의 땀 썩은 내가 섞인 추기가 무딘 김 첨지의 코를 찔렀다.

방 안에 들어서며 설렁탕을 한구석에 놓을 사이도 없이 주정꾼은 목청을 있는 대로 다 내어 호통을 쳤다.

"이런 오라질 년, 주야장천(晝夜長川) 누워만 있으면 제일이야! 남편이 와도 일어나지를 못해?"

라는 소리와 함께 발길로 누운 이의 다리를 몹시 찼다. 그러나 발길에 차이는 건 사람의 살이 아니고 나뭇등걸과 같은 느낌이 있었다. 이때에 빽빽 소리가 응아 소리로 변하였다. 개똥이가 물었던 젖을 빼어 놓고 운다. 운대도 온 얼굴을 찡그려 붙여서 운다는 표정을 할 뿐이라, 응아 소리도 입에서 나는 게 아니고, 마치 뱃속에서 나는 듯하였다. 울다가 울다가 목도 잠겼고 또 울 기운조차 시진한 것 같다.

마 발로 차도 그 보람이 없는 걸 보자, 남편은 아내의 머리맡으로 달려들어 그야말로 까치집 같은 환자의 머리를 꺼들어 흔들며,

㉠"이년아, 말을 해, 말을! 입이 붙었어, 이 오라질 년!"

"……."

"으응, 이것 봐, 아무 말이 없네."

"……."

"이년아, 죽었단 말이냐, 왜 말이 없어?"

"……."

"으응, 또 대답이 없네, 정말 죽었나 보이."

이러다가 누운 이의 흰창(눈알의 흰 부분)이 검은창을 덮은, 위로 치뜬 눈을 알아보자마자,

"이 눈깔! 이 눈깔! 왜 나를 바루 보지 못하고 천장만 바라보느냐, 응?"

하는 말끝엔 목이 메었다. 그러자 산 사람의 눈에서 떨어진 닭똥 같은 눈물이 죽은 이의 뻣뻣한 얼굴을 어룽어룽(뚜렷하지 아니하고 흐리게 어른거리는 모양) 적시었다.

문득 김 첨지는 미친 듯이 제 얼굴을 죽은 이의 얼굴에 비벼대며 중얼거렸다.

"설렁탕을 사다 놓았는데 왜 먹지를 못하니, 왜 먹지를 못하니……. 괴상하게도 오늘은 운수가 좋더니만……."

작품 핵심

줄거리

비 내리는 겨울날, 아픈 아내의 만류를 뿌리치고 인력거를 끌고 나온 김 첨지는 거듭된 행운으로 여러 손님을 태워 많은 돈을 벌게 된다. 그러나 마음 한편에는 아픈 아내로 인해 불길한 예감이 든다. 집 가까이에 올수록 심화되는 불안감 때문에 그는 일을 마치고서도 곧바로 집에 가지 않고 친구 치삼과 술을 마신다. 취중에도 아내가 먹고 싶어 하던 설렁탕을 사 들고 집으로 돌아오지만, 아내는 이미 죽어 있다. 아내의 죽음을 확인한 김 첨지는 '괴상하게도 오늘은 운수가 좋더니만.'이라고 말한다.

등장인물

김 첨지	도시 하층민의 삶을 대표하는 전형적인 인물. 가난한 인력거꾼으로 겉으로는 거칠지만 속으로는 아내를 생각하는 따뜻한 마음을 지님.
아내	설렁탕을 먹고 싶어 하지만 결국 소망을 이루지 못하고 죽음을 맞아 비극적인 결말을 이끌어 내는 인물

이 작품의 반어적 기법

반어란, 겉과 실상이 반대되어 표현의 효과를 높이는 방법이다. 김 첨지의 하루는 모처럼 큰돈을 번 '운수 좋은 날'이나, 실제로는 아내가 죽는 가장 불행한 날이다. 이러한 반어적 표현은 1920년대 하층민의 비참한 생활상을 극단적이고 효과적으로 보여 준다.

어휘 쏙쏙

- **추기**: 송장이 썩어서 흐르는 물.
- **삿자리**: 갈대를 엮어서 만든 자리.
- **주야장천(晝夜長川)**: 밤낮으로 쉬지 않고 연달아.
- **시진(澌盡)**: 기운이 빠져 없어짐.

01

이 글에 대한 설명으로 적절하지 않은 것은?

① 김 첨지는 아내의 죽음을 예감하여 취중에도 설렁탕을 사 왔다.
② 방 안의 갖가지 냄새를 통하여 궁핍한 생활상을 사실적으로 드러내고 있다.
③ 주인공 김 첨지가 놓인 상황은 창작 당시의 사회상을 압축적으로 보여 주는 것이다.
④ 김 첨지가 호통을 치는 것은 아내의 죽음에 대한 공포를 떨쳐 버리기 위한 행동이다.
⑤ 아내의 죽음을 확인하고 보인 김 첨지의 행동으로 보아 아내에게 한 김 첨지의 욕설은 반어적 행동임을 알 수 있다.

02

설렁탕 에 담긴 의미로 적절하지 않은 것은?

① 작품의 비극성을 고조시킨다.
② 김 첨지의 인간미를 나타낸다.
③ 하층민의 가난한 생활을 부각한다.
④ 김 첨지의 아내에 대한 사랑을 드러낸다.
⑤ 가족의 사랑을 상징하여 따뜻한 분위기를 만든다.

03

㉠이 가져오는 효과로 가장 적절한 것은?

① 인물의 악한 성격을 드러낸다.
② 중심 사건의 내용을 요약해 준다.
③ 토속적인 정감과 분위기를 조성한다.
④ 인물 간의 갈등을 구체적으로 보여 준다.
⑤ 도시 하층민의 생활상을 현실감 있게 표현한다.

04

(마)와 같이 결말을 맺은 작가의 의도로 가장 적절한 것은?

① 지나치게 욕심을 부리면 불행해진다는 교훈을 주기 위해
② 가족의 사랑이 상실된 시대에 가족의 사랑을 강조하기 위해
③ 가난한 하층민의 삶을 통해 일제의 수탈을 생생하게 고발하기 위해
④ 인력거꾼의 고된 일상을 통해 현대인에게 노동의 의미를 알게 하기 위해
⑤ 가장 비극적인 날을 운수 좋은 날로 표현하여 비참한 현실을 극적으로 제시하기 위해

02 표구된 휴지 ❶ _ 이범선

앞부분 줄거리 언제부턴가 '나'에겐 피곤할 때면 화실 한쪽 벽에 걸린 액자의 편지를 읽는 버릇이 생겼다. 그 편지는 먹으로 서툴고 삐뚤삐뚤하게 쓴 한글 편지로, 중간의 일부만 있어서 누가 누구에게 쓴 것인지 알 수 없는 것이었다. 내용상 시골의 늙은 아버지가 서울로 돈 벌러 간 아들에게 쓴 것으로 보였다. 사실 그 편지 액자는 '나'의 것이 아니다. 은행에 다니는 친구가 3년 전 가을 퇴근길에 찾아와 휴지 같은 편지를 내밀면서 국보급이라며 읽어 보라고 권했고, 바가지에 담아 내놓은 옥수수 냄새 같은 게 있다고 예찬하며 그것을 '나'에게 *표구해 줄 것을 부탁했었다.

가 그 친구 은행 창구에 저녁때면 날마다 빼지 않고 들르는 지게꾼이 있단다. 은행 문 앞에 지게를 벗어 세워 놓고는 매우 죄송스러운 태도로 조용히 은행 안으로 들어서는 스물댓 나 보이는 ㉠그 꺼먼 얼굴의 청년을 처음엔 안내원이 막았다.

"뭐지요?" / "예, 예, 저어……."

"여긴 은행이오, 은행!" / "예, 그러니까 저 돈을……."

청년은 어리둥절해서 말도 제대로 하지 못했다.

"글쎄, 은행이라니까!" / "예, 그런데 그 조금도 할 수 있습니까?"

"조금이라니 뭘 말이오?" / "저금을 조금두 할 수 있습니까?"

"저금요!"

은행 안의 모든 시선들이 그 지게꾼에게로 쏠렸다.

나 청년은 점점 더 당황하였다. 얼굴이 붉어져서 돌아서 나가려는 그를 불러 세운 것은 예금 창구의 여직원이었다. 청년은 손에 말아 쥐고 있던 라면 봉지에서 꼬깃꼬깃한 백 원짜리 지폐 다섯 장과 새로 새긴 목도장을 꺼내어 떨리는 손으로 여직원에게 바쳤다. 청년은 저만치 한구석으로 가 서서 불안스러운 눈으로 멀리 여직원을 지켜보고 있었다. 한참 만에 그는 흠칫 놀랐다. 생전 처음 그는 씨 자가 붙은 자기 이름을 들었던 것이다. 그는 여직원 앞으로 달려와 빳빳한 통장을 받았다. 청년은 여직원과 안내원에게 굽실굽실 절을 하고는 한 손에 통장을 받쳐 든 채 들어올 때처럼 조심스럽게 유리문을 밀고 나갔다. 통장을 확인할 경황도 없이.

경황: 정신적 · 시간적인 여유나 형편

다음 날부터 그 청년은 매일 저녁 무렵이면 꼭꼭 들렀다. 하루에 이백 원 혹은 삼백 원 또 어떤 날은 오백 원, 그의 통장에는 입금만 있고 출금난은 비어 있었다. 이제는 제법 안내원과는 익숙해졌으나 여직원 앞에서는 여전히 얼굴을 붉히며 수고를 끼쳐서 대단히 죄송하다는 표정 그대로였다.

다 그러던 어떤 날이었다. 그날은 여느 날보다 조금 일찍 청년이 은행엘 들렀다.

"오늘은 일찍 오셨네요. 얼마 넣으시겠어요?" / 여직원이 미소로 물었다.

"예, 기게…… 오늘은 좀……." / 청년은 무언가 종이 뭉텅이를 들고 머뭇거렸다.

"왜요?" / "이거 정말 죄송합니다. 이거 얼마 되지 않는 걸 동전으루……. 그동안 저금통에 넣었던 걸 오늘 깨었죠. 기래 여기 이렇게……."

청년은 종이에 싼 것을 내밀었다. / "죄송합니다. 정말 이거……."

청년은 뒤통수를 긁적거리며 언제나 그가 서서 기다리는 구석으로 갔다.

작품 핵심

갈래	현대 소설, 단편 소설
성격	회상적, 일화적, 사색적
배경	• 시간 – 1960~1970년대 • 공간 – 서울
시점	1인칭 주인공 시점
제재	표구된 편지
주제	① 아들에 대한 아버지의 따뜻하고 소박한 사랑 ② 사소하고 일상적인 것에서 발견하는 삶의 아름다움
특징	① 소설이지만 뚜렷한 갈등이 드러나지 않으며, 신변잡기적인 소재를 취해 수필적 특성이 드러남. ② '현재–과거–현재'의 역순행적 구성으로 사건이 전개되어 '나'가 편지의 가치를 깨닫는 과정을 보여 줌. ③ 편지를 인용하여 독자의 관심을 유도하고, 끝을 맺지 않은 편지를 통해 여운을 줌.

구성

발단
화실 벽에 걸려 있는 정감 어린 사연이 담긴 표구된 편지

⬇

전개
3년 전 친구가 휴지 같은 편지를 가져와 국보급이라고 하며 표구를 부탁함.

⬇

위기 · 절정
지게꾼 청년이 동전을 싸 왔던 편지를 친구가 휴지통에서 주워 옴.

⬇

결말
화실 벽에 걸려 중심점이 되어 가고 있는 표구된 편지

어휘 쏙쏙

• **표구(表具)**: 그림의 뒷면이나 테두리에 종이 또는 천을 발라서 꾸미는 일.

01 이 글에 대한 설명으로 가장 적절한 것은?

① 사건을 요약적으로 제시하고 있다.
② 작품의 주제를 직접적으로 전달하고 있다.
③ 인물을 중심으로 갈등의 원인을 분석하고 있다.
④ 행동 묘사를 통해 인물의 성격을 드러내고 있다.
⑤ 시대적 배경을 상세히 서술하여 독자의 이해를 돕고 있다.

02 이 글에 사용된 사투리의 역할로 가장 적절한 것은?

① 작품의 주제를 요약적으로 제시한다.
② 인물 간의 끈끈한 유대감을 보여 준다.
③ 글의 의미를 쉽게 파악할 수 있게 한다.
④ 향토적이며 낭만적인 분위기를 조성한다.
⑤ 인물이 순박한 성격을 지니고 있음을 드러낸다.

03 ㉠의 이유로 알맞은 것은?

① 은행 업무가 시작되기 전이어서
② 은행 출입이 금지된 사람이어서
③ 무언가를 숨기는 듯한 태도를 보여서
④ 자신을 무시하는 태도가 마음에 들지 않아서
⑤ 겉모습에서 풍기는 인상 때문에 돈이 없을 것이라고 생각되어서

04 〈보기〉는 3년 전 '나'의 은행원 친구가 '나'에게 휴지 같은 편지를 가져왔던 장면이다. 이 장면을 통해 알 수 있는 친구의 가치관으로 가장 적절한 것은?

보기

"뭔가, 이건?" / "한번 읽어 보게나."
친구는 눈으로 내가 들고 있는 휴지를 가리켰다. 나는 그 구겨졌던 종이 위에 먹으로 쓴 글자를 한 자 한 자 읽으면서 속으로 철자법을 교정해야 했다.
"무슨 편지 같군." / "그래."
"무슨 편진가?" / "나도 모르지."
"그런데!" / "어쨌든 재미있지 않나. 뭔가 뭉클하는 게 있단 말야."
"좀 그런 것 같긴 하지만……."
"바가지에 담아 내놓은 옥수수 냄새 같은, 뭐 그런 게 있잖아."

① 시골에서 자란 것을 부끄럽게 생각한다.
② 다른 사람의 일에 참견하기를 좋아한다.
③ 다른 사람들이 부러워하는 화려한 삶을 꿈꾼다.
④ 꾸미지 않은 소박한 것의 가치를 소중히 여긴다.
⑤ 은퇴하고 시골에서 조용하게 살아가고 싶어 한다.

표구된 휴지 ② _ 이범선

라 "이게 바로 그 지게꾼 청년이 동전을 싸 가지고 온 종이지."

친구는 내 손의 편지를 가리켰다.

"그래, 그럼 그의 집에서 그 청년에게 보낸 편지란 말인가?"

"글쎄, 반드시 그렇다고는 할 수 없겠지. 동전을 세는 여직원을 거들어 주다가 우연히 발견하고 재미있다고 생각돼서 가지고 온 것 뿐이니까."

마 우물집 할머니 하루 알고 갔다. 모두 잘 갔다 한다. 장손이 장가갔다. 색씨느 너머 마을 곰보 영감딸이다. 구장네란 실이 시집 간다. 신랑은 읍의 서기라더라. 앞집순이가 어제 저녁갑자 살마치마에 가려들고 왔더라. 순이느시집안갈끼라 하더라. 니느 빨리 장가 안들어야 건나.

나는 비시시 웃음이 새어 나왔다. 편지 내용도 그렇고 친구의 장난기도 그랬다.

어쨌든 나는 그 창호지를 아는 표구사에 맡겼다. 그게 어떤 편지냐고 묻는 표구사 주인한테는 / "굉장한 겁니다. 이건 정말 국보급입니다."
하고 얼버무렸다. 표구사 주인은 머리를 갸웃거렸다.

바 그 후 나는 그 창호지 편지를 감감히(어떤 사실을 전혀 모르거나 잊은 모양) 잊어버리고 있었다. 그런데 은행 친구가 어느 외국 지점으로 전근이 되었다. 비행기가 떠날 때 나는 문득 그 편지 생각이 났다.

니 떠나고 메칠 안이서 송아지 낫다.

그 길로 나는 표구사로 갔다. 구겨진 휴지였던 그 편지는 깨끗이 펴져서 액자 속에 들어 있었다. 그렇게 치장하고 보니 ⓐ그게 정말 무슨 국보나 되는 것 같았다.

사 돈조타. 그러나 너거 엄마느 돈보다도 너가 더조 타한다. 밥 묵고 배아프면 소금 한 줌 무그라하더라.

그날부터 그 액자는 내 화실에 ⓑ그냥 걸어 두었다. 그저 걸어 둔 거다. 그런데 그게 이상하게도 ⓒ차츰 내 화실의 중심점이 되어 갔다. 그건 그림 같기도 하고 글 같기도 하다. 아니 그건 분명 그 둘이 합쳐진 것이었다.

나는 친구가 외국으로 떠나고 이태(두 해) 동안 그 액자를 간간 바라보고 있는 사이에 차츰 ⓓ그 친구의 심정을 느껴 알 것 같아졌다.

니무순주변에고기묵건나. 콩나물무거라. 참기름이나마니처서무그라. 순이느시집안갈끼라 하더라. 니느 빨리 장가 안들어야 건나. 돈조타. 그러나 너거 엄마느 돈보다도 너가 더조 타한다.

그리고 채 이어지지 못하고 끊어진 맨 끝줄.

ⓔ밤에느 솟적다 솟적다 하며 새느 운다마느…….

작품 핵심

줄거리

화가인 '나'는 3년 전 어느 날, 은행원인 친구에게 휴지 같은 편지를 표구해 줄 것을 부탁받는다. 먹으로 서툴고 비뚤비뚤하게 쓴 편지는 내용상 시골의 늙은 아버지가 서울로 돈 벌러 간 아들에게 쓴 것으로 보인다. 편지는 '나'의 친구가 근무하는 은행에 날마다 들르는 허름한 행색의 지게꾼 청년으로부터 나온 것이다. 청년은 어느 날 동전을 편지에 싸서 가져와 저금을 했고, '나'의 친구는 휴지통에서 동전을 쌌던 편지를 발견하여 주워 온 것이다. '나'는 편지를 표구사에 맡기고 잊어버리고 있다가, 친구가 외국 지점으로 전근을 가자 문득 편지가 떠올라 표구사로 편지를 찾으러 간다. '나'는 그 액자를 가져와 화실에 걸어 두고, 피곤할 때면 그 액자의 편지를 읽는 버릇을 갖게 된다. 편지를 읽으며 '나'는 친구가 편지에서 발견했던 가치를 차츰 깨닫고 공감하게 된다.

등장인물

'나'	가난한 화가. 표구된 편지에서 참된 삶의 가치를 깨달아 가는 인물
'나'의 친구	우연히 얻은 편지에 담긴 정신적 가치를 알아본 인물
지게꾼 청년	시골 출신의 순박하고 성실한 인물. 이 작품의 중심 소재인 편지에 동전을 싸 왔던 인물
편지의 발신인	청년의 아버지로 짐작되며 시골에서 농사짓는 농부. 도시로 돈을 벌러 간 아들에게 소박한 편지를 보낸 인물

'표구된 휴지'

- 제목이면서 이 글의 중심 제재이다.
- 독자의 호기심을 유발한다.
- 버려진 휴지처럼 사소하고 하찮은 것에서도 삶의 의미와 가치를 발견할 수 있음을 드러낸다.

01

이 글에 대한 설명으로 적절하지 않은 것은?

① 신변잡기적인 성격을 지니고 있다.
② 1인칭의 서술자를 통해 사건이 전달되고 있다.
③ 중심인물들 간의 갈등을 통해 이야기가 진행되고 있다.
④ 중심 소재에 대한 인물의 심리 변화가 잘 드러나고 있다.
⑤ 끝을 맺지 않은 편지의 한 구절로 결말을 처리함으로써 감동과 여운을 주고 있다.

02

이 글에 인용된 편지에 대한 설명으로 적절하지 않은 것은?

① 구어체가 두드러진다.
② 특별한 형식을 갖추고 있다.
③ 집 안팎의 내용을 다루고 있다.
④ 맞춤법에 맞지 않는 표현이 많다.
⑤ 보내는 사람과 받는 사람은 친밀한 관계이다.

03

ⓐ~ⓔ에 대한 설명으로 적절하지 않은 것은?

① ⓐ : 휴지 같던 편지를 표구하자 가치 있는 것처럼 느껴졌다.
② ⓑ : 표구된 편지에 그다지 큰 의미를 두지 않고 있었다.
③ ⓒ : 편지가 표구된 후 문화재로서 가치를 인정받았다.
④ ⓓ : 친구가 느꼈을 감정에 공감하게 되었다.
⑤ ⓔ : 자식을 그리워하고 걱정하는 발신인의 마음이 담겨 있다.

04

이 글을 읽고 난 뒤의 감상으로 적절하지 않은 것은?

① 미연 : 편지의 가치를 발견한 '나'의 친구는 따뜻한 마음을 지닌 사람인 것 같아.
② 지훈 : 편지에서 타지에 있는 자식을 생각하는 부모님의 마음이 느껴지는 것 같았어.
③ 규리 : 표구된 편지를 이태를 보고도 그 가치를 모르는 '나'는 인정이 메마른 사람이야.
④ 수영 : 고향 마을에서 일어난 이런저런 일들을 들려주는 듯한 편지에서 정다운 느낌이 들었어.
⑤ 창희 : 편지는 얼핏 보면 그저 '구겨진 휴지'일 수도 있지만 누군가에게는 '국보'와 같은 소중한 가치를 가지기도 하는 것 같아.

난쟁이가 쏘아 올린 작은 공 _ 조세희

가 어머니는 조각 마루 끝에 앉아 말이 없었다. 벽돌 공장의 높은 굴뚝 그림자가 시멘트 담에서 꺾어지며 좁은 마당을 덮었다. 동네 사람들이 골목으로 나와 뭐라고 소리치고 있었다. 통장은 그들 사이를 비집고 나와 방죽 쪽으로 걸음을 옮겼다. 어머니는 식사를 끝내지 않은 밥상을 들고 부엌으로 들어갔다. 어머니는 두 무릎을 곧추세우고 앉았다. 그리고 손을 들어 부엌 바닥을 한 번 치고 가슴을 한 번 쳤다. 나는 동사무소로 갔다. 행복동 주민들이 잔뜩 몰려들어 자기의 의견들을 큰 소리로 말하고 있었다. 들을 사람은 두셋밖에 안 되는데, 수십 명이 거의 동시에 떠들어 대고 있었다. 쓸데없는 짓이었다. 떠든다고 해결될 문제는 아니었다.

나 나는 바깥 게시판에 적혀 있는 공고문(널리 알리려는 의도로 쓴 글)을 읽었다. 거기에는 아파트 입주 절차와 아파트 입주를 포기할 경우 탈 수 있는 이주(본래 살던 집에서 다른 집으로 거처를 옮김) 보조금 액수 등이 적혀 있었다. 동사무소 주위는 시장 바닥과 같았다. 주민들과 아파트 *거간꾼들이 한데 뒤엉켜 이리 몰리고 저리 몰리고 했다. 나는 거기서 아버지와 두 동생을 만났다. 아버지는 도장포(도장을 돈을 받고 새겨 주는 가게) 앞에 앉아 있었다. 영호는 내가 방금 물러선 게시판 앞으로 갔다. 영희는 골목 입구에 세워 놓은 검정색 승용차 옆에 서 있었다. 아침 일찍 일들을 찾아 나섰다가 철거 *계고장이 나왔다는 소리를 듣고 돌아온 것이었다. 누군들 이런 날 일을 할 수 있을까. ㉠ <u>나는 아버지 옆으로 가 아버지의 공구들이 들어 있는 부대를 들어 메었다. 영호가 다가오더니 나의 어깨에서 그 부대를 내려 옮겨 메었다.</u> 나는 아주 자연스럽게 그것을 넘겨주면서 이쪽으로 걸어오는 영희를 보았다. 영희의 얼굴은 발갛게 상기되어 있었다. 몇 사람의 거간꾼들이 우리를 둘러싸고 아파트 입주권(건물이 지어졌을 때 먼저 입주할 수 있는 권리)을 팔라고 했다. 아버지가 책을 읽고 있었다. 우리는 아버지가 책을 읽는 것을 처음 보았다. 표지를 쌌기 때문에 무슨 책을 읽는지도 알 수 없었다. 영희가 허리를 굽혀 아버지의 손을 잡아끌었다. 아버지는 우리들의 얼굴을 물끄러미 쳐다보더니 자리를 털고 일어났다. "난쟁이가 간다."라고 처음 보는 사람들이 말했다.

다 어머니는 대문 기둥에 붙어 있는 알루미늄 표찰(거주자의 성명을 써서 문 따위에 걸어 놓는 표)을 떼기 위해 식칼로 못을 뽑고 있었다. 내가 식칼을 받아 반대쪽 못을 뽑았다. 영호는 어머니와 내가 하는 일이 못마땅한 모양이었다. 그러나 마음에 드는 일이 우리에게 일어나 주기를 바랄 수는 없는 일이었다. 어머니는 무허가 건물 번호가 새겨진 알루미늄 표찰을 빨리 떼어 간직하지 않으면 나중에 괴로운 일이 생길 것이라는 것을 알고 있었다.

라 "입주권을 팔려고 그래요?" / 영희가 물었다.

"팔긴 왜 팔아!" / 영호가 큰 소리로 말했다.

"그럼 아파트 입주할 돈이 있어야지." / "아파트로도 안 가."

"그럼 어떻게 할 거야?" / "여기서 그냥 사는 거야. 이건 우리 집이다."

영호는 성큼성큼 돌계단을 올라가 아버지의 부대를 마루 밑에 놓았다.

"한 달 전만 해도 그런 이야길 하는 사람이 있었다."

작품 핵심

갈래	현대 소설, 연작 소설
성격	사회 고발적, 비판적
배경	• 시간 – 1970년대 • 공간 – 서울의 재개발 지역 빈민촌
시점	1인칭 주인공 시점(1부 – 영수, 2부 – 영호, 3부 – 영희)
제재	도시 재개발 지역 빈민들의 삶
주제	도시 빈민들이 겪는 삶의 고통과 좌절
특징	① 과거와 현재, 환상과 현실을 교묘하게 중첩시킴. ② 서술자가 교체되면서 현실 문제에 대한 다양한 시각이 드러남. ③ 주제를 상징적, 반어적으로 드러냄.

구성

제1부 (서술자 '영수')
낙원구 행복동 빈민촌에 사는 난쟁이 가족은 꿈을 잃지 않고 살아가지만, 도시 재개발로 집이 철거될 어려움에 처함.

⬇

제2부 (서술자 '영호')
난쟁이 가족은 아파트 입주권을 팔지만 남는 돈이 거의 없고, 집이 철거당한 뒤 거리로 나서야 할 처지가 됨.

⬇

제3부 (서술자 '영희')
입주권을 구입한 투기업자를 따라간 영희는 자신을 희생하여 입주권을 찾고 입주 절차를 마치지만 아버지의 사망 소식을 듣게 됨.

제목의 의미

- 난쟁이: 육체적 결핍을 사회적 결핍과 연결시켜 표현한 것으로, 산업화 과정에서 소외된 경제적 빈곤층을 의미한다.
- 작은 공: 이상 세계인 달나라로 가고자 하는 '난쟁이'인 아버지의 간절한 염원을 의미. 평등하고 행복하게 살고자 하는 작은 희망을 상징한다.

어휘 쏙쏙

- **거간꾼(居間–)**: 사고파는 사람 사이에 들어 흥정을 붙이는 일을 하는 사람.
- **계고장(戒告狀)**: 행정상의 의무 이행을 재촉하는 내용을 담은 문서.

아버지가 말했다. 어머니가 내준 철거 계고장을 막 읽고 난 참이었다.

"시에서 아파트를 지어 놨다니까 얘긴 그걸로 끝난 거다."

"그건 우릴 위해서 지은 게 아네요." / 영호가 말했다. / "돈도 많이 있어야 되잖아요?"

영희는 마당가 팬지꽃 앞에 서 있었다. / "우린 못 떠나. 갈 곳이 없어. 그렇지 큰오빠?"

뒷부분 줄거리 난쟁이 가족은 투기업자에게 입주권을 판다. 그러나 이사 가기 전날 아버지와 영희가 사라진다. 영희는 자기네 입주권을 산 사내를 따라가 돈과 입주권을 훔쳐 집으로 돌아오지만, 가족들은 이미 떠났고 집은 헐린 후였다. 게다가 아버지는 벽돌 공장 굴뚝에서 떨어져 죽었다는 소식을 듣게 된다.

01

이 글에 드러나는 사회 · 문화 · 역사적 상황으로 적절하지 않은 것은?

① 도시를 재개발해도 해소가 되지 않는 빈곤층의 아픔이 드러나 있다.
② 빈민층의 생존권이 도시화 · 산업화로 짓밟히는 현실이 나타나 있다.
③ 타인의 어려움을 이용해 경제적 이익을 취하려는 모습이 나타나 있다.
④ 산업화 · 도시화로 인해 농촌에서 도시로 이주하는 현상이 드러나 있다.
⑤ 산업화로 야기된 빈곤, 소외와 같은 사회의 부정적 측면이 드러나 있다.

02

이 글에서 '난쟁이'를 중심인물로 설정한 의도로 가장 적절한 것은?

① 가지지 못한 자들의 삶을 지배하는 무력감을 비판하려고
② 공권력의 탄압에 대한 빈민층의 저항이 미약함을 풍자하려고
③ 빈민층의 가난이 육체적인 결함에서 비롯되었음을 알려 주려고
④ 도시 경제에서 차지하는 빈민층의 비중을 반영하여 보여 주려고
⑤ 하층민들의 경제적 빈곤을 육체적 결핍이라는 상징을 통해 표현하려고

03

(다)~(라)에 나타난 인물들의 현실 인식 태도로 알맞은 것은?

① 어머니는 현실에 적극적으로 대응하지만 아버지는 소극적이다.
② 어머니는 주어진 현실에 순응하려고 하지만 영호는 부정적이다.
③ '나'는 부정적인 현실을 극복하려고 하지만 영희는 체념하고 있다.
④ '나'는 현실의 모순에 불만이지만 영호는 긍정적으로 받아들이고 있다.
⑤ 아버지는 현실을 개선하려고 노력하지만 나머지 가족은 방관하고 있다.

04

작가가 ㉠을 통해 난쟁이 가족의 가난한 현실을 드러냈다고 할 때, 그 구체적 의미로 가장 알맞은 것은?

① 문제의식 없이 단순한 기술의 전달만으로는 가난이 해결되지 않는다.
② 개인의 문제가 아니라 사회 구조적 모순으로 가난이 대물림되고 있다.
③ 인간의 능력으로 어쩔 수 없는 운명적 힘에 의해 가난이 지속되고 있다.
④ 개인의 노력에도 불구하고 가족의 도움이 없으면 가난에서 벗어날 수 없다.
⑤ 가족끼리 고민만 하기보다는 이웃에게 도움을 청하는 것이 더 좋은 해결책이다.

04 우리들의 일그러진 영웅 _ 이문열

앞부분 줄거리 '나(한병태)'는 아버지의 좌천으로 서울의 명문 초등학교에서 Y읍의 초라한 학교로 전학하게 되고, 그곳에서 학급 반장 엄석대가 담임 선생의 두터운 신임을 받으며 아이들에게 군림하고 있는 모습을 본다. 처음에는 이러한 현실에 저항해 보지만, '나'보다 학업 성적이 월등하고 절대 권력을 지닌 엄석대에게 달리 대항해 볼 방도를 찾지 못한다. 결국 '나'는 엄석대에게 굴복하고 동조하며 그의 특혜까지 받게 된다.

가 따지고 보면 그 모든 것은 기실 석대가 내게서 빼앗아 갔던 것들이었다. 냉정히 말하면 나는 내 것을 되찾은 것뿐이고, 한껏 석대를 보아준댔자 꼭 필요하지는 않은 곳에 약간의 이자를 보태 준 것에 지나지 않았다. 그러나 한번 *굴절을 겪은 내 의식에는 모든 것이 하나같이 석대의 크나큰 은총으로만 느껴졌다.

거기 비해 석대가 대가로 요구하는 것은 생각 밖으로 적었다. ㉠ 다른 아이들에게는 그렇지 않았던 듯도 싶지만, 그는 내게서 무엇을 빼앗기는커녕 달라는 법조차 없었다. 내가 맘이 내켜 맛난 것이나 귀한 학용품을 갖다 줘도 그는 받으려 하지 않았고, 어쩌다 받게 되면, 반드시 그 몇 배로 돌려주었다. 그래서 오히려 더 잦은 것은 내가 그에게서 무엇을 얻어 쓴 것 같은 기억이었다. 그것들이 하나같이 다른 아이들에게서 거둬들인 것이어서 꺼림칙하기는 했어도.

또, ㉡ 석대가 내게 무슨 의무를 지우거나 무엇을 강제하지 않았다.

때로 아이들은 무언가 석대가 지운 부당한 의무와 강제를 이행(실제로 행함)하느라 고통스러워하는 듯했건만, 나는 한 번도 그런 적이 없었다. 그 바람에 그 소극적인 특전 — 의무와 강제의 면제 — 은 본래의 뜻 이상으로 나를 자주 감격시켰다.

그가 내게 바라는 것은 오직 내가 그의 질서에 *순응하는 것, 그리하여 그가 *구축해 둔 왕국을 허물려 들지 않는 것뿐이었다. 실은 그거야말로 굴종(제 뜻을 굽혀 남에게 복종함)이며, 그의 질서와 왕국이 정의롭지 못하다는 전제와 결합되면 그 굴종은 곧 내가 치른 대가 중에서 가장 값비싼 대가가 될 수도 있으나 이미 자유와 합리의 기억을 포기한 내게는 조금도 그렇게 느껴지지 않았다.

나 하기야 나중에 — 그러니까 내가 그의 질서에 온전히 길들여지고 그의 왕국에 비판 없이 안주(현재의 상황이나 처지에 만족함)하게 되었을 때 — 그가 베푼 은총의 대가로 내가 지불해야 했던 게 한 가지 더 있기는 했다. 그것은 바로 나의 그림 솜씨였다. 나는 미술 실기 시간만 되면 다른 아이들이 한 장을 그리는 동안 두 장을 그려야 했다. 그림 솜씨가 시원찮은 석대를 위해서였는데, 그 바람에 '우리들의 솜씨' 난(欄)에는 종종 내 그림 두 장이 석대의 이름과 내 이름을 달고 나란히 붙어 있곤 했다. 그러나 그것도 석대가 원해서 그랬는지, 내가 자청(어떤 일에 나서기를 스스로 청함)해서 그랬는지조차 뚜렷하게 기억나지 않을 만큼 강요받은 흔적은 보이지 않는다. 짐작으로는 그의 왕국에 안주한 한 신민(臣民)(군주국에서 관원과 백성을 아울러 이르는 말)으로 자발적으로 바친 조세나 부역에 가까운 것인 성싶다.

작품 핵심

갈래	현대 소설, 중편 소설
성격	우의적, 풍자적, 비판적, 회고적
배경	• 시간 – 자유당 정권 말기 • 공간 – 어느 시골의 초등학교
시점	1인칭 주인공 시점
제재	어느 초등학교 교실에서 벌어진 일
주제	독재 권력의 허구성과 부조리한 현실에 순응하는 소시민적 삶에 대한 비판
특징	① 역순행적 구성을 취함. ② 초등학교 교실을 통해 정치 현실을 우의적으로 풍자함.

'교실'의 상징적 의미

이 작품은 초등학교 교실에서 일어난 사건을 통해 독재 권력의 부패상과 이에 순응하는 소시민적 삶을 우의적으로 비판하고 있다. '교실'은 작품의 배경이 되는 현실적인 공간인 동시에 '한국 사회'를 상징적으로 보여 주는 축소되고 집약된 공간이다.

이 작품에 나타난 권력의 속성

학급 내에서 절대적인 권력을 행사하는 엄석대는 독재자의 모습을 나타낸다. 서울에서 전학 온 '나(한병태)'는 처음에는 엄석대의 횡포에 반발하지만 결국은 굴복한다. 이러한 '나'의 모습은 잘못된 현실을 알면서도 순응하는 나약한 지식인의 모습을 보여 준다. 학년이 바뀌어 새로 온 6학년 담임은 엄석대의 독재 체제를 무너뜨리지만, 이 역시 하나의 새로운 독재 권력을 보여 주는 셈이다. 그리고 엄석대의 군림 아래 복종하다가 다시 새 담임의 체제를 따르는 학급 아이들은 당대 한국 사회를 살아가던 보통 사람들의 모습을 나타낸다.

어휘 쏙쏙

- **굴절(屈折)**: 생각이나 말 따위가 어떤 것에 영향을 받아 본래의 모습과 달라짐.
- **순응(順應)**: 환경이나 변화에 적응하여 익숙하여지거나 체계, 명령 따위에 적응하여 따름.
- **구축(構築)**: 체제, 체계 따위의 기초를 닦아 세움.

01 이와 같은 글에 대한 설명으로 적절하지 않은 것은?

① 영화 상영을 목적으로 한다.
② 등장인물의 수에 제약이 없다.
③ 서술자에 의한 인물의 심리 묘사가 가능하다.
④ 인물 간의 갈등과 대립을 통해 사건이 전개된다.
⑤ 꾸며 낸 이야기이지만, 인생의 진실을 담고 있다.

02 ㉠과 ㉡에서 알 수 있는 사실로 가장 적절한 것은?

① 엄석대가 '나'로 인해 위축되어 있다.
② 엄석대가 '나'를 전적으로 따르게 되었다.
③ 엄석대가 자신의 지난 행동을 반성하고 있다.
④ 엄석대가 자신의 한계를 깨닫고 새로운 사람이 되기로 했다.
⑤ 엄석대가 '나'의 성향을 파악하여 이를 교묘하게 이용하고 있다.

03 이 글을 통해 알 수 있는 '엄석대'에 대한 설명으로 적절하지 않은 것은?

① 담임 선생님으로부터 신임을 얻고 있다.
② 다른 아이들과 '나'를 대하는 태도가 다르다.
③ 자신이 원하는 대로 반 아이들을 통솔하고 있다.
④ 자신이 필요한 물건들을 반 아이들에게 거둬들였다.
⑤ 반장이라는 자신의 위치를 빼앗길까 봐 항상 두려워한다.

04 이 글에 드러난 '나'의 현실 대응 방식으로 가장 적절한 것은?

① 엄석대의 부조리함에 끝까지 저항하고 있다.
② 엄석대를 두려워하여 학교를 그만두려 하고 있다.
③ 엄석대보다 강해지기 위해서 열심히 공부하고 있다.
④ 엄석대에게 점점 길들여져 자발적으로 충성하고 있다.
⑤ 엄석대에게 복수하기 위해서 반 아이들을 설득하고 있다.

05 이 글을 통해 작가가 나타내고자 하는 바로 적절하지 않은 것은?

① 독재 권력에 순응하는 소시민의 삶의 태도를 우의적으로 드러내고 있다.
② 초등학교 교실에서 일어나는 일을 통해 당시의 정치 현실을 드러내고 있다.
③ 부조리한 현실에 저항함으로써 정의가 결국 승리한다는 것을 보여 주고 있다.
④ 독재 권력의 횡포로 상처받은 당대 사회의 모습을 간접적으로 드러내고 있다.
⑤ 인간의 이기적인 속성을 교묘하게 이용하는 독재 권력의 교활함을 보여 주고 있다.

맛있는 책, 일생의 보약 _ 성석제

가 〈허생전〉 다음에는 〈호질〉, 〈양반전〉도 있었다. 책이 꽤 두꺼웠으니 박지원의 저작 가운데 상당 부분이 책에 들어 있었을 것이다. 그런데 그 책 속에 있는 주인공들은 내가 읽었던 수천 권의 무협지의 주인공과는 달라도 많이 달랐다. ㉠무협지를 읽고 나면 주인공 이름 말고는 기억에 남는 게 없는데 박지원 소설은 주인공이 다음에 어떻게 되었을지 궁금하게 하고 내가 주인공이 되었더라면 어떻게 했을지 자꾸만 생각을 하게 만들었다.

한두 번 씹으면 단맛이 다 빠져 버리는 무협지와는 달리 읽을수록 새로운 맛이 우러나왔다. 보석처럼 단단하고 품위 있는 문장은 아름답기까지 했다. 책을 읽으면서 내 정신세계가 무슨 보약(몸의 전체적 기능을 조절하고 저항 능력을 키워 주며 기력을 보충해 주는 약)을 먹은 듯이 한층 더 넓어지고 수준이 높아지는 듯한 느낌이 들었다. 일주일에 단 한 시간, 도서관에서 단 한 권의 책을 거듭 펴서 읽었을 뿐인데도.

나 중학교 3학년 1학기 특별 활동 시간에 나는 ㉡몇백 년 전 글을 쓴 사람의 숨결이 글을 다리로 하여 건너와 느껴지는 경험을 처음 해 보았다. 무엇보다 중요한 것은 그것이 무척 재미있었다는 것이다. 읽으면 내 피와 살이 되는 고전, 맛있는 고전, 내가 재미를 들인 최초의 고전이 우리의 조상이 쓴 것이라는 데서 나오는 뿌듯함까지 맛볼 수 있었다.

다 3학년 2학기가 되었을 때 특별 활동 시간은 없어졌다. 내가 1학기의 특별 활동 시간에 읽은 것은 박지원의 책이 전부였다. 하지만 내가 지금 소설을 쓰고 있는 것은 바로 그 책 때문이라고 생각한다. 특별하지 않은 특별 활동 시간에 읽은 아주 특별한 그 책이 내 일생을 바꾸었다.

라 ㉢누구에게나 그런 일이 일어날 수 있다. 모르고 지나갈 수도 있다. 어떤 책을 계기로 인간의 지극한 정신문화, 그 높고 그윽한 세계에 닿고 그 일원이 되는 것은 겪어 보지 못한 사람은 알 수 없는 행복을 안겨 준다. 이 세상에 인간으로 나서 인간으로 살면서 인간다운 삶을 살고 드높은 가치를 추구하는 길을 책이 보여 준다. ㉣책은 지구 상에서 인간이라는 종만이 알고 있는, 진정한 인간으로 나아가는 통로이다. 그래서 사람들은 말하는지도 모른다. ㉤책 속에 길이 있다고.

작품 핵심

갈래	수필
성격	회고적, 고백적, 체험적, 교훈적
제재	중학교 3학년 특별 활동 시간에 책을 읽은 경험
주제	독서의 가치와 중요성
특징	① 중학교 때 박지원의 책을 읽은 경험을 진솔하게 서술함. ② 자신의 깨달음을 바탕으로 독서의 가치를 전달함.

글쓴이의 독서 경험과 그 영향

중학교 3학년 때 특별 활동 시간에 박지원의 소설을 읽음.

- 책의 내용에 몰입하여 주인공에 대해 자꾸 생각하게 만듦.
- 읽을수록 새로운 맛이 우러나옴.
- 문장이 품위 있고 아름다움.
- 읽고 나면 정신세계가 한층 더 넓어지고 수준이 높아지는 느낌이 듦.

⬇

- 고전 읽기의 재미와 가치를 알게 됨.
- 소설가가 됨.

제목의 의미

'책'이 인생에 보양이 되는 보약과 유사하다고 생각하여 '일생의 보약'이라고 표현하였다.

독서의 가치와 중요성

- 직접 경험할 수 없는 세계를 간접적으로 경험하게 한다.
- 인간의 지극한 정신문화, 그 높고 그윽한 세계에 닿고 그 일원이 되는 행복한 경험을 하게 한다.
- 인간다운 삶을 살고 드높은 가치를 추구하는 길을 보여 준다.
- 인생의 전환점이 되기도 하고, 자신의 진로에 대해 생각해 보는 계기를 마련해 주기도 한다.

어휘 쏙쏙

- **저작(著作)**: 예술이나 학문에 관한 책이나 작품 따위를 지음. 또는 그 책이나 작품.
- **일원(一員)**: 단체에 소속된 한 구성원.

01

이 글에 대한 설명으로 적절하지 않은 것은?

① 중학교 시절을 회상하며 쓴 글이다.
② 책의 가치를 비유를 통해 표현하고 있다.
③ 정의와 대조를 통해 대상을 설명하고 있다.
④ 특별 활동 시간에 책을 읽은 경험을 이야기하고 있다.
⑤ 독서에 대한 글쓴이의 생각이 직접적으로 드러나고 있다.

02

박지원 소설을 읽은 경험이 글쓴이에게 미친 영향으로 적절하지 않은 것은?

① 성장 후 소설가가 되는 데 영향을 받았다.
② 고전 문학 작품을 읽는 재미를 느끼게 되었다.
③ 어려운 책을 스스로 읽어냈다는 뿌듯함을 느꼈다.
④ 수백 년 전 글쓴이와 정신적으로 교감하게 되었다.
⑤ 정신세계가 넓어지고 수준이 높아지는 느낌을 받았다.

03

㉠~㉤에 대한 설명으로 적절하지 않은 것은?

① ㉠ : 무협지의 내용이 궁금증이나 상상력을 불러일으키지 못하기 때문이다.
② ㉡ : 글을 매개로 하여 글쓴이와 독자가 소통하는 경험을 의미한다.
③ ㉢ : 독서의 영향으로 일생이 바뀌는 것은 특별할 것 없는 흔한 일이다.
④ ㉣ : 책은 인간만이 지닐 수 있는 문화로, 인간다운 삶을 살게 해 주는 요소이다.
⑤ ㉤ : 책을 통해 삶의 방향성이나 지혜를 찾을 수 있다는 의미이다.

04

(가)~(라)에서 알 수 있는 독서의 가치로 적절하지 않은 것은?

① (가) : 정신세계를 풍요롭게 살찌워 준다.
② (나) : 상처 입은 마음에 위안을 줄 수 있다.
③ (다) : 인생의 전환점이 되어 줄 수도 있다.
④ (다) : 진로에 대해 생각해 보는 계기를 마련해 준다.
⑤ (라) : 바람직한 가치관을 형성하는 데 도움을 준다.

05

이 글을 읽은 후의 반응으로 적절하지 않은 것은?

① 나의 독서 경험은 어떠한지 되돌아보게 됐어.
② 나에게 영향을 끼친 책은 무엇이었는지 떠올려 봤어.
③ 글쓴이의 경험을 통해 책 읽기의 중요성을 느낄 수 있었어.
④ 책이 '일생의 보약'이려면 좋은 책을 골라 읽어야겠다는 생각이 들었어.
⑤ 책을 통해 인생을 바꾸려면 특별한 책을 골라 읽어야겠다는 생각을 했어.

02 방망이 깎던 노인 _ 윤오영

가 벌써 사십여 년 전이다. 내가 갓 세간난(결혼하여) 새로 살림을 차린) 지 얼마 안 돼서 의정부에 내려가 살 때다. 서울 왔다 가는 길에 청량리역으로 가기 위해 동대문에서 일단 전차를 내려야 했다. / 동대문 맞은쪽 길가에 앉아서 방망이를 깎아 파는 노인이 있었다. 방망이를 한벌 사 가지고 가려고 깎아 달라고 부탁을 했다. 값을 굉장히 비싸게 부르는 것 같았다. 좀 싸게 해 줄 수 없느냐고 했더니,

"방망이 하나 가지고 값을 깎으려오? 비싸거든 다른 데 가 사우."

대단히 무뚝뚝한 노인이었다. 더 깎지도 못하고 깎아나 달라고만 부탁했다.

그는 잠자코 열심히 깎고 있었다. 처음에는 빨리 깎는 것 같더니, 저물도록 이리 돌려 보고 저리 돌려 보고 굼뜨기(동작, 진행 과정 따위가 답답할 만큼 매우 느리기) 시작하더니, 이내 마냥 *늑장이다. 내가 보기에는 그만하면 다 됐는데, 자꾸만 더 깎고 있다. 인제 다 됐으니 그냥 달라고 해도 못 들은 체한다. 차 시간이 바쁘니 빨리 달라고 해도 통 못 들은 체 대꾸가 없다.

나 더 깎지 아니해도 좋으니 그만 달라고 했더니, 화를 버럭 내며,

㉠"끓을 만큼 끓어야 밥이 되지, 생쌀이 재촉한다고 밥이 되나?"

하면서 오히려 야단이다. 나도 기가 막혀서, / "살 사람이 좋다는데 무얼 더 깎는단 말이오? 노인장, *외고집이시구료. 차 시간이 없다니까……."

노인은 / "다른 데 가 사우. 난 안 팔겠소." / 하는 퉁명스러운(못마땅하거나 만족스럽지 아니하여 불쑥 하는 말이나 태도에 무뚝뚝한 기색이 있는) 대답이다.

지금까지 기다리고 있다가 그냥 갈 수도 없고 차 시간은 어차피 늦은 것 같고 해서, 될 대로 되라고 체념할 수밖에 없었다.

다 이번에는 깎던 것을 *숫제 무릎에다 놓고 태연스럽게 곰방대(살담배(칼 따위로 썬 담배)를 피우는 데에 쓰는 짧은 담뱃대)에 담배를 담아 피우고 있지 않은가? 나도 그만 지쳐 버려 구경꾼이 되고 말았다. 얼마 후에, 노인은 또 깎기 시작한다. 저러다가는 방망이는 다 깎여 없어질 것만 같았다. 또, 얼마 후에 방망이를 들고 이리저리 돌려 보더니, 다 됐다고 내준다. 사실, 다 되기는 아까부터 다 돼 있던 방망이다.

차를 놓치고 다음 차로 가야 하는 나는 불쾌하기 짝이 없었다.

라 집에 와서 방망이를 내놨더니, 아내는 예쁘게 깎았다고 야단이다. 집에 있는 것보다 참 좋다는 것이다. 그러나 나는 전의 것이나 별로 다른 것 같지가 않았다. 그런데 아내의 설명을 들어 보면, *배가 너무 부르면 다듬이질할 때 옷감이 잘 치이고(피륙의 올이나 이불의 솜 따위가 한쪽으로 쏠리거나 뭉치고), 같은 무게라도 힘이 들며, 배가 너무 안 부르면 다듬잇살이 펴지지 않고 손에 헤먹기가(꼭 맞지 않고 헐겁기가) 쉽다는 것이고, 요렇게 꼭 알맞은 것은 좀처럼 만나기가 어렵다는 것이다. 나는 비로소 마음이 확 풀렸다. 그리고 그 노인에 대한 내 태도를 뉘우쳤다. 참으로 미안했다.

뒷부분 줄거리 '나'는 옛날 사람들이 죽기(竹器)에 대쪽을 붙이던 일, 약재인 숙지황을 만들던 일을 생각하면서 방망이 깎던 노인의 모습을 떠올린다.

작품 핵심

갈래	수필
성격	회상적, 교훈적, 서사적, 예찬적
제재	방망이 깎던 노인
주제	전통적인 장인 정신에 대한 예찬
특징	① 일상적 체험을 회고적 기법으로 표현함. ② 간결한 문장을 사용하여 사건을 서사적으로 나타냄. ③ 대화, 묘사, 서술을 적절히 사용하여 표현의 묘미를 살림.

구성

기
사십여 년 전, 방망이를 깎아 팔던 노인이 '나'의 사정을 아랑곳하지 않고 방망이를 천천히 깎아 불쾌해함.

승
집에 와서 아내의 설명을 듣고 노인에 대한 자신의 부정적인 태도를 뉘우침.

전
옛사람들이 보였던 장인 정신을 예찬함.

결
방망이 깎던 노인에 대해 향수를 느낌.

이 작품의 주제 의식

- 전통적인 장인 정신에 대한 예찬
- 일에 대한 정성과 열정이 사라진 현실 사회에 대한 개탄
- 매사에 조급하고 이기적인 현대인 비판

어휘 쏙쏙

- **늑장**: 느릿느릿 꾸물거리는 태도.
- **외고집(-固執)**: 융통성이 없이 외곬으로 부리는 고집. 또는 그런 사람.
- **숫제**: 처음부터 차라리. 또는 아예 전적으로.
- **배**: 긴 물건 가운데의 불룩한 부분.

01

이 글에 대한 설명으로 적절하지 않은 것은?

① 글쓴이의 회상 형식으로 서술되고 있다.
② 현대인의 삶을 우회적으로 비판하고 있다.
③ 글쓴이의 태도와 노인의 태도가 대비되고 있다.
④ 노인에 대한 글쓴이의 감정 변화가 드러나 있다.
⑤ 옛 전통을 살리려는 구체적인 실천 방안이 나타나 있다.

02

이 글을 통해 알 수 있는 노인의 성격으로 가장 적절한 것은?

① 타인에 대한 배려심이 깊다.
② 일에 대한 결단력이 부족하다.
③ 모든 일을 긍정적으로 받아들인다.
④ 매사에 성급하게 서두르며 이기적이다.
⑤ 장인으로서 소신이 강하며 고집이 있다.

03

이 글에 나타난 '나'의 심리로 적절하지 않은 것은?

상황	'나'의 심리
노인이 '나'의 사정은 아랑곳하지 않고 천천히 방망이를 깎음.	ⓐ 갑갑함 ⓑ 초조함
⇩	⇩
자기 방식대로 방망이를 완성한 노인 때문에 다음 차로 가야 함.	ⓒ 불쾌함
⇩	⇩
아내가 방망이를 꼭 알맞게 깎았다며 칭찬함.	ⓓ 미안함 ⓔ 자랑스러움

① ⓐ　② ⓑ　③ ⓒ　④ ⓓ　⑤ ⓔ

04

㉠의 의미로 가장 적절한 것은?

① 윗사람에게 공손하게 말해 주었으면 좋겠네.
② 다음 차 시간이 될 때까지 좀 더 깎아야겠네.
③ 방망이를 이제 다 깎았으니 잠깐만 기다리게.
④ 일은 순서와 절차에 따라 착실하게 해야 하네.
⑤ 살 사람이 좋을 만큼만 깎을 테니 서두르지 말게.

오아시스 세탁소 습격 사건 ❶ _ 김정숙

앞부분 줄거리 '오아시스 세탁소'의 주인 강태국은 돌아가신 아버지의 대를 이어 세탁소를 30년째 운영하고 있다. 강태국의 아내인 장민숙은 가난한 살림과 딸 대영의 교육비 걱정에 돈타령을 하고, 종업원 염소팔도 돈을 벌어 성공하기를 꿈꾼다. 한편 인근에 사는 할머니의 간병인인 서옥화는 이 세탁소에 할머니의 똥 묻은 바지를 5년 가까이 맡기고 있다. 그러던 어느 날, 옷을 세탁소에 맡기자마자 할머니의 가족들(안유식, 안경우, 안미숙, 허영분)이 세탁소로 쳐들어와서 세탁소 안의 옷들을 뒤져 난장판을 만든다.

가 **민숙**: (달려들며) 어머나 어머나, 아니 저 여자가 미쳤나, (붙잡아 막으며) 왜 남의 세탁물은 망가뜨려요?

영분: (민숙을 밀어 넘기며) 옷이 문제야? 지금 재산이 왔다 갔다 하는 *판국에.

[A]
옥화: (양은 대야를 두들기며) 잠깐만! 제 말 좀 들어요. 아니 뭘 찾든지 간에 이름을 알든지 옷을 알든지 해야지. (유식 패거리에게) 찾으시는 게 뭐래요? 할머니 이름은요? / **영분**: (당황하여) 여보, 뭐지? / **미숙**: (경우에게) 김순례 아냐?

(양은: 구리, 아연, 니켈 따위를 합금하여 만든 금속)

경우: 아냐, 안중댁이라고 그러는 거 같던데.

영분: 그거야 어머님 고향이 안중이고…….

태국: (유식을 밀치고 나와) 저리 비켜요! (한심해하며 옷들을 주워 올리면서) 이름도 모르고, 무슨 옷을 맡겼는지도 모르고. ㉠<u>그래, 그 어머님 자식들은 맞나요?</u>

나 유식 패거리들이 서로 눈을 마주친다. 슬쩍 유식을 앞에 내세운다.

유식: (떠밀려 나와) 으흠, 미안하오. (*궁리를 하듯) 우리 어머니가 병이 오래되셨는데 뭐 오늘을 넘기기가 어렵다고 한단 말이지요. 그래서 하는 말인데, (또 궁리하며) 으흠, (포기하고) 아는 사람은 알겠지만, 우리 어머님이 재산이 꽤 됩니다. 아버님 집안이 재산가이신 데다가 우리 집이 부동산이 워낙 많았고, 아버님 돌아가시고 난 다음에 이 노인네가 재산을 관리하면서 어디다 잘 둔다고 하긴 한 모양인데, 건강하실 때 다 두루두루 분배도 하고 알려도 주고 해야 할 일을, 말 한마디 못하고 덜커덕 풍을 맞아 가지고, 저렇게 식물인간으로 누워 지내다가 오늘 돌아가신다 하니까 무슨 정신이 나는지 '세탁', '세탁' 이렇게 두 마디 간신히 하고 입을 달싹 못하시니, 노인네는 이제 가신다고 봐야겠고 재산을 보전해야 하는 게 장남의……. / **경우 · 미숙**: ㉡<u>(자신들의 존재를 알리는 헛기침) 흠!</u>

영분: ㉢<u>(비아냥거리며) 흥!</u> / **유식**: ㉣<u>(패거리의 눈치를 보고) 또 자식들 된 도리가 아닌가 하는 말이지요.</u> 나는 똥 싼 바지에다 숨기셨나 하는데 그건 아닌 것 같고, 뭔가 이 세탁소에다 뭘 하시긴 한 것 같은데, 통 모르겠단 말이지.

민숙: (설움이 복받쳐) ㉤<u>아니 그래, 그 통 모르겠는 일을 가지고 남의 세탁소를 이렇게 *쑥대밭을 만들어 놓았단 말이에요?</u>

다 유식의 휴대 전화가 울린다.

유식: (받는다.) 여보세요. 아, 김 박사님. 예? 임종이요? 아니, 찾지도 못했는데……. 아, 예, 그런 게 있어요. 아, 가야지요, (소리 지른다.) 지금 간다니까! (끊는다.)

작품 핵심

갈래	희곡
성격	현실 비판적, 교훈적, 해학적
배경	• 시간－현대 • 공간－오아시스 세탁소
제재	할머니의 재산
주제	물질 만능주의에 빠진 현대인의 욕심 비판
특징	① 사건 진행 과정에 따라 인물들의 심리가 다양하게 변함. ② 사람들을 세탁기로 세탁하는 것과 같은 비현실적인 문학 장치가 사용됨. ③ 세탁소를 습격한 사람들을 통해 현대 사회의 모습을 풍자함.

등장인물

태국	• 자신의 일에 자부심과 긍지가 있음. • 욕심 부리지 않고, 자기 일에 최선을 다하는 순수하고 인간적인 인물임.
민숙, 소팔, 옥화	처음에는 할머니의 자식들과 갈등하지만, 후반부에서는 돈에 대한 욕심에 세탁소를 습격함.
안 씨 가족	• 이기적이고 무례하며 거칠고 난폭함. • 할머니에게 관심이 없고, 돈에 대한 욕심만 많음. • 자식 된 도리를 하지 않고, 탐욕스럽고 비인간적임.

- **판국(-局)**: 일이 벌어진 사태의 형편이나 국면.
- **궁리(窮理)**: 마음속으로 이리저리 따져 깊이 생각함. 또는 그런 생각.
- **쑥대밭**: 매우 어지럽거나 못쓰게 된 모양을 비유적으로 이르는 말.

01 이 글에서 할머니의 가족들이 오아시스 세탁소를 습격한 이유로 알맞은 것은?

① 할머니가 세탁소 주인을 보고 싶다고 했기 때문에
② 세탁소 주인이 할머니의 재산을 모두 썼다고 생각했기 때문에
③ 할머니의 재산에 대한 단서가 세탁소에 있다고 생각했기 때문에
④ 할머니가 찾아오라고 하는 물건이 세탁소에 있다고 생각했기 때문에
⑤ 세탁소 주인에게 할머니가 쓰러졌다는 소식을 알려 주어야 했기 때문에

02 이 글에 나타난 대사의 역할로 적절하지 않은 것은?

① 사건을 진행시킨다.
② 무대 장치를 지시한다.
③ 인물의 성격을 드러낸다.
④ 관객들에게 정보를 제공한다.
⑤ 인물들 간의 관계를 나타낸다.

03 이 글의 '유식'에 대한 평가로 가장 적절한 것은?

① 주호 : 다른 형제들의 눈치를 보면서 말하는 것을 보니 순박한 사람이야.
② 유라 : 어머니의 비밀을 알아내려고 노력하는 것을 보니 효심이 지극한 사람이야.
③ 다솜 : 다른 형제들을 대신해서 태국에게 이야기를 하는 것을 보니 적극적인 사람이야.
④ 세준 : 장남으로서 어머니의 재산을 맡아 관리하려는 것을 보니 책임감이 있는 사람이야.
⑤ 지윤 : 어머니의 임종을 슬퍼하기보다 재산을 먼저 생각하는 것을 보니 비인간적인 사람이야.

04 ㉠~㉤에 대한 설명으로 적절하지 않은 것은?

① ㉠ : 어머니에 대해 아는 것이 없는 할머니의 가족들을 한심하게 여긴다.
② ㉡ : 재산에 대한 권리가 자신들에게도 있음을 알리고자 한다.
③ ㉢ : 재산을 노리는 경우와 미숙을 못마땅하게 여긴다.
④ ㉣ : 아내인 영분의 눈치를 보고 덧붙이는 말이다.
⑤ ㉤ : 제대로 알지도 못한 채 세탁소를 엉망으로 만든 것을 원망스러워한다.

05 [A]를 통해 작가가 풍자하고자 하는 바로 가장 적절한 것은?

① 가족끼리도 믿지 못하고 의심하는 세태를 풍자하고 있다.
② 온 가족이 흩어져 살아가는 도시의 핵가족 사회를 풍자하고 있다.
③ 자식의 도리는 하지 않고 돈만 밝히는 탐욕스러운 세태를 풍자하고 있다.
④ 가족보다 자신의 사생활을 더 중시하는 현대인의 이기심을 풍자하고 있다.
⑤ 어머니의 이름도 제대로 알지 못할 정도로 바쁘게 살아가는 현대인의 일상을 풍자하고 있다.

오아시스 세탁소 습격 사건 ❷ _ 김정숙

중간 부분 줄거리 유식은 세탁소를 나서며 재산을 찾는 사람에게는 재산의 50퍼센트를 주겠다고 제안한다. 할머니의 가족들과 민숙, 대영, 소팔, 옥화는 재산을 찾기 위해 어두운 세탁소에 몰래 숨어드는데, 세탁소에서 일하고 있던 태국에게 들켜 세탁소는 아수라장이 되고 만다.

라 **태국:** 당신들이 사람이야? 어머님 임종은 지키고 온 거야? / **사람들:** 아니!

태국: 에이, 나쁜 사람들. (옷을 가지고 문으로 향하며) 나 못 줘! (울분에 차서) 이게 무엇인지나 알아? 나 당신들 못 줘. 내가 직접 할머니 갖다 드릴 거야.

민숙: 여보, 나 줘! / **대영:** 아버지, 나요!

태국: 안 돼, 할머니 갖다 드려야 해. 왠지 알아? 이건 사람 것이거든. 당신들은 형상만 사람이지 사람이 아니야. 당신 같은 짐승들에게 사람의 것을 줄 순 없어. (나선다.) / **유식:** 에이! (달려든다.) / **태국:** (도망치며) 안 돼!

마 사람들이 태국을 향해 서로 밀치고 잡아당기고 뿌리치며 간다. 사람들 때문에 세탁기로 밀리는 태국, 재빨리 옷을 세탁기에 넣는다. 사람들이 옷을 먼저 차지하려고 세탁기로 몰려 들어간다. 태국이 얼른 세탁기 문을 닫는다. 놀라는 사람들, 세탁기 문을 두드린다. 태국, 작동 단추 앞에 손을 내밀고 망설인다. 사람들은 더욱 세차게 세탁기 문을 두드린다. 태국, 작동 단추에 올려놓은 손을 부르르 떤다.

태국: (주문을 외우듯) 이 법은 옷에 묻은 물건의 맛에 따라 그와 반대되는 맛 가진 물건으로 빼는 것이니 사탕이 묻었으면 매운 무나 생강으로 빨고 그 반대로 매운 고춧가루 같은 것이 묻은 때는 단 설탕으로 빨아라.

태국이 작동 단추를 강하게 누른다. 음악이 폭발하듯 시작되고 *굉음을 내고 돌아가는 세탁기. 무대 가득 거품이 넘쳐 난다. 고통스러워하는 사람들의 얼굴이 유리에 부딪혔다 사라지고…….

바 태국이 주머니에서 글씨가 빽빽이 적힌 눈물 젖은 옷고름을 꺼내어 들어 무릎을 꿇고 앉는다.

태국: (옷고름을 받쳐 들고) 할머니, 비밀은 지켜 드렸지요? 그 많은 재산, 이 자식 사업 밑천, 저 자식 공부 뒷바라지에 찢기고 잘려 나가도, 자식들은 부모 재산이 *화수분인 줄 알아서 이 자식이 죽는 소리로 빼돌리고, 저 자식이 앓는 소리로 빼돌려, 할머니를 거지로 만들어 놓았어도 불효자식들 원망은커녕 형제간에 의 상할까 걱정하시어 끝내는 혼자만 아시고 아무 말씀 안 하신 할머니의 마음, 이제 마음 놓고 가셔서 할아버지 만나서 다 이르세요. 그럼 안녕히 가세요! 우리 아버지 보시면 꿈에라도 한번 들러 가시라고 전해 주세요. (옷고름을 태운다.)

음악 높아지며 할머니의 혼백처럼 눈부시게 하얀 치마저고리가 공중으로 올라간다. 세탁기 속에 있던 사람들도 어느새 흰 옷을 입고 빨래집게에 꽂힌 채 빨랫줄에 걸려 있다. / **태국:** (빨랫줄을 바라보며) 깨끗하다! 빨래 끝! (크게 웃는다.) 하하하!

음악 소리 높아지며 강태국의 신나는 세탁법 소리도 따라서 높아진다.

작품 핵심

줄거리
강태국은 아버지의 뒤를 이어 30년 동안 오아시스 세탁소를 운영하고 있다. 어느 날, 사건의 진상을 규명하라며 세탁소에 사람들이 몰려온다. 사건의 진상은 다음과 같다. 임종을 앞둔 할머니의 재산이 세탁소와 관련이 있음을 알게 된 할머니의 자식들은 세탁소를 무작정 습격한다. 할머니의 맏아들인 유식은 누구든 재산을 먼저 찾는 사람에게 50%를 주겠다고 말한다. 그러자 태국을 제외한 세탁소 사람들이 그 재산에 관심을 갖게 된다. 할머니의 가족들과 태국의 아내인 민숙, 딸인 대영, 종업원인 소팔 등은 할머니의 재산을 찾으러 밤에 몰래 세탁소에 숨어든다. 그것을 본 태국은 분노하고, 할머니의 옷과 사람들을 함께 세탁기에 넣고 세탁한다. 할머니가 남긴 옷고름에 적힌 내용으로 재산이 남아 있지 않다는 진실이 밝혀지고, 사람들은 마음까지 하얗게 세탁되어 빨랫줄에 걸리고 태국은 그것을 보며 웃는다.

'오아시스 세탁소'의 의미
사막처럼 각박한 삶을 살아가는 현대인들이 자신의 삶을 되돌아보며 순수함을 찾도록 해 주는 공간

이 작품에 드러난 물질 만능주의
이 작품에는 할머니의 임종이 가까운 급박한 상황임에도 재산 때문에 온 가족이 세탁소를 습격하는 모습이 나타난다. 인간적, 윤리적 도리를 저버린 채 오로지 재산에만 관심을 갖는 사람들을 통해 작가는 물질 만능주의가 팽배한 현대 사회를 비판하고 있다.

- **굉음(轟音)**: 몹시 요란하게 울리는 소리.
- **화수분**: 재물이 계속 나오는 보물단지.

태국: (옷을 정리하며) 이 법은 옷에 묻은 물건의 맛에 따라 그와 반대되는 맛 가진 물건으로 빼는 것이니…….

01

〈보기〉는 등장인물들이 밤에 세탁소에 몰래 숨어든 장면이다. 이 장면에서 드러나는 작가의 의도로 가장 적절한 것은?

> 보기
>
> 세탁소가 어두워지고, 반짝이는 불빛들이 이동한다.
> 태국: (뭔가 느끼고) 뭐야, 염소팔이냐?
> 소팔: (똥 마려운 강아지처럼) 으응! (놀라) 끄응!
> 사람들이 점점 더 음흉스럽게 짐승 소리로 으르렁댄다.
> 태국: (알겠다는 듯이 과장스럽게) 우리 세탁소에 도둑고양이들이 단체로 들어왔나? / 사람들: (단체로) 야옹!

① 탐욕에 눈이 먼 사람들을 동물에 빗대어 풍자하고 있다.
② 사람들의 거짓말에 속는 태국의 어리석음을 비판하고 있다.
③ 태국과 사람들의 대립과 갈등이 해소될 것임을 암시하고 있다.
④ 태국의 내적 갈등이 점차 심화되고 있음을 간접적으로 드러내고 있다.
⑤ 욕심을 부렸던 자신을 반성하는 사람들의 모습을 해학적으로 표현하고 있다.

02

이 글의 '태국'에 대한 설명으로 적절하지 않은 것은?

① 물질에 대한 욕심을 부리지 않는다.
② 순수하고 착한 마음을 가지고 있다.
③ 할머니의 비밀을 알고 있는 사람이다.
④ 아버지와 함께 세탁소를 운영하고 있다.
⑤ 사람들의 마음도 세탁할 수 있다고 생각한다.

03

이 글에서 '태국'이 지켜 준 할머니의 비밀로 적절한 것은?

① 할머니가 재산을 모두 태국에게 남겼다는 것
② 할머니와 자식들이 사이가 좋지 않았다는 것
③ 할머니의 재산이 하나도 남아 있지 않다는 것
④ 할머니에게는 처음부터 재산이 하나도 없었다는 것
⑤ 할머니가 자식들이 싸우지 않도록 재산을 모두 기부했다는 것

04

이 글에 대한 감상으로 적절하지 않은 것은?

① 돈에 눈이 멀어 세탁기 안까지 들어가다니 한심하군.
② 자식들이 유산 때문에 싸우는 세태를 비꼬는 것 같아.
③ 사람들의 마음을 세탁기로 세탁한다는 발상이 참신해.
④ 인물의 주술적인 힘으로 사람들을 변화시키는 장면이 인상적이야.
⑤ 물질을 최고의 가치로 여기는 현대인에게 경각심을 불러일으키고 있어.

웰컴 투 동막골 ❶ _ 장진

앞부분 줄거리 6·25 전쟁 중 연합군 병사 스미스가 비행기 추락으로 강원도 산골에 있는 동막골에 오게 된다. 마을 사람들은 처음 보는 외국인에 당황한다. 그날 밤, 응식이 국방군 대열에서 *이탈되어 산속을 헤매던 현철과 상상을 동막골로 데리고 온다.

가 4막 촌장 집 앞마당

현철: 근데 여긴 아직 군인들이 들어온 적이 없습니까?

달수 처: 여기까지 뭐 볼 거 있다고 오겠소? 이 높은 데서 총질하려면 숨차 못하지.

응식: 저 아래. 아시게 고개 밑으로 탱크랑 뭐랑 왔다 갔다 하는 건 두어 번 있었지요. 그래도 그냥 스쳐 가는 거지. 여기는 쳐다보도 안 해요.

달수: 그렇지. 오래 보면 고개만 아프지 뭐.

이연: 뱀바위 밑에서 서이가 자고 있던데요. / **달수:** 뭐?

이연: 뱀바위 아래에서 군인들이 노닥이기(조금 수다스럽게 재미있는 말을 늘어놓기)에 딴 데 가 놀라 했지요. 여기 뱀은 철없이 독이 섰다고. / **현철:** 그게 무슨…….

마님: 이 아이 말은 그냥 흘려 두시오. 제 머리에서 나온 것이 아니니까.

이연: 봤다니까요. 뭣을 손에 들고 하도 윽박지르기에 그냥 왔는데.

동구 모: 뭐라고 윽박을 지른디?

이연: (흉내 낸다.) ㉠이거이 까서 확 죽이갔어!

촌장: (버럭 소릴 지른다.) 시끄러워. 어른들 얘기하는데, 성치 못한 헛소리로 못난 꼴 보이지 말고 가만히 있어.

나 무대 뒤쪽에서 김 선생이 두 손을 들고 나타난다. 김 선생의 뒤에 나타난 동치성과 장영희, 서택기. 장영희의 손엔 동구가 들려 있고 나머지의 손엔 수류탄이 들려 있다. 사람들 모두 놀란다. 표현철과 문상상, 곧 총을 겨누며 대치하고 있다.

치성: 입 다물고 손 올리라우! / **영희:** 국방군도 있구만. 뭐 주워 먹을라고 여기 있네. 싸그리 다 죽기 전에 총구 깔고 뒷짐지라우.

현철: 할 거 남았으면 해 봐라. 발 떼고 싶으면 떼고, 총질하고 싶으면 손가락이라도 까딱해 봐라. 다 죽자 하고 총질해대 보면 결국엔 남는 놈 있을 테니까. 그놈이 깃발 꽂고 이겼다 치자고.

동구 모: 애는 보내 주셔요. 애가 뭔 잘못이 있다고 그려요?

동구: 엄마……. / **동구 모:** 그러게 에미가 쏘다니지 말랬지.

영희: 너는 너희 모친한테 가는 것보다 여기 있는 게 안전할 거 같다.

동구: 으앙, 미안합니다. / **영희:** 갑자기 뭐가 미안하다는…….

택기: 네가 똥 지린 거네, 지금?

동구, 고개만 끄덕인다.

다 **치성:** 어이, 소위. 총구 잠깐 숙이라. 여기 산 사람들 편히 두고, 우리도 숨 좀 돌리고 붙자우. 나 허튼짓 안 한다. 이거 들고 우리끼리 잠시 쉬자우. 부락 인민들, 집으로도 보내구. / **현철:** 후후, 내가 속을 거 같아?

작품 핵심

갈래	희곡
성격	향토적, 낭만적, 휴머니즘적
배경	• 시간-6·25 전쟁 때 • 공간-강원도 깊은 산골 마을(동막골)
제재	동막골에서의 국방군과 인민군의 갈등과 화해
주제	전쟁의 비인간성에 대한 비판과 이념 대립을 초월한 따뜻한 인간애
특징	① 등장인물이 갈등하고 있는 상황에서 웃음을 유발하여 긴장감을 해소함. ② 강원도 사투리를 통해 사실감을 높이고 등장인물들의 순박함을 드러냄. ③ 6·25 전쟁의 비극을 따뜻한 인간애로 극복하고자 하는 작가 의식을 드러냄.

가상의 공간, 동막골

동막골은 작가의 상상력을 바탕으로 꾸며 낸 가상의 공간인 강원도 산골의 외진 마을로, 외부와 단절된 곳이다. 작가는 동막골이라는 때 묻지 않고 순수한 삶의 공간을 통해 이념 대립을 초월한 인간애를 보여 주고 있다.

이 작품의 의의

이 작품은 6·25 전쟁을 배경으로 하고 있다. 순박한 동막골 사람들과 적군으로 맞서 싸우던 국방군, 인민군이 함께 지내게 되면서 벌어지는 에피소드를 다루고 있다. 이 작품은 이데올로기가 무엇인지, 전쟁을 왜 하는 것인지도 모르는 순수한 이연의 죽음을 통해 전쟁의 잔인함과 비인간성을 고발하고 있다. 또한 적군이었던 국방군과 인민군이 동막골을 지키기 위해 연합 작전을 펼친다는 결말을 통해서 남과 북의 갈등은 따뜻한 민족애(동족애)로 극복할 수 있음을 보여 주고 있다.

어휘 쏙쏙

• **이탈(離脫):** 어떤 범위나 대열 따위에서 떨어져 나오거나 떨어져 나감.

부락민들, 현철을 본다. 현철, 모두의 시선을 느끼다가 촌장에게 슬슬 다가간다. 그리고 묘한 시선을 준다. 그러면서 총을 건넨다. 상상도 총을 건네고, 현철과 상상도 수류탄을 손에 쥔다. 군인들 다섯, 가운데 쪽으로 모인다. 서로 노려본다. 수류탄을 손에 쥔 채.

달수: 이제 된 거요? 가도 되는 거지요?

달수 처: 눈만 잠깐 붙이고 올게요. 점심 나절부턴 실천 위에 옥수수 밭걷이부터 해야 되니까.

달수: 응식아, 늦지 마라. / **응식:** 졸리네. 가는 길에 깨워 주쇼.

마을 사람들, 하나 둘 돌아가고 현철, 그들을 보며 난감해한다.

01

㉠을 통해 짐작할 수 있는 내용으로 적절한 것은?

① 동막골 사람들이 죽을 것이다.
② 이연이 만난 군인은 국방군이다.
③ 이연이 만난 군인은 인민군이다.
④ 인민군이 동막골을 점령할 것이다.
⑤ 동막골에서 인민군과 국방군 간의 전투가 벌어질 것이다.

02

이 글의 공간적 배경에 대한 설명으로 가장 알맞은 것은?

① 외부인들과의 교류가 활발한 곳이다.
② 아름다운 자연 경치를 가진 명승지이다.
③ 전쟁에서 중요한 역할을 하는 요충지이다.
④ 외부인들을 경계하고 인정이 없는 삭막한 곳이다.
⑤ 산세가 험하고 지대가 높은 곳에 위치한 마을이다.

03

(나)의 '동구'의 행동이 작품 속에서 하는 역할로 가장 적절한 것은?

① 새로운 갈등을 유발한다.
② 사건에 현실감을 부여한다.
③ 긴장된 분위기를 유지시킨다.
④ 등장인물 간의 갈등을 심화한다.
⑤ 등장인물 간의 긴장감을 완화한다.

04

(다)에 나타나는 군인들과 마을 사람들의 심리를 파악한 것으로 가장 알맞은 것은?

	군인들	마을 사람들
①	긴장감	불안감
②	긴장감	평온함
③	무안함	긴장감
④	안도감	무안함
⑤	평온함	긴장감

웰컴 투 동막골 ② _ 장진

라 5막 실천(實川) 위 옥수수밭

무대에 불이 들어오면 무대는 어느새 실천 위 옥수수밭으로 변해 있고, 그 밭 가운데에서 옥수수를 따고 있는 사내들은 이를 갈며 서로 죽일 것처럼 으르렁대던 그 친구들이다. / 장영희, 허리를 숙여 일하다가 고통스럽게 허리춤을 세운다.

(허리춤: 바지나 치마처럼 허리가 있는 옷의 허리 안쪽)

영희: 무슨 강냉이밭이 이리 넓은 기요? 아니, 원래 강냉이밭은 이렇게 넓은 기요? 아니면 강원도 강냉이는 여기서 다 재배질을 하는 기요?

(강냉이: 옥수수)

택기: 저쪽 윗등성이까지만 하면 된다 하지 않았소. 기왕에 해 주는 거 찡얼대지 좀 마시오. / **영희:** 캬, 정말 이런 가파른 산을 밀어 밭을 만들 줄 몰랐구만. 이게 다 강냉이면 정말 강냉이 심은 데는 강냉이만 나는구만.

현철: 문상상! / **상상:** 네! / **현철:** 쉬었다 해라.

치성: (상상을 보며) 저 꼬마는 이름이 상상이가? / **현철:** …….

치성: 한문으로 우에 쓰나 상상? / **상상:** 서로 상(相)에 형상 상(狀)인데요.

치성: 다행이구만. / **상상:** (어리둥절하며) 네? 뭐가 다행이죠?

치성: 일찍 죽은 임금을 '상상'이라 하지. 스물도 채 안 되어 죽는 임금, 그때 그렇게 말한다. 상상도 임금이가? 친별 *족벌만 혼란 타누나. 어린 왕이 죽으면 서로 임금 자리를 먹으려고 주변이 난리가 난다는 게지. 손금 한번 보자.

상상, 뭔가 재미있다는 듯 다가오려 한다.

현철: (단호하게) 문상상, 거기서 쉬어라. / **영희:** 딱딱하구만. 목에 심줄 좀 풀라우.

(심줄: 힘줄의 변한 말. '힘줄'은 근육의 기초가 되는 희고 질긴 살의 줄)

택기: 그러게, 어차피 갈 길 가자고 합의 봤으면 그때까지는 성질 죽이고 있자우, 형! / **현철:** 너 이 자식 누구한테 자꾸 형이래? 너희들은 전쟁 규칙도 모르냐? 적군을 예우하려면 계급이나 직책으로 불러! 형이 뭐야?

택기: 지금 반나절 동안 강냉이만 따고 있지 않소 우리? 전쟁은 무슨 놈의 전쟁이요? 전쟁터에서 만나면 그때 예우하지요. 지금은 그냥 강냉이 따는 형이외다.

치성: 쉬자우. 잠시만이라도.

마 그때 밭 후미에서 사람들의 노랫소리 들리고 동구 모, 참을 이고 걸어온다. 옆에 이연이와 동구도 따라온다.

(후미: 뒤쪽의 끝) (참: 일을 하다가 잠시 쉬는 동안이나 끼니때가 되었을 때에 먹는 음식)

동구 모: 하이고, 군인들이라 다르구만. 벌써 이만큼을 했네.

영희: 이게 도대체 누구 밭이요? 개인 밭이요?

동구 모: 애아버지가 갈아 놓은 거지요. 책임지지도 못할 땅만 갈아 놓고 그 안에 곡물은 우리 몫이지.

영희: 애아버지가 돌아가셨나 보우? / **동구:** (버럭) 안 죽었다니까요!

영희: 너 그 얘기 처음 한다. 조그만 놈 성질이 굴곡 있네.

동구: 아버지 올 꺼요, 얼마 안 가. 독립군들 다 그렇다 하대요. 해방되고, 전쟁 통에 거슬러 거슬러 당도하는 사람들도 많다잖아요. / **치성:** 독립군이었소?

작품 핵심

줄거리

6·25 전쟁 중 연합군 병사 스미스가 비행기 추락으로 강원도 산골에 있는 동막골에 오게 된다. 그날 밤, 길을 잃은 국방군과 인민군이 동막골에 모여들면서 대치 상황이 벌어진다. 하지만 마을 사람들은 그 상황을 대수롭지 않게 여기고, 국방군과 인민군은 마을 사람들의 순수함에 점차 동화되어 간다. 한편 추락한 연합군 비행기를 조사하러 국방군 중대장과 병사들이 마을을 찾아오고, 중대장이 상상의 인식줄을 보게 되면서 소동이 벌어진다. 그 과정에서 중대장과 이연이 죽고, 군인들은 죽은 중대장이 남긴 쪽지를 보고 동막골이 폭격될 것임을 알게 된다. 스미스는 동막골을 떠나고, 국방군과 인민군들은 폭격 위치를 바꿔 동막골을 지키기 위해 옥수수밭에서 연합 작전을 펼친다.

등장인물

표현철	27세의 국방군 소위. 인민군에 대한 적대감과 경계심을 가장 늦게 푸는 인물
문상상	20대 초반의 국방군 위생병. 인민군에게 경계심을 늦추고 인간적으로 다가가는 인물
동치성	39세의 인민군 중대장. 현철과 갈등하다가 동막골 사람들의 순박한 인정에 감동하여 제일 먼저 화해의 분위기를 조성하는 인물
서택기	17세의 인민군 소년병. 국방군에 대한 경계심을 일찍 풀고 이연에게 관심을 보이는 인물
장영희	중년의 인민군 하사. 솔직한 감정 표현과 특유의 넉살로 국방군에게 다가가는 인물
촌장	마을 지도자. 군인들을 설득하기도 하고, 동막골의 농사일을 도와 달라고 부탁하여 군인들을 화해하도록 이끄는 인물
이연	지적으로 모자라지만 순수하고 천진난만한 말과 행동으로 동막골의 순수함과 평화로움을 상징하는 인물
이동구	14세의 아이. 군인들의 대치 상황에서 돌발적인 행동으로 분위기를 전환시키는 역할을 하는 인물

어휘 쏙쏙

- **족벌(族閥)**: 큰 세력을 가진 가문의 일족. 씨족의 사회적 신분이나 지위.

동구: 광복단이래요. 홍범도 장군하고 청산리 전투도 했다두만요.
독립운동가(1868~1943) 1920년에 독립군이 만주 청산리에서 일본군을 크게 쳐부순 싸움

택기: (이연에게) 같이 좀 들어요. / **이연:** 동구 어무니, 나 여기서 먹고 가요?

동구 모: 장부들 먹기 모자르다. 우린 내려가 먹자. / **이연:** 그럼 조금만 줘요. 혀끝만 대어 보게.

택기: ㉠(쑥스러운 듯 얼굴을 붉히며) 꽃이 이뻐요. / **이연:** (얼굴에 화색이 돈다.) 동구야! 나 이쁘단다. 머리에 꽃 꽂은 거 이뻐 죽을라 한다. 이 아저씨.

동구 모: 저 총각이 이연이한테 맘 있나 보네. 촌장 어르신한테 잘 보이소. 그럼 누가 알우? 산 내려갈 때 데리고 가라 할지? / **영희:** 저 아이가 촌장 여식(딸)이오?

동구 모: 아니. 그런 건 아니지만. 에요, 몰라요! 마을에서 떠도는 얘기였지.

동구: 이연이를 예쁘다 하는 것이 그 형아도 머리가 좀 안 따르나 보다.

01

이 글에서 알 수 있는 내용으로 적절하지 않은 것은?

① 인민군들은 국방군과의 긴장감을 풀고자 한다.
② 마을 사람들과 군인들 사이에 친밀감이 형성되고 있다.
③ 현철은 인민군에 대한 긴장과 경계를 늦추려 하지 않는다.
④ 동구 모는 군인들과 함께 있는 것을 어색하고 불편해한다.
⑤ 동구는 아버지가 얼마 안 가 다시 돌아올 것이라고 믿고 있다.

02

'이연'에 대한 설명으로 적절하지 않은 것은?

① 부모가 불분명하다.
② 지적으로 모자란 인물이다.
③ 순박하고 천진난만한 성격이다.
④ 군인들 사이의 화해를 유도한다.
⑤ 동막골의 순수함과 평화로움을 상징한다.

03

㉠을 통해 드러내고자 하는 바로 가장 적절한 것은?

① 꽃을 좋아하는 택기의 성품을 드러낸다.
② 이연에 대한 택기의 경계심을 드러낸다.
③ 마을 사람들을 파악하려는 택기의 마음을 드러낸다.
④ 인민군 역시 순수함을 지닌 평범한 사람임을 드러낸다.
⑤ 지적으로 모자란 이연에 대한 동정의 의미를 드러낸다.

04

이 글에 쓰인 소재 중, 〈보기〉의 내용과 가장 관련 깊은 것은?

보기
- 국방군과 인민군 사이의 친밀감 형성에 기여함.
- 국방군, 인민군, 마을 사람들이 인간적인 유대감을 느끼게 됨.

① 옥수수밭 ② 규칙 ③ 계급 ④ 전쟁터 ⑤ 광복단

YMCA 야구단 _ 김현석

S#15 실내, 종로 거리 위의 전차 안, 낮

1900년대 초의 개방형 전차 안. 사람들이 신기해하는 표정으로 밖을 내다보고 있다. 밖으로는 종로 거리의 풍경이 보인다. 서양식 옷차림에 짧게 머리를 깎은 승객들이 간간이 보이고, 갓을 쓰고 도포를 걸친 50대 남자 2명이 나란히 앉아 있다. 가만 보면 그중 한 명은 호창 아버지다. ㉠호창 아버지, 전차가 그리 빠른 속도로 움직이는 것도 아닌데, 기둥을 꼭 붙들고 있다.

50대 선비: 어떤가? 지금도 어지러운가?

호창 아버지: (무뚝뚝하게) 내가 언제 어지럽댔었나?

호창 아버지, 태연한 척하며 창밖을 본다. 종로 거리에서 맨손으로 어린아이들 3명이 야구를 하고 있다. (던지고, 받고, 치는 *약식의 야구)

호창 아버지: 저건 또 뭐 하는 짓들인가? 청량리에서 여기 오는 동안 저런 걸 벌써 몇 번 보네.

50대 선비: 어디? 아, 저거. 요새 젊은 아이들이 저걸 많이 하더라고. 빼-스볼인가 뭔가? 요새 웬만한 신식 학교들은 다 저걸 한다는구만!

호창 아버지: (쯧쯧거리며) 쌍것들!

S#16 실외, 넓은 평지, 낮

무명 저고리에 무명 바지를 입고 짚신을 신은 양 팀 선수들이 ⓐ젓가락처럼 나란히 서서 마주 보고 서로 인사한다.

㉡자막: 1905년 10월, 〈YMCA : 덕어 학교〉 대한 제국 최초의 야구 시합

YMCA 선수들이 정림을 중심으로 둥그렇게 모여 있다.

정림: 우린 최초일 뿐 아니라, 최강의 베이스볼 팀입니다!

정림, 선수들을 향해 손등을 위로 한 채 손을 내민다. 선수들, 어떻게 해야 할지 모르다가, 광태가 먼저 정림의 손 위에 자기 손을 얹자 이내 차례로 손을 얹는다. 마지막으로 남은 호창, 잠시 가만있다가 손을 맨 아래로 집어넣어 정림의 손 아래에 놓는다.

선수들: 최초, 최강 와이엠씨에이, 잘하세! (1번 타자, 쌍둥이 형, 타석에 들어선다.)

포수: ㉢야, 꼬마야, 젖은 떼고 온 거냐?

투수가 던진 공을 쌍둥이 형이 잽싸게 휘둘러서 안타를 만들어 버린다. / 2번 타자, 쌍둥이 동생이 타석에 들어선다. 포수, 쌍둥이 동생의 얼굴을 들여다보며

포수: 너 방금 치지 않았었냐?

호창, 방망이를 들고 타석으로 나가려다가 정림에게

호창: ㉣나 4번 하기 싫소. 재수 없소, 죽을 사(死).

정림: 가장 잘 치는 이가 4번을 맡는 겁니다.

호창: (주먹을 불끈 쥐며) 선비 사(士)!

작품 핵심

갈래	시나리오
성격	해학적, 휴머니즘적
배경	• 시간-1900년대 초 • 공간-경성
제재	황성 YMCA 야구단
주제	조선 최초의 야구단인 황성 YMCA 야구단의 결성 과정과 야구단의 활약
특징	① 실화를 바탕으로 함. ② 특정 집단이나 계층을 상징하는 전형적 인물들이 등장하여, 그들 간의 갈등이 표면에 드러남.

등장인물

호창 아버지	전통문화를 고수하며, 신문물에 부정적인 태도를 지님.
호창	선비이나, 신문물을 수용하려는 개방적인 태도를 지님.
병환	양반 출신으로, 신분 차별 의식을 지님.
성한	과거에 신분이 낮았으며, 과거의 신분 제도에 영향을 받음.

이 작품의 시대적 상황

1900년대 초,
대한 제국 시기, 개화기

↓

- 새로운 문물의 유입: 전차, 서양식 옷차림, 야구 등 신문물이 유입되어 전통문화와 혼재함.
- 신분 질서의 변화: 신분 제도가 폐지되어 과거에 신분이 달랐던 사람들이 함께 어울려 야구를 함.
- 여성의 사회 진출: 신식 교육을 받고 사회에 진출한 신여성이 등장함.

쏙쏙

- **약식(略式)**: 정식으로 절차를 갖추지 아니하고 간추린 의식이나 양식.
- **과도적(過渡的)**: 한 단계에서 다른 단계로 옮아가는. 또는 그런 것.

헝겊과 대나무 등으로 만들어진 *과도적 단계의 보호 마스크를 쓴 포수 광태의 모습.

3루수 성한, 땅볼 타구를 잡아서, 1루로 던진다. 1루수 병환, 공을 던지는 성한을 보고는 떫은 표정이 되어, 공을 받지 않고 흘려보내고, 공은 뒤로 빠진다. 정림, 어이없어한다.

병환: ⓜ(불쾌한 듯) 상놈이 던진 공을 양반이 어떻게 받아?

한숨을 내쉬던 정림, 뭔가 생각이 떠오른 모양이다. 성한과 병환의 수비 위치가 바뀌어 있다. (성한 1루수, 병환 3루수) / 병환, 타구를 잡아서 1루수 성한에게 건방지게 던지고 성한은 두 손으로 공손히 받는다. / 떨떠름하게 웃는 정림. / 그 위로 자막. 〈YMCA 5 : 0 덕어 학교〉

01

'윤호'와 같은 방법으로 작품을 감상하고 있는 사람은?

> 윤호: 작품 외적 요소를 끌어들이지 말고 내적 구성 요소를 중심으로 감상하는 것이 중요해. 예를 들어 야구를 못마땅해하는 '호창 아버지'와 야구단에서 야구를 하는 '호창'의 모습을 통해, 두 사람이 갈등하리라는 것을 예상할 수 있어.

① 인희: 요즘 이야기가 아니라서 지루할 줄 알았는데, 작품을 보면서 옛날 사람들의 삶도 알고 흥미도 갖게 되었어.
② 민수: '짚신을 신은 양 팀 선수들', '전차', '신식 학교' 등에는 신구 문화가 혼재하던 시대의 모습이 반영되어 있어.
③ 여은: '호창'이 야구를 하면서도 주먹을 불끈 쥐며 '선비 사(士)'라고 하는 장면은 인물의 성격을 잘 드러내고 있어.
④ 태규: 1900년대 초를 배경으로 한 야구 영화를 만든 감독이 어떤 사람인지 참 궁금해. 그의 다른 작품도 봐야겠어.
⑤ 수환: 'YMCA 야구단'이 경기에서 이기는 모습을 보며 내가 야구하던 경험을 떠올려 보고, 야구에서는 화합이 중요함을 깨달았어.

02

ⓖ~ⓜ 중, 〈보기〉에서 설명한 내용의 예로 가장 적절한 것은?

> 보기
> 조선 시대의 신분 제도는 1894년 갑오개혁에서 폐지되었다. 그러나 제도의 폐지에도 불구하고 사람들의 인식은 쉽게 변하지 않아 여전히 생활에 영향을 미치고 있었다.

① ㉠ ② ㉡ ③ ㉢ ④ ㉣ ⑤ ㉤

03

비유적 표현의 종류가 ⓐ와 같은 것은?

① 오월은 계절의 여왕이다.
② 인간은 빵만으로 살 수 없다.
③ 무용수의 동작이 마치 백조 같다.
④ 소 잃고 외양간 고친다는 말이 있다.
⑤ 버드나무 이파리가 나에게 손짓한다.

토끼전 ① _ 작자 미상

앞부분 줄거리 남해 용왕이 병을 얻어 온갖 약을 써 보았지만 *효험이 없었다. 한 도사가 나타나 용왕의 병에는 토끼의 간이 특효약임을 알려 준다. 이에 용왕의 신하인 별주부가 토끼를 찾으러 육지로 간다. 토끼를 만난 별주부는 수국의 자랑거리를 늘어놓고, 수국에서 벼슬을 주고 부귀영화를 누리게 해 주겠다며 함께 가자고 유혹한다. 육지 생활에 싫증이 났던 토끼는 별주부를 따라 수국으로 간다. 그곳에서 용왕을 만나 자신이 별주부에게 속은 것을 알게 된 토끼는 임기응변을 발휘하여 간을 육지에 두고 왔다고 말한다.

가 "이놈! 네 말이 당찮은 말이로다. 사람이나 짐승이나 한 몸에 든 내장은 다를 바가 없는 것이다. 어찌 간을 내고 들이고 마음대로 한단 말이냐? 내 당초에 듣기 좋은 말로 너를 타일렀건만, 너같이 미천한 것이 요망한(요사스럽고 망령됨) 말로 나를 속이니 이제는 죽어도 공이 없으리라."

무사에게 *호령하여 궁문 밖에 잡아내어 신속히 배를 가르라 엄하게 분부를 한다.

나 토끼 얼굴빛을 바꾸지 아니하고 히히히히 웃으면서 더 당당하게 말한다.

"대왕께서는 하나만 알고 둘은 모르시옵니다. 복희씨(중국 고대 전설상의 제왕. 그물을 발명하여 고기잡이의 방법을 가르쳤다고 함)는 어찌하여 뱀의 몸에 사람 얼굴이며 신농씨(중국 고대 전설상의 제왕. 농경을 가르쳤다고 함)는 어찌하여 사람 몸에 소 얼굴이옵니까? 대왕의 꼬리가 저렇게 길고 소토 꼬리가 이렇게 묘똑한(끝이 짧고 뭉툭한) 것은 무슨 까닭이옵니까? 대왕의 몸뚱이는 비늘이 번쩍번쩍하고, 소토의 몸뚱이는 털이 요리 송살송살한 것은 또 무슨 까닭이옵니까? 까마귀로 말해도 오전 까마귀 쓸개 있고, 오후 까마귀 쓸개 없다 하였사옵니다. 그런데도 인간이나 날짐승, 길짐승, 또 물고기들을 다 한가지라고 빽빽 우기시니 답답할 따름이옵니다."

다 용왕이 토끼의 말을 옳게 여겨 묶은 것을 풀고 윗자리에 오르게 하니 별주부가 울면서 만류를 한다.

"토끼란 놈이 본시 간사합니다. 뱃속에 달린 간 꺼내지 않고 도로 보내면 *초목금수라도 비웃을 것입니다. 일곱 번 풀어 준 맹획(중국 삼국 시대 남만족의 지도자)을 다시 일곱 번 잡아들인 제갈량(중국 삼국 시대 촉한의 정치가, 군사 전략가)의 재주가 아닐진대, 한번 놓아서 보낸 토끼를 어찌 다시 구하리까? 당장 배를 따 보시옵소서. 만일 간이 없다면 소신을 능지처참(대역죄인에게 과하던, 사지를 자르는 극형)하고 또 소신의 가족까지 다 죽인다 하더라도 여한(풀지 못하고 남은 한(恨))이 없사옵니다. 소신의 말 들으시고 당장에 배를 따 보시옵소서."

라 토끼가 들으니 기가 막힌다.

"이놈 별주부야, 얘, 이놈, 별주부야. 네가 나와 무슨 원수진 일이 있길래 그다지 모진 말을 하느냐? 내 배를 갈라 간이 들었으면 좋겠지만, 만일 간이 없다면 백년을 더 살 용왕 하루도 살기 어려울 것이다. 나 또한 너희 나라 원귀(원통하게 죽어 한을 품고 있는 귀신)가 되어 조정의 모든 신하를 한 날 한 시에 모두 몰살(모조리 다 죽거나 죽임)을 시킬 것이다. 아나, 옜다, 배 갈라라. 아나, 옜다, 배 갈라라. 똥밖에 든 것이 없다. 내 배를 갈라 네 보아라."

토끼가 이렇게 악을 바락바락 쓰니 용왕도 신하들에게 더 이상 다른 말을 하지 못하게 한다. / "다들 그만두시오. 이제부터 다시 토공(토끼를 높여 부르는 말)을 해치는 말을 하는 자가 있으면 그물이 쳐진 곳으로 유배를 보낼 것이오!"

작품 핵심

갈래	고전 소설, 판소리계 소설, 우화 소설, 풍자 소설
성격	풍자적, 우화적, 교훈적, 해학적
배경	• 시간–옛날 • 공간–수국, 육지
제재	토끼의 간
주제	① 위기 극복의 지혜와 허욕에 대한 경계 ② 맹목적 충성심에 대한 풍자, 임금에 대한 충성 ③ 권력의 횡포에 대한 비판, 어리석고 무능한 집권층에 대한 풍자와 비판
특징	① 동물을 의인화하여 인간 사회의 모습을 풍자함. ② 각 등장인물의 입장에서 다양한 교훈을 전달함. ③ 고사(故事), 한자어, 속담, 비유, 과장 등을 사용함.

등장인물

토끼	• 허욕이 강하나 말주변이 좋고 위기 대처 능력이 뛰어남. • 지배 계층의 수탈과 횡포로부터 고통받는 백성을 상징
별주부(자라)	• 맹목적인 충성심으로 용왕의 옳지 않은 명령도 수용하고 따름. • 왕에게는 맹목적으로 충성하고 백성들을 수탈하는 관리를 상징
용왕	• 자신의 병을 고치기 위해 남을 해치려는 이기적이고 폭력적인 인물로, 아둔하여 토끼의 꾀에 넘어감. • 무능하고 부패한 지배층을 상징

어휘 쏙쏙

- **효험(效驗)**: 일의 좋은 보람. 또는 어떤 작용의 결과.
- **호령(號令)**: 부하나 동물 따위를 지휘하여 명령함.
- **초목금수(草木禽獸)**: 풀과 나무와 날짐승과 길짐승 등 온갖 생물을 이름.

01 이 글에 대한 설명으로 적절하지 않은 것은?

① 교훈적인 주제를 담고 있다.
② 고사(故事)와 한자어가 사용되었다.
③ 인물 유형이 입체적이고 개성적이다.
④ 동물을 의인화하여 인간 사회를 풍자하고 있다.
⑤ 막연한 시간과 비현실적 공간을 배경으로 한다.

02 (가)의 용왕을 통해 비판하고자 하는 사회로 가장 적절한 것은?

① 서로 속고 속이는 사회
② 돈이 최고라고 생각하는 물질 만능주의 사회
③ 권력자 간의 대립으로 백성들이 고통받는 사회
④ 권력을 소유한 지배 계층이 백성을 착취하는 사회
⑤ 사회 구성원 간의 치열한 경쟁을 강요하는 비정한 사회

03 (나)에서 토끼가 한 말의 궁극적인 의도로 알맞은 것은?

① 용왕의 외모를 찬양하기 위해
② 인간과 짐승은 각기 다른 존재임을 강조하기 위해
③ 여러 이야기를 알고 있는 자신의 박식함을 뽐내기 위해
④ 복희씨와 신농씨가 특이한 생김새를 지녔음을 알리기 위해
⑤ 자신의 간은 있을 때도 있고 없을 때도 있음을 믿게 하기 위해

04 (다)에서 별주부의 만류가 주는 효과로 알맞은 것은?

① 극적 긴장감 조성
② 주제의 직접적 제시
③ 인물 간의 갈등 해소
④ 갈등 해결의 실마리 제공
⑤ 토끼의 비극적 결말 암시

05 이 글의 등장인물의 행동과 성격을 짝지은 것으로 적절하지 않은 것은?

인물	행동	성격	
토끼	부귀영화와 벼슬에 눈이 멀어 별주부를 따라 수국으로 감.	욕심이 지나침.	①
	꾀를 내어 위기에서 벗어남.	임기응변이 뛰어남.	②
용왕	자신이 살기 위해 토끼를 죽이려 함.	권위적이고 이기적임.	③
	토끼의 거짓말에 속아 넘어감.	타인을 존중함.	④
별주부	용왕을 위해 토끼를 꾀어 수국으로 데려옴.	왕에 대한 충성심이 강함.	⑤

토끼전 ② _ 작자 미상

중간 부분 줄거리 토끼의 거짓말에 속아 넘어간 용왕은 토끼를 위해 잔치를 벌인다. 다음날, 거짓말이 들통날 것을 걱정한 토끼는 용왕에게 육지에 다녀오겠다고 말하고 별주부와 함께 육지로 향한다.

마 토끼가 별주부의 등에 업혀 다시 물속으로 들어가니 고국 강산이 눈앞에 어른거린다. *만경창파를 지나 물가에 점점 가까이 오니 마음이 급해진다. ⓐ토끼는 육지에 당도하기도 전에 별주부 등에서 펄쩍 뛰다가 물에 빠져 죽을 지경이 된다. 별주부가 놀라서 급히 달려들어 토끼를 구해 낸다. 토끼는 백사장에 오르자마자 가로로 뛰고 세로로 뛰며 기쁨을 감추지 못한다. 또 앞으로 뛰었다가 뒤로 뛰었다가 하면서 별주부에게 무수히 욕을 한다.

"저절로 생긴 오장육부 어찌 함부로 바꿀 수 있겠는가? 간을 꺼내고 넣고 한다는 말은 듣도 보도 못하였다. 네 임금 어리석고 네 조정 신하 미련하더라. ㉠함정에 든 ㉡범이요 ㉢우물에 든 ㉣고기를 살려 보내서 골수에 깊이 든 병 고치고자 하였더냐? ⓑ산중 토 생원을 뉘라서 유인하랴? 꾀도 많고 말솜씨도 대단하구나. 산속 재미 부족하다고 수국에 벼슬하러 갔다가 거의 죽게 되었더니, 천신만고(온갖 어려운 고비를 다 겪으며 심하게 고생함을 이르는 말) 살았구나. 이 내 계교 생각하면 묘할 묘 자 이 아닌가? 내 뱃속에 간이 잔뜩 들었다만, 미련하다 저 자라야, 뱃속에 있는 간을 어찌 마음대로 할 수 있단 말이냐? 네 충성 지극키로 병든 용왕 살리자고 성한 토끼 나 죽으랴? 수국이 좋다 해도 이 산중만 못하더라. ⓒ너의 수국 맛난 음식 도토리만 못하더라. *천일주가 좋다 해도 맛 좋은 물만 못하더라. *불로초가 좋다 해도 칡뿌리만 못하더라."

바 ⓓ"실없는 소리 말고 간 둔 데나 속히 갑시다."

토끼가 껄껄 웃는다.

"어허, 미련하고 우스운 놈아. 간 둔 곳이 별 곳이냐? 뱃속에 든 간을 어떻게 준단 말이냐? 어리석은 별주부야, 나 같은 영웅호걸이 어찌 너의 수국에 있겠느냐? 힘 좋고 용맹(용감하고 사나움) 있거든 뭍으로 나와서 한번 붙어 보자. 고향에 돌아오니 내 친구 많기도 많구나. 내 한번 소리치면 앞산의 호랑이 숙부(작은아버지), 뒷산의 사슴 벗님, 꾀 많은 여우 친구, 내 아들 토끼 등이 산천을 주름잡고 한꺼번에 달려들 텐데 너같이 못난 자식 혼이나 남겠느냐? 날 잡으러 너 왔다가 너마저 죽는다면 그보다 원통한 일 없으리라. 정 믿지 못하겠거든 내 뒤를 따라와 보아라."

사 토끼가 산속으로 뛰어 들어가니 별주부는 토끼를 놓치고 기가 막혀서 울음을 운다.

"애고, 애고, 애고, 애고. 어디 가서 토끼를 잡을꼬? 이렇게 맹랑한(생각하던 바와 달리 허망한) 일이 또 어디 있단 말인가? 내 충성 부족하든가, 대왕의 명이 짧든가? 수궁까지 갔던 토끼 너른 산속 다시 놓아 주니, 이제 어디 가서 다시 토끼를 잡으리오. 우리 대왕 죽고 나면 수국의 모든 일을 누구와 의논할 수 있단 말인가? 우리나라 굳은 *사직 속절(단념할 수밖에 달리 어찌할 도리가 없이)

작품 핵심

줄거리

남해 용왕이 병을 얻어 병세가 날이 갈수록 심해지는데, 어떤 도사가 나타나 용왕의 병에는 토끼의 간이 특효약임을 알려 준다. 용왕의 신하 별주부가 토끼를 잡으러 육지에 오고, 토끼를 만나 수국에서의 부귀영화를 약속하며 유혹한다. 토끼는 별주부의 꼬임에 넘어가 수국으로 향한다. 용왕을 만나 자신이 속았음을 알게 된 토끼는 꾀를 내어 간을 육지에 두고 왔다고 한다. 용왕은 토끼의 거짓말에 속고, 토끼를 위해 잔치를 벌인다. 거짓말이 들통날 것을 염려한 토끼는 서둘러 육지로 향하고, 육지에 도착하자마자 별주부를 조롱하며 도망간다. 토끼를 놓친 별주부는 수국으로 돌아가지 못한 채 죽고, 용왕은 병이 심해져 세자에게 자리를 물려준 뒤 죽는다. 옥황상제가 별주부의 충성심에 감동하여 그의 사연을 수궁에 전하자 세자가 별주부의 덕을 널리 알린다.

이 작품의 배경과 역할

배경	임진왜란과 병자호란을 겪은 후 조선 후기에는 지배층의 부패와 무능에 대한 백성들의 불만이 증가함.

⬇

역할	지배층을 우회적으로 비판하며 불만을 표출하는 수단이 됨.

이 작품에 반영된 사회상

- 신분에 따른 차별: 용왕이 토끼에게 자신은 고귀한 존재이고 토끼는 하찮은 존재라며 희생할 것을 명령함.
- 지배층의 횡포와 민중의 희생: 용왕을 살리기 위해 다른 생명을 죽이려 함.
- 봉건적 지배 제도에 대한 저항과 새로운 세계에 대한 백성의 열망: 토끼가 용왕의 요구에 맞섬.

어휘 쏙쏙

- **만경창파(萬頃滄波)**: 한없이 넓고 넓은 바다를 이르는 말.
- **천일주(千日酒)**: 빚어 담근 지 천 일 만에 마시는 술.
- **불로초(不老草)**: 먹으면 늙지 않는다고 하는 풀.
- **사직(社稷)**: 나라 또는 조정을 이르는 말.

없이 되었구나. 애고, 애고, 설운지고."

ⓔ 별주부는 수국으로 돌아가지 못하고 그 길로 소상강으로 돌아가서 대숲에 의지하며 살아간다.

01

각 등장인물의 입장에서 주제를 살펴본 것으로 알맞지 않은 것은?

① 토끼 : 헛된 욕심을 경계해야 한다.
② 토끼 : 위기를 극복하는 지혜를 갖자.
③ 별주부 : 임금에 대한 충성심을 갖자.
④ 별주부 : 항상 희망을 가지고 살아가자.
⑤ 용왕 : 욕심과 이기심을 버려야 한다.

02

㉠~㉣이 의미하는 대상을 알맞게 짝지은 것은?

	㉠, ㉢	㉡, ㉣		㉠, ㉢	㉡, ㉣
①	수국	용왕	②	수국	토끼
③	수국	별주부	④	육지	토끼
⑤	육지	별주부			

03

ⓐ~ⓔ에 대한 설명으로 적절하지 않은 것은?

① ⓐ : 한시바삐 수국의 위험에서 벗어나고 싶은 조급함이 드러난다.
② ⓑ : 자화자찬하는 토끼의 자만심이 나타난다.
③ ⓒ : 물질적으로는 덜 풍요로워도 살아 있을 수 있는 육지가 더 좋음을 말하고 있다.
④ ⓓ : 사태를 제대로 파악하지 못하는 별주부의 어리석음이 나타난다.
⑤ ⓔ : 토끼를 잡은 후에 수국으로 돌아가려는 별주부의 충성심이 드러난다.

04

이 글의 서로 다른 결말인 〈보기〉의 ㉮와 ㉯에 대한 설명으로 적절하지 않은 것은?

보기

㉮ 토끼가 도망치자 별주부는 죄책감에 목숨을 끊는다. 용왕은 병세가 심해져 죽고, 이어 즉위한 세자는 별주부의 충절을 기리고 널리 알렸으며 태평천하를 이루었다.

㉯ 토끼를 놓치고 목숨을 끊으려던 별주부 앞에 화타가 나타나 하늘이 내리는 상이라며 용왕의 병을 고칠 수 있는 선약을 준다.

① ㉮에는 새로운 시대를 원하는 백성들의 바람이 담겨 있다.
② ㉮에는 구시대적 인물인 용왕을 부정하는 마음이 반영되어 있다.
③ ㉯에는 별주부의 충성심을 높게 평가하는 유교적 사상이 나타나 있다.
④ ㉮와 ㉯ 모두 현재의 지배 체제를 부정하는 마음이 드러나고 있다.
⑤ ㉮와 ㉯의 내용이 다른 것은 구전되는 동안 전하는 사람의 서로 다른 생각이 담겼기 때문이다.

02 춘향전 ① _ 작자 미상

앞부분 줄거리 전라도 남원 사또의 아들인 이몽룡과 퇴기(退妓) 월매의 딸 춘향은 백년가약을 맺는다. 하지만 이몽룡의 부친이 한양으로 가게 되면서 둘은 이별하게 되고, 몽룡은 떠나며 과거 급제 후 춘향을 데리러 오겠다고 맹세한다. 몽룡이 떠난 뒤 춘향은 새로 부임한 변 사또의 수청을 거절하여 옥에 갇히게 된다. 한편 장원 급제한 이몽룡은 어사가 되어 남원에 내려오고 변 사또의 생일 잔칫날 거지꼴로 위장하여 잔치에 간다.

가 어사또 들어가 단정히 앉아 좌우를 살펴보니 마루 위의 모든 *수령들이 다과상을 앞에 놓고 진양조 느린 가락을 즐기는데, ㉠어사또 상을 보니 어찌 아니 통분하랴. 귀퉁이가 떨어진 개다리소반(상다리 모양이 개의 다리처럼 휜 자그마한 밥상)에 닥나무 젓가락, 콩나물에 깍두기, 막걸리 한 사발이 놓였구나. 상을 발로 탁 차 던지며 운봉의 갈비를 슬쩍 집어 들고,

"갈비 한 대 먹읍시다."

"다리도 잡수시오." / 하고 운봉이 하는 말이,

"이런 잔치에 풍류로만 놀아서는 맛이 적으니 *운자(韻字)를 따라 시 한 수씩 지어 보면 어떻겠소?" / "그 말이 옳다."

㉡다들 찬성을 했다. 운봉이 먼저 운을 낼 때 '높을 고(高)' 자, '기름 고(膏)' 자 두 자를 내어놓고 차례로 운을 달아 시를 지었다. 앞사람이 끝나면 앞사람을 받아 뒷사람이 시를 지을 때 어사또 끼어들어 하는 말이,

"이 걸인(거지. 남에게 빌어먹고 사는 사람)도 어려서 글을 좀 읽었는데, 좋은 잔치를 맞아 술과 안주를 포식하고 그냥 가기가 염치(체면을 차릴 줄 알며 부끄러움을 아는 마음)가 아니니 한 수 하겠소이다."

운봉이 반갑게 듣고 붓과 벼루를 내어 주니, ㉢백성들의 사정과 본관 사또의 정체를 생각하여 시 한 편을 써 내려 갔다.

금준미주(金樽美酒)는 천인혈(千人血)이요, / 옥반가효(玉盤佳肴)는 만성고(萬姓膏)라. / 촉루낙시(燭淚落時)에 민루낙(民淚落)이요, / 가성고처(歌聲高處)에 원성고(怨聲高)라.

이 글의 뜻은,

금 술잔의 좋은 술은 수많은 사람들의 피요, / 옥쟁반의 좋은 안주는 만백성의 기름이라. / 촛농이 떨어질 때 백성들 눈물도 떨어지고, / 노랫소리 높은 곳에 원망의 소리도 높구나.

나 이렇게 시를 지어 보이니 술에 취한 변 사또는 무슨 뜻인지도 모르지만,

[A] 글을 받아 본 운봉은 속으로 '아뿔싸! 일 났다.' ㉣가슴이 철렁 내려앉았다. 이때 어사또 *하직하고 간 연후에 운봉이 공형(조선 시대에 각 고을의 세 구실아치. 호장, 이방, 수형리를 이름) 불러 분부한다.

"야야, 일 났다!"

공방(공예, 건축 등의 일을 맡은 아전) 불러 자리 단속, 병방(군사, 교통 등의 일을 맡아보는 아전) 불러 역마 단속, 관청색(수령의 음식물을 맡아보던 구실아치) 불러 다과상 단속, 옥사장(옥을 담당하던 구실아치) 불러 죄인 단속, 집사(형 집행을 맡은 관리) 불러 형벌 기구 단속, 형방(형전(刑典)에 관한 일을 맡은 아전) 불러 서류 단속, 사령 불러 숙직 단속, 한참 이렇게 요란할 때 눈치 없는 본관 사또, 운봉을 향해 말을 던진다.

작품 핵심

갈래	고전 소설, 판소리계 소설, 애정 소설
성격	풍자적, 해학적, 서민적
배경	• 시간 – 조선 후기 • 공간 – 전라도 남원
제재	춘향의 지조와 절개
주제	① 신분을 초월한 사랑과 정절(신분의 한계를 넘어선 인간 해방의 의지) ② 탐관오리의 횡포에 대한 풍자
특징	① 4·4조 중심의 운문체와 산문체가 결합되어 표현됨. ② 서술자의 개입과 편집자적 논평이 나타남. ③ 판소리계 소설 특유의 해학과 풍자가 돋보임.

이몽룡이 지은 한시의 기능

- 주제를 형상화
- 극적 긴장감을 고조시키고, 새로운 사건 전개를 예고
- 변 사또의 가혹한 정치를 풍자하고 비판

장면의 극대화

- 판소리 소리꾼이 공연을 할 때 이야기의 전체적인 짜임보다 흥미와 감동을 주기 위해 관객이 관심을 보이는 대목을 집중적으로 확장하고 부연하는 것이다.
- 확장적 문체(열거, 대구 등)를 사용하여 장면에서 기대되는 흥미와 긴박성 등의 효과를 최대화하고 생동감과 현실감을 준다.

어휘 쏙쏙

- **수령(守令)**: 고려·조선 시대에 각 고을을 맡아 다스리던 지방관들을 통틀어 이르는 말. 절도사, 관찰사, 부윤, 목사, 부사, 군수, 현감, 현령 따위를 이른다.
- **운자(韻字)**: 한시의 운으로 다는 글자.
- **하직(下直)**: 작별을 고하는 것.

"여보 운봉, 어딜 그리 바삐 다니시오."

"소피 보고 들어오오."
오줌을 완곡하게 이르는 말
㉤그때 술이 거나하게 취한 변 사또가 술주정을 하느라고 느닷없이 명을 내렸다.

"춘향이 빨리 불러 올려라.

01

이 글에 대한 설명으로 적절하지 않은 것은?

① 운문체와 산문체가 모두 사용되었다.
② 다양한 근원 설화와 이본(異本)을 가지고 있다.
③ 오랜 시간에 걸쳐 만들어진 개인의 창작물이다.
④ 판소리계 소설 특유의 해학과 풍자 정신이 돋보인다.
⑤ 서술자가 작품에 직접 개입하여 인물이나 사건에 대해 평가하기도 한다.

02

(가)에 삽입된 한시에 대한 설명으로 적절하지 않은 것은?

① 주제를 간접적으로 드러내는 삽입 시이다.
② 인간 존중과 애민(愛民) 정신을 엿볼 수 있다.
③ 고조되었던 갈등을 해소하여 새로운 국면을 맞게 한다.
④ 전승 과정에서 양반층의 문화가 반영되기도 했음을 추측할 수 있다.
⑤ 성대한 잔치와 백성들의 고통을 대비시켜 탐관오리의 가렴주구(苛斂誅求)를 풍자하고 있다.

03

㉠~㉤ 중, 〈보기〉의 밑줄 친 부분과 서술 태도가 유사한 것은?

보기

길동이 재배 하직하고 문을 나서매, 운산(雲山)이 첩첩(疊疊)하여 지향(指向) 없이 행(行)하니 어찌 가련(可憐)하지 아니리오. – 작자 미상, 〈홍길동전〉

① ㉠ ② ㉡ ③ ㉢ ④ ㉣ ⑤ ㉤

04

[A]가 〈보기〉를 바꾸어 쓴 것이라고 할 때, [A]에 나타난 표현상의 효과로 적절한 것은?

보기

운봉이 어사또의 한시를 통해 심상치 않은 일이 일어날 것임을 짐작하고 공방과 병방, 관청색과 옥사장, 집사와 형방, 사령 등을 불러 관청 구석구석을 단속한다.

① 간결한 표현으로 독자의 이해를 돕는다.
② 열거와 대구를 통해 장면을 생동감 있게 재현한다.
③ 비슷한 문장 구조를 반복하여 풍자 효과를 극대화한다.
④ 의성어, 의태어를 사용하여 다급한 분위기를 드러낸다.
⑤ 일상어가 지닌 지시적 의미에 상징적 의미까지 더하여 주제를 강조한다.

춘향전 ② _ 작자 미상

다 이때 청파역 역졸들이 달 같은 마패를 햇빛같이 번쩍 들고 우렁차게 소리를 질렀다.
(역졸: 역에 속하여 심부름하던 사람)

"암행어사 출두야!"

역졸들이 일시에 외치는 소리에 강산이 무너지고 천지가 뒤집히는 듯하니 산천초목인들 금수인들 아니 떨겠는가. 한 번 소리가 나자 남문에서도
(금수: 날짐승과 길짐승이라는 뜻으로, 모든 짐승을 이르는 말)

"출두야!" / 북문에서도 / "출두야!"

동문에서도 서문에서도 "출두야!" 소리가 맑은 하늘에 천둥 치듯 진동했다. 〈중략〉

[A] 좌수 · 별감은 넋을 잃고, 이방 · 호장은 혼을 잃고, 삼색 옷 입은 나졸들은 분주하네. 모든 수령들이 도망하는데 그 꼴이 가관이다. 도장궤 잃고 *유밀과 들고, 병부 잃고 송편 들고, *탕건 잃고 *용수 쓰고, 갓 잃고 밥상 쓰고, 칼집 쥐고 오줌 누기, 부서지니 거문고요, 깨지나니 북 · 장고라. 본관 사또 똥을 싸고, 멍석 구멍에 생쥐 눈 뜨듯 하면서 관아 깊숙한 안채로 들어가며 급히 내뱉는 말이,
"어, 추워라. 문 들어온다 바람 닫아라. 물 마르다 목 들여라."
(가관: 꼴이 볼만하다는 뜻으로, 남의 언행이나 어떤 상태를 비웃는 뜻으로 이르는 말)
(병부: 군대를 동원하는 표지로 쓰던 동글납작한 나무패)

라 이때 암행어사 분부하되,

"이 고을은 대감께서 계시던 고을이다. 소란을 금하고 *객사로 옮기라."

관아를 한 차례 정리하고 *동헌에 올라앉은 후에,

"본관은 봉고파직하라."
(봉고파직: 어사나 감사가 못된 짓을 많이 한 고을의 원을 파면하고 관가의 창고를 봉하여 잠금. 또는 그런 일)

"본관은 봉고파직이요."

동서남북 문 밖에 봉고파직이라는 암행어사의 명이 나붙었다. 절차에 따라 옥의 형리를 불러 분부하되,

"옥에 갇힌 죄인들을 다 올리라."

호령하니 죄인을 올리거늘 다 각각 죄를 물은 후에 죄 없는 자들을 풀어 줄 때,

"저 계집은 무엇인고?"

형리가 아뢴다.

"기생 월매의 딸이온데 관가에서 *포악을 떤 죄로 옥중에 있사옵니다."

"무슨 죄인고?"

"본관 사또를 모시라고 불렀더니 절개를 지킨다면서 사또 명을 거역하고 사또 앞에서 악을 쓴 춘향이로소이다."

마 어사또 분부하되,

"너만 한 년이 수절한다고 나라의 관리를 욕보였으니 살기를 바랄 것이냐. 죽어 마땅할 것이나 기회를 한 번 더 주마. 내 수청도 거역할 테냐?"
(수절한다고: 정절을 지킨다고)

이 어사는 춘향의 마음을 떠보려고 짐짓 한번 다그쳐 보는 것인데, 춘향은 어이가 없고 기가 콱 막힌다.

작품 핵심

줄거리

이몽룡과 춘향은 사랑에 빠져 백년가약을 맺지만 임기를 마친 몽룡의 부친을 따라 몽룡 역시 한양으로 떠나게 된다. 몽룡은 과거 급제 후 데리러 올 것을 춘향에게 맹세하지만, 춘향은 새로 부임한 변 사또의 수청을 거절하여 옥에 갇힌다. 한편 어사가 되어 남원에 내려온 몽룡은 변 사또의 생일 잔칫날 출두하여 변 사또를 봉고파직한 뒤 춘향을 구해 낸다. 이후 춘향에게는 정렬부인의 칭호가 내려지고, 몽룡과 춘향은 함께 백년해로한다.

어사출두 장면의 풍자와 해학

- 관리들이 당황해하는 모습을 과장된 행위와 언어유희를 통해 희화화함.
- 변 사또로 대표되는 당대의 부도덕한 지배 계층을 풍자하고, 그들의 권위를 추락시켜 웃음을 유발함.

판소리계 소설의 특징

- 오랜 세월에 걸쳐 여러 사람에 의해 형성된 적층 문학으로 이본(異本)이 많고, 특정한 작가가 없다.
- '근원 설화 → 판소리 → 판소리계 소설'의 발전 과정을 거쳐 형성되었다.
- 편집자적 논평과 장면의 극대화가 자주 나타난다.
- 판소리 특유의 해학과 풍자가 드러나고 주제가 이원화된다.
- 서민의 일상어와 비속어, 양반의 언어와 한자어가 공존한다.
- 판소리 사설의 문체가 남아 있고, 판소리 공연의 어조가 사용된다.

어휘 쏙쏙

- **유밀과(油蜜菓)**: 튀긴 반죽에 조청을 발라 튀밥을 입힌 과자.
- **탕건(宕巾)**: 벼슬아치가 갓 아래 받쳐 쓰던 관(冠)의 하나.
- **용수**: 술이나 장을 거르는 데 쓰는 둥글고 긴 통.
- **객사(客舍)**: 각 고을에 설치하여 외국 사신이나 다른 곳에서 온 벼슬아치를 대접하고 묵게 하던 숙소.
- **동헌(東軒)**: 지방 관아에서 고을 원이나 감사 및 그 밖의 수령들이 공사를 처리하던 중심 건물.
- **포악(暴惡)**: 사납고 악함.
- **명관(明官)**: 일에 밝은 벼슬아치. 고을을 잘 다스리는 현명한 관리를 이르는 말.

"㉠ 내려오는 사또마다 빠짐없이 *명관이로구나! 어사또 들으시오. 층층이 높은 절벽 높은 바위가 바람이 분들 무너지며, 푸른 솔 푸른 대가 눈이 온들 변하리까. 그런 분부 마옵시고 어서 빨리 죽여 주오."

01

이 글의 특징으로 알맞지 않은 것은?

① 시대를 초월한 보편적 정서를 담고 있다.
② 해학적이고 풍자적인 표현이 두드러진다.
③ 구비 전승되던 판소리 사설을 소설화한 것이다.
④ 조선 후기 양반 사회의 이상을 그리고 있는 대표적인 양반 소설이다.
⑤ 남녀 간의 지고지순한 사랑과 신분적 갈등의 극복을 통한 인간 해방이라는 이원적 주제를 담고 있다.

02

[A]에 대한 설명으로 적절하지 않은 것은?

① 한자어를 많이 사용하여 진부한 느낌을 준다.
② 문장 구조의 반복을 통해 리듬감을 형성하고 있다.
③ 인물을 희화화하여 독자들에게 통쾌함을 느끼게 한다.
④ 어사출두 후 우왕좌왕하는 수령들의 모습을 해학적으로 표현하였다.
⑤ 변 사또와 수령들의 두서없는 말과 행동을 통해 어사출두에 당황한 모습을 표현하였다.

03

(마)에 대한 설명으로 적절하지 않은 것은?

① 은유, 대구, 설의법 등이 사용되었다.
② 어사또가 춘향의 절개를 시험하는 부분이다.
③ 춘향의 정절을 강조하여 보여 주려는 작가의 의도가 담겨 있다.
④ 사건 전개상 춘향이 이몽룡과 사랑을 성취하기 위해 거쳐야 하는 마지막 관문이다.
⑤ 어사또도 변 사또와 다르지 않다는 것을 강조하여 당시 지배층을 비판하기 위한 설정이다.

04

다음 중 ㉠과 같은 표현 방식이 사용된 것은?

① 괴로웠던 사나이, / 행복한 예수 / 그리스도에게 / 처럼
② 아아, 임은 갔지마는 나는 임을 보내지 아니하였습니다.
③ 나 보기가 역겨워 / 가실 때에는 / 죽어도 아니 눈물 흘리오리다.
④ 모란이 피기까지는 / 나는 아직 기다리고 있을 테요, / 찬란한 슬픔의 봄을.
⑤ 이것은 소리 없는 아우성 / 저 푸른 해원을 향하여 흔드는 / 영원한 노스텔지어의 손수건

03 박씨전 ① _ 작자 미상

앞부분 줄거리 조선 인조 때 박 처사가 이 상공의 집에 찾아가 아들 시백과 자신의 딸 박씨의 혼인을 청한다. 이 상공은 박 처사의 신비한 재주를 보고 둘의 혼인을 허락한다. 그러나 이시백은 박씨의 용모가 천하의 *박색임을 알고 실망하여 박씨를 멀리하고, 가족들도 박씨를 비웃고 욕을 한다. 이에 박씨는 이 상공에게 청하여 후원에 피화당(避禍堂)을 짓고, *시비 계화와 함께 거처한다. 어질고 현명한 박씨는 병든 말을 키워 재산을 늘리고, 남편 이시백을 장원 급제시키는 등의 비범함을 보인다. 어느 날 박씨는 이 상공에게 친정이 있는 금강산에 다녀올 것을 청하고, 이 상공은 걱정을 하면서도 며느리의 재주를 알고 허락한다.

가 다음 날, 날이 밝자마자 박씨는 집을 나섰다. 피화당 뜰에 나와 두어 걸음을 걷는가 싶더니 어느새 몸을 날려 구름을 타고 자취를 감추었다. 잠깐 만에 금강산에 다다라 부친께 절을 하고 *문안을 드리니, 처사가 박씨의 손을 잡고 반겼다.

"너를 시가에 보낸 후 너의 기박한 운명을 생각하며 눈물 흘리지 않은 날이 없었다. 하지만 이는 하늘에 매인 바요 사람의 힘으로 어찌하지 못하는 것이다. 이제 너의 *액운은 다 하였다. 앞으로 네 앞날에 행복만이 무한할 것이니, 너무 슬퍼하지 말고 잠깐만 쉬다 가거라. 내 이달 십오 일에 너의 시댁으로 갈 것이니라."

나 처사가 오기로 한 날이 되었다. 상공은 집 안을 정결하게 하고 옷을 단정하게 입은 뒤 홀로 바깥채에 앉아 박 처사를 기다렸다. 오래지 않아 오색구름이 영롱해지며 맑은 옥피리 소리가 구름 밖에서 들려왔다. 상공이 창에 기대어 멀리 바라보니, 한 신선이 백학을 타고 오색구름 사이로 내려왔다. 자세히 보니 그가 바로 박 처사였다. 상공이 옷깃을 여미고 뜰아래 내려가 처사를 맞았다. 시백 역시 ⓐ 의관을 갖추고 처사에게 문안을 드렸다. 처사가 시백의 손을 잡고 상공에게 축하 인사를 건넸다.

"ⓑ 영랑(令郎)이 뛰어난 재주로 과거에 급제하였으니 이 같은 경사는 다시 없을 줄 압니다. 그간 제가 시골에 있는 관계로 아직 축하 인사를 드리지 못했습니다."

상공이 술과 안주를 내어 대접하며 처사와 함께 그간 만나지 못한 ⓒ 회포를 풀었다.

다 하루는 처사가 후원으로 들어가 딸을 불러 앉혔다.

"너의 액운이 다 끝났으니 누추한 허물을 벗어라."

허물을 벗고 변화하는 술법을 딸에게 가르친 뒤 말하였다.

"허물을 벗거든 버리지 말고 시아버지에게 옥으로 된 함을 짜 달라고 해서 그 속에 넣어 두어라."

그러고는 딸과 함께 ⓓ 정담을 나누다가 밖으로 나와 상공에게 작별 인사를 드렸다. 상공이 못내 섭섭해하며 만류했지만 처사는 듣지 않았다. 할 수 없이 한잔 술로 작별을 고하고 문밖으로 나가 전송하였다.

라 그날 밤, 박씨는 몸을 깨끗이 씻은 뒤 둔갑술을 부려 허물을 벗었다. 날이 밝은 후, 박씨는 계화를 불렀다. 계화가 들어가 보니 전에 없던 ⓔ 절세가인(絕世佳人)이 방 안에 앉아 있었다. 여인의 얼굴은 아름답기 그지 없었으며, 그 태도는 너무도 기이했다. 월궁항아(月宮姮娥)나 무산선녀(巫山仙女)라도 따르지 못할 듯했고, 서시와 양귀비도 미치지 못할 정도였다.

월궁항아(月宮姮娥): 달에 있는 궁에 산다는 아름다운 선녀
무산선녀(巫山仙女): 얼굴이 몹시 곱고 아름답다는 선녀

작품 핵심

갈래	고전 소설, 역사 소설, 군담 소설, 영웅 소설
성격	영웅적, 역사적, 전기적
배경	• 시간 – 조선 후기(병자호란) • 공간 – 이시백의 집, 한반도 전역
제재	박씨 부인, 병자호란
주제	① 박씨 부인의 영웅적 기상과 재주 ② 병자호란 패배의 굴욕감 극복과 민족의 자긍심 고취
특징	① 여성 주인공이 영웅적 면모를 발휘함. ② 병자호란이라는 역사적 수치를 극복하고자 하는 민중들의 강한 의지가 반영됨. ③ 전기적 요소가 사건 전개에 중요한 역할을 함. ④ 설화적 요소인 변신 모티프가 나타남.

이 작품의 변신 모티프

- '변신 모티프'란 문학 작품에서 사람이나 동물이 본래의 모습에서 벗어나 새로운 모습을 취하는 요소를 말함.
- 이 작품에 나타난 변신은 박색에서 절세가인이 되는 박씨의 외모 변화로, 작품 전체의 흐름상 전반부와 후반부를 나누는 전환점 역할을 함.

전반부	흉한 외모 때문에 시련을 겪는 박씨

⬇ 박씨의 외모 변신

후반부	• 남편, 시어머니와의 갈등 해소 • 청나라의 침입과 박씨의 활약

이 작품의 전기적 · 비현실적 요소

- 박씨와 박 처사가 자연물(구름, 백학)을 이동 수단으로 사용함.
- 박 처사가 가르쳐 준 둔갑술로 박씨가 변신함.

어휘 쏙쏙

- 박색(薄色): 아주 못생긴 얼굴.
- 시비(侍婢): 곁에서 시중을 드는 계집종.
- 문안(問安): 웃어른께 안부를 여쭙는 인사.
- 액운(厄運): 불행한 운수.

01 이와 같은 글의 특징으로 알맞지 않은 것은?

① 사건이 필연적으로 전개된다.
② 전기적 성격이 강하게 드러난다.
③ 평면적이고 전형적인 인물이 등장한다.
④ 주로 권선징악을 주제로 하며, 행복한 결말을 맺는다.
⑤ 작품 밖의 서술자가 사건을 전개하는 전지적 작가 시점이다.

02 이 글의 인물에 대한 설명으로 알맞지 않은 것은?

① 박 처사와 박씨는 모두 비범한 능력을 지녔다.
② 이 상공은 박 처사와 박씨의 재주를 알고 있다.
③ 박씨는 가족들과의 갈등으로 후원에서 외롭게 지낸다.
④ 박 처사는 앞으로 일어날 일을 미리 알려 주는 역할을 한다.
⑤ 이시백은 자신보다 재주가 뛰어난 박씨를 시기하여 멀리하였다.

03 박씨의 변신과 관련 있는 한자 성어로 가장 적절한 것은?

① 포복절도(抱腹絕倒)
② 환골탈태(換骨奪胎)
③ 주객전도(主客顚倒)
④ 좌정관천(坐井觀天)
⑤ 풍수지탄(風樹之嘆)

04 (라)에 나타난 사건의 기능으로 알맞은 것은?

① 이 소설의 주제를 강조한다.
② 박씨의 내적 갈등을 일으킨다.
③ 박씨의 겉과 속이 다른 성격을 보여 준다.
④ 가족들과의 갈등이 해소되는 계기가 된다.
⑤ 박씨의 시련이 끝나지 않았음을 의미한다.

05 ⓐ~ⓔ의 뜻으로 알맞지 않은 것은?

① ⓐ : 옷차림
② ⓑ : 남의 아들을 낮추어서 일컫는 말
③ ⓒ : 마음속에 품은 생각이나 정
④ ⓓ : 정답게 주고받는 이야기
⑤ ⓔ : 뛰어나게 아름다운 여인

박씨전 ❷ _ 작자 미상

중간 부분 줄거리 청나라는 조선을 침략할 계획을 세우고, 공주 기룡대를 보내 임경업과 이시백을 살해하려 했으나 박씨의 활약으로 실패한다. 청나라 왕은 용골대 형제를 보내 조선을 치게 한다. 조선은 속수무책으로 당하고 남한산성으로 피신해 있던 임금은 용골대의 공격에 결국 항복한다. 한편 용울대는 피화당을 공격하다 박씨에게 죽음을 당하고, 형 용골대는 동생의 원수를 갚으려 했으나 박씨의 도술에 당해 낼 수 없어 퇴군하기로 한다.

마 용골대가 모든 장졸을 뒤로 물린 후, 왕비와 세자, 대군을 모시고 장안의 재물과 미녀를 거두어 돌아갈 채비를 꾸렸다. 오랑캐에게 잡혀가는 사람들의 슬픈 울음소리가 장안을 진동했다. / ㉠박씨가 계화를 시켜 용골대에게 소리쳤다.

"무지한 오랑캐 놈들아! 내 말을 들어라. 조선의 *운수가 사나워 은혜도 모르는 너희에게 패배를 당했지만, 왕비는 데려가지 못할 것이다. 만일 그런 뜻을 둔다면 내 너희를 몰살시킬 것이니 당장 왕비를 모셔 오너라."

하지만 용골대는 오히려 코웃음을 날렸다.

"참으로 가소롭구나. 우리는 이미 조선 왕의 *항서를 받았다. 데려가고 안 데려가고는 우리 뜻에 달린 일이니, 그런 말은 입 밖에 내지도 마라."

바 오히려 욕설만 무수히 퍼붓고 듣지 않자 계화가 다시 소리쳤다.

[A] "너희의 뜻이 진실로 그러하다면 이제 내 재주를 한 번 더 보여 주겠다."

계화가 주문을 외자 문득 공중에서 두 줄기 무지개가 일어나며 모진 비가 천지를 뒤덮을 듯 쏟아졌다. 뒤이어 얼음이 얼고 그 위로는 흰 눈이 날리니, 오랑캐 군사들의 말발굽이 땅에 붙어 한 걸음도 옮기지 못하게 되었다. 그제야 용골대는 사태가 예사롭지 않음을 깨달았다.

"당초 우리 왕비께서 분부하시기를 장안에 *신인(神人)이 있을 것이니 이시백의 후원을 범치 말라 하셨는데, 과연 그것이 틀린 말이 아니었구나. 지금이라도 부인에게 빌어 무사히 돌아가는 편이 낫겠다."

용골대가 갑옷을 벗고 창칼을 버린 뒤 무릎을 꿇고 애걸하였다.

"소장이 천하를 두루 다니다 조선까지 나왔지만, 지금까지 무릎을 꿇은 적은 한 번도 없었습니다. 이제 부인 앞에 무릎을 꿇어 비나이다. 부인의 명대로 왕비는 모셔 가지 않을 것이니, 부디 길을 열어 무사히 돌아가게 해 주십시오."

사 무수히 애원하자 그제야 박씨가 *발을 걷고 나왔다.

"원래는 너희의 씨도 남기지 않고 모두 죽이려 했었다. 하지만 내 사람 목숨 죽이는 것을 좋아하지 않기에 용서하는 것이니, 네 말대로 왕비는 모셔 가지 마라. 너희가 부득이 세자와 대군을 모셔 간다면 그 또한 하늘의 뜻이기에 거역하지 못하겠구나. 부디 조심하여 모셔 가라. 그렇게 하지 않으면 신장과 갑옷 입은 군사를 몰아 너희를 다 죽인 뒤, 너희 국왕을 사로잡아 분함을 풀고 무죄한 백성까지 남기지 않을 것이다. 나는 앉아 있어도 모든 일을 알 수 있다. 부디 내 말을 명심하여라."

작품 핵심

줄거리

박 처사는 이 상공의 아들 이시백과 자신의 딸 박씨를 혼인시킨다. 그러나 박씨는 추한 외모 때문에 이시백에게 외면당하고, 후원에 피화당을 지어 홀로 지낸다. 박씨는 재산을 늘리고 이시백의 장원 급제를 돕는 등 비범함을 보이다가, 어느 날 액운이 다하여 허물을 벗고 절세의 미인이 된다. 한편 청나라 공주 기룡대가 이시백을 암살하려 했지만 박씨가 이를 예견하여 저지한다. 이후 청나라가 조선을 침공하고 조선은 항복한다. 청나라 장수 용울대는 피화당을 공격하다 박씨에게 죽음을 당하고, 이를 복수하려던 형 용골대 역시 박씨의 도술에 무릎을 꿇는다. 왕비를 구하고 청나라 군사들을 물리친 박씨는 공로를 인정받아 정경 부인에 봉해지고 여생을 행복하게 산다.

이 작품의 의의

- 병자호란의 패배를 문학에서나마 보상받음으로써 민족적 자긍심을 고취시킴.
- 여성 영웅을 등장시켜 남성 중심의 사회에 대한 도전 의식을 드러냄.
- 외세의 침략에 대해 무능한 모습을 보인 지배층에 대한 비판 의식이 담김.
- 현실의 어려움을 해결해 줄 영웅의 출현을 기대하는 민심을 반영함.
- 인간을 능력보다는 외모로 평가하는 세태를 비판함.

여성 영웅 소설의 등장

- 조선 후기 실학사상의 영향으로 여성 의식이 성장하여 적극적인 여성의 모습을 지향하게 됨.
- 남성보다 우월한 여성의 등장을 통해 당대 남성 중심의 사회 현실과 제도에 대한 비판 의식을 드러냄.

어휘 쏙쏙

- **운수(運數)**: 이미 정하여져 있어 어쩔 수 없는 천운과 기수.
- **항서(降書)**: 항복을 인정하는 문서.
- **신인(神人)**: 신과 같이 신령하고 숭고한 사람.
- **발**: 가늘고 긴 대를 줄로 엮거나, 줄 따위를 여러 개 나란히 늘어뜨려 만든 물건. 주로 무엇을 가리는 데 쓴다.

01

이 글에 대한 설명으로 알맞지 않은 것은?

① 용골대의 태도 변화가 나타난다.
② 능력이 출중한 여성 영웅이 등장한다.
③ 살인을 싫어하는 박씨의 인물됨이 나타나 있다.
④ 청나라 군사들에게 세자와 대군이 끌려간 역사적 사실이 반영되었다.
⑤ 세자와 대군을 구출하지 못한 것은 박씨의 능력에도 한계가 있음을 보여 준다.

02

[A]에서 두드러진 고전 소설의 특징으로 적절한 것은?

① 우연적 사건의 전개
② 권선징악의 교훈적 주제
③ 성격의 변화가 없는 인물
④ 비현실적이고 전기적인 요소
⑤ 막연한 시간적 · 공간적 배경

03

㉠을 통해 짐작할 수 있는 당시 시대 상황으로 가장 알맞은 것은?

① 힘든 일은 종이 도맡아 하였다.
② 양반과 종의 역할이 명확하였다.
③ 여종은 남성에게 큰소리를 칠 수 있었다.
④ 여성은 남성에게 직접 말을 걸 수 없었다.
⑤ 양반가 여성의 외부 활동에 제약이 있었다.

04

이 글을 심화 학습하기 위한 준비 내용으로 적절하지 않은 것은?

① 고전 소설의 문체상의 특징이 현대 소설과 어떤 차이가 있는지 정리한다.
② 현실에서의 패배에 대한 민중의 정신적 극복 욕구가 어떻게 반영되고 있는지 살펴본다.
③ 역사적으로 실존했던 인물이 소설 속에 등장함으로써 얻게 되는 효과에 대해 정리한다.
④ 무능한 위정자들에 의한 봉건적인 지배 체제에 당시의 여성들이 어떻게 순응했는지 분석한다.
⑤ 소설 속의 시대적 배경이 당대의 현실을 어떻게 반영하고 있는지, 또 어떤 차이가 있는지 조사한다.

양반전 ❶ _ 박지원

가 '양반'이란 ㉠사족(士族)을 높여 부르는 말인데, 강원도 정선 고을에 한 양반이 살았다. 그는 성품이 어질고 글 읽기를 좋아했으므로 군수가 새로 부임하면 반드시 몸소 그의 집에 가서 인사를 했다. 그러나 집이 가난해서 해마다 관청의 ㉡환곡을 빌려 먹다 보니 그것이 쌓여서 그 빚이 일천 섬에 이르렀다. 관찰사가 고을을 돌면서 정사를 살피다가 환곡 *출납을 조사해 보고 크게 노했다.

부임: 임명이나 발령을 받아 근무할 곳으로 감
관찰사: 조선 시대에 둔, 각 도의 으뜸 벼슬

나 "어떤 놈의 양반이 군량미를 이렇게 축냈단 말인가?"

군량미: 군대의 양식으로 쓰는 쌀

하면서 양반을 잡아 가두라고 명령을 내렸다. 군수는 그 양반이 가난하여 갚을 길이 없음을 속으로 안타깝게 여겨 차마 가두지는 못했으나 그도 역시 어찌할 길이 없는 일이었다. 양반이 어떻게 해야 할 줄을 모르고 밤낮으로 훌쩍훌쩍 울기만 하고 있으니 그의 아내가 역정을 냈다.

역정: 몹시 언짢거나 못마땅하여서 내는 성

"당신은 한평생 글 읽기를 좋아했지만, 환곡을 갚는 데에는 아무런 쓸모가 없구려. 쯧쯧, 양반이라니! 한 푼도 못 되는 그놈의 양반!"

다 그때 마침 그 마을에 사는 부자가 이런 소문을 듣고 식구들과 의논을 했다.

"양반은 아무리 가난해도 늘 높고 귀하며 우리는 아무리 잘살아도 늘 낮고 천하다. 감히 말도 타지 못할 뿐 아니라 양반을 보면 움츠려 숨도 제대로 못 쉬고 뜰 아래 엎드려 절해야 하며, 코를 땅에 박고 무릎으로 기어가야 한다. 우리는 이와 같이 욕을 보며 사는 신세이다. 지금 저 양반이 환곡을 갚을 길이 없어 어려움을 이만저만 겪는 것이 아닌 모양이다. 아무래도 양반의 신분을 지키기 어려울 듯하다. 그러니 우리가 그 양반을 사서 가져 보자."

라 부자가 양반의 집 대문 앞에 나아가 그 환곡을 갚아 주겠다고 청하니 양반이 반가워하며 그렇게 하라고 했다. 그래서 부자는 당장에 그 환곡을 관청에 바쳤다. 군수가 크게 놀라 웬일인가 하며 그 양반을 위로도 할 겸 어떻게 해서 환곡을 갚게 되었는지를 알아보고 싶어 찾아갔다. 그런데 그 양반이 벙거지를 쓰고, *잠방이를 입고, 길에 엎드려 '소인', '소인' 하면서 감히 쳐다보지도 못하는 것이 아닌가! 군수가 깜짝 놀라 내려가 부축해 일으키며 물었다.

벙거지: 모자의 종류 중 하나
소인: 신분이 낮은 사람이 자기보다 신분이 높은 사람을 상대하여 자기를 낮추어 이르던 말

"그대는 어째서 이런 짓을 하시오?"

양반이 더욱더 벌벌 떨며 머리를 조아리고 땅에 엎드리며 대답했다.

"황송하옵니다. 소인 놈이 제 몸을 낮게 하려는 것이 아니라 환곡을 갚느라고 이미 제 양반을 팔았습니다. 이제부터는 우리 마을 부자가 양반입니다. 소인이 어찌 감히 지난날 쓰던 이름을 함부로 쓰면서 스스로 높은 척하오리까?"

마 군수가 놀라워하며 말했다.

작품 핵심

갈래	고전 소설, 한문 소설, 풍자 소설
성격	풍자적, 비판적
배경	• 시간–조선 후기(18세기) • 공간–강원도 정선군
제재	양반 신분의 매매
주제	양반 계층의 무능력과 위선적 태도에 대한 비판
특징	① 양반들의 경제적 무능력과 허례허식 및 위선적인 생활 태도에 대한 비판이 드러남. ② 실사구시(實事求是)의 실학 정신을 바탕으로 함. ③ 당시의 시대상이 잘 드러나며 특정 인물이 아닌 계층 전체를 다룸.

등장인물

양반	무능력한 인물. 돈 때문에 양반의 신분을 팔 만큼 경제적으로 몰락한 양반을 대표함.
부자	돈으로 양반의 신분을 사려 한 인물. 양반이 되기를 스스로 포기함으로써 양반에 대한 비판 의식을 드러냄.
군수	양반 증서를 작성해 줌.

이 작품에 나타난 시대상

- 양반의 권위가 무너짐.
- 신분을 사고팔기도 함.
- 평민이 사회 · 경제적으로 성장하거나 양반이 몰락하기도 함.

어휘 쏙쏙

- **출납(出納)**: 돈이나 물품을 내어 주거나 받아들임.
- **잠방이**: 가랑이가 무릎까지 내려오도록 짧게 만든 홑바지.

"군자로다, 부자여! 양반이로다, 부자여! 부자로서 ㉢인색하지 않았으니 옳음이요, 남의 어려움을 돌보았으니 어짊이요, 낮은 것을 싫어하고 높은 것을 바랐으니 슬기로움이로다. 이런 사람이야말로 참으로 양반이 아니겠는가! 아무리 그렇기는 하지만 ㉣사사로이 사고 팔았을 뿐 아무런 증서도 만들지 않았으니 이는 소송의 빌미가 될 것이다. 그러므로 고을 백성을 불러 모아 그들을 증인으로 세우고 증서를 만들어 누구나 믿을 수 있도록 해야겠다. 군수인 나도 당연히 손수 ㉤수결을 할 것이다."

01

이 글에 대한 설명으로 적절하지 않은 것은?

① 실학사상을 바탕으로 하고 있다.
② 신분을 사고팔던 시대 상황이 드러나 있다.
③ 양반 계층에 대한 비판적인 시각이 나타나 있다.
④ 양반들이 군수에게 열등감을 가지고 있었음을 알 수 있다.
⑤ 가난한 백성을 위해 곡식을 빌려주는 제도가 있었음을 알 수 있다.

02

'부자'가 양반이 되고자 했던 이유로 가장 적절한 것은?

① 글공부를 할 기회를 얻기 위해
② 평민들을 괴롭히고 횡포를 부리기 위해
③ 양반이 아니라는 이유로 수모를 겪었기 때문에
④ 양반의 횡포에 고통받는 백성들을 돕고 싶기 때문에
⑤ 빚을 탕감해 준 자신에 대한 '양반'의 미안함을 덜어 주기 위해

03

㉠~㉤의 의미로 알맞지 않은 것은?

① ㉠ : 선비나 무인의 집안. 또는 그 자손
② ㉡ : 백성들에게 봄에 꾸어 주고 가을에 이자를 붙여 거두던 곡식
③ ㉢ : 어떤 일을 하는 데 대하여 지나치게 박함.
④ ㉣ : 공적이 아닌 개인적인 관계의 성질이 있게
⑤ ㉤ : 빼어나게 깨끗함.

04

이 글에 등장하는 인물들에 대한 설명으로 적절하지 않은 것은?

① 양반 : 글 읽기만 좋아하며 비생산적이고 무능력하다.
② 군수 : 가난한 양반을 도와줄 방법이 없어 안타까워한다.
③ 군수 : 양반 증서를 만들어 신분의 매매를 확실하게 하려 한다.
④ 아내 : 실리를 따져 '양반'의 경제적 무능함을 비판적으로 바라본다.
⑤ 부자 : 신분 상승을 할 수 있다면 재산을 모두 바쳐도 아깝지 않다고 생각한다.

04 양반전 ② _ 박지원

바 군수는 관아로 돌아와 고을 안의 선비와 농사꾼, 장인바치와 장사치들을 모조리 불러다 뜰 앞에 모이게 했다. 부자는 *향소의 오른쪽에 앉히고, 양반은 *공형의 아래에 세우고, 다음과 같이 증서를 만들었다.

"건륭(중국 청나라 고종 때의 연호(1736~1795)) 10년(1745, 영조 21년) 9월 어느 날, 아래 문서는 양반을 값에 쳐서 팔아 환곡을 갚기 위한 것으로써 그 값은 일천 섬이다. 도대체 양반은 이름이 여러 가지다. 글만 읽는 양반은 선비라 하고, 벼슬하는 양반은 대부라 하고, 덕이 있는 양반은 군자라 한다. 무관이면 서쪽으로 줄을 서고 문관이면 동쪽으로 줄을 서는 까닭에 이것을 양반이라 한다. 그대는 어느 쪽이든 마음대로 좇을 수가 있다. 더러운 일을 끊어 버리고, 옛사람을 우러르며, 뜻을 아름답게 지니고, 오경이면 일어나서 유황에다 불붙여 기름등잔을 켜고, 눈은 코끝을 내려다보며, 발꿈치를 괴고 앉아, 얼음 위에 박 밀듯이 《동래박의》(1168년에 중국 남송의 동래 여조겸이 ≪춘추좌씨전≫에 대하여 논평하고 주석한 책)를 줄줄 외워야 한다. 〈중략〉 여기 적힌 모든 행실에서 양반에게 어긋난 것이 있으면 증서를 가지고 관청에 와서 바로잡을 것이니라. 고을 주인 정선 군수가 수결하고, 좌수와 별감이 증인으로 서명한다."

사 이에 *통인이 여기저기 도장을 찍는데 그 소리가 *엄고 치는 것 같았으며, 모양은 북두칠성과 삼성이 가로세로 늘어선 것과 같았다. 호장(고을 구실아치의 우두머리)이 증서를 다 읽자 부자는 어처구니가 없어 한참 멍하게 있다가 말했다.

"양반이라는 것이 겨우 이것뿐이란 말입니까? 제가 듣기로 양반은 신선 같다던데 정말 이와 같다면 저는 너무도 엄청나게 속은 셈입니다. 바라건대 좀 더 이익이 될 수 있도록 고쳐 주십시오."

아 마침내 증서를 이렇게 고쳐 만들었다.

"㉠ 하느님이 백성을 내니, 그 백성은 넷이다. 네 가지 백성 가운데는 선비가 가장 귀한 것이고, 거기서도 양반이라 불리면 이익이 엄청나다. 농사, 장사 아니하고, 문사 대강 공부하여 크게 되면 문과 급제, 작게 되면 진사로세. 문과 급제 홍패(문과의 회시에 급제한 사람에게 주던 증서)라면 온갖 물건 구비되니 이게 바로 돈 자루요, 서른에야 진사 되어 첫 벼슬에 발디뎌도 이름난 음관(과거를 거치지 아니하고 조상의 공덕에 의하여 맡은 벼슬) 되어 높은 사람으로 섬겨진다. ㉡ *일산 덕에 귀가 희고 *설렁줄에 배 처지며, 방 안에 널린 귀걸이 예쁜 기생 몫이 되고 뜨락에 흘린 곡식 두루미 모이로다. 궁한 선비 시골 살면 나름대로 횡포 부려 이웃 소로 밭을 갈고 일꾼 뺏어 김을 맨들 누가 나를 거역하리. 네 놈 코에 잿물 붓고 상투 잡아 도리질하고 귀밑 나룻 다 뽑아도 감히 원망 못하니라."

자 부자가 증서 내용을 듣고 있다가 혀를 설레설레 내두르며 말했다.

"그만두시오! 그만두시오! 참으로 맹랑한 일입니다! 장차 나더러 도적놈이 되라는 말입니까?"

그러고는 머리를 흔들며 뛰쳐나가서 죽을 때까지 양반의 일을 입에 담지 않았다.

작품 핵심

줄거리

강원도 정선의 고을에 한 양반이 살았다. 그 양반은 가난하여 해마다 관청의 환곡을 빌려다 먹었으나 갚지 못하였다. 어느 날 관찰사가 이 사실을 알고 크게 노하여 양반을 잡아 가두라고 명령한다. 이 소문을 들은 부자는 양반의 빚을 갚아 주고 대신 양반의 신분을 산다. 이를 알게 된 군수는 양반이 부자에게 신분을 팔았음을 증서로 남기려고 한다. 군수가 작성한 증서의 내용은 양반이 지켜야 할 의무와 규범에 관한 것이 주를 이룬다. 그러자 부자는 군수에게 자신에게 좀 더 이익이 되는 내용으로 고쳐 달라고 요구하고, 군수는 무위도식하고 백성들을 수탈해도 된다는 내용으로 증서를 수정한다. 이를 듣고 있던 부자는 도적놈이 되라는 말이냐며 자리를 뛰쳐나가 다시는 양반에 대한 말을 입에 담지 않았다.

양반 증서의 내용과 역할

1차 증서	2차 증서
양반의 의무와 규범 → 허례허식, 체면과 형식을 중시하는 모습 비판	양반의 특권 → 신분을 이용해 백성을 착취하고 이익을 얻는 모습 비판

군수의 역할

군수가 작성한 양반 증서는 양반들의 허례허식과 부패를 비판하는 내용이다. 이를 통해 군수는 무능하고 부패한 양반을 비판하면서 동시에 돈으로 양반을 사려고 한 부자도 비판하고 있다. 결국 군수는 양반과 부자를 모두 풍자하는 작가 의식을 대변하고 있다.

어휘 쏙쏙

- **향소(鄕所)**: 유향소. 조선 시대에 지방의 수령을 보좌하던 자문 기관.
- **공형(公兄)**: 조선 시대에 각 고을의 호장, 이방, 수형리를 이름.
- **통인(通引)**: 고을 수령의 잔심부름을 하던 사람.
- **엄고(嚴鼓)**: 임금이 행차할 때 치던 큰 북.
- **일산(日傘)**: 햇볕을 가리기 위하여 세우는 큰 양산.
- **설렁**: 처마 끝 같은 곳에 달아 놓아 사람을 부를 때 줄을 잡아당기면 소리를 내는 방울.

01

〈보기〉의 빈칸에 들어갈 말을 바르게 짝지은 것은?

> 보기
>
> (바)의 매매 증서는 [　　] 및 [　　]을/를 중시하는 양반의 모습을 풍자하고 있다.

① 형식, 의리
② 체면, 실리
③ 형식, 겉치레
④ 자기 계발, 실리
⑤ 학문의 수양, 의리

02

(사)에서 알 수 있는 '부자'의 심정으로 옳은 것은?

① 증서를 작성하는 것을 귀찮게 여기고 있다.
② 양반으로서 지켜야 할 것을 부담 없이 받아들이고 있다.
③ 양반이 되기 위해 어떠한 것도 인내할 준비가 되어 있다.
④ 마음껏 누릴 수 있는 양반들의 특권을 가지고 싶어 한다.
⑤ 증서에 쓰인 내용에 만족하면서도 그렇지 않은 척 연기를 하고 있다.

03

(아)를 비판적으로 감상한 의견으로 가장 적절한 것은?

① 소원 : 나도 양반처럼 특권이 주어진다면 실컷 누렸을 거야.
② 예린 : 특권과 비도덕적인 횡포는 구분되어야 한다고 생각해.
③ 은하 : 평민들도 마음속으로는 양반처럼 행동하고 싶었을 거야.
④ 유주 : 신분 사회에서는 얼마든지 일어날 수 있는 일이라고 생각해.
⑤ 신비 : 평민들도 부지런히 돈을 벌어서 양반의 신분을 사면 모두 해결되는 문제야.

04

㉠이 의미하는 바로 알맞지 <u>않은</u> 것은?

① 양반은 가장 높은 신분이었다.
② 당시에는 네 개의 신분 계층이 있었다.
③ 신분은 태어날 때부터 정해지는 것이었다.
④ 양반은 평민과 달리 하늘이 정해 준 것으로 여겼다.
⑤ 당시의 봉건적 신분 질서를 유지할 수 있었던 이유이다.

05

㉡에 나타난 양반의 생활을 의미하는 말로 알맞은 것은?

① 풍월주인(風月主人)
② 무위도식(無爲徒食)
③ 안빈낙도(安貧樂道)
④ 주경야독(晝耕夜讀)
⑤ 살신성인(殺身成仁)

운영전 ① _ 작자 미상

앞부분 줄거리 조선 선조 때, 선비 유영이 안평 대군의 옛집인 수성궁 터에서 술을 마시다가 잠이 든다. 잠에서 깨어난 유영은 운영과 김 진사를 만나 그들의 슬픈 사랑 이야기를 듣는다. 운영은 안평 대군의 궁녀로, 대군을 찾아온 김 진사를 보고 사랑에 빠진다. 두 사람은 주변의 도움으로 몰래 사랑을 키우지만, 안평 대군이 김 진사와의 관계를 의심하자 운영은 이별을 결심한다.

가 진사는 편지를 품속에 넣고 우두커니 서서 저 운영을 묵묵히 바라보다가 가슴을 두드리고 눈물을 흘리면서 나갔습니다. 자란도 김 진사와 제가 이별하는 것이 불쌍하여 차마 보지 못하고 기둥에 몸을 숨긴 채 눈물을 흩뿌리며 서 있었습니다. 진사가 집으로 돌아가 편지를 뜯어보았습니다.

나 "박명(薄命)한 첩 운영은 낭군께 재배하고 아룁니다. 저는 변변치 못한 사람인데도 낭군의 사랑을 받게 되었습니다. 그 이후 우리는 얼마나 서로를 잊지 못하고 매일 그리워하기만 했습니까? 다행스럽게도 간혹 만나 사랑의 기쁨을 나눌 수는 있었으나, 바다처럼 깊은 우리의 사랑은 아직도 부족하기만 합니다. 인간 세상의 좋은 일을 조물(造物)이 시기한 탓으로 우리의 사랑을 궁인(宮人)들이 알게 되고 결국 주군(主君)께서도 의심하게 되었습니다. 이제 재앙이 눈앞에 닥쳤으니 이 재앙은 제가 죽어야만 끝날 것입니다. 엎드려 바라건대, 오늘 이후로 낭군께서는 더 이상 저로 인해 근심하지 마시고 더욱 학업에 힘써 ㉠<u>과거에 급제한 후 높은 벼슬에 오르십시오. 그리하여 낭군의 이름을 후세에 남기고 부모님의 명예도 드높이십시오.</u> 제 의복과 재물은 모두 팔아서 부처님께 공양하신 후, 지성으로 소원을 빌어 우리의 삼생연분(三生緣分)이 후생에서 다시 이어질 수 있도록 해 주십시오."

- 박명(薄命): 복이 없고 팔자가 사나움. 수명이 짧음
- 재배: 두 번 절함. 또는 그 절
- 조물(造物): 우주의 만물을 만들고 다스리는 신
- 공양: 부처 앞에 음식이나 재물을 올림

다 진사는 편지를 다 읽지도 못한 채 기절하여 땅에 쓰러졌는데, 집안사람들이 급히 구하여 겨우 깨어났습니다. 이때 특이 밖에서 들어오면서 물었습니다.

"궁인이 뭐라고 대답했기에 이렇듯 죽으려 하십니까?"

진사는 다른 말은 하지 않고 오로지 일렀습니다.

"너는 운영 낭자의 재물을 잘 보관하고 있느냐? 내가 장차 그것을 다 팔아서 부처님께 바친 후에 지성으로 빌어 운영 낭자의 소원을 이루어 주려 하노라."

이 말을 들은 특은 집으로 돌아가 혼잣말로 일렀습니다.

㉡<u>"궁녀가 궁 밖으로 나오지 못했으니 그 재화와 보물은 하늘이 나에게 준 것이로다."</u>

특은 벽을 바라보며 남몰래 웃음을 지었으나, 아무도 그의 음흉한 마음을 알지 못했습니다.

라 그러던 어느 날, 특이 스스로 자기 옷을 찢고 자기 코를 때린 후, 코에서 흐르는 피를 온몸에 흠뻑 발랐습니다. 그리고 머리를 풀어 헤친 채 맨발로 달려 들어와

작품 핵심

갈래	고전 소설, 애정 소설, 몽유 소설
성격	비극적, 애정적
배경	• 시간 – 조선 • 공간 – 수성궁
제재	운영과 김 진사의 사랑
주제	신분을 초월한 운영과 김 진사의 비극적 사랑
특징	① 궁중이라는 특수한 사회를 배경으로 함. ② 행복한 결말을 맺는 일반적인 고전 소설과 달리 비극적 결말을 맺음. ③ 고전 소설의 보편적 주제인 '권선징악'에서 벗어나 자유연애 사상을 보여 줌. ④ 현재의 이야기인 외화 속에 과거의 이야기인 내화가 전개되는 액자식 구성임.

이 작품의 액자식 구성

구분	외화
배경	현재(선조 때)
내용	유영이 수성궁 터에서 운영과 김 진사를 만남.

⬇

구분	내화
배경	과거(세종 때)
내용	김 진사와 운영이 비극적인 사랑을 나눔.

⬇

구분	외화
배경	현재(선조 때)
내용	김 진사와 운영의 이야기를 들은 유영이 잠이 들었다가 깨어난 뒤 두 사람의 일을 기록한 책을 발견함.

어휘 쏙쏙

- **궁인(宮人)**: 궁궐 안에서 왕과 왕비를 가까이 모시는 여자를 통틀어 이르는 말.
- **주군(主君)**: 임금. 여기서는 안평 대군을 가리킴.
- **삼생연분(三生緣分)**: 삼생을 두고 끊어지지 않을 깊은 인연. 부부간의 인연.

뜰에 엎드려 울면서 말했습니다. 〈중략〉

"혈혈단신(孑孑單身) 혼자 몸으로 산 속에서 재물을 지키고 있는데 수많은 도적들이 갑자기 들이닥쳤습니다. 저 혼자 감당할 길이 없어서 죽을힘을 다하여 달아나 겨우 목숨만은 건질 수 있었습니다. 만일 그 재물이 아니었다면 제가 어떻게 그와 같은 위험에 처했겠습니까? 타고난 운명이 이처럼 험악한데, 어찌하여 빨리 죽지 못하는가?"

혈혈단신: 의지할 곳 없이 외로운 홀몸

말을 마친 특은 발로 땅을 차고 주먹으로 가슴을 치면서 통곡하였습니다.

01

이 글에 대한 설명으로 적절하지 않은 것은?

① 외화 속에 내화가 들어 있는 액자식 구성이다.
② 주동 인물과 그에 맞서는 반동 인물이 등장한다.
③ 남녀 간의 사랑을 방해하는 신분적 제약이 존재한다.
④ 현실의 인물이 꿈속에서 직접 겪은 사랑 이야기이다.
⑤ 운영과 김 진사는 자신들의 욕망을 실현하지 못하는 비극적인 인물이다.

02

이 글의 내용과 일치하지 않는 것은?

① 김 진사는 운영의 편지를 읽고 큰 충격을 받아 쓰러진다.
② 운영은 김 진사의 하인인 특을 통해 김 진사에게 편지를 전한다.
③ 특은 운영의 재물을 가로챌 속셈으로 김 진사에게 거짓말을 한다.
④ 특은 김 진사가 자신의 거짓말을 믿게 하기 위해 과장된 몸짓을 보인다.
⑤ 운영은 이승에서 사랑이 이루어질 수 없다면 다음 생에서라도 사랑이 이루어지기를 바란다.

03

㉠과 의미가 통하는 한자 성어로 알맞은 것은?

① 곡학아세(曲學阿世)
② 표리부동(表裏不同)
③ 고진감래(苦盡甘來)
④ 입신양명(立身揚名)
⑤ 각주구검(刻舟求劍)

04

㉡으로 볼 때, 김 진사에게 해 줄 수 있는 충고로 적절한 것은?

① 믿는 도끼에 발등 찍힌다.
② 중이 제 머리를 못 깎는다.
③ 원숭이도 나무에서 떨어진다.
④ 오르지 못할 나무는 쳐다보지도 마라.
⑤ 콩 심은 데 콩 나고 팥 심은 데 팥 난다.

운영전 ② _ 작자 미상

중간 부분 줄거리 특은 운영의 재물을 가로챈 뒤 김 진사에 대한 거짓 소문을 퍼뜨린다. 그 소문은 안평 대군에게도 전해지고, 운영의 탈출 시도 사실을 알게 된 안평 대군은 분노하여 서궁의 궁녀를 모두 붙잡아 죽이라고 명한다. 이에 궁녀들은 안평 대군에게 마지막 말을 전한다.

마 자란이 글을 올려 말하였습니다.

"저희들의 죄가 헤아릴 수 없을 정도로 크니, 어찌 마음속에 품은 생각을 조금이라도 숨기겠습니까? 저희들은 모두 *항간(巷間)의 평범한 여자들이니 어찌 저희들에게만 이성(異性)을 그리워하는 마음이 없겠습니까? 천자(天子)인 목왕(서주(西周)의 5대 임금)도 매번 *요대의 즐거움을 생각하였고 영웅인 항우(중국 진나라 말기의 장수)도 휘장 속에서 눈물을 흘렸는데, 주군께서는 어찌 운영에게만 유독 그러한 마음이 없으리라 생각하십니까? 김생은 이 시대에서 가장 단아한(단정하고 아담한) 선비입니다. 그를 *내당(內堂)으로 끌어들인 사람은 주군이셨으며 운영에게 벼루를 받들라고 명령한 사람도 주군이셨습니다. 운영은 오래도록 깊은 궁궐에 갇혀 있어 가을 달과 봄꽃을 볼 때마다 넋을 잃었고, 오동잎에 떨어지는 밤비에는 애를 끊는 듯 고통스러워했습니다. 그러다가 호걸남자(지혜와 용기가 뛰어나고 기개와 풍모가 있는 남자)를 한 번 보고서는 사랑에 빠져 버렸으며, 마침내 마음의 병이 골수(骨髓)에 사무쳐 비록 불사약(먹으면 죽지 않는다는 약)이나 *월인의 재주로도 효험을 보기 어렵게 되었습니다. 운영이 하룻저녁에 아침 이슬처럼 사라진다면, 주군께서 비록 측은한 마음이 드실지라도 무슨 소용이 있겠습니까? 저의 어리석은 생각으로는, 김생과 운영을 서로 만나게 하여 두 사람에게 맺힌 원한을 풀어 주신다면, 주군의 은혜가 이보다 더 클 수 없을 것입니다. 지난날 운영이 절개를 지키지 못한 것은 그 죄가 저에게 있지 운영에게 있지 않습니다. 저의 이 한마디 말은 위로는 주군을 속이지 않고 아래로는 동료를 저버리지 않았으니, 오늘 저의 죽음은 영광스러울 것입니다. 엎드려 바라건대, 주군께서는 저를 죽이는 대신 운영의 목숨을 살려 주십시오."

바 옥녀가 글을 올려 말했습니다.

"제가 이미 서궁의 영광을 다른 궁녀들과 함께 했는데, 어찌 저만 홀로 서궁의 재난을 면하겠습니까? 오늘의 죽음은 제가 마땅히 죽을 곳을 얻은 것입니다."

사 저 또한 글을 올려 말했습니다.

"주군의 은혜는 산과 같고 바다와 같습니다. 그런데도 능히 정절을 지키지 못한 것이 저의 첫 번째 죄입니다. 지난날 주군께서 제가 지은 시를 의심하셨는데도 끝내 사실대로 아뢰지 못한 것이 저의 두 번째 죄입니다. 죄 없는 서궁 사람들이 저 때문에 함께 죄를 입게 된 것이 저의 세 번째 죄입니다. 이처럼 세 가지 큰 죄를 짓고서 무슨 면목으로 살겠습니까? 만약 죽음을 늦춰 주실지라도 저는 마땅히 자결할(스스로 죽음) 것이니, 어서 처분해 주십시오."

아 이에 대군의 분노가 점차 풀어져서 저를 별당에 가두어 두고, 그 나머지 사람들은 모두 풀어 주었습니다. 그날 밤 저는 비단 수건에 목을 매어 자결하고 말았습니다.

작품 핵심

줄거리

선비 유영이 안평 대군의 옛집에서 술을 마시다가 잠든다. 잠에서 깨어난 유영은 운영과 김 진사를 만나 그들의 슬픈 사랑 이야기를 듣는다. 운영은 안평 대군의 궁녀로, 대군을 찾아온 김 진사와 사랑에 빠진다. 둘은 궁에서 달아날 계획을 세우지만 김 진사의 하인인 특의 배신으로 실패하고, 안평 대군이 두 사람의 관계를 알게 되어 운영은 자결한다. 이에 김 진사 역시 슬픔을 이기지 못하고 죽음을 맞이한다. 본래 천상의 선인(仙人)이었던 김 진사와 운영은 유영에게 자신들의 이야기를 세상에 전해 달라고 당부하고 하늘로 올라간다. 유영이 다시 졸다가 깨어 보니 두 사람의 일을 기록한 책만 남아 있었다. 유영이 그것을 가지고 세상을 두루 돌아다녔으나 그가 생을 마친 곳은 알 수 없다.

이 작품의 비극성

일반적인 고전 소설과 달리 이 작품의 주요 인물들은 비극적인 결말을 맞는다.

- 운영과 김 진사: 현실에서 사랑을 이루지 못하고 둘 다 죽음.
- 유영: 운영과 김 진사의 이야기를 적은 책을 가지고 명산을 두루 돌아다니다가 행적이 묘연해짐.

- **항간(巷間)**: 일반 사람들 사이.
- **요대(瑤臺)**: 전설상의 연못에 있는 누대.
- **내당(內堂)**: 아낙네가 거주하는 곳.
- **월인(越人)**: 중국 춘추 시대의 유명한 의사인 편작의 이름.

01 이 글에 대한 감상으로 적절하지 않은 것은?

① 안평 대군과 같은 실존 인물을 등장시켜 실제 있었던 이야기와 같은 효과를 주고 있어.
② 다른 고전 소설들과는 달리 주인공의 사랑이 이루어지지 않는 비극적 결말을 취하고 있어.
③ 금지된 궁녀의 사랑을 통해 당시 부패한 양반층의 횡포와 착취를 은연중에 비판하고 있어.
④ '권선징악(勸善懲惡)'이라는 고전 소설의 일반적인 주제에서 벗어나 자유연애 사상을 보여 주고 있어.
⑤ 신분을 뛰어넘어 김 진사와의 사랑을 이루고자 했던 운영은 억압된 현실에 저항하는 인물로 볼 수 있어.

02 등장인물들에 대한 독자의 평가로 알맞지 않은 것은?

① 옥녀는 서궁의 궁녀들과 운명을 같이하기를 원하는 의리 있는 인물이야.
② 안평 대군은 금기를 어긴 궁녀들을 모두 죽일 수 있을 만큼 엄격한 인물이야.
③ 안평 대군이 운영과 김 진사가 만나는 계기를 만들었으니 이 일에 어느 정도 책임이 있어.
④ 운영은 처음부터 자신의 사랑을 떳떳하게 고백하여 벌을 받기를 청하는 용기 있는 인물이야.
⑤ 자란은 죽음을 앞두고도 대군이 두 사람의 한을 풀어 주길 바란다는 뜻을 밝히는 소신 있는 인물이야.

03 (마)에 나타난 '자란'의 말하기 방식으로 알맞은 것은?

① 자신이 저지른 잘못을 변명하고 있다.
② 예를 들어 자신의 생각이 정당함을 말하고 있다.
③ 상대방을 은근히 조롱하며 자신을 과시하고 있다.
④ 상대방의 호감을 얻기 위해 장점을 찬양하고 있다.
⑤ 상대방과 자신이 같은 위치에 있음을 알려 거리감을 좁히고 있다.

04 '운영'이 자결한 이유에 대한 의견으로 알맞지 않은 것은?

① 대군을 계속 볼 면목이 없었겠지.
② 궁녀로서 정절을 지키지 못했기 때문이야.
③ 다른 궁녀들에게 피해를 준 것이 미안하기도 했을 거야.
④ 현실에서 사랑을 이룰 수 없는 것에 절망했기 때문이기도 하겠지.
⑤ 남녀 간의 사랑은 비극적일수록 아름답다고 생각했기 때문이 아닐까?

06 규중칠우쟁론기 ❶ _ 작자 미상

가 이른바 *규중 칠우(七友)는 부인네 방 가운데 일곱 벗이다. 글공부하는 선비는 붓, 먹과 종이, 벼루를 문방(文房)의 네 벗으로 삼았나니, 규중 여자라고 해서 어찌 벗이 없겠는가?

그러므로 바느질을 돕는 것에 따라 각각 이름과 호를 정하여 벗을 삼으니, 바늘을 세요 각시(細腰閣氏)라 하고, 자를 척(尺) 부인(夫人)이라 하고, 가위를 교두 각시(交頭閣氏)라 하고, 인두를 인화 부인(引火夫人)이라 하고, 다리미를 울 낭자(熨娘子)라 하고, 실을 청홍흑백 각시(靑紅黑白閣氏)라 하며, 골무를 감투 할미라 하여, 일곱 벗을 삼았다. 규중 부인이 아침 세수를 마치면, 일곱 벗이 일제히 모여 옷 만드는 것을 끝까지 하기로 의논하여 각각 *소임을 이루어 내었다.

나 하루는 일곱 벗이 모여 바느질의 공로를 논하였다.

척 부인이 긴 허리를 재며 말했다.

"모든 친구들은 들으라. 가는 명주, 굵은 명주, 흰모시, 가는 베와 푸른 비단, 붉은 비단, 녹색 비단, 자줏빛 비단, 붉은 헝겊을 다 내어 펼쳐 놓고 남자와 여자의 옷을 마름질할 때, 길고 짧음과 넓고 좁음, 솜씨와 자르는 모양도 내가 아니면 어찌 이루겠는가? 이러므로 옷을 만드는 공은 내가 으뜸이 되리라."

(마름질: 옷감이나 재목 따위를 치수에 맞도록 재거나 자르는 일)

교두 각시가 두 다리를 빨리 놀려 달려 나오며 말했다.

"척 부인아, 그대가 아무리 마름질을 잘한다고 해도 베어 내지 않으면 모양이 제대로 되겠느냐? 내 공과 내 덕이니 네 공만 자랑하지 마라."

세요 각시가 가는 허리를 구부리며 날랜 부리를 돌이켜 말했다.

"두 벗의 말이 옳지 않다. 진주(眞珠) 열 그릇이나 꿴 후에 구슬이라 할 것이니, 재단을 크게도 하고 작게도 한다고 하나 나 아니면 옷을 만드는 것을 어찌 하겠는가? 잘게 누빈 누비, 중간 누비, 짧은 솔, 긴 옷을 이루니 나의 날래고 빠름이 아니면 어찌 잘게 뜨며 굵게 박아서 마음대로 하리오. 척 부인이 재어 내고 교두 각시가 베어 낸다고 하나 내가 아니면 아예 공이 없는데 두 벗이 무슨 공이라고 자랑하는가?"

(누비: 두 겹의 천 사이에 솜을 넣고 줄이 죽죽 지게 박는 바느질. 또는 그렇게 만든 물건)

청홍흑백 각시가 얼굴이 붉으락푸르락 하며 화를 내었다.

"세요야. 네 공이 내 공이니 자랑하지 마라. 네 아무리 착한 척을 하나 한 솔, 반 솔인들 내가 아니면 네가 어찌 성공하겠느냐?"

감투 할미 웃으면서 말했다.

"각시님들, 어지간하면 자랑 하지 마소. 이 늙은이 몸집은 작아도 바늘을 꽂을 때와 뺄 때 아가씨네 손가락 끝 아프지 아니하게 바느질 도와 드리나니 옛말에 이르기를 닭의 입이 될지언정 소 뒤는 되지 말라 하였으니, 청홍 각시는 세요의 뒤를 따라 다니면서 무슨 말을 하시는가? 참으로 얼굴이 아깝구나. 나는 항상 세요의 귀에 찔렸으나, 낯가죽이 두꺼워 견딜 만하니 아무 말도 아니 하였노라."

작품 핵심

갈래	고전 수필, 한글 수필, 내간체 수필
성격	풍자적, 교훈적
제재	규중 칠우(七友) – 자, 가위, 바늘, 실, 골무, 인두, 다리미
주제	① 남을 헐뜯으며 공치사만 일삼는 인간에 대한 비판과 풍자 ② 자신의 역할과 직분에 따라 성실히 살아가야 함.
특징	① 의인화된 사물들이 직접 자신의 심정을 표현하는 대화체로 주제를 효과적으로 드러냄. ② 3인칭 시점의 객관적이고 관찰자적인 태도로 서술됨.

규중 칠우 이름의 유래

① 한자 음에서 따옴
- 척 부인(자): 한자 척(尺)과 같은 음
- 울 낭자(다리미): 다릴 울(熨)에서 따옴.

② 쓰임새에 따라
- 인화 부인(인두): 불에 달구어 사용함.

③ 생김새에 따라
- 교두 각시(가위): 날(머리)이 교차하는 모습
- 세요 각시(바늘): 허리가 가는 모양
- 청홍흑백 각시(실): 실의 다양한 색깔
- 감투 할미(골무): 감투와 유사한 모양

이 작품에 나타난 여성 의식

일곱 벗이 당당하게 자신의 주장을 펴는 모습은 자신들의 역할에 대한 인정을 원했던 당대 여성들의 인식을 표현한 것으로 볼 수 있다. 이는 조선 후기 여성들의 의식 변화를 보여 주는 것이기도 하다.

어휘 쏙쏙
- **규중(閨中)**: 부녀자가 거처하는 곳.
- **소임(所任)**: 맡은 일.

01 이 글에 대한 설명으로 알맞지 않은 것은?

① 사물을 통해 인간 세태를 풍자하고 있다.
② 서술과 대화를 중심으로 글을 전개하고 있다.
③ 대상의 긍정적인 면을 부각하며 예찬하고 있다.
④ 사람이 아닌 무생물을 사람처럼 표현하고 있다.
⑤ 일곱 벗의 생김새와 용도에 대해 설명하고 있다.

02 규중 칠우의 이름을 붙인 이유가 적절하지 않은 것은?

① 세요 각시 : 바늘의 허리가 가는 모양이어서 붙임.
② 척 부인 : 자의 한자 발음인 척(尺)을 이용하여 붙임.
③ 청홍흑백 각시 : 실의 색깔이 청색, 홍색 등이어서 붙임.
④ 감투 할미 : 골무의 모양이 감투의 생김새와 비슷해서 붙임.
⑤ 인화 부인 : 여러 사람이 서로 화합하여 일할 때 사용해서 붙임.

03 (나)에 나타난 상황으로 가장 적절한 것은?

① 서로의 마음을 끌기 위해 교언영색(巧言令色)하고 있다.
② 서로 자신들의 공을 주장하며 갑론을박(甲論乙駁)하고 있다.
③ 지록위마(指鹿爲馬)의 거만한 태도로 규중 부인을 속이고 있다.
④ 자신의 수고를 알아주지 않을까 봐 전전긍긍(戰戰兢兢)하고 있다.
⑤ 다른 이의 잘못을 타산지석(他山之石) 삼아 자기를 수양하고 있다.

04 이 글과 〈보기〉를 비교한 내용으로 알맞지 않은 것은?

보기

아깝다 바늘이여, 어여쁘다 바늘이여, 너는 미묘한 품질과 특별한 솜씨를 가졌으니, 물건 중에서 명물이요, 철로 된 것 중에서 으뜸이라. 민첩하고 날래기는 백대(百代)의 협객(俠客)이요, 굳세고 곧기는 만고의 충절이라. 뾰족한 부리는 말하는 듯하고, 뚜렷한 귀는 소리를 듣는 듯한지라. 두꺼운 비단과 얇은 비단에 봉황과 공작을 수놓을 제, 그 민첩하고 신기함은 귀신이 돕는 듯하니, 어찌 인력(人力)의 미칠 바리요.

– 유씨 부인, 〈조침문(弔針文)〉

	비교 항목	이 글	〈보기〉
①	갈래	내간체 수필	
②	소재	일상생활 속에서 소재를 취함.	
③	표현 방법	사물을 의인화함.	
④	성격	풍자적	교훈적
⑤	정서 · 태도	비판	애정

06 규중칠우쟁론기 ② _ 작자 미상

다 규중 부인이 이르되,

"일곱 벗의 공으로 의복을 다스리나 그 공이 사람의 쓰기에 있나니 어찌 일곱 벗의 공이라 하겠는가?"

하고 말을 마치고 일곱 벗을 밀치고, 베개를 돋우고 깊이 잠이 들었다.

이윽고 척 부인이 탄식하였다.

"매정한 것은 사람이오 공 모르는 것은 여자로다. 의복 마를 때는 먼저 찾고 만들어 내면 자기 공이라 하고, 게으른 종 잠 깨우는 막대는 내가 아니면 못 칠 줄로 알고 내 허리 부러지는 것도 모르니 어찌 야속하고 노엽지 않겠는가?"

교두 각시가 이어서 말했다.

"그대 말이 옳다. 옷 *마름질 하여 베어 낼 때는 나 아니면 못하면서도 잘 드느니 안 드느니 하고 내어 던지며, 두 다리를 각각 잡아 흔들 때는 불쾌하고 노여운 것을 어찌 헤아리겠는가? 세요 각시가 잠깐이라도 쉬어야지 하고 달아나면 항상 내 탓으로만 여겨 내게 트집을 잡으니 마치 내가 감춘 듯이 문고리에 거꾸로 달아 놓고 좌우로 돌아보며 앞뒤로 찾아보아 얻어 내기가 몇 번인 줄 아는가? 그 공을 모르니 어찌 슬프고 원망스럽지 않겠는가?"

세요 각시도 한숨짓고 말했다.

"너도 그렇거니와 나는 무슨 일로 사람의 손에 보채이며 요사하고 간사한 말을 듣는고. 뼈에 사무칠 만큼 원통하고 한스럽다. 특히, 내가 약한 허리를 휘두르며 날쌘 부리를 돌려 힘껏 바느질을 돕는 줄은 모르고 마음에 들지 아니하면 허리를 부러뜨려 화로에 넣으니 어찌 슬프고 원망스럽지 아니하겠는가? 사람과는 지극한 원수가 되었는데, 원수를 갚을 길이 없어 이따금 손톱 밑을 찔러 피를 내어 한을 풀면 조금 시원하지만 간사하고 흉악한 감투 할미 밀어내어 말리니, 더욱 애달프고 못 견디겠구나."

라 자던 여자가 문득 깨어 일곱 벗에게 말했다.

"여러 벗은 내 허물을 그토록 말한다 말이냐?"

감투 할미가 머리를 조아려 용서를 구했다.

"젊은 것들이 망령되어 생각이 없어 실수를 범했습니다. 저희들이 재주가 있으나, 공이 많음을 자랑하다 원망의 말을 했습니다. 마땅히 곤장을 치는 것이 맞지만, 평소의 깊은 정과 저희의 조그만 공을 생각하여 용서해 주심이 옳을까 하나이다."

(망령되어: 늙거나 정신이 흐려서 말이나 행동이 정상을 벗어난 데가 있어)

여자가 대답하여 말하기를,

"감투 할미 말을 좇아 용서하리니, 내 손끝이 성한 것이 할미의 공이라. 꿰어 차고 다니며 은혜를 잊지 아니하리니 비단 주머니를 만들어 그 가운데 넣고 몸에 지녀 서로 떠나지 않게 하겠다."

감투 할미는 머리를 조아려 감사를 드렸다. 나머지 벗들은 부끄러워하며 물러났다.

작품 핵심

줄거리

옷 짓는 일에 쓰이는 일곱 가지 사물을 규중 여자의 벗이라 한다. 하루는 일곱 벗이 옷을 짓는 일에서 자신의 공이 최고라며 자랑을 늘어놓는데, 규중 부인이 결국 공은 사람에게 있다고 말하고 잠이 든다. 이에 일곱 벗은 탄식하며 규중 부인에 대한 원망과 불평을 시작한다. 잠에서 깨어난 규중 부인은 자신의 허물을 지적하는 일곱 벗을 질책한다. 이에 감투 할미가 사죄하자 규중 부인은 일곱 벗을 용서하고 감투 할미의 공로를 인정한다. 일곱 벗은 부끄러워하며 물러난다.

이 작품에 나타난 풍자

- 공치사하는 모습: 남의 공은 인정하지 않고 자신의 공만 내세움 → 서로 헐뜯으며 경쟁하는 이기적인 세태와 인간의 모습
- 규중 부인에 대한 원망: 규중 부인에 대한 원망과 자신의 처지에 대한 불평 → 자신의 역할에 만족하지 않고 불평하는 모습

감투 할미에 대한 평가

- 긍정적 평가: 즉시 반성하는 태도를 보이고 용서를 구함. → 처세술이 뛰어남.
- 부정적 평가: 곤경을 벗어나고자 아첨함. → 간신배를 풍자함.

쏙쏙

- 마름질: 옷감이나 재목 따위를 치수에 맞도록 재거나 자르는 일.

01

이 글을 통해 비판하고자 하는 인간의 모습으로 알맞지 않은 것은?

① 자신의 이해관계에 따라 변하는 모습
② 자신의 역할에 맞게 성실하게 살지 않고 불평하는 모습
③ 자신이 일한 만큼의 보상을 받고 싶어 하는 인간의 모습
④ 서로 자신의 공치사만 일삼고 남을 조롱하거나 비하하는 모습
⑤ 자신보다 높은 사람에게 잘 보이고자 비위를 맞추며 아첨하는 모습

02

이 글에서 규중 부인의 역할로 알맞은 것은?

① 규중 일곱 벗의 잘잘못을 평가하는, 공정하고 분별력이 있는 사람이다.
② 규중 부인의 개입으로 일곱 벗의 공치사가 끝나고 내용이 전환하게 된다.
③ 규중 부인이 잠이 들면서 이 일이 모두 꿈속에서 일어난 일임을 암시한다.
④ 규중의 일곱 벗에 대한 애정을 가진 인물로, 규중 일곱 벗의 모든 이야기를 들어주며 공감해 준다.
⑤ 이 글에서 이야기를 이끌어 나가는 인물로, 규중 일곱 벗의 이야기는 모두 규중 부인의 눈을 통해 관찰된다.

03

(다)에서 일곱 벗이 이야기하고자 하는 내용으로 적절한 것은?

① 옷 짓는 일의 즐거움
② 서로를 향한 불신과 불평
③ 인간이 주는 혹독한 시련을 극복하는 방법
④ 묵묵히 자신의 소임을 다할 때 보상받게 되는 결과
⑤ 사람의 공만 내세우고 자신들을 함부로 여기는 데에 대한 비판과 불평

04

이 글의 인물에 대한 평가로 적절하지 않은 것은?

① 승후: 규중 부인은 일곱 벗의 수고와 노력을 몰라준 것을 미안해하고 있어.
② 태우: 감투 할미는 규중 부인의 마음을 풀고자 하는 등 상황에 대처하는 처세술이 뛰어나다고 생각돼.
③ 현철: 곤경에서 벗어나고자 하는 태도로만 본다면 감투 할미는 윗사람에게 아첨하는 인물로 보이기도 해.
④ 영화: 일곱 벗이 자신의 의견을 말하고 있는 것은 가부장적 질서 속에 갇혀 있던 여성들이 자신의 의견을 말하기 시작한 것으로 볼 수 있어.
⑤ 종현: 규중 부인이 자신의 비위를 맞추고 아첨하는 감투 할미만 칭찬하고, 은혜를 잊지 않겠다고 한 것은 당시 지배층의 잘못된 모습을 풍자한 것이라고 생각해.

벼슬아치란 누구인가 _ 정약용

가 ㉠목민관이 백성을 위해 있는 것일까, 아니면 백성이 목민관을 위해서 있는 것일까? 백성은 곡식과 베를 생산하여 목민관을 섬기고, 말과 수레와 하인을 내어 목민관을 전송도 하고 환영도 한다. 그리고 피고름과 골수를 짜내어 목민관을 살찌게 하니 백성들이 목민관을 위해서 태어난 것인가?

나 옛날에는 백성만이 있었을 뿐이니, 어찌 목민관이 존재했겠는가? 백성이 모여 살면서 이웃과의 다툼을 공정한 어른에게 가서야 해결을 보고는 그를 ⓐ추대하여 이정(里正)이라 불렀다. 또 여러 마을 사이에 분쟁이 일어나 해결하지 못한 다툼거리를 ⓑ식견이 높은 어른에게서 해결을 보고는 ⓒ감복한 나머지 그를 추대하여 당정(黨正)이라 했다. 또 여러 고을 백성들이 해결하지 못한 다툼거리를 가지고 어질고 덕이 있는 어른을 찾아가 해결을 보고는 그를 주장(州長)으로 모셨다. 또 여러 주장들이 한 사람을 추대하여 우두머리로 삼아 그를 국군(國君)이라 하고, 여러 국군들이 한 사람을 추대하여 우두머리로 삼아 그를 방백(方伯)이라 하며, 또 방백들이 한 사람을 추대하여 그를 우두머리로 삼고는 황왕(皇王)이라 불렀다. 그러니 따지자면 황왕의 근본은 이정에서부터 시작된 것이다. 한편, 이정은 백성들의 희망을 좇아 법을 *제정하여 당정에게 올리고, 당정은 백성들의 바라는 바를 따라 법을 제정하여 주장에게 올렸다. 역시 주장은 이를 국군에게, 국군은 다시 황왕에게 올렸다. 그러므로 그 법은 모두 백성들을 편안하게 하는 것이다.

다 지금의 수령은 옛날로 치면 ⓓ제후들이다. 그들의 집과 수레와 말, 의복과 음식, 많은 시종들은 거의 국군에 맞먹을 정도이다. 그들의 권한이 사람을 행복하게 만들 수도 있으며, 그들이 행하는 형벌과 ⓔ위세는 사람을 겁주기에 충분하다. 그리하여 거만하게 제 스스로 높은 체하고 자신이 목민관임을 잊어버리고 있다. 한 사람이 다투다가 해결을 위하여 수령에게 가면 수령이 불쾌한 표정으로 하는 말이, "왜 그리도 시끄럽게 구느냐?" 하고, 한 사람이 굶어 죽기라도 하면, "네가 잘못해서 죽었다." 한다. 백성들이 곡식이나 옷감을 생산하여 수령을 섬기지 않으면 매질이나 몽둥이질을 하여 피를 보고야 만다. 그뿐만 아니라 날마다 돈이나 세고 기록하며 거둬들여서 *전답과 집을 장만하며, 벼슬이 높고 권세가 있는 재상에게 뇌물을 쓰면서 뒷날의 이익을 기다린다. 그리하여 "백성이 목민관을 위하여 존재하고 있다."라는 말이 나오게 되었다. 그러나 어찌 이것이 타당한 이치이겠는가? 백성이 목민관을 위하여 있는 것이 아니라 목민관이 백성을 위하여 있는 것이다.

작품 핵심

갈래	고전 수필
성격	비판적
제재	목민(수령이 백성들을 다스려 기름.)
주제	백성과 목민관의 관계가 뒤바뀐 현실에 대한 비판
특징	① 질문을 통해 문제를 제기함. ② 목민관과 법이 생긴 유래와 과정을 설명하여 목민관의 올바른 역할을 제시함.

글쓴이의 가치관과 태도
- 민본주의(백성을 근본으로 여김.)
- 가렴주구를 일삼는 수령들에 대한 비판

이 작품의 시대적 · 사회적 배경

조선 후기 백성을 착취하는 탐관오리가 많던 시기
→ 백성과 목민관의 관계가 뒤바뀜. 백성을 위해 목민관이 존재하는 것이 아니라 목민관을 위해 백성이 존재함.

가혹한 정치와 관련된 표현
- 가렴주구(苛斂誅求): 세금을 가혹하게 거두고, 무리하게 재물을 빼앗음.
- 가정맹어호(苛政猛於虎): 가혹한 정치는 호랑이보다 무서움.
- 탐관오리(貪官汚吏): 백성의 재물을 탐내어 빼앗는, 행실이 깨끗하지 못한 관리

쏙쏙
- **제정(制定)**: 제도나 법률 따위를 만들어서 정함.
- **전답(田畓)**: 논밭.

01

글쓴이가 이 글을 쓰게 된 동기로 가장 적절한 것은?

① 분쟁의 해결 단계를 설명하기 위해
② 법이 생겨난 유래를 설명하기 위해
③ 목민관이 생겨난 과정을 소개하기 위해
④ 백성은 통치자를 위해 존재한다는 것을 말하기 위해
⑤ 백성과 목민관의 관계가 뒤바뀐 현실을 비판하기 위해

02

㉠에서 질문을 통해 얻을 수 있는 효과로 적절한 것은?

① 독자의 관심을 유도한다.
② 글의 주제를 직접 드러낸다.
③ 대상의 이미지를 생생하게 제시한다.
④ 대상을 과장하여 강렬한 인상을 준다.
⑤ 대상의 문제점을 구체적으로 보여 준다.

03

학생들이 배경지식을 활용하여 이 글에 대해 토의한 내용으로 적절하지 <u>않은</u> 것은?

① 용희 : '목민관'은 백성들을 다스리는 벼슬아치들을 이르는 말이야.
② 현준 : 이 글에서 글쓴이는 통치자인 목민관의 자세에 대해 이야기하고 있어.
③ 정은 : 글쓴이는 민본주의를 바탕으로 정치가 이루어져야 한다고 생각하는 인물이군.
④ 유재 : 조선 시대는 신분 사회였으니까 글쓴이의 생각처럼 백성보다 통치자가 중요하지.
⑤ 지용 : 글쓴이가 백성들의 고충에 대해 쓴 다른 작품도 함께 읽어 보면 이 글을 더 잘 이해할 수 있을 것 같아.

04

(다)에 나타난 시대적 · 사회적 상황으로 알맞지 <u>않은</u> 것은?

① 수령들의 권한과 위세가 대단했다.
② 수령들은 백성을 착취하여 부를 축적했다.
③ 통치자들이 백성들의 어려움을 돌보지 않았다.
④ 백성들 간의 다툼이나 마을 사이의 분쟁이 극심했다.
⑤ 백성들은 다툼이 있어도 공정한 판결을 받지 못했다.

05

ⓐ~ⓔ의 의미로 옳지 <u>않은</u> 것은?

① ⓐ : 나이 어린 사람을 대접함.
② ⓑ : 사물을 올바르게 판단할 수 있는 능력
③ ⓒ : 감동하여 진심으로 탄복함.
④ ⓓ : 봉건 시대에 일정한 영토를 가지고 그 영내의 백성을 다스리던 사람
⑤ ⓔ : 지위와 권세

Ⅱ

비문학

제시된 정보를 있는 그대로 이해한다

'독해'란 글을 읽고 의미를 이해한다는 뜻이다. 따라서 글의 내용, 즉 글에 제시되어 있는 정보를 있는 그대로 이해하는 것이야말로 글을 읽을 때 가장 먼저 이루어져야 하는 기본 활동이자 글을 읽는 일차적인 목표이기도 하다. 이 때문에 국어 시험에서는 글의 내용을 바르게 이해했는지를 묻는 문제가 반드시 출제된다. 그러므로 글을 읽을 때는 글의 종류와 상관없이 제시된 정보를 사실 그대로 이해하는 단계가 가장 먼저 이루어져야 한다.

다음 글을 읽고 물음에 답해 보자.

조선 전기에도 여행자를 위한 편의 시설은 있었다. 주요 도로에는 이정표와 역(驛), 원(院)이 일정한 원칙에 따라 세워졌다. 10리마다 지명과 거리를 새긴 작은 장승을 세우고, 30리마다 큰 장승을 세워 길을 표시했다. 그리고 큰 장승이 있는 곳에는 역과 원을 설치했다. 주요 도로마다 30리에 하나씩 원을 설치하다 보니, 1530년에 발간된 『신증동국여지승람』에 따르면 당시 전국에 1,210개나 원이 있었다.

역이 국가의 명령이나 공문서, 군사 정보의 전달, •사신을 맞이하고 보내는 일 등을 위해 마련된 교통 통신 기관이었다면, 원은 그런 일과 관련된 사람들을 위한 일종의 공공 여관이었다. 원은 기본적으로 공공 업무를 위한 시설이었지만 민간인들에게 숙식을 제공하는 경우도 있었다.

원의 운영 경비는 정부가 책임졌다. 원마다 원위전(院位田)이라는 땅을 주어 운영 경비를 마련하도록 했다. 그러나 원의 운영은 민간인에게 맡겼다. 큰 도로에 위치한 원에는 다섯 가구, 중간 크기의 도로에는 세 가구, 작은 도로에는 두 가구를 원주(院主)로 임명하여 원을 운영하도록 했다. 원주는 원을 운영하는 대신 국가에서 부과하는 여러 잡역을 면제해 주었다.

조선 전기에는 원 이외에 여행자를 위한 휴게 시설이 없었으므로 원을 이용하지 못하는 민간인 여행자들은 •여염집 대문 앞에서 "지나가는 나그네인데, 하룻밤 묵어 갈 수 있겠습니까?"라고 물어 숙식을 해결할 수밖에 없었다. 그러나 임진왜란과 병자호란을 거치면서 민간 주막이나 여관이 생기고, 관리들의 이용도 줄어들면서 원은 점차 사라지기 시작했다. 오늘날에는 이태원, 사리원, 조치원 등과 같이 지명에만 그 흔적이 남아 있다.

- **사신(使臣)**: 임금이나 국가의 명령을 받고 외국에 사절로 가는 신하.
- **여염집(閭閻-)**: 일반 백성의 살림집.

- 정보의 사실적 이해: 지문에 제시되어 있는 내용을 있는 그대로 이해하는 것. '이 글을 통해 알 수 있는 내용으로 적절한 것은?', '이 글의 내용과 일치하지 않는 것은?'과 같은 형태로 문제가 주어진다.

정답과 해설 25 ▶▶

1 1문단과 2문단의 내용을 정리한 것으로 맞으면 ○표, 틀리면 ×표를 하시오.

(1) 조선 전기에는 도로에 장승을 세워 거리와 지명을 안내했다. ( )

(2) 조선 전기에는 주요 도로마다 10리에 하나씩 역과 원을 세웠다. ( )

(3) 원은 국가의 공공 업무를 위해 마련된 교통 통신 기관이었다. ( )

2 3문단과 4문단에 제시된 내용에 관한 질문에 답하시오.

(1) 정부가 원의 운영 경비를 마련하기 위해 사용한 방법은?

(2) 원이 점차 사라지기 시작한 시기는?

3 이 글의 내용과 일치하지 않는 것은?

① 오늘날에는 지명에서 원의 흔적을 찾아볼 수 있다.
② 민간인 여행자들도 언제든지 원을 이용할 수 있었다.
③ 원을 운영하는 사람들은 국가의 잡역에서 제외되었다.
④ 외국에서 사신이 오면 역에서 그들을 맞이하거나 보냈다.
⑤ 작은 장승 두 개를 지나 10리를 더 가면 큰 장승이 나왔다.

02 정보 간의 관계를 파악하고 분석한다

한 편의 글에는 다양한 정보가 존재한다. 이런 정보들은 글에서 서로 논리적인 관계를 맺고 있으며, 궁극적으로 글쓴이가 전달하고자 하는 주제와 밀접한 관계를 맺고 있다. 따라서 글에서 나타나는 다양한 정보들이 서로 어떤 관계로 연결되어 있는지를 파악해야 글의 중심 내용, 즉 주제를 정확하게 알 수 있다. 글의 주제와 이를 뒷받침하는 정보 간의 관계에는 대표적으로 주장과 근거, 전제와 결론, 주지와 상술 등이 있다. 이 밖에도 개별 정보 간에는 대등, 대립, 인과, 예시, 선후 등 여러 가지 관계가 성립한다.

다음 글을 읽고 물음에 답해 보자.

동물들은 왜 잠을 잘까? 동물들이 잠을 자는 이유에 대해서 학자들은 여러 가지 가설(假說)을 제시하고 있다. 어떤 학자들은 '회복설'을 주장한다. 생물은 깨어 있는 동안 몸이나 뇌가 손상되는데, 이 손상을 회복하기 위해 잠이 필요하다는 것이다. ⓐ하지만 이 주장은 동물의 종류에 따라 수면 시간에 많은 차이가 난다는 점을 설명하지 못한다.

이와 달리 '에너지 보존설'을 주장하는 학자들도 있다. ㉠동물의 겨울잠이 그러하듯 수면도 에너지를 보존하기 위한 행동이라는 것이다. 실제로 잠을 자는 동안 우리는 몸의 대사(代謝)를 15퍼센트 정도 낮출 수 있다. ㉡몸무게가 80킬로그램 정도의 사람이 8시간을 잔다면, 이 사람은 가만히 앉아 있을 때보다 120칼로리 정도 에너지를 절약할 수 있다. ⓑ그런데 에너지 보존설도 잠을 자는 이유를 충분히 설명해 주지 못한다. 왜냐하면, 120칼로리 정도의 먹을 것을 구하는 일이 그리 어렵지 않은데, 이 정도 열량을 절약하기 위해 무려 8시간을 자야 한다는 것은 경제적으로 잘 맞지 않기 때문이다.

마지막으로, 어떤 학자들은 '부동설(不動說)'을 주장한다. 모든 동물들은 움직이지 않을 때 잠을 잔다. 그런데 움직이지 않는다는 것은 안전하다는 것을 의미한다. 동물들이 굴 안에서 움직이지 않고 잠을 자는 이유는 그만큼 굴 안이 안전하기 때문이다. ⓒ그러나 이 가설도 잠을 자는 이유에 대한 충분한 설명이 되지 못한다. 어떤 동물들은 오히려 굴속에서 잠을 자고 있는 동안 포식자에게 잡아먹히는 경우가 많기 때문이다.

이상에서 살펴본 것 이외에도 여러 가지 다른 가설들이 있지만, 아직까지 어떤 가설도 잠을 자는 이유를 제대로 설명해 주지 못하고 있다.

[정보 간의 관계]
- 주장과 근거 : 글쓴이의 견해[주장]와 그것을 뒷받침하는 정보[근거]의 관계
- 주지와 상술 : 가장 중심이 되는 정보[주지]와 그것을 자세히 설명하는 정보[상술]의 관계
- 전제와 결론 : 어떤 결론과 그것을 얻기 위해 선행되어야 할 정보[전제]의 관계
- 인과 : 정보들이 서로 원인과 결과로 연결되는 관계
- 예시 : 어떤 정보와 그것에 대한 이해를 돕는 구체적인 사례의 관계
- 대등 : 정보들이 서로 같은 자격으로 나란히 제시되는 관계

정답과 해설 25 ▶▶

1 이 글에서 설명하고 있는 대상을 본문에서 찾아 4어절로 쓰시오.

2 2문단에서 ㉠과 ㉡의 관계를 다음과 같이 정리할 때 빈칸에 들어갈 알맞은 말을 쓰시오.

> ㉠은 에너지 보존설의 내용이고, ㉡은 그것을 자세히 설명하기 위해 (　　)로 제시한 것이다.

3 1~3문단의 관계를 다음에서 찾으시오.

> 대립, 예시, 대등, 인과, 선후

4 ⓐ~ⓒ를 참고할 때, 1~3문단에서 공통적으로 나타나는 정보 간의 관계를 쓰시오.

5 다음 표의 빈칸을 채워 1~3문단의 내용을 정리하시오.

	가설	가설의 내용	가설의 한계
1문단	(　　)	손상된 몸이나 뇌를 회복하기 위해	동물의 종류에 따라 (　　) 에 차이가 많음.
2문단	에너지 보존설	몸의 대사를 낮춰 (　　) 을/를 보존하기 위해	자는 시간에 비해 보존되는 에너지의 양이 너무 적음.
3문단	(　　)	안전하기 때문에 움직이지 않고 잠을 잠.	자는 동안 포식자에게 잡아먹히는 경우가 많음.

6 이 글의 중심 내용을 정리하시오.

글쓴이의 관점이나 입장, 주장을 파악한다

글에는 글의 대상[화제]과 함께 그것에 대한 글쓴이의 관점이나 입장 등이 드러나기 마련이다. 따라서 이를 파악해야 글의 목적을 이해할 수 있다. 쉽게 말해 어떤 대상에 대한 정보를 전달하려는 것인지, 아니면 그것과 관련된 자신의 입장이나 주장을 내세우려는 것인지를 파악해야 한다. 대상에 대한 글쓴이의 궁극적인 관점이나 입장, 주장 등이 글에 직접적으로 제시되지 않는 경우에는 글에 나타난 정보를 종합하여 이를 짐작해야 한다. 글에서 대상으로 삼는 것을 '화제'라고 하는데, 화제에 대한 글쓴이의 관점이나 입장, 주장 등을 정리하면 글의 주제가 된다.

다음 글을 읽고 물음에 답해 보자.

경복궁, 경희궁 등 서울의 궁궐들은 조선 왕조가 문화적 역량을 결집해 세운 역사 유산으로, 서울 중심에 있어 접근성이 뛰어나지만 그동안 제대로 활용되지 못했다. 문화재 당국은 궁궐을 원형대로 보존하는 데 치중하여 개방은 최소화하고 궁궐에서 행사를 개최하는 일을 금지했다. 관람객들은 궁궐에서 개방이 허용된 곳만을 부분적으로 둘러보는 것에 만족해야 했다. ㉠<u>사람이 살지 않는 고궁은 '죽은 공간'에 머무를 수밖에 없다.</u>

우리의 궁궐과 달리 외국의 궁궐은 다양한 행사 장소로 활용되고 있다. 프랑스의 베르사유 궁전에서는 종종 협회나 기업이 주최하는 축하연, 음악회 등이 열린다. 오스트리아의 벨베데레 궁전은 유명한 화가들의 작품을 전시한 미술관으로 활용되고 있어서 이를 찾는 관람객들의 발길이 끊이지 않는다. 이에 비해 우리는 궁궐 내 전각들에 대한 활용도가 낮아 우리 문화를 홍보할 수 있는 기회가 극히 제한되어 있다.

'출입 금지' 위주의 문화재 관리 정책이 갖는 문제점은 여름 장마철 창덕궁에 곰팡이가 번식하는 사례에서도 찾아볼 수 있다. 한국의 전통 건축물은 목조 건물이 대부분이다. 목조 건물을 구성하는 기둥, 대들보, 기와 등은 시간이 흐르면서 조금씩 낡게 되지만, 사람이 살면서 온돌에 불을 들이고 창을 열어 환기하는 등 온도와 습도를 유지해 주면 건물이 마르지 않고 숨을 쉬어 오래 보존될 수 있다. 따라서 현재까지와 같은 문화재 관리 정책만으로는 한국의 전통 건축물을 효과적으로 보존할 수 없다.

각종 문화재의 개방 및 활용이 성공적으로 이루어진다면 국민들에게 더 이상 '접근이 금지된 문화재'가 아니라 '살아 있는 문화재', '함께하는 문화재'라는 새로운 인식을 심어 주고, 국민들이 함께 문화재를 가꾸고 보존해 나가야 한다는 의식을 공유할 수 있게 될 것이다.

[글쓴이의 관점 및 태도]
- 긍정적, 우호적 : 대상을 옳거나 바람직하다고 인식함.
- 부정적, 비판적 : 대상을 옳지 않거나 바람직하지 못하다고 인식함.
- 주관적 : 대상에 대한 글쓴이의 개인적 생각이 부각됨.

[글쓴이의 의도]
- 정보 제공(설명) : 대상을 구체적으로 소개함.
- 독자 설득(주장) : 주장을 납득시키고 독자의 행동 변화를 유도함.

정답과 해설 25 ▶▶

1 1문단의 ㉠에서 드러나는 글쓴이의 태도는 어떠한가?

2 2문단에서 외국의 궁궐 활용 사례를 제시한 이유를 다음과 같이 정리할 때 빈칸에 들어갈 알맞은 말을 쓰시오.

> 글쓴이는 외국의 궁궐 활용 사례를 통해 우리나라의 (　　　　　)이/가 지닌 문제점을 강조하고 있다.

3 화제와 그것에 대한 글쓴이의 관점을 다음과 같이 정리할 때 빈칸에 들어갈 알맞은 말을 쓰시오.

중심 화제	화제에 대한 글쓴이의 관점
문화재 관리 정책	문제가 있음.
'(　　　　)' 위주	• 우리 문화의 홍보 기회 제한 • 전통 건축물 (　　　) 의 어려움

4 글쓴이가 이 글을 통해 주장하고자 하는 내용으로 적절한 것은?

① 대부분이 목조 건물인 궁궐을 효과적으로 보존하자.
② 문화재를 보호하지만 말고 개방하여 적극 활용하자.
③ 문화재 훼손을 막을 수 있는 관리 정책을 마련하자.
④ 우리의 문화를 세계에 홍보할 수 있는 방법을 찾자.
⑤ 문화재를 개방하여 우리 역사의 위대함을 보여 주자.

04 주장의 근거나 논증 과정이 적절한지 판단한다

설득을 목적으로 하는 글에는 주장과 함께 그것을 뒷받침하는 근거가 제시된다. 근거가 적절하지 않을 경우 주장의 설득력이 떨어지게 되어 글의 목적을 달성할 수 없다. 주장은 타당성, 공정성, 효용성을 지녀야 하며, 근거는 객관성, 정확성, 합리성을 갖추어야 한다. 그리고 논증 과정은 논리적이고 체계적이어야 한다. 따라서 주장하는 글을 읽을 때에는 주장이 타당하고 공정한지, 근거가 객관적이고 합리적인지, 근거에서 주장을 이끌어 내는 논증 과정이 적절한지 등을 따져야 한다.

다음 글을 읽고 물음에 답해 보자.

㉮ 냉장고가 과연 문명의 이기이기만 한 것일까? 혹 우리의 삶을 위협하고 있지는 않을까? 우리가 미처 생각하지 못했던 냉장고의 부정적인 측면을 알아보자.

㉯ 먼저 냉장고를 사용하면 전기를 낭비하게 된다. 언제 먹을지 모를 음식을 보관하는 데 필요 이상으로 전기를 쓰게 되는 것이다. 이는 전기를 만드는 데 쓰이는 귀중한 자원을 낭비하는 것과 같다.

㉰ 우리는 냉장고를 쓰면서 인정을 잃어 간다. 냉장고가 없던 시절에는 식구가 먹고 남을 정도의 음식을 만들거나 얻게 되면 이웃과 나누어 먹었다. 그 이유 가운데 하나는 남겨 두면 음식이 상한다는 것이었다. 그런데 냉장고를 사용하면서 그 이유가 사라지게 되고, 이에 따라 이웃과 음식을 나누어 먹는 일이 줄어들게 되었다.

㉱ 또한 냉장고는 당장 소비할 필요가 없는 것들을 사게 한다. 그리하여 애꿎은 생명을 필요 이상으로 죽게 만들어 생태계의 균형을 무너뜨린다. 대부분의 가정집 냉장고에는 양의 차이는 있지만 닭고기, 쇠고기, 돼지고기, 생선, 멸치, 포 등이 쌓여 있다. 우리는 냉장고를 사용함으로써 애꿎은 생명들을 필요 이상으로 죽여 냉동하는 만행을 습관적으로 저지르고 있는 셈이다.

㉲ 냉장고의 사용은 아동 건강에도 좋지 않은 영향을 미친다. 어느 때고 먹을 수 있는 음식들이 냉장고에 쌓이면서 아이들은 필요 이상의 열량을 섭취하게 되었다. 그래서인지 비만 아동도 기하급수적으로 늘어나고 있다. 아동의 비만은 운동 능력을 떨어뜨리며, 건강을 해친다.

㉳ 이렇듯 냉장고는 우리의 삶과 환경을 위협하고 있다. 그렇다고 냉장고를 사용하지 말자는 것은 아니다. 다만 우리의 삶과 환경을 위협하는 냉장고의 폐해를 인식하고, 우리의 냉장고 사용 습관을 한 번쯤 되돌아보자는 것이다.

• 논증 : 아직 명백하지 않은 사실이나 원칙에 대해 그 진실 여부를 증명해 보이는 것. 논증의 과정을 추론이라고 함.

정답과 해설 25 ▶▶

1 ㉮~㉳의 중심 내용을 정리하시오.

㉮	냉장고의 (　　　　　)을/를 알아봄.
㉯	냉장고를 사용하면 필요 이상의 (　　　)을/를 쓰게 됨.
㉰	냉장고를 사용하면서 (　　　)을/를 잃어 감.
㉱	냉장고는 당장 (　　　)할 필요가 없는 것들을 사게 함.
㉲	냉장고의 사용은 (　　　　)에 좋지 않은 영향을 미침.
㉳	우리의 냉장고 (　　　　)을/를 되돌아볼 필요가 있음.

2 ㉮~㉳를 내용에 따라 세 부분으로 나누시오.

서론		본론		결론	

3 이 글의 본론 내용을 포괄하는 문장을 결론에서 찾아 한 문장으로 쓰시오.

4 이 글의 글쓴이가 궁극적으로 주장하는 내용을 쓰시오.

5 다음의 설명을 참고할 때 이 글에서 사용한 논증 방식은 무엇인지 쓰시오.

[논증 방식]
- 연역 : 일반적인 원리를 근거로 삼아 그 안에 포함되는 개별적인 사실을 결론으로 이끌어 내는 방법
- 귀납 : 개별적인 사례들을 모아 그 공통점을 추출함으로써 일반적인 원리를 결론으로 이끌어 내는 방법
- 유추 : 주어진 둘 이상의 대상들이 여러 면에서 비슷하다는 것을 근거로 다른 속성도 유사할 것이라는 결론을 이끌어 내는 방법

05 글에서 제기한 문제점과 그 해결책을 정리한다

사회 현상이나 특정 대상의 문제점을 지적하는 글에는 대체로 그 해결책도 함께 제시되는 경우가 많다. 이런 유형의 글은 일반적으로 문제가 되는 구체적인 상황과 그것으로 인한 문제점을 지적한 다음, 그것을 해결할 방안을 제시하는 구조를 지닌다. 특히 주장하는 글에서 이런 구조가 많이 나타나지만 정보 전달을 위한 글에서도 간혹 나타난다. 대개 주장하는 글의 경우에는 해결책이 글쓴이의 주장이 되고, 정보 전달을 하는 글에서는 해결책이 설명 대상이 된다. 이때 구체적인 해결책을 제시하지 않고 문제 제기만 하는 경우에는, 글에 제시된 내용을 바탕으로 독자가 해결책을 추론해야 한다.

다음 글을 읽고 물음에 답해 보자.

비행기를 타고 여행 가이드의 깃발을 쫓아다니며, 유명 호텔에서 잠을 자고 호텔 식당에서 식사를 하며, 대형 쇼핑센터에서 국적 불명의 상품을 구매하고 관광용으로 잘 꾸며진 경관을 구경하는 것, 이것이 일반적인 해외여행의 모습이다. 이런 관광은 현지인에게 실질적인 도움이 되지 못한다. 대부분의 호텔, 항공사, 휴양 시설, 대형 쇼핑센터 등은 선진국의 다국적 기업이 소유하고 있기 때문이다. 또한 현지의 자연환경에도 악영향을 미친다.

최근 이러한 여행 행태에 이의를 제기하는 사람들이 늘고 있다. 이들은 이산화탄소를 많이 배출하는 비행기보다 도보나, 자전거, 기차를 이용한 여행을 즐긴다. 또 현지인이 운영하는 숙박업소를 이용하고 현지인이 즐겨 먹는 전통 음식을 맛본다. 현지인이 운영하는 소규모 상점에서 현지인이 만든 의미 있는 물건을 정당한 대가를 지불하고 사며, 현지인의 문화를 체험한다. 이른바 '공정 여행'이다. 공정 여행이란 현지의 환경을 해치지 않으면서도 현지인에게 경제적 혜택이 돌아가는 여행으로, '착한 여행', '책임 여행'이라고도 불린다.

공정 여행은 거창한 것이 아니다. 내가 움직이는 것은 누군가가 써야 할 자원을 사용하는 것이고, 내가 편리하기 위해서는 누군가가 불편을 감내하고 수고한다는 것을 잊지 않고 여행하면 된다. 여행 중에 선택해야 하는 숙박, 음식, 관광과 같은 것에 대한 기준을 '어느 것이 더 저렴한가?'에서 '어느 것이 더 공정한가?'로 바꾸면 된다. '어디로' 여행할지가 아니라 '어떻게' 여행할지를 고민하면 된다. 지금까지의 자신의 여행 행태를 되돌아보았을 때 지역의 현지 주민들에게, 자연에게, 지구에게 무엇인가 마음에 걸리는 것이 있다면 공정 여행을 한 번쯤 생각해 봐야 하지 않을까.

- 문제 상황: 사회 현상이나 특정 대상에서 나타나는, 문제가 되는 구체적 현상
- 문제점: 문제 상황이 지속될 경우 나타나는 부정적 결과로, 보편성을 지녀야 함.
- 해결책: 문제 상황을 해결할 수 있는 구체적 방법으로, 타당성, 합리성, 공정성, 실현 가능성 등을 지녀야 함.

정답과 해설 25 ▶▶

1 **이 글에서 제시된 문제 상황과 문제점, 해결 방안을 다음과 같이 정리할 때 빈칸에 들어갈 알맞은 말을 쓰시오.**

문제 상황	문제점	해결 방안
(　　) 이용	(　　) 다량 배출	도보, 자전거, 기차 이용
유명 호텔 숙박	현지인에게 실질적인 도움이 안 됨.	현지인이 운영하는 숙박업소 이용
호텔 식당의 식사		현지인의 전통 음식 맛봄.
(　　) 에서 쇼핑		현지인이 운영하는 소규모 상점 이용
관광용으로 잘 꾸며진 경관 구경	현지의 (　　)에 악영향	현지인의 문화 체험
⇩		⇩
일반적인 해외여행		(　　)

2 **공정 여행의 효과 두 가지를 2문단에서 찾아 정리하시오.**

3 **해외여행을 할 때 떠올린 생각으로, 글쓴이의 의도와 거리가 먼 것은?**

① 어떻게 여행을 할까?
② 어떤 선택이 더 공정한가?
③ 어디를 이용해야 더 저렴한가?
④ 현지 주민이 불편해하지 않을까?
⑤ 자원을 불필요하게 낭비하지 않을까?

06 대상의 공통점과 차이점을 파악한다

어떤 대상에 대해 설명할 때 공통점이나 차이점이 뚜렷한 다른 대상과 비교하면 내용을 쉽게 전달할 수 있다. 그리고 서로 관련이 있는 대상들의 공통점과 차이점을 비교하면 각 대상의 특성이 분명히 드러난다. 이때 사용되는 설명 방식이 '비교'와 '대조'이다. 따라서 글을 읽을 때 두 대상의 공통점과 차이점을 파악하면 설명 대상의 특징을 보다 정확하게 이해할 수 있다.

다음 글을 읽고 물음에 답해 보자.

정치적 지배는 본질적으로 타인에 대한 지배이다. 그런데 물리적 강제력을 행사할 경우 피지배자들의 반발을 불러오기 쉽다. 그래서 지배자들은 피지배자들이 자발적으로 복종할 수 있는 고차원적인 지배 방식을 사용한다. 그중의 하나가 상징을 이용하여 인간의 심리를 조작하는 상징 조작이다.

상징 조작은 미란다와 크레덴다로 나누어진다. 미란다라는 말은 '감탄할 만한'이란 뜻을 지닌 라틴어에서 온 말로 놀랄 만큼 뛰어난 정치 기술이라는 의미가 담겨 있다. 인간은 본질적으로 정서적인 유대감을 바라거나 어떤 질서 속에 들어가기를 바란다. 인간의 이런 심리에 호소하는 상징을 '동일시의 상징'이라 한다. 이는 인간의 정서적인 면에 호소하는 상징이다. 이런 상징에는 국기, 국가, 기념일, 기념관, 제복, 동상 등이 있다. 권력의 미란다는 이러한 동일시의 상징을 사용하여 국민의 마음을 하나로 모으려 한다.

㉠반면 크레덴다는 신학 용어에서 온 말로 '*신조(信條)'를 의미한다. 사람들은 그 어떤 것을 대할 때 그것이 합리적이고 타당하면 수긍한다. 이런 점을 내세워 사람들의 이성을 움직이는 기호를 '합리화의 상징'이라고 한다. 이것은 인간의 이지적인 면에 호소하는 상징이다. 권력의 크레덴다는 이러한 합리화의 상징을 이용하여 권력의 정당성을 국민들의 마음속에 심어 줌으로써 국민들이 권력의 지배를 받아들이게 한다. 여기에는 헌법 제정, 정치적 이데올로기 등이 있다.

고대에서부터 현대에 이르기까지 지배자들은 흔히 정치적 상징을 통해 피지배자들의 심리를 조작하는 정치 기술을 사용하여 피지배자들의 자발적인 복종을 유도해 왔다. 이로 볼 때 상징 조작을 통한 지배는 권력의 속성이라고 할 수 있다.

• 신조(信條): 굳게 믿어 지키고 있는 생각.

[비교와 대조]
• 비교 : 둘 이상의 대상을 견주어 유사점을 중심으로 진술하는 것 예 희곡이나 시나리오 같은 극 문학과 소설 같은 서사 문학은 모두 대립과 갈등이 나타난다.
• 대조 : 둘 이상의 대상을 견주어 차이점을 중심으로 진술하는 것 예 극 문학은 서술자가 나타나지 않으나, 서사 문학은 서술자가 나타나 사건을 전달한다.

정답과 해설 25 ▶▶

1 이 글의 중심 화제를 1문단에서 찾아 2어절로 쓰시오.

2 ㉠을 통해 알 수 있는 이 글의 설명 방식은 무엇인가?

3 '미란다'와 '크레덴다'의 차이점을 다음과 같이 정리할 때 빈칸에 들어갈 알맞은 말을 쓰시오.

	미란다	크레덴다
유래	'감탄할 만한'이란 뜻을 지닌 (　　)에서 온 말	신학 용어에서 온 말로 '신조(信條)'를 의미함.
성격	(　　)의 상징 활용	(　　)의 상징 활용
방법	인간의 (　　)인 면에 호소	인간의 (　　)인 면에 호소

4 '미란다'와 '크레덴다'의 공통적인 목적을 이 글에서 찾아 쓰시오.

5 이 글에 대한 설명으로 적절하지 않은 것은?

① 미란다와 크레덴다는 모두 상징 조작에 해당한다.
② 미란다는 인간의 심리를 조작하여 지배하는 방식이다.
③ 헌법 제정, 정치적 이데올로기 등이 크레덴다에 해당한다.
④ 미란다와 크레덴다는 피지배자들의 반발을 불러오기 쉬운 물리적 강제력에 해당한다.
⑤ 미란다가 정서적인 면에 호소하는 상징인 반면, 크레덴다는 이지적인 면에 호소하는 상징이다.

매사냥의 방법과 역사

2010년 11월, 한국, 벨기에, 체코, 프랑스 등 11개국이 공동으로 신청한 매사냥이 유네스코 인류 무형 유산에 •등재되었다. 이는 동서양을 아우른 공동 등재라는 점에서 의미가 깊다. 그렇지만 매사냥에 대해 아는 현대인은 그리 많지 않은 듯하다. ㉠현재까지도 •명맥을 이어가고 있는 우리의 전통 문화유산인 매사냥에 대해 알아보자.

[A] 매사냥은 매를 이용해 꿩, 토끼 같은 야생 동물을 잡는 사냥법이다. 일반적으로 사냥을 할 때 동물은 주인의 사냥을 돕는 보조적인 역할만 하지만, 매사냥에서 매는 주인을 대신해 짐승을 잡는 사냥꾼 역할을 한다. 매사냥의 주인공은 사람이 아니라 매인 것이다.

㉡그런데 아무 매나 매사냥의 주인공이 될 수는 없다. 매사냥에 쓰이는 매는 새끼 때부터 사람 손에서 길들여진 것이어야 한다. 매가 사냥을 할 만큼 훈련이 되면 본격적인 매사냥이 시작되는데, 매사냥을 할 때 우선 매사냥꾼은 사방이 잘 보이는 산의 높은 곳으로 매를 들고 올라간다. 준비하고 있던 몰이꾼들이 꿩을 몰면, 매사냥꾼은 날아가는 꿩을 향해 매를 떠나보내며 "매 나간다."라고 소리를 지른다. 그러면 몰이꾼들은 매에 달아놓은 방울의 소리를 따라 신속히 가서 매를 찾는다.

㉢그렇다면 이러한 매사냥은 언제, 어디에서 시작되었을까? 기록에 따르면 매사냥은 4,000여 년 전 고대 중앙아시아와 서아시아에서 시작되어 세계로 퍼져 나갔다. 메소포타미아 유적지에서는 매사냥꾼을 새긴 유물이 발견되었고, 마르코 폴로의 〈동방견문록〉에는 쿠빌라이 황제가 사냥터로 떠날 때 다양한 매 500마리를 •동원한 기록이 남아 있다.

(〈동방견문록〉: 13세기에 쓰인 여행기로 동방, 특히 중국을 여행한 마르코 폴로의 체험담을 기록)

㉣우리나라는 어떠했을까? 우리나라의 경우 매사냥이 어디로부터 전해져 언제부터 시작되었는지에 대한 정확한 기록은 남아 있지 않지만, 고구려 고분 벽화에 남아 있는 매사냥 그림을 통해 이미 삼국 시대부터 매사냥이 이루어졌음을 알 수 있다. 〈삼국사기〉에는 신라 진평왕이 매사냥에 푹 빠져 신하들이 걱정했다는 기록도 있다. 매사냥은 주로 왕과 귀족들 사이에서 성행했다. 고려 충렬왕은 매사냥을 담당하는 응방이라는 관청을 [두었고], 이를 위해 몽골에서 기술자를 데려오기도 했다.

㉤지금까지 매사냥의 방법과 역사에 대해 살펴보았다. 매사냥은 많은 정성과 시간을 들여 매를 길들인 후 행해지는 사냥법이다. 이러한 매사냥은 오랫동안 이어져 내려온 우리의 소중한 전통 문화유산이지만, 지금은 소수의 사람들만이 매사냥을 •전승해 가고 있다.

지문 핵심

갈래	설명문
성격	객관적, 사실적
제재	매사냥
주제	매사냥의 방법과 역사

이 글의 구성

처음(머리말)
유네스코 인류 무형 유산에 등재된 매사냥

⬇

중간(본문)
• 매사냥의 정의와 일반 사냥과의 차이점 • 매사냥에 쓰이는 매와 매사냥의 방법 • 매사냥의 기원과 우리나라 매사냥의 역사

⬇

끝(맺음말)
매사냥의 전승 현황

응방(鷹坊)

고려 · 조선 시대에 매의 사육과 매사냥을 담당했던 관청이다. 고려의 응방은 매사냥을 즐기던 몽골의 매 징발에 대한 대책이자, 매사냥을 좋아한 충렬왕의 기호에 따라 설치되었다. 응방은 궁궐을 비롯한 전국 각지에 설치되었으며, 매를 잡아 길러 원나라에 바치고, 왕이 사냥할 때 참가하는 등의 직무를 담당하였다.

어휘 쏙쏙

- **등재(登載)**: 일정한 사항을 장부나 대장에 올림.
- **명맥(命脈)**: 맥(脈)이나 목숨이 유지되는 근본.
- **동원(動員)**: 어떤 목적을 달성하고자 사람을 모으거나 물건, 수단, 방법 따위를 집중함.
- **전승(傳承)**: 문화, 풍속, 제도 따위를 이어받아 계승함. 또는 그것을 물려주어 잇게 함.

01

[A]에 사용된 설명 방식에 대한 이해로 가장 적절한 것은?

① 매사냥의 종류를 열거하고 기능을 분석하였다.
② 매사냥에 관한 통계 자료와 역사적 사실을 인용하였다.
③ 매사냥을 전승 방법에 따라 나누고 특징을 비교하였다.
④ 매사냥의 뜻을 풀이하고 다른 사냥과의 차이점을 드러내었다.
⑤ 매사냥이 전승되고 있는 이유와 그로 인한 결과를 밝히고 있다.

02

㉠~㉤의 뒤에 이어질 내용을 예측한 것으로 적절하지 않은 것은?

① ㉠: 매사냥이 어떤 것인지에 대한 내용이 나오겠네.
② ㉡: 매사냥에 사용되는 매에 대한 설명이 이어지겠어.
③ ㉢: 매사냥의 기원에 대한 내용이 이어질 듯해.
④ ㉣: 우리나라 매사냥의 유래에 대해 설명할 것 같아.
⑤ ㉤: 매사냥 전승 방식의 변화에 대한 설명을 반복하겠군.

03

이 글의 두었고와 문맥적 의미가 유사한 것은?

① 어린아이는 집에 혼자 두지 마세요.
② 이 학교는 학생 자치 위원회를 두고 있다.
③ 인생의 목표를 어디에 두느냐가 중요하다.
④ 학교에 두고 온 국어 책을 가지러 가야겠어.
⑤ 깨지기 쉬운 물건을 높은 곳에 두면 안 돼요.

조선 시대 사람들은 어떻게 살았을까

가 우리나라 식생활에서 특이한 것은 숟가락과 젓가락을 모두 사용한다는 점이다. 오늘날 전 세계에서 맨손으로 음식을 먹는 인구가 약 40%, 나이프와 포크로 먹는 인구가 약 30%, 젓가락을 사용하는 인구가 약 30%라 한다. [ⓐ]

나 그러나 처음에는 어느 민족이나 모두 음식을 손으로 집어 먹었다. 유럽도 마찬가지였다. 동로마 제국의 비잔티움에서 10세기경부터 식탁에 등장한 포크는 16세기에 이탈리아 상류 사회로 전해져 17세기 서유럽의 식생활에 상당한 변화를 일으켰으나, 신분이나 지역에 관계없이 전 유럽에 *보편화된 것은 18세기에 이르러서였다. 15세기의 예절서에 음식 먹는 손의 반대편 손으로 코를 풀라고 했던 것이나, 16세기의 사상가 몽테뉴가 너무 급하게 먹다가 종종 손가락을 깨물었다는 기록으로도 당시에 포크가 아니라 손가락을 사용하였음을 알 수 있다. [ⓑ]

다 그러나 동아시아 지역에서는 손으로 음식을 먹는 일이 서양보다 훨씬 일찍 사라졌다. 손 대신에 숟가락을 ㉠쓰기 시작했고, 이어서 젓가락을 만들어 숟가락과 함께 썼던 것이다. 그런데 우리나라 고려 후기를 즈음해서 중국과 일본에서는 숟가락을 쓰지 않고 젓가락만 쓰기 시작했다. [ⓒ]

라 우리는 숟가락을 사용하고 있을 뿐 아니라, 지금도 숟가락을 밥상 위에 내려놓는 것으로 식사를 마쳤음을 나타낼 정도로 숟가락은 식사 자체를 의미하였다. *유독 우리나라에서만 숟가락이 사라지지 않은 것은 음식에 물기가 많고 또 언제나 밥상에 오르는 국이 있었기 때문인 듯하다. [ⓓ]

마 [A] 우리의 국은 국물을 마시는 것도 있으나 대개는 건더기가 많고 밥을 말아 먹는 국이다. 미역국, 된장국, 해장국 등 거의 모든 국이 그러하다. 찌개류나 '물 만 밥'도 숟가락이 필요한 음식이다.

게다가 고려 후기에는 *몽고풍의 요리가 전해져 고기를 물에 넣고 삶아 그 우러난 국물과 고기를 함께 먹는 지금의 설렁탕, 곰탕이 생겨났다. 특히 국밥은 애초부터 밥을 국에 말아 놓은 것인데 이런 식생활 풍습은 전 세계에 유일한 것이라고 한다.

[ⓔ]

지문 핵심

갈래	설명문
성격	객관적, 사실적
제재	우리나라의 식생활 풍습
주제	숟가락과 젓가락을 모두 사용하는 우리나라의 식생활 풍습

세계 각국의 식사 도구의 역사

국가	역사
한국	• 숟가락을 쓰기 시작하다 젓가락을 만들어 함께 사용함. • 숟가락을 밥상 위에 내려놓는 것으로 식사를 마쳤음을 나타냄. • 숟가락이 꼭 필요한 식생활 풍습을 가지고 있음.
중국, 일본	• 숟가락을 쓰기 시작하다 젓가락을 만들어 함께 사용함. • 우리나라 고려 후기 즈음부터 젓가락만을 사용함.
유럽	• 10세기경 동로마 제국의 비잔티움에서 포크를 사용하기 시작함. • 16세기 이탈리아 상류 사회로 포크가 전해진 뒤 17세기 서유럽의 식생활에 변화를 일으킴. • 18세기에 신분, 지역에 관계없이 전 유럽에 포크 사용이 보편화됨.

어휘 쏙쏙

- **보편화(普遍化)**: 널리 일반인에게 퍼짐. 또는 그렇게 되게 함.
- **유독(唯獨/惟獨)**: 많은 것 가운데 홀로 두드러지게.
- **몽고풍(蒙古風)**: 몽골의 풍속이나 양식.

01

이 글에 대한 이해로 적절하지 않은 것은?

① 설렁탕이나 곰탕은 몽고풍의 요리에서 유래되었다.
② 이탈리아에서 포크를 먼저 사용한 계층은 상류층이었다.
③ 동아시아 지역에서는 숟가락보다 젓가락을 먼저 사용하기 시작했다.
④ 중국과 일본에서는 숟가락과 젓가락을 모두 사용하던 시기가 있었다.
⑤ 우리나라의 숟가락 사용은 국에 건더기가 많은 것과 밀접한 관련이 있다.

02

ⓐ~ⓔ 중 다음 내용을 넣기에 가장 적절한 곳은?

> 선조 때의 윤국형은 임진왜란 때 조선에 온 중국인들이 상하를 막론하고 숟가락을 쓰지 않는 것을 보고 기이하게 생각하였고, 통신사로 일본에 다녀온 신숙주도 일본에는 젓가락만 있고 숟가락이 없는 것을 특별히 기록으로 남겨 놓은 바 있다.

① ⓐ ② ⓑ ③ ⓒ ④ ⓓ ⑤ ⓔ

03

[A]에 사용된 설명 방식으로 가장 적절한 것은?

① 현상에 대한 원인과 결과를 제시하고 있다.
② 전문가의 말을 인용하여 신뢰성을 높이고 있다.
③ 대상에 대한 절차와 순서를 밝혀 설명하고 있다.
④ 구체적인 예를 제시하여 독자의 이해를 돕고 있다.
⑤ 시대의 흐름에 따라 변화된 대상의 특성을 설명하고 있다.

04

문맥적 의미가 ㉠과 가장 유사한 것은?

① 그는 요즘 연재소설을 쓰고 있다.
② 그는 억울하게 누명을 쓰고 감옥에 갇혔다.
③ 며칠을 앓았더니 입맛이 써서 맛있는 게 없다.
④ 문서 작성에 컴퓨터를 쓰지 않는 사람이 드물다.
⑤ 광부들이 온몸에 석탄 가루를 까맣게 쓰고 일을 한다.

03 읽기란 무엇인가

글 읽기의 즐거움

가 글은 신체의 일부가 아닌 기억과 상상의 확장이다. 기억과 상상의 확장인 이런 글을 읽음으로써 인간은 현실의 삶을 넘어서서 과거나 미래를 자유로이 넘나드는 *초월적인 삶을 누릴 수 있다.

나 책을 소유한 것은 책 속에 담긴 글의 내용을 소유한 것이 되어야 한다. 이것을 소유하게 되면 우리는 새로운 지식을 발견하는 '앎의 즐거움', 가슴이 설레거나 눈물이 핑 도는 듯한 '감동의 즐거움', 삶의 지혜를 터득하는 ㉠'깨달음의 즐거움'을 얻을 수 있다.

글을 읽는 이유

다 글을 읽는 첫째 이유는 인간과 사회, 그리고 자연에 대해 새롭게 이해하고 그에 관한 지식을 얻기 위해서이다. 창문을 여는 이유가 밖을 내다보기 위해서이듯이, 글을 읽는 이유는 무엇인가 새로운 것을 찾기 위해서이다. 그것이 바로 지식이고 정보이다.

라 둘째로 사람들은 할 일이 없을 때에 심심풀이로 혹은 재미로 책을 읽는다. 글을 읽음으로써 일상의 지루함에서 벗어나 환상의 세계에 빠져 보기도 하고, 감동을 느끼기도 하면서 기쁨을 얻게 되는 것이다. 이런 글 읽기는 생활의 수단으로서 지식이나 정보를 얻는 읽기와 달리 인간의 본성을 되찾게 하는 읽기라고 할 수 있다.

마 셋째로 느끼고 깨닫기 위해서, 즉 마음의 휴식을 얻기 위해서 글을 읽는다. 이런 읽기는 현대와 같은 지식 사회, 정보 사회에서 매우 중요한 역할을 하며, 점점 그 필요성이 커지고 있다. 지식과 정보가 절대시되고 과학의 발전과 경제 성장이 우선시되는 사회에서는 자칫 인간에 대한 관심이 소홀해지기 쉽다. 그렇기 때문에 다른 사람을 이해하고, 아름다움을 맛보고, 나와 이웃을 되돌아보는 읽기, 곧 느끼고 깨닫기 위한 읽기는 바로 이런 현대 사회에서 꼭 필요한 읽기가 되는 것이다.

글 읽기의 태도

바 글 읽기는 비록 속도가 느리고 다양한 감각을 구체적으로 느끼게 하는 데 한계가 있지만, 가장 *추상적인 것에서 가장 구체적이고 작은 부분에 이르기까지 모든 정보를 스스로 선택할 수 있게 한다는 장점이 있다. 적극적으로 글을 읽는 사람은 글의 선택에서부터 읽기 속도, 내용의 이해, 그리고 감상까지 모든 것을 스스로 결정한다. 읽기 중간에 잠시 멈추어 혼자만의 생각에 빠질 수도 있고, 싫증이 나면 글 읽기를 중단하였다가 나중에 다시 읽기도 한다. 이처럼 읽기는 스스로 결정하고 판단하여 자기만의 세계를 만들어 가는 과정이다. 그래서 읽기는 인간적이다.

사 읽기를 *생활화하기 위해서는 다음 두 가지의 노력이 동시에 이루어져야 한다. 첫째는 읽기의 중요성과 가치를 깨닫는 것이고, 둘째는 읽고 싶은 마음가짐을 갖추는 일이다. 이 두 가지를 깨닫는 것은 억지로 되는 일이 아니라 스스로 깨달을 수밖에 없다. 이를 위해서 읽기를 생활화한 사람을 보고 배우는 것도 하나의 방법이 될

지문 핵심

갈래	설명문
성격	해설적, 객관적, 체계적
제재	글 읽기
주제	글 읽기의 즐거움과 글을 읽는 이유, 태도

이 글의 구성

처음

글 읽기의 세 가지 즐거움
- 앎의 즐거움
- 감동의 즐거움
- 깨달음의 즐거움

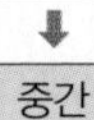

중간

글을 읽는 세 가지 이유
- 지식과 정보를 얻기 위해서
- 재미와 감동, 기쁨을 얻기 위해서
- 느끼고 깨닫기 위해서

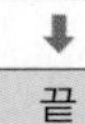

끝

적극적인 글 읽기의 태도와 읽기를 생활화하기 위한 노력
- 읽기의 중요성과 가치를 깨닫기
- 읽고 싶은 마음가짐을 갖추기

- **초월적(超越的)**: 어떠한 한계나 표준을 뛰어넘는. 또는 그런 것.
- **추상적(抽象的)**: 구체성이 없이 사실이나 현실에서 멀어져 막연하고 일반적인. 또는 그런 것.
- **생활화(生活化)**: 생활 습관이 되거나 실생활에 옮겨짐. 또는 그렇게 함.

수 있다. 반대로 누군가가 읽기의 중요성과 가치를 알고 읽기를 생활화하기를 바란다면, 먼저 자신이 읽기를 생활화하면 되는 것이다.

이것이 바로 글 읽기를 중요시하는 사회, 그리고 글을 읽는 사회를 만드는 지름길이 될 것이다.

---

01 **이 글에 나타난 '글'과 '글 읽기'에 대한 설명으로 적절하지 않은 것은?**

① 글을 통해 인간은 과거나 미래를 넘나들 수 있다.
② 글 읽기는 자기만의 세계를 만들어 가는 과정이다.
③ 글 읽기를 통해 인간과 사회에 대해 새롭게 이해할 수 있다.
④ 재미로 글을 읽는 것은 곧 인간의 본성을 되찾게 하는 읽기이다.
⑤ 글 읽기는 속도가 느리지만 다양한 감각을 구체적으로 느끼게 한다.

02 **(바)에서 말한 적극적인 책 읽기에 대한 설명으로 가장 적절한 것은?**

① 학교에서 권장하는 책은 빠짐없이 읽는 것이다.
② 글쓴이의 생각에 완전히 동의하며 읽는 것이다.
③ 글의 내용을 처음부터 끝까지 암기하며 읽는 것이다.
④ 글의 선택, 읽기 속도, 감상까지 스스로 결정하는 것이다.
⑤ 정해진 시간 안에 빠른 속도로 되도록 많은 책을 읽는 것이다.

03 **(사)의 내용을 바탕으로 읽기를 생활화하기 위한 노력에 대해 토의할 때, 알맞지 않은 것은?**

① 상일 : 읽기가 우리 삶에서 왜 중요하고, 그 가치가 무엇인지 알 필요가 있어.
② 지수 : 그리고 글을 스스로 읽고 싶은 마음을 갖추는 태도도 지녀야겠지?
③ 태훈 : 글쓴이가 말하는 읽기의 생활화란 매일 필독 도서를 읽는 것을 뜻해.
④ 연재 : 읽기를 생활화한 사람을 보고 배우면 나도 읽기를 생활화할 수 있겠지?
⑤ 규현 : 저마다 읽기를 생활화하다 보면 글을 읽는 인간적인 사회가 만들어질 거야.

04 **다음 중, 책을 읽고 ㉠을 얻은 사람은?**

① 유정 : 〈홍길동전〉을 읽고 조선 시대에는 적서 차별 제도가 있었다는 것을 알게 되었어.
② 정희 : 〈동백꽃〉을 읽고 소작농이 마름에게 잘못을 하면 땅과 집을 떼일 수 있었다는 것을 알았어.
③ 완서 : 그동안 이웃에게 무관심했었는데, 〈소음 공해〉를 읽고 앞으로는 이웃에게 관심을 가져야겠다고 생각했어.
④ 현덕 : 〈자전거 도둑〉의 수남이가 비도덕적인 주인 영감 곁을 떠나 도덕성을 중요시하는 아버지에게 돌아가는 모습이 정말 대견했어.
⑤ 허균 : 〈나비를 잡는 아버지〉에서 아버지가 아들이 자존심 상해하는 것을 이해하고, 자신이 대신 나비를 잡는 장면을 읽고 나도 모르게 눈물이 났어.

01 친절 강요하는 사회

가 며칠 전 한 음식점에서 한 쌍의 남녀가 종업원에게 항의하는 장면을 보았다. 싫어도 들리는 소리를 들어 보니, 할인 혜택 적용을 두고 업체와 손님의 해석이 서로 달라 생겨난 문제였다. 쩔쩔매면서도 꼬박꼬박 존댓말을 쓰는 20대 초반의 여성 점원과 때때로 반말까지 섞어 쓰며 짜증을 내는 손님의 태도는 참 대조적이었다. 결국 손님 중 한 사람이 다짜고짜 이야기를 중단시키며 당신이랑은 말이 안 통하니 매니저를 불러 달라고 이야기하자 종업원의 표정은 새파랗게 질렸고 결국 그 손님들의 요구를 들어주었다.

나 ⓐ친절한 서비스는 기분이 좋은 것이지만 나는 때때로 사회가 서비스 제공자들에게 너무 지나치게 친절함을 강요하는 것이 아닌지를 생각하게 된다. 언제부터인가 우리 사회에는 '손님은 왕', '손님은 언제나 옳다' 등 구매자의 권리를 극대화한 선전 구호가 당연한 진리처럼 받아들여지고 있다. 물론 손님들은 돈을 내고 그 사람의 서비스를 산다. ⓑ그러나 자신이 돈을 냈기 때문에 무례하게 굴어도 된다거나 그들의 감정까지 살 수 있다고 착각해선 안 된다.

(선전 구호: 광고, 선전 따위에서 남의 주의를 끌기 위한 문구나 표어)

다 ⓒ서비스업에 많이 종사하는 여성들은 높은 수위의 감정 노동을 요구받는다. 아무리 손님이 경우 없이 굴어도 웃음을 잃지 말아야 하고 예의 바르게 대해야 한다. 조금만 마음에 들지 않아도 인터넷에 항의 글을 올려 버려 상담할 때마다 신경증에 걸릴 것 같다는 상담 도우미 친구의 이야기에 참 가슴이 아팠다. 손님들 가운데 다짜고짜 반말을 쓰는 것은 물론이고 무리한 요구를 하는 이들도 많은데, 상부에서는 회사 이미지를 위해 묵인하고 결국 종업원의 책임으로 돌린다고 한다.

(신경증: 불안, 과로, 갈등, 억압 따위의 감정 체험이 원인이 되어 일어나는 신체적 병증)

라 문제는 서비스 만족도의 기준이 고객 *유치와 이익 *창출이라는 과열된 경쟁 속에서 끊임없이 높아진다는 데 있다. 조금이라도 많은 이익을 얻으려고 다소 무리한 부분까지도 '질 높은 서비스'라는 이름으로 요구하고 있는 실정이다. ⓓ고객을 내려다보지 않는다는 취지로 음식점에서 무릎을 꿇고 주문을 받는 서비스가 대표적이다. 단지 음식을 주문하는 데 바닥에 다른 사람을 무릎까지 꿇게 만들 필요가 있을까?

마 결국 '질 높은 서비스'란 돈이면 다 되는 것이 아니라 사용자와 제공자가 모두 서로를 배려하고 존중할 때 생겨나는 것이다. 그러나 지금의 사회는 구매자의 예의는 전혀 고려하지 않고 과도하게 일방적인 서비스를 강요한다. 휴대전화 서비스 센터에 전화를 걸면 상담원은 "고객님, 사랑합니다."라고 예쁜 목소리로 대답한다. ⓔ얼굴 한 번 보지 못한 사람의 사랑 고백이 부담스럽다고 생각하는 것은 정녕 나뿐인가?

지문 핵심

갈래	논평(칼럼)
성격	비판적, 설득적
제재	친절한 서비스를 강요하는 사회
주제	지나친 친절을 강요하는 사회에 대한 비판

이 글의 구성

- 처음: 일방적인 고객의 요구에 순응해야 했던 종업원의 이야기
- 중간: 서비스업 종사자들에게 지나치게 친절함을 강요하는 사회 현상과 그 원인
- 끝: 사용자와 제공자가 서로를 배려하고 존중할 때 질 높은 서비스가 생겨남.

이 글에 나타난 사회 현상과 글쓴이의 태도

- 사회 현상: 사회가 서비스 제공자에게 지나친 친절을 강요하고 있음.
- ↑ 비판적
- 글쓴이의 태도: 마음에서 우러나는 친절이 아닌 강요된 친절을 비판적으로 바라봄.

어휘 쏙쏙

- **유치(誘致)**: 꾀어서 데려옴.
- **창출(創出)**: 전에 없던 것을 처음으로 생각하여 지어내거나 만들어 냄.

01 이 글을 쓴 목적으로 알맞은 것은?

① 글쓴이의 삶을 반성하기 위해
② 사회적 문제를 비판하기 위해
③ 유용한 정보를 제공하기 위해
④ 글쓴이의 개성을 드러내기 위해
⑤ 글쓴이의 정서를 표현하기 위해

02 (가)~(마)의 내용 전개 방식으로 적절하지 않은 것은?

① (가) : 구체적인 경험을 통해서 흥미를 돋우고 있다.
② (나) : 사회적 문제를 환기하고 자신의 견해를 밝히고 있다.
③ (다) : 구체적인 사례를 나열하고 바람직한 방향을 제시하고 있다.
④ (라) : 문제가 발생하게 된 근본 원인을 분석하고 있다.
⑤ (마) : 해결 방안을 제시하며 글을 마무리하고 있다.

03 이 글을 통해서 알 수 있는 사실이 아닌 것은?

① 글쓴이는 무례한 고객의 태도에 대해 부정적이다.
② 서비스업 종사자의 감정 노동은 심각한 수준이다.
③ 지나친 친절은 구매자와의 충돌을 불러일으킬 수 있다.
④ 기업은 긍정적 이미지를 얻기 위해 고객의 무리한 요구를 묵인하기도 한다.
⑤ 고객이 돈을 냈다고 해서 서비스 제공자의 감정까지 살 수 있는 것은 아니다.

04 ⓐ~ⓔ에 대한 설명으로 적절하지 않은 것은?

① ⓐ : 글쓴이가 생각하는 문제점을 제시한다.
② ⓑ : 서비스에 대한 잘못된 인식을 꼬집는다.
③ ⓒ : 육체노동에 비해 감정 노동이 힘들다는 것을 드러낸다.
④ ⓓ : 서비스 경쟁으로 인한 지나친 친절의 사례이다.
⑤ ⓔ : 의문의 형식으로 표현하여 자신의 의견을 강조하고 있다.

05 글쓴이가 생각하는 친절을 강요하는 사회의 원인으로 알맞은 것은?

① 정부의 어긋난 정책
② 손님의 예의 바른 태도
③ 서비스업 종사자의 잘못된 태도
④ 이익을 창출하기 위한 과열된 경쟁
⑤ 사용자와 제공자의 서로에 대한 배려심

여성의 정치 참여

가 세상의 절반은 여성이다. 그러나 정치 분야에 진출한 여성은 매우 적다. 유엔 인류 발전 보고서(2004년)에 따르면 여성의 정치 참여율이 가장 높은 스웨덴의 여성 의원 비율이 45.3%이고, 미국은 14%, 한국은 5.9%에 지나지 않는다. 그렇다면 이렇게 여성의 ㉠정치 참여가 낮은 이유는 무엇이며 참여를 늘릴 수 있는 *방안에는 어떤 것이 있을까?

나 여성의 정치 참여가 낮은 이유는 크게 세 가지이다. 첫째는 정치의 성격 자체가 남성에게 유리하기 때문이다. 흔히 정치를 "*권력을 얻기 위한 경쟁"이라고 하는데, '권력'이나 '경쟁'은 여성보다 남성에게 더 친숙하다. 남학생 간의 잦은 힘겨루기를 떠올려 보면 이를 쉽게 이해할 수 있다. 둘째는 남성과 여성의 사회화 과정의 차이이다. 사회가 남자 아이에게는 활동성을 강조하는 데 비해, 여자 아이에게는 얌전하게 가정을 벗어나지 않도록 교육한다. 이렇게 사회화되는 차이 때문에 여성이 정치 참여에 소극적인 것이다. 셋째는 여성의 정치 참여를 방해하는 제도 때문이다. 이미 남성 중심으로 짜인 정치 구조에 여성이 새로 들어가기란 상당히 어렵다. 예를 들어, 한 선거구에서 여러 명의 의원을 선출하면 여성의 당선 확률이 높아지는데, 실제로는 많은 나라가 한 명의 의원만을 선출하기 때문에 계속 남성 정치인이 당선되는 면이 있다.

다 [A] 이렇게 쉽지 않은 여성의 정치 참여를 늘리는 방법 중 하나는, 정치에 대한 생각을 바꾸는 것이다. 정치를 '권력을 얻기 위한 경쟁'으로 보면 여성의 정치 참여에 어려움이 있지만, 정치를 나눔과 돌봄, 공존과 조화로 보면 여성의 정치 참여는 한결 쉬워진다. 왜냐하면 일반적으로 여성은 경쟁보다는 나눔, 힘보다는 설득이나 조화에 더 가치를 두는 편이기 때문이다.

라 다른 하나는, 제도를 통해 여성 정치인의 수를 늘리는 것이다. 이를 위해 의석 할당제나 후보 할당제를 적극 시행할 필요가 있다. 의석 할당제는 의원 수의 일부를 여성의 몫으로 정하는 것이고 후보 할당제는 의원 수가 아니라 의원이 될 수 있는 후보의 일정 비율을 여성으로 정하는 제도이다. 스웨덴이나 핀란드 등의 나라는 일찍부터 의석 할당제를 도입하여 여성 정치인의 수가 대폭 증가하였다.

마 세상의 반을 차지하면서도 여성은 남성과 동등한 정치 참여를 하지 못하고 있다. 이는 자유, 평등, 인간 존중의 실현을 목표로 하는 민주주의의 *이상과도 맞지 않으며 인류의 발전에도 결코 도움이 되지 않는다. 이제 정치에 대한 새로운 시각으로 여성의 정치 참여를 제도화하고, 여성의 정치 참여의 폭을 넓혀야 할 때이다.

지문 핵심

갈래	논설문
성격	설득적
제재	여성의 정치 참여
주제	여성의 정치 참여가 낮은 이유와 여성의 정치 참여를 확대하기 위한 방법

이 글의 논지 전개 과정

문제 제기	여성의 정치 참여율이 낮음.
원인 분석	• 남성에게 유리한 정치의 성격 • 남성과 여성의 사회화 과정의 차이 • 여성의 정치 참여를 방해하는 제도
주장 (방안 제시)	• 정치에 대한 인식 변화 • 여성의 정치 참여를 늘릴 수 있는 제도의 시행
주장 강조	여성의 정치 참여 확대의 필요성과 개선 노력 촉구

이 글의 논지 강화 방식

- 객관성이 검증된 기관의 통계 자료나 연구 결과를 제시하여 신뢰성을 높임.
  예 '유엔 인류 발전 보고서(2004년)에 따르면 ~'
- 예시를 통해 해결책의 실효성을 검증함.
  예 '스웨덴이나 핀란드 등의 나라는 ~ 여성 정치인의 수가 대폭 증가하였다.'

어휘 쏙쏙

- **방안(方案)**: 일을 처리하거나 해결하여 나갈 방법이나 계획.
- **권력(權力)**: 남을 복종시키거나 지배할 수 있는 공인된 권리와 힘. 특히 국가나 정부가 국민에 대하여 가지고 있는 강제력.
- **이상(理想)**: 생각할 수 있는 범위 안에서 가장 완전하다고 여겨지는 상태.

01

이 글에서 ㉠이 뜻하는 바로 가장 적절한 것은?

① 투표권을 행사하는 것
② 투표할 권리를 갖는 것
③ 정치적 문제에 관심을 갖는 것
④ 국회나 지역 의회의 의원이 되는 것
⑤ 자신이 지지하는 정당에 후원금을 내는 것

02

글쓴이의 의도가 반영된 제목으로 가장 적절한 것은?

① 민주주의의 이상, 실현 가능한가
② 여성의 정치 참여, 득인가 실인가
③ 여성과 남성, 누가 정치의 적임자인가
④ 권력을 향한 경쟁, 어디까지 갈 것인가
⑤ 여성의 정치 참여, 어떻게 확대할 것인가

03

[A]의 설득력을 높이기 위한 내용으로 가장 적절한 것은?

① 남녀의 경쟁에서 남성이 우월한 분야를 제시한다.
② 여자 아이에게 여성성을 강조하는 교육 방안을 제시한다.
③ 여성 중심의 정치가 불러오게 될 부정적인 결과를 제시한다.
④ 정치에 대한 사람들의 인식을 바꿀 수 있는 실천 방안을 제시한다.
⑤ 여성도 권력과 경쟁을 지향할 수 있음을 보여 주는 사례를 제시한다.

04

〈자료〉는 이 글 마지막 문단의 초고를 고쳐 쓴 것이다. 고쳐 쓴 이유로 적절하지 않은 것은?

자료

세상의 반을 차지하면서도 여성은 남성과 ㉠ ~~동일한~~ 동등한 정치 참여를 하지 못하고 있다. 이는 ㉡ 자유, 평등, 인간 존중의 실현을 목표로 하는 민주주의의 이상과도 맞지 않으며 인류의 발전에도 ㉢ 결코 도움이 되지 ㉣ ~~않으니~~ 않는다. 이제 정치에 대한 새로운 시각으로 여성의 정치 참여를 제도화하고, 여성의 정치 참여의 폭을 넓혀야 할 때이다. ㉤ 여성이 남성보다 더 앞설 시대가 다가오고 있다.

① ㉠: 적절한 의미의 낱말을 쓰기 위하여
② ㉡: 나열 관계를 바르게 표기하기 위하여
③ ㉢: 부정의 의미를 강조하기 위하여
④ ㉣: 긴 문장을 간결하게 하기 위하여
⑤ ㉤: 불필요한 반복을 피하기 위하여

준거점과 손실회피성

가 우리의 경제 활동을 들여다보면 가끔 이해하기 어려운 현상을 만날 때가 있다. 예컨대, 똑같이 백만 원을 벌었는데도 어떤 사람은 만족하고 어떤 사람은 만족하지 못한다. 또 한 번도 당첨된 적이 없는데도 복권을 사는 데 많은 돈을 쓰는 사람들이 있다. 왜 그럴까? 지금부터 '준거점'과 '손실회피성'이라는 개념을 통해 이러한 현상의 원인을 이해해 보자.

나 먼저 다음 예를 살펴보자. A의 용돈은 만 원, B의 용돈은 천 원이다. 그런데 용돈에 변화가 생겨서 A의 용돈은 만천 원이 되고, B의 용돈은 이천 원이 되었다. 이때 둘 중에 누가 더 만족할까? 객관적인 기준으로 본다면 A는 B보다 여전히 더 많은 용돈을 받으므로 A가 더 만족해야 한다. 그러나 용돈이 천 원 오른 것에 대해 A는 원래 용돈인 만 원을 기준으로, B는 천 원을 기준으로 그 가치를 느낄 것이므로 실제로는 B가 더 만족할 것이다. 이렇게 경제적인 이익이나 손실의 가치를 판단할 때 작동하는 내적인 기준을 경제 이론에서는 '준거점'이라고 한다. 사람들은 이러한 준거점에 의존하여 이익과 손실의 *가치를 판단한다.

다 그런데 사람들은 똑같은 금액의 이익과 손실이 있을 때, 이익으로 인한 기쁨보다 손실로 인한 고통을 더 크게 느낀다. 즉, 백만 원이 생겼을 때 느끼는 기쁨보다 백만 원을 잃었을 때 느끼는 슬픔을 더 크게 느낀다는 것이다. 이러한 심리적 특성으로 인해 사람들은 경제 활동을 할 때 손실이 일어나는 것을 회피하려는 *경향이 있다. 이것을 '손실회피성'이라고 한다.

라 손실회피성은 주식에 *투자하는 사람들의 행동에서 쉽게 찾아볼 수 있다. 주식에 십만 원을 투자했는데 오만 원을 잃은 사람이 있다고 ㉠가정하자. 그가 그 시점에서 주식 투자를 그만두면 그는 확실히 오만 원의 손실을 입는다. ㉡그러나 주식 투자를 계속하면 이미 잃은 오만 원은 확실한 손실이 아닐 수 있다. ㉢왜냐하면 주식 투자를 계속할 경우 잃은 돈을 다시 벌 수 있는 가능성이 있기 때문이다. ㉣이러한 상황에서 사람들은 확실한 손실보다는 불확실한 손실을 선택하여 자신이 입을 손실을 회피하려고 한다. 주식 투자를 할 때 사람들이 돈을 잃어도 쉽게 그만두지 못하는 것은 손실회피성 때문이다. ㉤이때 준거점에 의해 손실의 가치를 크게 느낄수록 주식 투자를 그만두기는 더 어렵다. 돈을 적게 잃었다고 생각하는 사람보다, 돈을 많이 잃었다고 생각하는 사람이 손실에 대한 두려움이 크기 때문이다.

마 요컨대, 준거점은 이익이나 손실의 가치를 판단할 때 작동하는 내적인 기준이고, 손실회피성은 경제 활동을 할 때 손실이 일어나는 것을 회피하려는 경향이다. 준거점과 손실회피성은 따로 기능하는 것이 아니라 복합적으로 작용한다.

지문 핵심

갈래	설명문
성격	객관적, 설명적
제재	준거점과 손실회피성
주제	준거점과 손실회피성의 개념과 관계

이 글의 설명상의 특징

① 문단별 중심 화제나 관련 내용의 사례를 들어 이해를 도움.

(가)	경제 활동 중 이해하기 어려운 현상의 예 → 백만 원을 벌었을 때의 만족도 차이 → 당첨 경험이 없어도 복권 구매에 많은 돈을 쓰는 사람
(나)	준거점의 예 → 동일한 금액의 용돈이 오를 때 느끼는 만족도의 차이
(다)	기쁨보다 고통을 크게 느끼는 심리의 예 → 백만 원이 생겼을 때의 기쁨보다 백만 원을 잃었을 때의 슬픔을 크게 느낌.
(라)	손실회피성의 예 → 주식 투자에서 돈을 잃었을 때 그만두지 못하는 심리

② 앞서 설명한 내용을 다시 한 번 요약 제시: (마)에서 준거점과 손실회피성의 개념 요약

준거점과 손실회피성의 관계

- 준거점과 손실회피성은 복합적으로 작용함.
- 준거점에 의해 손실의 가치를 크게 느낄수록 손실회피성이 드러남. 예 주식 투자에서 입은 손실이 크다고 느낄수록 손실을 만회하기 위해 투자를 지속할 가능성이 커짐.

어휘 쏙쏙

- **가치(價値)**: 사물이 지니고 있는 쓸모.
- **경향(傾向)**: 현상이나 사상, 행동 따위가 어떤 방향으로 기울어짐.
- **투자(投資)**: 이익을 얻기 위하여 어떤 일이나 사업에 자본을 대거나 시간이나 정성을 쏟음.

01

(가)~(마)의 전개 방식으로 적절하지 않은 것은?

① (가)는 문제를 제기하고 화제를 밝히고 있다.
② (나)와 (다)는 (가)에서 제시한 화제를 설명하고 있다.
③ (다)는 화제를 정의한 뒤 보충 설명을 하고 있다.
④ (라)는 (다)의 화제를 예를 들어 설명하고 있다.
⑤ (마)는 (나)~(라)에서 설명한 내용을 요약하고 있다.

02

이 글의 ㉠~㉤을 탐구한다고 할 때, 적절하지 않은 것은?

① ㉠이라고 했으니 실제 일어난 상황은 아니지만 손실회피성이 나타나는 예를 제시하고 있는 것이구나.
② ㉡이라고 했으니 손실회피성이 드러나지 않는 원인이 나오겠네.
③ ㉢이라고 했으니 다음 내용은 오만 원을 잃은 것이 확실한 손실이 아닐 수 있는 이유가 되겠네.
④ ㉣은 잃은 돈을 다시 벌 수 있는 가능성이 있는 상황을 가리키는 거야.
⑤ ㉤은 문맥으로 보아 손실회피성이 작용할 때를 말하고 있어.

03

(나)를 바탕으로 볼 때 만족감이 가장 클 것으로 기대되는 사례는?

① 민희의 한 달 용돈이 십만 원에서 십일만 원으로 올랐다.
② 영희는 만 원씩 받던 한 달 용돈을 이달부터 이만 원씩 받았다.
③ 영호는 오만 원의 용돈을 받다가 이달부터 육만 원을 받게 되었다.
④ 철수는 용돈으로 이만 원을 받았는데 이달부터 삼만 원으로 올려 받았다.
⑤ 인수는 매달 이만 오천 원의 용돈을 받다가 이달부터 삼만 오천 원을 받았다.

눈에 관한 오해와 진실

가 우리는 눈에 대해서 얼마나 많이, 그리고 정확히 알고 있을까? 혹시 상당 부분 잘못 알고 있는 것은 아닐까? 여러 감각 기관 중에 눈에 관한 오해가 유독 많다는 것은 눈의 소중함을 *역설적으로 보여 준다.

나 사람들은 책을 오래 보거나 텔레비전이나 컴퓨터 모니터를 많이 보면 시력이 나빠진다고 여기지만 안과 전문의들은 "글쎄요."라는 반응을 보인다. 시력의 좋고 나쁨에는 유전적 요인이 가장 크다는 것이다. 안과 의사들은 대부분 *근시가 공부를 가장 많이 하는 고등학교 때가 아니라 중학교 때, 즉 키가 가장 많이 크고 눈알 크기도 가장 많이 변하는 시기에 발생하는 것을 보면 눈을 혹사한다고(혹독하게 일을 시킨다고) 시력이 나빠지지는 않는다고 설명한다. 동물 실험 결과, 근시가 생기려면 하루 12시간 이상 1미터 이내의 물건만 봐야 하는데 현실적으로 이런 상황에 있기란 쉽지 않다.

다 어두운 곳에서 책을 보면 근시가 된다는 믿음도 사람들이 쉽게 믿는 오해이다. 만일 이것이 사실이라면 촛불이나 등잔불로 생활을 했던 옛날 사람들은 모두 근시였을 것이다. 시력과 조명 상태 사이의 관계는 아직까지 의견이 나뉘긴 하지만 어두운 환경과 시력은 직접적인 연관이 없는 것으로 밝혀지고 있다. 다만 어두운 상태에서 공부를 하거나 작업을 할 경우에는 능률이 떨어지고 눈도 쉽게 피로해지기 때문에 밝은 조명을 선호하는 것뿐이다.

라 안경을 착용하면 눈이 더 나빠진다고 생각하는 것도 잘못된 믿음이다. 안경을 썼기 때문에 눈이 더 나빠지는 것은 아니다. 근시인 아이들은 성장기 동안 몸이 크는 것에 비례하여 안구의 길이도 늘어나기 때문에 시력도 점점 나빠진다. 그렇기 때문에 안경을 쓰고 6개월이 지나면 다시 시력 검사를 하여 나빠진 만큼 안경 도수를 조절해 주어야 하는데, 이것을 두고 안경 때문에 눈이 더 나빠졌다고 오해하는 사람들이 간혹 있는 것이다. 먼 거리가 안 보인다고 모두 안경을 처방받아야 하는 것은 아니다. 어린이 중에 일시적으로 근시가 생기는 '가성 근시'가 있으며 이는 약물 치료로 해결할 수 있다. 가성 근시인 아이가 안경을 쓰면 영영 근시가 된다.

마 사람들은 외출 뒤에 손을 씻듯 눈알도 깨끗이 씻어야 한다고 생각한다. 하지만 눈알을 뽀도독뽀도독 씻거나 세숫대야에 얼굴을 담그고 눈을 깜빡이며 눈을 씻는 것과 같이, 눈물을 씻어 없애는 행위는 일종의 자해(自害) 행위이다. 이런 행동은 적군이 침입하는데 혹시 아군에 첩자가 있을지도 모른다고 군대를 *해산하는 것과 똑같다. 세수할 때에는 눈을 감은 채 눈꺼풀을 지그시 누르면서 씻으며 눈곱만 가볍게 떼어 내야 한다.

바 또한 눈을 자주 깜빡이면 정서가 불안하다고 핀잔을 들을지 몰라도 눈의 건강을 위해서는 눈을 자주 깜빡이는 것이 좋다. 이렇게 해서 눈물샘을 자극해 눈물이 나오도록 한 다음 눈을 감고 손가락으로 가볍게 눈을 눌러 주는 것이 좋다. 눈을 눌러 주지 않더라도 틈틈이 눈을 감고 쉬면 눈물이 눈 안으로 골고루 퍼지게 된다.

지문 핵심

갈래	설명문
성격	객관적, 해설적, 체계적
제재	눈에 대한 오해
주제	눈에 대한 올바른 지식의 중요성

이 글의 구성

처음
눈에 관한 오해가 많음.

⬇

중간
눈에 관한 오해와 진실

⬇

끝
눈에 대해 정확히 알 것을 당부

설명문의 구성

처음(머리말)
• 독자의 관심 유도 • 글을 쓰게 된 동기 또는 목적 제시 • 설명할 대상 소개

중간(본문)
• 대상에 대한 구체적인 설명 • 여러 가지 설명 방법 사용

끝(맺음말)
중간에서 설명한 내용을 간단하게 요약 및 정리, 마무리

- **역설적(逆說的)**: 어떤 주장이나 이론이 겉보기에는 모순되는 것 같으나 그 속에 중요한 진리가 함축되어 있는. 또는 그런 것.
- **근시(近視)**: 가까운 데 있는 것은 잘 보아도 먼 데 있는 것은 선명하게 보지 못하는 시력.
- **해산(解散)**: 집단, 조직, 단체 따위가 해체하여 없어짐. 또는 없어지게 함.

(사) 지금까지 눈에 대한 여러 가지 오해를 살펴보았다. 우리 몸에 대한 잘못된 지식은 오히려 우리의 건강을 해칠 수 있으므로 반드시 이를 바로잡아야 한다. 따라서 눈에 대해 정확히 아는 것은 우리의 소중한 눈을 지키는 길이기도 하다.

01

이 글을 읽기 전에 할 만한 활동으로 알맞은 것은? (정답 2개)

① 구절의 의미를 파악해 본다.
② 제목을 보고 내용을 짐작해 본다.
③ 지시어나 접속사의 기능을 생각해 본다.
④ 글을 통해 알고 싶은 내용을 떠올려 본다.
⑤ 글 전체의 내용을 구조화하여 도표로 만든다.

02

〈보기〉의 내용이 들어가기에 알맞은 위치는?

보기
흔히 많은 부모들은 아이가 가까이서 텔레비전을 보면 눈이 나빠진다고 혼을 내는데, 오히려 눈이 나빠서 텔레비전을 가까이서 볼 가능성이 크므로 안과에 데리고 가 정확한 검진을 받는 것이 우선이다.

① (가)의 앞 ② (가)의 뒤 ③ (나)의 뒤 ④ (다)의 뒤 ⑤ (라)의 뒤

03

눈에 대한 오해와 그에 관한 진실을 정리한 내용으로 적절하지 않은 것은?

	오해	진실
①	어두운 곳에서 책을 보면 근시가 된다.	어두운 환경과 시력은 직접적인 연관이 없다.
②	안경을 착용하면 눈이 더 나빠진다.	눈이 더 나빠졌기 때문에 안경 도수를 조절하는 것이다.
③	근시가 생기면 반드시 안경을 써야 한다.	가성 근시일 때만 안경을 쓰는 것이다.
④	외출 후에는 눈알을 깨끗이 씻어야 한다.	눈을 감고 눈꺼풀을 누르며 가볍게 씻어야 한다.
⑤	눈을 깜빡이면 정서가 불안하다는 뜻이다.	눈을 깜빡이는 것은 눈물샘을 자극해 눈 건강에 좋다.

04

(사)의 역할에 대한 설명으로 적절한 것은?

① 설명할 대상을 소개한다.
② 글을 쓴 동기를 제시한다.
③ 대상을 구체적으로 설명한다.
④ 전체 내용을 요약하고 정리한다.
⑤ 다양한 설명 방법으로 대상을 설명한다.

02 3차원 프린터

요즘 3차원 프린터가 주목받고 있다. 약 30년 전에 이 프린터가 처음 등장했을 때에는 가격이 비싸 전문가들이 산업용으로만 사용해 왔다. 그러나 3차원 프린터의 가격이 떨어지고 생산량이 증가하면서 일반 가정에서도 접할 수 있게 되었다.

3차원 프린터는 일반 프린터와 작동 방식과 결과물에 차이가 있다. 일반 프린터는 잉크를 종이 표면에 분사하여 인쇄하는 방식이기 때문에 2차원의 이미지 제작만 가능하다. 그러나 3차원 프린터는 특수 물질이나 금속 가루 등 다양한 재료를 쏘아 층층이 쌓아 올리는 방식이기 때문에 자동차 모형, 스마트폰 케이스 등과 같은 실물도 만들 수 있다.

3차원 프린터의 장점은 *시제품 제작과 같이 소규모로 제품을 생산해야 하는 상황에서 ㉠빛을 발한다. 3차원 프린터와 입체 도면만 있으면 빠른 시간 안에 적은 비용으로 시제품을 만들 수 있기 때문이다. 또한 3차원 프린터를 사용하면 제품을 쉽게 수정할 수 있다. 제품 디자인을 변경하거나 생산한 제품에서 오류를 발견하였을 경우, 컴퓨터로 도면만 수정하면 바로 제품을 다시 만들 수 있다. 이렇게 제작 과정이 간단할 뿐 아니라 비용과 시간을 *대폭 절약할 수 있기 때문에 여러 회사들이 3차원 프린터를 이용해 다양한 시제품과 모형을 생산하고 있다.

이러한 3차원 프린터는 여러 분야에 다양하게 활용될 수 있다. 의료 분야에서는 3차원 프린터를 활용하여 인공 턱, 인공 귀, 의족 등과 같이 인간의 신체에 이식할 수 있는 복잡하고 *정교한 인공물을 생산한다. 우주 항공 분야에서도 국제 우주 정거장에서 필요한 실험 장비나 건축물 등을 3차원 프린터를 활용하여 제작할 계획이다. 지구에서 힘들게 물건을 운반할 필요 없이 3차원 데이터를 전송하면 바로 우주에서 제작이 가능하기 때문이다.

3차원 프린터의 적용 분야는 앞으로의 기술 발전에 따라 무한히 확대될 수 있을 것이다. 지금도 3차원 프린터는 자동차, 패션, 영화, 건축, 로봇 등 그 적용 분야를 넓혀 가고 있다.

지문 핵심

갈래	설명문
성격	객관적, 사실적
제재	3차원 프린터
주제	3차원 프린터의 특징(장점)과 활용 분야

문단별 중심 내용

1문단	최근 주목받는 3차원 프린터 소개
2문단	3차원 프린터와 일반 프린터의 차이
3문단	3차원 프린터의 장점 – 시간과 비용 절약 – 제품 수정의 용이성
4문단	3차원 프린터의 활용 분야 – 의료 분야 – 우주 항공 분야
5문단	3차원 프린터의 적용 분야에 대한 전망

이 글에 쓰인 설명 방법 – 대조

• 대조: 둘 이상의 대상을 견주어 차이점을 위주로 설명하는 것

일반 프린터	↔	3차원 프린터
잉크	재료	특수 물질, 금속 가루 등 다양
종이 표면에 잉크를 분사하여 인쇄	작동 방식	재료를 쏘아 층층이 쌓아 올리는 방식
2차원의 이미지	결과물	실물(입체적인 물품)

• **시제품(試製品)**: 시험 삼아 만들어 본 제품.
• **대폭(大幅)**: 큰 폭이나 범위.
• **정교한(精巧―)**: 솜씨나 기술 따위가 정밀하고 교묘한.

01

'3차원 프린터'에 대한 글쓴이의 관점으로 가장 적절한 것은?

① 일반 가정에서의 사용이 늘어남에 따라 산업 관련 전문가들의 사용은 줄어들 것이다.
② 일반 프린터와 작동 방식에 차이가 있어서 시장 규모가 커지는 데 제약이 있을 것이다.
③ 제품에 오류가 발견되면 도면을 수정하지 않고도 제품을 쉽게 재생산할 수 있을 것이다.
④ 재료를 층층이 쌓아 올려 제품을 생산하므로 정교한 제품 생산에는 적합하지 않을 것이다.
⑤ 빠른 시간 내에 적은 비용으로 시제품을 생산할 수 있으므로 다양한 분야에서 활용될 것이다.

02

㉠의 문맥적 의미로 가장 적절한 것은?

① 다양해진다　② 정확해진다　③ 복잡해진다
④ 새로워진다　⑤ 두드러진다

03

〈자료〉는 이 글을 읽은 학생이 작성한 메모이다. 글의 목적에 맞게 글을 쓰기 위한 계획으로 적절하지 않은 것은?

자료

- 글의 목적 : 3차원 프린터 활용 동아리 가입 권유
- 예상 독자 : 우리 학교 신입생 ······ ㉠
- 글의 종류 : 복도 게시판에 붙일 홍보문 ······ ㉡
- 내용 : 1. 동아리의 주요 활동 ······ ㉢
  2. 동아리의 가입 방법 ······ ㉣

① ㉠을 고려할 때, ㉢에 신입생들의 흥미를 끌 수 있는 내용을 넣어야겠어.
② ㉠을 고려할 때, ㉣에는 지원서를 제출하는 장소를 그림으로 그려서 알려 주어야겠어.
③ ㉡을 고려할 때, 우리 동아리 홍보문이 눈에 띄도록 인상적인 제목을 만들어야겠어.
④ ㉢에 동아리에서 제작한 우수 작품을 소개하여 활동 사례를 보여 주어야겠어.
⑤ ㉣에는 우리 학교 동아리의 종류를 다양하게 제시해야겠어.

03 현대 사회와 과학

가 과학이 사회에서 점점 중요한 위치를 차지해 오는 동안 과학의 내용은 점점 전문화(專門化)되고 어려워졌다. 특히, 복잡한 *수식(數式)이 도입된 과학 분야들은 일반 지식인들로서는 전혀 이해할 수 없을 정도로 전문화되었고, 많은 과학자들까지도 자기 분야 이외의 다른 분야의 과학 내용을 이해할 수가 없게 되었다. 결국, 사회에서 과학이 가지는 중요성은 높아지면서 그러한 사회를 이끌어 갈 일반 지식인이 과학의 내용을 이해하는 것은 거의 불가능해졌다.

나 그러나 이러한 과학의 *유리 상태를 심화시키는 데에 과학 내용의 어려움보다도 더 크게 작용하는 것은 과학에 관해 널리 퍼져 있는 잘못된 생각이다. ㉠흔히 현대 사회의 많은 문제들이 과학의 책임인 것으로 생각한다. 즉, 과학이 인간의 윤리나 가치 같은 것은 무시한 채 *맹목적으로 발전해서 많은 문제들을 *야기(惹起)하면서도 이에 대해서 아무런 책임을 지지 않고 있다는 생각이 그것이다.

다 ㉡과학이 *가치 중립적이라는 말은 크게 보아서 다음 두 가지의 의미를 지니고 있다. 첫째는, 자연 현상을 기술하는 데에 있어서 얻게 되는 과학의 법칙이나 이론으로부터 개인적 취향(趣向)이나 가치관에 따라 결론을 *취사선택할 수 없다는 점이고, 둘째는, 과학으로부터 얻은 결론, 즉 과학 지식이 그 자체로서 가치에 관한 판단이나 결정을 내리지 못한다는 점이다.

라 사람에 따라서는 이 중에서 첫째는 *수긍하면서 둘째에 대해서는 반론(反論)을 제기하기도 한다. 예를 들어, 그들은 인간의 질병 중에서 어떤 것이 유전(遺傳)한다는 유전학의 지식이 유전성 질병이 있는 사람은 아기를 낳지 못하게 해야 한다는 결론을 내린다고 생각한다. 즉, 과학적 지식이 인간의 문제에 관하여 결정을 내려 준다고 생각한다. [ⓐ] 더 주의 깊게 살펴보면 이것이 착각이라는 것은 분명하다. 앞의 유전학적 지식이 말해 주는 것은 단순히 어떤 질병이 유전한다는 것일 뿐, 그런 질병을 가진 사람이 아기를 낳지 않는 것이 옳은가, 역시 같은 질병을 가진 아기라도 낳아서 가정생활을 하는 것이 좋은가에 대한 결정은 내려주지 않는다. 이 결정은 전적으로 인간이, 즉 그런 질병을 가진 사람 자신 혹은 사회가 내리는 것이지 과학이 내리는 것은 아니다.

마 그러나 과학의 가치 중립성이 이런 결정을 내리는 데에 과학이 전혀 무관함을 의미하는 것은 아니다. 과학의 지식이 이런 결정을 내리는 일을 돕기 때문이다. [ⓑ] 현대 사회의 지식인들이 현대 사회의 여러 문제들에 대처해 나가려면 과학 지식의 습득이 절대적으로 필요해졌다. 중요한 것은, 과학의 위상이 더할 나위 없이 높아진 현대 사회를 사는 지식인들이 그러한 과학을 어렵다고 무턱대고 싫어하거나 피하려고 하는 무책임한 태도를 버리고 이를 이해하려고 노력해야 한다는 점이다.

지문 핵심

갈래	논설문
성격	설득적, 비판적
제재	현대 사회와 과학
주제	현대 사회에서 과학의 중요성과 과학에 대한 지식인의 바람직한 태도

이 글의 논지 전개 과정

문제 제기	현대 사회에서 과학이 일반 지식인과 멀어짐. – 과학의 유리 상태
⬇	
주장 전개	• 과학에 대한 잘못된 생각 • 과학의 가치 중립성이라는 말의 두 가지 의미 • 과학적 지식의 역할 – 가치 판단의 주체는 아니나, 결정을 내리는 일을 도움.
⬇	
주장 강조	과학은 현대 사회에서 절대적으로 필요하므로 지식인이 관심을 갖고 이해하려고 노력해야 함.

쏙쏙

- **수식(數式)**: 수 또는 양을 나타내는 숫자나 문자를 계산 기호로 연결한 식. 등식, 부등식 따위가 있음.
- **유리(遊離)**: 따로 떨어짐.
- **맹목적(盲目的)**: 주관이나 원칙이 없이 덮어놓고 행동하는. 또는 그런 것.
- **야기(惹起)**: 일이나 사건 따위를 끌어 일으킴.
- **가치 중립(價値中立)**: 어떤 가치관이나 태도에도 치우치지 않는 것.
- **취사선택(取捨選擇)**: 여럿 가운데서 쓸 것은 쓰고 버릴 것은 버림.
- **수긍(首肯)**: 옳다고 인정함.

01

이 글을 읽고 선정한 심화 학습 과제로 가장 적절한 것은?

① 과학자가 되면 어떤 혜택을 누릴 수 있는가?
② 세계사적 변화를 가져온 과학자에는 누가 있는가?
③ 일반 지식인에게 과학에 관심을 갖게 할 방법은 무엇인가?
④ 과학 기술의 발달을 위해 국가가 어떤 지원을 해야 하는가?
⑤ 일상생활에서 과학을 손쉽게 이용할 수 있는 방법은 무엇인가?

02

㉠의 예로 적절하지 않은 것은?

① 방사능 오염은 핵물리학 때문이다.
② 세균전이 일어난 것은 미생물학 때문이다.
③ 태풍 예측이 가능한 것은 기상학 때문이다.
④ 생명을 경시하는 풍조는 생명 과학 때문이다.
⑤ 우주 쓰레기가 많아진 것은 우주 과학 때문이다.

03

㉡을 바르게 이해하지 못한 것은?

① 과학 지식은 그 자체로 어떤 결정을 내리지 못해.
② 과학 지식은 개인의 가치관에 따라 달라지지 않아.
③ 과학 지식은 그 자체로 어떤 판단을 강요하지 못해.
④ 과학 지식은 사람들에게 단지 객관적인 자료일 뿐이야.
⑤ 과학 지식은 연구자의 취향에 따라 결론이 달라질 수 있어.

04

ⓐ, ⓑ에 들어갈 접속어로 적절한 것은?

	ⓐ	ⓑ
①	그러나	그런데
②	따라서	그러나
③	그러나	따라서
④	그런데	그러나
⑤	따라서	따라서

01 보이는 것이 전부가 아니다

가 옛날부터 그림과 시는 아주 가까운 사이였다. 시는 모양이 없는 그림이고, 그림은 소리가 없는 시라는 말도 있었다. 그림 이야기를 통해 시를 이해하는 공부를 해 보기로 하자.

나 시인은 자신이 하고 싶은 말을 직접 하지 않는다. 사물을 데려와서 사물이 대신 말하게 한다. 그러니까 한 편의 시를 읽는 것은 시인이 말하고 싶었지만 말하지 않고 시 속에 숨겨 둔 말을 찾아내는 일이다. 이것은 숨은그림찾기 또는 보물찾기 놀이와도 비슷하다.

다 이 점은 화가도 마찬가지이다. 화가는 풍경이나 사물을 그린다. 이때 화가는 화면 속에 자신의 느낌을 직접 표현할 수가 없다. 그림은 사진과 다르다. 화가는 색채나 풍경의 표정을 통해 자신의 생각을 담는다.

라 옛날 중국의 송나라에 휘종 황제란 분이 있었다. 그는 그림을 무척 사랑했다. 그림을 사랑했을 뿐 아니라 그 자신이 훌륭한 화가였다. 휘종 황제는 자주 궁중의 화가들을 모아 놓고 그림 대회를 열었다. 그때마다 황제는 직접 그림의 제목을 정했다. 그 제목은 보통 유명한 시의 한 *구절에서 따온 것이었다. 한번은 이런 제목이 걸렸다.

(휘종: 중국 북송의 제8대 황제. 글씨와 그림에 능통하여 서예가 · 화가로도 유명함)

'꽃을 밟고 돌아가니 *말발굽에서 향기가 난다.'

마 말을 타고 꽃밭을 지나가니까 말발굽에서 꽃향기가 난다는 말이다. 황제는 화가들에게 말발굽에 묻은 꽃향기를 그림으로 그려 보라고 한 것이다. 꽃향기는 코로 맡아서 아는 것이지 눈으로는 볼 수가 없다. 보이지도 않는 향기를 어떻게 그릴 수 있을까? 화가들은 모두 고민에 빠졌다. 꽃이나 말을 그리라고 한다면 어렵지 않겠는데, 말발굽에 묻은 꽃향기만은 도저히 그릴 수가 없었다.

바 모두들 그림에 손을 못 대고 쩔쩔매고 있었다. 그때였다. 한 젊은 화가가 그림을 제출하였다. 사람들의 눈이 일제히 그 사람의 그림 위로 쏠렸다. 말 한 마리가 달려가는데 그 꽁무니를 나비 떼가 뒤쫓아 가는 그림이었다. 말발굽에 묻은 꽃향기를 나비 떼가 대신 말해 주고 있었다.

사 젊은 화가는 말을 따라가는 나비 떼로 꽃향기를 표현했다. 이런 것을 한시에서는 '입상진의(立象盡意)'라고 한다. 이 말은 *'형상을 세워서 나타내려는 뜻을 전달한다.'라는 뜻이다. 다시 말해 나비 떼라는 형상으로 말발굽에 묻은 향기를 충분히 전달할 수 있다는 것이다. 여기서 말하는 형상을 시에서는 이미지(image)라는 말로 표현한다. 시인은 결코 직접 말하지 않는다. 이미지를 통해서 말한다. 그러니까 한 편의 시를 읽는 것은 바로 이미지 속에 담긴 의미를 찾는 일과 같다.

아 정말 소중한 것은 눈에 잘 보이지 않는다. 눈에 보이는 것이 전부가 아니다. 뛰어난 화가는 그리지 않고서도 다 그린다. 훌륭한 시인은 ㉠ <u>말하지 않으면서 다 말한다.</u> 좋은 독자는 화가가 감춰 둔 그림과 시인이 숨겨 둔 보물을 가르쳐 주지 않아도 잘 찾아낸다. 그러자면 많은 연습과 훈련이 필요하다.

지문 핵심

갈래	설명문
성격	예시적, 해설적
제재	그림과 시
주제	표현상의 공통점을 바탕으로 한 그림과 시의 이해

시와 그림의 공통점

시인	화가
자신이 하고 싶은 말을 사물이 대신 말하게 함.	자신의 생각과 느낌을 색채나 풍경에 담음.

↓

말하지 않고 말하며, 그리지 않고 그림.

↓

입상진의(立象盡意): 전달하고자 하는 것을 직접 드러내지 않음.

이 글에 나타난 표현법

① 비유법(은유법)
- '숨은그림찾기', '보물찾기': 원관념은 '시를 읽는 것'으로, 시인이 전하려는 말을 찾는 독자의 행위를 비유함.
- '시인이 숨겨 둔 보물': 시인이 궁극적으로 전하려는 말을 '보물찾기'의 '보물'에 비유함.

② 역설법
'그리지 않고서도 다 그린다.', '말하지 않으면서 다 말한다.': '그리지(말하지) 않는다'와 '그린다(말한다)'가 한 문장에 쓰인 모순적 표현으로, 화가와 시인이 전하려는 의미는 직접적이지는 않지만 작품(그림과 시) 속에 다 나타나 있다는 것을 강조함.

쏙쏙

- **구절(句節)**: 한 토막의 말이나 글.
- **말발굽**: 말의 발굽(초식 동물의 발끝에 있는 크고 단단한 발톱).
- **형상(形象)**: 사물의 생긴 모양이나 상태.

01 이 글의 설명 방법으로 적절한 것을 모두 고른 것은?

ㄱ. 적절한 예시를 활용하여 독자의 이해를 돕고 있다.
ㄴ. 핵심 용어의 뜻을 풀이하여 대상을 설명하고 있다.
ㄷ. 대상이 지닌 차이점을 여러 측면에서 분석하고 있다.
ㄹ. 대상이 시대에 따라 변화해 온 과정을 보여 주고 있다.

① ㄱ, ㄴ ② ㄱ, ㄷ ③ ㄴ, ㄷ ④ ㄴ, ㄹ ⑤ ㄷ, ㄹ

02 이 글의 내용과 일치하지 않는 것은?

① 시와 그림은 뜻을 표현하는 원리가 유사하다.
② 시를 읽는 것은 숨겨진 의미를 찾는 일과 같다.
③ 화가는 색채나 풍경에 자신의 생각을 반영한다.
④ 화가는 그림뿐만 아니라 시의 창작에도 뛰어나다.
⑤ 시인은 이미지를 통해 의도를 간접적으로 드러낸다.

03 (바)에서 젊은 화가가 그린 그림에 대한 반응으로 알맞지 않은 것은?

① 재치와 기발함으로 난제를 해결했군.
② 황제에게 좋은 평가를 받지는 못했겠군.
③ '그리지 않고 그린 그림'이라 할 수 있겠군.
④ '나비 떼'라는 형상으로 나타내려는 바를 잘 표현했군.
⑤ 화제(畵題)를 푼 방식이 '입상진의'라는 한시의 표현 방법과 통하는군.

04 ㉠에 사용된 것과 같은 표현 방법이 쓰인 것은?

① 나는 찬밥처럼 방에 담겨
② 이것은 소리 없는 아우성
③ 산에는 꽃 피네, 꽃이 피네
④ 구름은 마구 칠한 한 다발 장미
⑤ 갈대는 속으로 조용히 울고 있었다.

05 <보기>의 질문에 대한 글쓴이의 반응으로 가장 알맞은 것은?

보기

그림이나 시의 주제를 잘 파악하려면 어떻게 해야 할까요?

① 시를 그림으로 표현하는 연습을 많이 해야 합니다.
② 유명한 화가나 시인의 작품을 많이 보아야 합니다.
③ 시와 그림의 공통점을 찾으려는 노력을 해야 합니다.
④ 그림과 시의 표면에 표현된 바를 정확하게 읽어 내야 합니다.
⑤ 화가가 그리지 않은 것까지 보고, 시인이 말하지 않은 것까지 들어야 합니다.

02 지혜 담긴 집, 한옥

가 한옥의 과학다움은 우리 선조들이 오랫동안 축적한 경험에서 비롯되었다. 유구한(아득하게 오랜) 세월 동안 손때 묻은 *대청마루와 *구들장, *문풍지 속으로 조상의 숨결과 지혜가 배어들었다. 나지막하게 트인 창으로 풍경이 흐르고 일직선으로 뚫린 문과 문 사이로 시원한 바람이 분다. 한옥은 겸손한 자세로 자연과 어울리고 그 안에 사람들을 끌어안는다. 지혜가 담겨 있는 우리의 옛집, 한옥으로 여행을 떠나 보자.

나 지구의 자전축이 23.5도 기울어져 있기 때문에 북반구(적도를 경계로 지구를 둘로 나누었을 때의 북쪽 부분)에서 해는 여름에 높이 뜨고 겨울에 낮게 뜬다. 땅 위에 서 있는 집을 기준으로 말하면, 여름에는 햇빛이 수직에 가깝게 내리쪼이고 겨울에는 낮은 각도로 완만하게 비춘다. 한옥은 햇빛을 다스리기 위해 여름과 겨울의 햇빛이 *처마와 만나 이루는 각도의 중간 지점에 창을 낸다. 여름에 귀찮은 햇빛을 물리치고 겨울에는 고마운 햇빛을 끌어들이기 위해서이다.

다 햇빛을 조절하는 방법은 두 가지이다. 하나는 처마를 적절히 돌출시키는 것이다. 이렇게 하면 여름에는 처마가 햇빛을 막아 주고 겨울에는 햇빛을 통과시킨다. 다른 하나는 방의 깊이를 조절하는 방법이다. 특히 추운 겨울, 처마를 통과해 방 안으로 들어오는 햇빛의 양을 조절하기 위해 방의 깊이를 얕게 짓는다. 덕분에 햇빛이 방 끝까지 기분 좋게 들어오고, 난방과 소독에도 도움을 준다. 대청도 마찬가지이다. 겨울 햇빛은 아침 10시쯤 대청의 마당 쪽 끄트머리부터 조금씩 들어오기 시작해 오후 4시쯤이면 대청의 안쪽 끝에 정확히 닿는다. 햇빛이 귀한 겨울철, 무려 6시간 동안 대청 가득 머물다 간 햇빛은 한옥에 온기를 더해 준다.

라 ㉠한옥은 바람의 집이기도 하다. 한반도의 여름에는 남동풍이, 겨울에는 북서풍이 분다. 우리 조상들은 바람이 절실히 필요한 여름을 위해 한옥에 남동 방향으로 바람길을 만들었다. 바람길은 시원하고 '통(通)' 크게 나 있다. 약간의 인색함도, 머뭇거림도 없이 집의 끝에서 끝까지 일직선으로 뚫려 있다. 바람에게 돌아 가라거나 쉬어 가라거나 꺾어 가라거나 하는 따위의 실례를 범하는 법이 절대 없다.

마 또한 바람길은 하나가 아니다. 이쪽에도 바람길, 저쪽에도 바람길이다. x축과 y축이 이루는 십(十)자 구도를 기본으로 여러 개의 사선이 교차한다. 한옥의 바람길을 열어 주는 것은 창과 문이다. 한옥의 창문은 아무렇게나 난 것 같지만 사실 그렇지 않다. 창과 창 사이로 방들이 복잡하게 교차하지만 창문만 선으로 연결하면 꼬치에 낀 *산적처럼 한 줄로 늘어선다. 창의 위치가 모두 일직선으로 놓여 있기 때문이다.

바 이상에서 살펴본 것처럼 한옥에는 처마와 대청, 창과 문, 댓돌, 온돌, 동선 등 여러 면에서 우리 조상들의 하늘 같은 지혜가 녹아 있다. 우리는 편리함만을 추구하는 것에서 벗어나야 한다. 한옥 속에 담겨 있는 조상의 지혜를 발굴하고 계승하여 현재의 집에 창조적으로 활용해야 할 것이다.

지문 핵심

갈래	설명문
성격	체계적, 해설적, 분석적
제재	한옥의 과학다움
주제	한옥에 담긴 조상의 과학적 지혜를 계승하고 창조적으로 활용해야 함.

이 글에 사용된 설명 방법 – 분석
- 분석: 대상을 이루는 개별 요소를 설명하는 방법
- 한옥을 이루는 각 구조(창, 처마, 방, 대청 등)의 특성과 효과(과학적 지혜)를 설명함.

한옥의 과학다움

① 창 위치, 처마, 방, 대청

특성	창의 위치, 처마의 돌출 정도, 방과 대청의 깊이를 이용한 햇빛 조절
효과	• 계절에 따라 햇빛의 양을 적절히 조절 • 햇빛을 통한 방 소독과 난방

② 바람길(창과 문)

특성	• 여름철의 바람 방향을 따라 바람길을 냄. • 바람길이 여러 개이면서도 창의 위치가 모두 일직선에 놓이도록 함.
효과	• 여름에 바람이 잘 통함. • 바람길에 막힘이 없음.

쏙쏙
- **대청(大廳)마루**: 한옥에서, 몸채의 방과 방 사이에 있는 큰 마루.
- **구들장**: 방고래(불길과 연기가 통하여 나가는 길) 위에 깔아 방바닥을 만드는 얇고 넓은 돌.
- **문풍지(門風紙)**: 문틈의 바람을 막기 위해 문짝 주변에 바른 종이.
- **처마**: 한옥의 지붕이 바깥쪽으로 튀어 나온 부분.
- **산적(散炙)**: 쇠고기 따위를 길쭉하게 썰어 갖은양념을 하여 대꼬챙이에 꿰어 구운 음식.

01 이와 같은 글에 대한 설명으로 적절하지 않은 것은?

① 객관적인 내용이 바탕이 되는 글이다.
② 의견보다는 사실이 중심이 되는 글이다.
③ 대상에 대한 이해와 지식을 토대로 하는 글이다.
④ 독자의 생각이나 행동의 변화를 촉구하는 글이다.
⑤ 어떤 대상에 대한 정보 전달을 목적으로 하는 글이다.

02 이 글의 주된 설명 방식이 사용된 것은?

① 우리의 명절 음식에는 송편, 떡국, 잡채, 산적 등이 있다.
② 시와 소설은 언어로 표현된 문학이라는 공통점을 가진다.
③ 자동차는 엔진, 바퀴, 핸들, 브레이크 등으로 이루어져 있다.
④ 희곡은 시 · 공간의 제약이 많은 반면, 시나리오는 시 · 공간의 제약이 적은 편이다.
⑤ 지혜란 사물의 이치를 빨리 깨닫고 사물을 정확하게 처리하는 정신적 능력을 의미한다.

03 (다)를 통해 알 수 있는 내용으로 적절하지 않은 것은?

① 한옥의 대청은 햇빛의 양을 조절하기 위해 얕게 짓는다.
② 겨울에는 대청에 햇빛이 최대한 오래 머물도록 하는 것이 좋다.
③ 한옥의 방은 겨울에 햇빛이 방 끝까지 들어올 수 있도록 깊게 짓는다.
④ 겨울에 햇빛이 방 끝까지 들어오도록 하면 난방과 소독에 도움이 된다.
⑤ 한옥은 계절별로 알맞은 양의 햇빛이 들어오도록 처마를 적절히 돌출시킨다.

04 ㉠의 이유로 알맞지 않은 것은?

① 바람길이 막힘없이 나 있기 때문에
② 바람의 방향이 서로 교차되거나 꺾이기 때문에
③ 창을 일직선으로 배치하여 바람이 잘 통하기 때문에
④ 여름에 남동풍이 잘 통하는 바람길이 나 있기 때문에
⑤ 십(十)자 구도를 기본으로 여러 개의 바람길이 나 있기 때문에

05 이 글을 읽고 난 후의 질문을 다음과 같이 정리해 보았다. 알맞지 않은 것은?

- 이해가 가지 않는 내용
  - 지붕의 처마를 얼마나 튀어나오게 하는 것이 적절한가? ………… ①
  - 한옥에서 x축과 y축이 이루는 십(十)자 구도란 무엇인가? ………… ②
- 더 알고 싶은 내용
  - 한옥은 왜 과학적인 집이라고 할 수 있는가? ………… ③
  - 한옥의 과학적인 측면이 현대 건축에서 어떻게 응용되고 있는가? ………… ④
- 글쓴이의 견해와 다른 내용
  - 한옥이 과학적임에도 현대인들이 생활하기에 불편하다는 사실은 한옥의 문제점이지 않을까? ………… ⑤

문화·예술

03 웹 만화

가 만화는 더 이상 종이 위에만 머무르지 않고, ◆웹이라는 새로운 통로를 거쳐 과거와는 다른 모습으로 우리에게 다가오고 있다. 웹을 통해 전달되는 웹 만화는 자신만의 독창성으로 대중들의 호응을 얻고 있으며, 최근 들어서는 만화의 한 분야로서도 확실하게 자리를 잡고 있다. 이처럼 웹 만화가 성장하게 된 데는 출판 만화와는 다른 웹 만화만의 독특한 성격이 있기 때문이다.

나 웹 만화의 특징으로 들 수 있는 것은 인터넷상에서 두루마리처럼 아래로 길게 펼쳐 읽는 것이다. 일반적인 출판 만화는 한 편을 오른쪽에서 왼쪽으로 장을 넘겨 가며 읽는 책의 형식인 반면, 웹 만화는 마우스를 이용해 위에서 아래로 내려가며 읽는 형식을 취하고 있다. 이와 같은 웹 만화의 세로 읽기는 한 회의 만화를 끊김 없이 읽어 내려가게 함으로써 독자의 흥미를 ◆배가시킨다. 출판 만화의 경우 긴장이 ◆고조된 장면이라고 할지라도 한 장 한 장 넘기며 읽어야 하기 때문에 감정의 흐름이 끊길 수 있지만, 웹 만화는 장면을 연속적으로 이어 볼 수 있으므로 긴장감을 지속적으로 유지해 나갈 수 있다.

다 칸을 자유롭게 사용하는 것도 웹 만화의 특징이다. 지금까지 출판 만화는 매 쪽마다 많은 칸들을 그려 넣었다. 정해진 크기의 종이에 공간을 구성하기 위해 여러 개의 칸을 이리저리 배치해야 했고, 매 쪽의 마지막 칸은 다음 장의 내용에 대한 호기심을 유발하는 역할을 해야 했다. 하지만 웹 만화에서는 공간을 마음껏 사용할 수 있으며, 지면에 쫓겨 무리하게 칸을 나눌 필요도 없다.

라 색채 사용이 자유롭다는 점을 웹 만화의 특징으로 들 수 있다. 출판 만화는 경제적인 부담 때문에 학습 만화를 제외하고는 대부분 흑백으로 모든 영상을 처리한다. 하지만 웹 만화에서는 이러한 ◆제약이 없기 때문에 장면에 필요한 색을 모두 사용할 수 있다.

마 웹 만화의 이러한 특성은 인물들의 감정, 작품의 분위기에 대한 표현력을 풍성하게 만든다. 인물들의 격렬한 감정을 처리할 때는 강렬한 색감을 사용하기도 하고, 어두운 분위기나 회상 장면을 처리할 때는 흑백이나 단조로운 색을 사용하기도 함으로써 시각적인 효과를 극대화한다.

지문 핵심

갈래	설명문
성격	객관적, 대조적
제재	웹 만화
주제	출판 만화와 대비되는 웹 만화의 특징과 장점

이 글의 특징

① 설명 방식: 대상의 차이점이 두드러지게 설명하는 '대조'의 방식이 쓰임.

출판 만화		웹 만화
• 책 형식 • 공간의 크기가 정해짐. • 대부분 흑백	↔	• 세로 읽기 형식 • 공간 사용의 자유로움 • 다양한 색채

② 두괄식 구성: 문단별 중심 문장이 첫 줄에 위치하여 내용을 명확히 이해하기 쉬움.

접속어의 유형과 종류

역접	하지만, 반면에 등
순접	그리고, 그러니 등
인과	그래서, 따라서 등
예시	예컨대, 예를 들면 등
전환	그런데, 한편 등
대등	혹은, 및 등
첨가	또한, 게다가 등
환언	요컨대, 즉 등

어휘 쏙쏙

- **웹**: 월드 와이드 웹(World Wide Web). 동영상이나, 음성 따위의 각종 멀티미디어를 이용하는 인터넷.
- **배가(倍加)**: 갑절 또는 몇 배로 늘어남.
- **고조(高潮)**: 감정이나 기세가 극도로 높은 상태.
- **제약(制約)**: 조건을 붙여 내용을 제한함.

01

이 글의 내용 전개 방식으로 가장 적절한 것은?

① 전문가의 의견을 들어 설명하고 있다.
② 원인과 결과를 중심으로 서술하고 있다.
③ 대상의 뜻과 의미를 명확히 밝히고 있다.
④ 두 대상의 차이점을 중심으로 설명하고 있다.
⑤ 타당한 근거를 들어 옳고 그름을 증명하고 있다.

02

(가)~(마)의 중심 내용으로 적절하지 않은 것은?

① (가) : 웹 만화의 성장과 독특한 성격
② (나) : 웹 만화의 읽기 형식과 독자의 흥미
③ (다) : 웹 만화의 지면 활용과 긴장감
④ (라) : 웹 만화의 색채 사용과 경제성
⑤ (마) : 웹 만화의 표현력과 그 효과

03

이 글을 읽고, 출판 만화의 특징을 메모한 내용으로 적절하지 않은 것은?

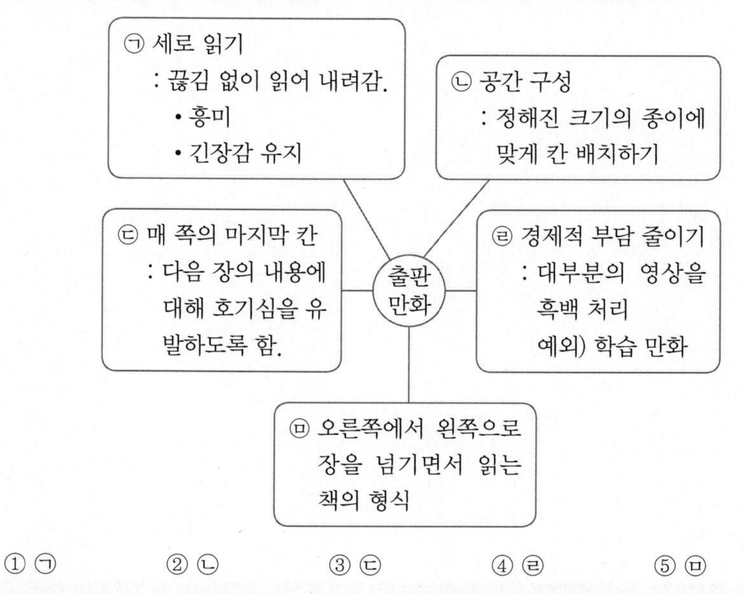

① ㉠ ② ㉡ ③ ㉢ ④ ㉣ ⑤ ㉤

Ⅲ

운법

01 언어의 본질

정답과 해설 31 ▶▶

❶ 언어의 본질

(1) 언어의 자의성: 언어가 나타내는 내용과 그것을 표현하는 형식은 필연적으로 결합되는 것이 아니라 자의적으로 결합된다.

예 '나무'라는 대상
- 한국어 : '나무[나무]'
- 영어 : 'tree[트리]'
- 중국어 : '木[무]'
- 일본어 : 'き[키]'

(2) 언어의 사회성: 언어는 그 언어를 사용하는 사람들 사이의 사회적 약속이므로, 개인이 마음대로 바꾸거나 만들 수 없다.

- 언어는 그 사회의 구성원들로부터 인정을 받아야 언어로서의 기능을 할 수 있다.
- 동일한 대상을 가리켜 개인이 다른 말로 나타낸다면 의사소통이 제대로 이루어질 수 없다.

예 사람이나 동물의 머리 양옆에서 듣는 기능을 하는 감각 기관 → '귀'
- 저 멀리서 큰 소리가 귀에 들린다. (○)
- 저 멀리서 큰 소리가 눈에 들린다. (×)

(3) 언어의 역사성: 언어는 시간의 흐름에 따라 소리, 의미 등이 변하기도 하고, 새로운 말이 생기거나 있었던 말이 사라지기도 한다.

구분	예
소리의 변화	예 (옛말) '곶' → (현재의 말) '꽃' (옛말) '불휘' → (현재의 말) '뿌리'
의미의 변화	예 '어리다' : (옛날) 어리석다 → (현재) 나이가 적다
단어의 소멸	예 '즈믄' : '천(千)'의 옛말 '뫼' : '산(山)'의 옛말
단어의 생성	예 인터넷 : '인터넷'이라는 새로운 개념을 나타내기 위해 생성된 말

(4) 언어의 창조성: 인간은 한정된 음운이나 단어를 가지고 이전에 경험한 적이 없는 새로운 단어나 문장을 무한히 만들어서 사용할 수 있다.

구분	예
새로운 문장의 창조	예 '안녕'이라는 말을 배운 어린아이는 '안녕하세요.', '안녕히 계세요.', '안녕히 주무세요.' 등 새로운 문장을 끊임없이 만들어 사용할 수 있음.
새로운 단어의 창조	예 휴대 전화 : 문명의 발달에 따라 창조된 말 노래방 : 새로운 시설의 등장에 따라 창조된 말

개념 확인 문제

1 다음 내용과 관련 있는 언어의 본질에 대한 설명으로 알맞은 것은?

> '하늘'이라는 대상을 한국어에서는 '하늘[하늘]'이라고 표현하지만, 영어에서는 'sky[스카이]'라고 표현한다.

① 언어에는 지켜야 할 일정한 규칙이 있다.
② 언어는 사람들 사이의 사회적인 약속이다.
③ 인간은 언어를 통해 다양한 감정을 표현한다.
④ 언어의 내용과 형식은 서로 직접적인 연관이 없다.
⑤ 시간의 흐름에 따라 언어의 의미가 변하기도 한다.

2 다음 문장이 어색한 이유와 관련 있는 언어의 본질을 쓰시오.

> 겨울이 되면 하늘에서 우산이 펑펑 내린다.

______

3 언어의 역사성에 대한 설명으로 알맞지 않은 것은?

① 시간이 흐르면서 단어의 소리가 변하기도 한다.
② 시간이 흐르면서 단어의 의미가 달라지기도 한다.
③ 시간이 흐르면서 새로운 단어가 생겨나기도 한다.
④ 시간이 흐르면서 기존의 단어가 사라지기도 한다.
⑤ 시간이 흐르면서 단어를 개인적으로 바꾸기도 한다.

4 다음 사례와 관련된 언어의 본질을 쓰시오.

> 어린 동생이 자신이 아는 단어들을 이용하여 계속해서 문장을 만들어 내는 놀이를 했다.

______

연습 문제

정답과 해설 31 ▶▶

01 다음 제시된 언어의 본질과 그에 대한 설명을 바르게 연결하시오.

① 언어의 자의성 • • ㉠ 언어는 사회 구성원들 사이의 약속이므로 개인이 마음대로 바꾸거나 만들 수 없다.
② 언어의 사회성 • • ㉡ 언어가 나타내는 내용과 그것을 표현하는 형식은 필연적으로 결합되는 것이 아니라 자의적으로 결합된다.
③ 언어의 역사성 • • ㉢ 인간은 한정된 음운이나 단어로 이전에 경험한 적 없는 새로운 단어나 문장을 무한히 만들어 사용할 수 있다.
④ 언어의 창조성 • • ㉣ 언어는 시간의 흐름에 따라 소리, 의미 등이 변하기도 하고, 새로운 말이 생기거나 있었던 말이 사라지기도 한다.

02 다음 제시된 예에 해당하는 언어의 본질을 쓰시오.

① '나는 ○○이다.'에 다양한 단어를 넣어서 각각 다른 의미를 지닌 문장으로 만들 수 있다. ( )
② 학생을 가르치는 사람을 '선생님'이라고 부르는 것은 사회 구성원들 사이에 약속된 것이다. ( )
③ 옛날에는 '어여쁘다'라는 단어가 '불쌍히 여기다'라는 뜻으로 쓰였는데, 지금은 '예쁘다'라는 뜻으로 쓰인다. ( )
④ 개인이 마음대로 '사진'을 '무지개'라고 부르기로 정하고, "우리 무지개 찍자."라고 말한다면 다른 사람과의 의사소통에 어려움을 겪게 된다. ( )
⑤ 앵무새는 '꽃'이라는 말을 그대로 따라만 할 수 있지만, 인간은 "와, 빨간 꽃이에요.", "이 꽃 이름이 뭐예요?" 등과 같은 여러 문장을 만들 수 있다. ( )
⑥ 컴퓨터가 발명되면서 '컴퓨터'라는 단어가 생겨났다. ( )
⑦ 숫자 100을 나타내는 단어가 '온'에서 '백'으로 바뀌었다. ( )
⑧ '사과'라는 대상을 한국어로는 '사과[사과]', 영어로는 'apple[애플]'이라고 한다. ( )

03 다음 중 예전에는 사용되었지만 지금은 쓰이지 않는 말을 모두 찾으시오. ( )

① 온(100) ② 컴퓨터 ③ 어리다 ④ 즈믄 ⑤ 미르
⑥ 인공 위성 ⑦ 누리꾼 ⑧ 가람 ⑨ 텔레비전 ⑩ 영감

04 다음 중 언어의 자의성에 대한 설명을 모두 찾으시오. ( )

① 언어의 내용과 형식은 임의적으로 결합한다.
② 언어는 시간의 흐름에 따라 소리가 변화하기도 한다.
③ '밥'이라는 단어를 활용하여 문장을 끊임없이 만들 수 있다.
④ 언어는 그 언어를 사용하는 사람들 사이의 사회적 약속이다.
⑤ 같은 의미를 나타내는 말의 소리가 언어마다 다른 것은 언어의 의미와 형식의 관계가 필연적이지 않기 때문이다.

실전 문제

01 〈보기〉의 ㉠~㉣에 들어갈 말로 알맞은 것은?

보기

- 언어가 나타내는 내용과 그것을 표현하는 형식의 관계는 필연적이지 않다. 이러한 언어의 특성을 (㉠)이라고 한다.
- 언어는 시간의 흐름에 따라 사라지기도 하고 변하기도 한다. 이러한 언어의 특성을 (㉡)이라고 한다.
- 언어는 개인이 마음대로 바꿀 수 없는 사람들 사이의 약속이다. 이러한 언어의 특성을 (㉢)이라고 한다.
- 우리는 이전에 접하지 못했던 단어나 문장을 계속 만들어 낼 수 있다. 이러한 언어의 특성을 (㉣)이라고 한다.

	㉠	㉡	㉢	㉣
①	자의성	역사성	창조성	사회성
②	자의성	역사성	사회성	창조성
③	자의성	창조성	사회성	역사성
④	창조성	자의성	역사성	사회성
⑤	창조성	사회성	역사성	자의성

[02~04] **다음 글을 읽고 물음에 답하시오.**

㉠프랑스 사람들은 침대를 '리'라고 하고, 책상을 '타블'이라고 한다. 그리고 그림을 '타블로', 의자는 '쉐즈'라고 한다. 그러면서도 자기들끼리는 서로 다 알아듣는다. 또, 중국 사람들도 이런 식으로 자기들끼리 말이 통한다.

㉡"어째서 침대를 사진이라고 부르지 않느냔 말야."

남자는 이렇게 생각하면서 미소를 지었다. 그런 다음 웃음을 터뜨렸는데, 이웃들이 벽을 두드리며 "조용히 합시다." 하고 고함지를 때까지 그는 웃고 또 웃었다.

"이제 달라질 거야."

그는 이렇게 외치면서 이제부터 침대를 '사진'이라고 부르기로 했다.

"피곤하군. 사진 속으로 들어가야겠어."

그는 이렇게 말했다. 그날 이후 아침마다 한참 동안 '사진' 속에 누운 채로 이제부터 의자를 뭐라고 부를까를 고심했다. 그러다가 의자를 '시계'라고 부르기로 했다.

– 페터 빅셀, 〈책상은 책상이다〉

02 ㉠에서 알 수 있는 언어의 본질과 관련 있는 예로 알맞은 것은? (정답 2개)

① '바다'를 꼭 [바다]라고 불러야 하는 것은 아니다.
② '불휘'에서 '뿌리'로 변하는 것처럼 소리가 변하는 경우가 있다.
③ '자전거'를 타면서 '무지개'를 탄다고 말을 바꾸면 다른 사람들이 이해하지 못할 것이다.
④ 옛날에는 '어리다'가 '어리석다'라는 뜻으로 쓰였지만, 오늘날에는 '나이가 적다'라는 뜻으로 쓰인다.
⑤ 꿀벌은 춤으로써 꿀의 위치를 나타낼 수는 있지만, '난 꿀이 정말 맛있어.' 같은 표현은 할 수 없다.

03 ㉡에 대한 대답으로 알맞지 않은 것은?

① '침대'를 '침대'라고 불러야 의사소통이 가능하므로
② '침대'를 '사진'이라고 하면 외국인이 배우기 힘들기 때문에
③ '침대'를 '침대'라고 부르는 것은 사회적으로 약속된 것이므로
④ '침대'를 '침대'라고 부를 때 언어로서의 구실을 할 수 있기 때문에
⑤ '침대'를 '사진'이라고 부르는 것을 사회에서 인정하지 않았기 때문에

04 이 글의 '남자'에게 앞으로 일어날 일로 가장 알맞은 것은?

① 다른 나라의 말을 더 쉽게 배우게 될 것이다.
② 다른 사람들과의 갈등과 분쟁이 거의 없어질 것이다.
③ 다른 사람들이 남자의 말을 더 잘 알아듣게 될 것이다.
④ 다른 사람들과 어울리지 못하고 사회에서 고립될 것이다.
⑤ 다른 사람들과 대화하는 데 걸리는 시간이 줄어들 것이다.

[05~06] **다음 글을 읽고 물음에 답하시오.**

[가] 30분 뒤, 아이들이 심각한 표정을 지으며 닉의 방에서 회의를 했다. 존, 피트, 데이브, 크리스, 자넷이었다. 닉까지 합하면 여섯 명. 여섯 명의 비밀 요원이었다!

아이들은 오른손을 들고 닉이 쓴 서약서를 읽었다.

> 나는 오늘부터 영원히 펜이란 말을 쓰지 않겠다.
> 그 대신 프린들이란 말을 쓸 것이며, 다른 사람들도 그렇게 하도록 최선을 다할 것을 맹세한다.

[나] 그레인저 선생님은 닉을 바라보며 말했다.

"'프린들' 문제가 너무 커진 것 같지 않니? 내 생각엔 학교를 혼란에 몰아넣고 있는 것 같은데 말이야."

닉은 마른침을 꿀꺽 삼키고 말했다.

"제가 보기엔 잘못된 게 전혀 없어요. 그 말은 그냥 재미로 쓰는 거고, 이젠 어엿한 단어가 되었어요. 좀 색다르긴 하지만 나쁜 말은 아니에요. 더구나 ㉠말이란 건 원래 그렇게 변하는 것이라고 선생님께서 말씀하셨잖아요."

[다] "우리 학년 아이들이 모두 그레인저 선생님한테 가서 '프린들 좀 빌려 줘요.' 하고 말하면 어떨까?"

그러자 데이브가 말했다.

"'선생님, 프린들 좀 빌려 주시겠습니까?' 하고 말해야지. 문법에 맞게 말이야."

닉이 맞장구쳤다.

"좋은 생각이야."

[라] 아이들은 물론 선생님들도 프린들이란 말을 썼다. 처음에는 일부러 그 말을 썼다. 하지만 나중에는 버릇이 되었고, 겨울이 끝날 무렵에는 문이나 나무나 모자처럼 프린들도 보통 단어가 되었다. ㉡마을 사람들은 이제 프린들이라는 말을 아무렇지도 않게 사용했다.

[마] 닉은 가슴을 두근거리며 사전을 집어서 541쪽을 펴 보았다. 541쪽 왼쪽 아랫부분에는 이렇게 쓰여 있었다.

> **프린들** 「명」 잉크로 글씨를 쓰거나 표시를 하는 데 쓰는 도구 [임의로 만든 신조어 : 1987년 미국의 니콜라스(닉) 앨런이 처음 쓴 말 → (참고) 펜]

– 앤드루 클레먼츠, 〈프린들 주세요〉

05 이 글에서 '프린들'이 사전에 오르게 된 과정을 순서대로 나열한 것은?

> ㉮ '프린들'이라는 단어가 사전에 오름.
> ㉯ 마을에서 '프린들'이라는 말을 보통 단어로 사용함.
> ㉰ 학교에서 '프린들'이라는 말을 사용하는 열풍이 붊.
> ㉱ 아이들이 '펜' 대신 '프린들'이라는 말을 사용하기로 맹세함.

① ㉯ → ㉰ → ㉱ → ㉮　② ㉯ → ㉱ → ㉰ → ㉮
③ ㉰ → ㉯ → ㉱ → ㉮　④ ㉱ → ㉯ → ㉰ → ㉮
⑤ ㉱ → ㉰ → ㉯ → ㉮

06 ㉠, ㉡에 해당하는 언어의 본질이 바르게 짝지어진 것은?

	㉠	㉡
①	역사성	자의성
②	역사성	사회성
③	역사성	창조성
④	사회성	역사성
⑤	사회성	자의성

07 언어의 일반적 특성으로 알맞지 않은 것은?

① 언어는 한 개인이 마음대로 바꾸어 쓸 수 없다.
② 언어를 통해 새로운 문장을 계속해서 만들 수 있다.
③ 언어는 의미와 형식이 임의적으로 결합한 기호이다.
④ 언어는 시간이 지나도 의미나 형태가 변하지 않는다.
⑤ 언어는 그 사회로부터 인정을 받아야만 언어로서의 기능을 할 수 있다.

08 〈보기〉의 설명과 가장 밀접한 언어의 본질로 알맞은 것은?

> 보기
> 하나의 대상을 표현하기 위해 한 가지로 정해진 말소리만을 사용하는 것은 아니다. '개'라는 대상을 우리말에서는 '개[개]'라고 표현하지만, 영어에서는 'dog[도그]', 독일어에서는 'hund[훈트]'와 같이 각기 다르게 표현한다.

① 기호성　② 자의성　③ 역사성
④ 창조성　⑤ 규칙성

02 음운의 체계

❶ 음운의 개념과 종류

(1) 음운의 개념 : 말의 뜻을 구별해 주는 소리의 가장 작은 단위

달, 발, 팔	달, 돌, 둘
첫소리(ㄷ, ㅂ, ㅍ)가 다름.	가운뎃소리(ㅏ, ㅗ, ㅜ)가 다름.

(2) 음운의 종류

- 모음(21개) : 공기가 발음 기관의 장애를 받지 않고 나오는 소리
- 자음(19개) : 소리를 낼 때 공기의 흐름이 발음 기관의 장애를 받는 소리

❷ 모음 체계

(1) 단모음과 이중 모음

단모음	발음할 때 입술 모양이나 혀의 위치가 달라지지 않는 모음	ㅏ, ㅐ, ㅓ, ㅔ, ㅗ, ㅚ, ㅜ, ㅟ, ㅡ, ㅣ
이중 모음	발음하는 도중에 입술 모양이나 혀의 위치가 처음과 달라지는 모음	ㅑ, ㅒ, ㅕ, ㅖ, ㅘ, ㅙ, ㅛ, ㅝ, ㅞ, ㅠ, ㅢ

(2) 단모음의 분류

- 혀의 최고점의 위치

전설 모음	혀의 최고점이 앞쪽에 있을 때 소리 나는 모음	ㅣ, ㅔ, ㅐ, ㅟ, ㅚ
후설 모음	혀의 최고점이 뒤쪽에 있을 때 소리 나는 모음	ㅡ, ㅓ, ㅏ, ㅜ, ㅗ

- 혀의 높낮이

고모음	발음할 때 입이 조금 열려서 혀의 위치가 높은 모음	ㅣ, ㅟ, ㅡ, ㅜ
중모음	발음할 때 고모음보다 입이 조금 더 열려서 혀의 위치가 중간인 모음	ㅔ, ㅚ, ㅓ, ㅗ
저모음	발음할 때 입이 크게 열려서 혀의 위치가 낮은 모음	ㅐ, ㅏ

- 입술의 모양

원순 모음	발음할 때 입술을 둥글게 오므린 상태에서 소리를 내는 모음	ㅗ, ㅚ, ㅜ, ㅟ
평순 모음	발음할 때 입술을 평평하게 하여 소리를 내는 모음	ㅏ, ㅐ, ㅓ, ㅔ, ㅡ, ㅣ

(3) 단모음 체계표

혀의 앞뒤 / 입술의 모양 / 혀의 높이	전설 모음		후설 모음	
	평순 모음	원순 모음	평순 모음	원순 모음
고모음	ㅣ	ㅟ	ㅡ	ㅜ
중모음	ㅔ	ㅚ	ㅓ	ㅗ
저모음	ㅐ		ㅏ	

개념 확인 문제

1 말의 뜻을 구별해 주는 소리의 가장 작은 단위를 음운이라고 한다. (○, ×)

2 '소'와 '수'는 (음성, 음운)이 달라 뜻이 달라진 예이다.

3 소리를 낼 때 공기의 흐름이 발음 기관의 장애를 받고 나오는 것은 모음이다. (○, ×)

4 모음 중 (   )은/는 발음하는 도중에 입술 모양이나 혀의 위치가 처음과 달라지는 모음이다.

5 단모음 중 혀의 최고점이 앞쪽에 있을 때 소리 나는 모음은 (   )이다.

6 다음 중 후설 모음에 해당하지 않는 것은?

① ㅣ ② ㅓ ③ ㅏ
④ ㅜ ⑤ ㅗ

7 단모음 중 발음할 때 입이 크게 열려서 혀의 위치가 낮은 것은 중모음이다. (○, ×)

8 다음 중 중모음에 해당하지 않는 것은?

① ㅔ ② ㅚ ③ ㅟ
④ ㅓ ⑤ ㅗ

9 원순 모음은 발음할 때 (   )을/를 둥글게 오므린 상태에서 소리를 내는 모음이다.

3 자음 체계

(1) 자음의 분류

• 소리 나는 위치 : 자음이 발음될 때 공기의 흐름이 방해를 받는 위치

입술소리(순음)	두 입술 사이	ㅁ, ㅂ, ㅃ, ㅍ
잇몸소리(치조음)	윗잇몸과 혀끝 사이	ㄴ, ㄷ, ㄸ, ㅌ, ㄹ, ㅅ, ㅆ
센입천장소리(경구개음)	혓바닥과 센입천장 사이	ㅈ, ㅉ, ㅊ
여린입천장소리(연구개음)	혀의 뒷부분과 여린입천장 사이	ㄱ, ㄲ, ㅋ, ㅇ
목청소리(후음)	목청 사이	ㅎ

• 목청의 울림 : 목청이 울리는지 여부에 따라

울림소리	발음할 때 목청이 울리며 나는 소리
안울림소리	발음할 때 목청이 울리지 않고 나는 소리

• 소리 내는 방법 : 자음이 발음될 때 방해를 받는 방법

파열음	공기를 막았다가 터뜨리면서 내는 소리	ㄱ, ㄲ, ㅋ, ㄷ, ㄸ, ㅌ, ㅂ, ㅃ, ㅍ
파찰음	파열음과 마찰음의 성질을 다 갖는 소리로 공기를 막았다가 조금씩 틈을 열면서 마찰을 일으키며 내는 소리	ㅈ, ㅉ, ㅊ
마찰음	입안이나 목청 사이의 통로를 좁혀 그 틈 사이로 공기가 마찰하여 나오는 소리	ㅅ, ㅆ, ㅎ
비음	입안의 통로를 막고 코로 공기를 내보내며 내는 소리	ㄴ, ㅁ, ㅇ
유음	혀끝을 잇몸에 가볍게 대었다가 떼거나, 윗잇몸에 댄 채 공기를 그 양옆으로 흘려보내며 내는 소리	ㄹ

• 소리의 세기 : 국어 자음의 삼중 체계에 따른 느낌의 차이

예사소리(평음)	특별히 세게 내지 않아도 자연스럽게 예사로 나는 소리	ㄱ, ㄷ, ㅂ, ㅅ, ㅈ
된소리(경음)	성대 주위의 근육을 긴장시켜 내는 것으로, 단단하고 센 느낌의 소리	ㄲ, ㄸ, ㅃ, ㅆ, ㅉ
거센소리(격음)	숨이 거세게 터져 나오는 것으로, 크고 거친 느낌의 소리	ㅋ, ㅌ, ㅍ, ㅊ

(2) 자음 체계표

발음 방법 \ 발음 위치			입술소리	잇몸소리	센입천장소리	여린입천장소리	목청소리
안울림소리	파열음	예사소리	ㅂ	ㄷ		ㄱ	
		된소리	ㅃ	ㄸ		ㄲ	
		거센소리	ㅍ	ㅌ		ㅋ	
	파찰음	예사소리			ㅈ		
		된소리			ㅉ		
		거센소리			ㅊ		
	마찰음	예사소리		ㅅ			ㅎ
		된소리		ㅆ			
울림소리	비음(콧소리)		ㅁ	ㄴ		ㅇ	
	유음(흐름소리)			ㄹ			

개념 확인 문제

10 자음은 (　　　) 나는 위치에 따라 입술소리, (　　　), 센입천장소리, (　　　), 목청소리로 나눌 수 있다.

11 자음이 발음될 때 두 입술 사이에서 소리 나는 것은 (　　　)이다.

12 다음 중 혀의 뒷부분과 여린입천장 사이에서 나는 소리가 아닌 것은?

① ㄱ　② ㄲ　③ ㅋ　④ ㅇ　⑤ ㅎ

13 자음은 발음할 때 목청이 울리는지 여부에 따라 울림소리와 안울림소리로 나뉜다. (○, ×)

14 자음 중 입안이나 목청 사이의 통로를 좁혀 그 틈 사이로 공기가 마찰하여 나오는 소리를 파찰음이라고 한다. (○, ×)

15 자음 중 입안의 통로를 막고 코로 공기를 내보내며 내는 소리는 (　　　)이다.

16 자음은 소리의 세기에 따라 예사소리, (　　　), 거센소리로 나뉜다.

17 다음 중 파열음에 해당하지 않는 것은?

① ㄱ　② ㅅ　③ ㄸ　④ ㅌ　⑤ ㅍ

연습 문제

01 다음 단어의 음운을 〈예시〉처럼 분석하여 쓰시오.

〈예시〉 하늘 → ㅎ, ㅏ, ㄴ, ㅡ, ㄹ
① 발소리 → ______________
② 말타기 → ______________
③ 지혜 → ______________
④ 인형 → ______________

02 다음 중 단모음을 찾아 ○표를 하시오.

ㅏ, ㅑ, ㅓ, ㅕ, ㅗ, ㅛ, ㅜ, ㅠ, ㅡ, ㅣ, ㅢ, ㅐ, ㅒ, ㅔ, ㅖ, ㅚ, ㅘ, ㅙ, ㅟ, ㅝ, ㅞ

03 다음 단어 중 평순 모음으로만 이루어진 것을 모두 찾으시오. (　　　　　　)

① 더위　② 아이　③ 오이　④ 대기　⑤ 의외　⑥ 얼음　⑦ 가게
⑧ 도마　⑨ 우유　⑩ 과일　⑪ 고개　⑫ 거기　⑬ 해일　⑭ 두릅

04 다음 중 고모음으로만 묶인 것을 찾으시오. (　　　　　)

① ㅏ, ㅑ, ㅓ, ㅛ　② ㅡ, ㅣ, ㅢ, ㅟ　③ ㅓ, ㅔ, ㅏ, ㅐ　④ ㅔ, ㅚ, ㅓ, ㅗ
⑤ ㅣ, ㅟ, ㅡ, ㅜ　⑥ ㅟ, ㅜ, ㅚ, ㅗ　⑦ ㅗ, ㅜ, ㅓ, ㅏ　⑧ ㅣ, ㅔ, ㅚ, ㅗ

05 다음 단어 중 후설 모음으로만 이루어진 것을 모두 찾으시오. (　　　　　　)

① 누이　② 구름　③ 도망자　④ 에누리　⑤ 어머나　⑥ 대보름　⑦ 뒷간

06 다음 단어에 쓰인 모음의 종류를 바르게 연결하시오.

① 우리, 위기 •　　• ㉠ 고모음
② 아기, 그네 •　　• ㉡ 중모음
③ 고구마, 작두 •　　• ㉢ 전설 모음
④ 쇠줄, 위도 •　　• ㉣ 후설 모음
⑤ 멜론, 세뇌 •　　• ㉤ 평순 모음
⑥ 애인, 외길 •　　• ㉥ 원순 모음

07 다음 빈칸에 들어갈 알맞은 내용을 쓰시오.

혀의 앞뒤 / 입술의 모양 / ② (　　)의 높이	전설 모음		① (　　　) 모음	
	평순 모음	원순 모음	평순 모음	원순 모음
고모음	ㅣ	ㅟ	③ (　　)	ㅜ
중모음	④ (　　)	ㅚ	ㅓ	⑤ (　　)
저모음	ㅐ		⑥ (　　)	

08 다음 자음을 소리 나는 위치에 따라 바르게 연결하시오.

① ㄱ, ㄲ, ㅋ, ㅇ •	• ㉠ 잇몸소리
② ㅁ, ㅂ, ㅃ, ㅍ •	• ㉡ 여린입천장소리
③ ㅎ •	• ㉢ 입술소리
④ ㄴ, ㄷ, ㄸ •	• ㉣ 목청소리
⑤ ㅈ, ㅉ, ㅊ •	• ㉤ 센입천장소리

09 다음 단어 중 목청이 울리며 소리 나는 자음이 사용되지 않은 것을 모두 찾으시오. (　　　　　)

① 나라　② 고래　③ 사과　④ 모래　⑤ 파리　⑥ 촛농　⑦ 안녕
⑧ 식물　⑨ 싸리　⑩ 나물　⑪ 베개　⑫ 종이　⑬ 큰일　⑭ 포기

10 다음 단어 중 혀끝과 잇몸 사이에서 소리 나는 자음이 사용된 것을 모두 찾으시오. (　　　　　)

① 고라니　② 동생　③ 뜨개질　④ 자장가　⑤ 친구　⑥ 무지개

11 다음 중 소리 내는 방법과 자음의 연결이 옳지 못한 것을 찾으시오. (　　　　　)

① 파열음 - ㄱ, ㄲ, ㅋ　② 파찰음 - ㅈ, ㅉ, ㅊ　③ 마찰음 - ㅅ, ㅆ, ㅎ
④ 비음 - ㄴ, ㅁ, ㅇ　⑤ 유음 - ㄷ, ㄸ, ㅌ

12 다음 단어 중 파열음에서 예사소리만으로 이루어진 것을 모두 찾으시오. (　　　　　)

① 두부　② 소리　③ 다과　④ 도시락　⑤ 호랑이　⑥ 보고　⑦ 고단백

13 다음 빈칸에 들어갈 알맞은 내용을 쓰시오.

발음 방법 \ 발음 위치			입술소리	① (　　　)	센입천장소리	여린입천장소리	목청소리
안울림소리	파열음	② (　　　)	ㅂ	ㄷ		ㄱ	
		된소리	ㅃ	ㄸ		③ (　　)	
		거센소리	④ (　　)	ㅌ		ㅋ	
	⑤ (　　)	예사소리			ㅈ		
		된소리			ㅉ		
		거센소리			⑥ (　　)		
	마찰음	예사소리		ㅅ			ㅎ
		⑦ (　　　)		ㅆ			
⑧ (　　)	비음(콧소리)		ㅁ	⑨ (　　)		ㅇ	
	⑩ (　　)(흐름소리)			ㄹ			

실전 문제

01 음운에 대한 설명으로 알맞지 않은 것은?

① 음운에는 자음과 모음 등이 있다.
② '감'은 3개의 음운으로 이루어졌다.
③ 음운 하나의 차이로 뜻이 달라지지는 않는다.
④ 음운과 음운을 결합해 의미를 나타낼 수 있다.
⑤ 말의 뜻을 구별해 주는 소리의 가장 작은 단위이다.

02 우리말의 자음 체계에 대한 설명으로 옳지 않은 것은?

① 울림소리는 콧소리와 흐름소리로 나눌 수 있다.
② 홀로 발음할 수 없는 소리로 모음과 함께 발음해야 한다.
③ 목청의 울림 여부에 따라 구분하면 'ㅁ'은 '입술소리'이다.
④ 발음을 하는 과정에서 공기의 흐름이 방해를 받는 소리이다.
⑤ '예사소리'보다 '된소리'와 '거센소리'가 소리의 세기가 더 크다.

03 〈보기〉의 설명에 해당하는 자음이 사용된 것은?

> 보기
> 혀끝을 잇몸에 가볍게 대었다가 떼거나, 윗잇몸에 댄 채 공기를 그 양옆으로 흘려보내면서 내는 소리

① 동네　② 사람　③ 채비
④ 탁구　⑤ 표지

04 다음 단어들 간의 느낌 차이를 설명한 내용으로 옳은 것은?

> ㉠ 감감하다 – 깜깜하다 – 캄캄하다
> ㉡ 달가닥 – 딸가닥 – 탈가닥
> ㉢ 잘랑잘랑 – 짤랑짤랑 – 찰랑찰랑

① 소리의 세기와 느낌이 점점 강해지고 있다.
② 소리의 세기와 느낌이 점점 약해지고 있다.
③ 소리의 세기와 느낌이 불분명하게 나타나고 있다.
④ 소리의 세기와 느낌이 강하게 나타났다가 약해지고 있다.
⑤ 소리의 세기와 느낌이 거칠게 나타났다가 약해지고 있다.

05 〈보기〉를 소리 내어 읽었을 때의 느낌과 그 이유가 바르게 연결된 것은?

> 보기
> 얄리얄리 얄랑셩 얄라리 얄라

① 우울한 느낌 – 비음의 사용
② 가벼운 느낌 – 된소리의 사용
③ 즐거운 느낌 – 예사소리의 사용
④ 밝고 경쾌한 느낌 – 유음의 사용
⑤ 크고 거친 느낌 – 거센소리의 사용

06 우리말의 모음 체계에 대한 설명으로 옳지 않은 것은?

① 발음할 때 발음 기관의 장애를 받지 않는다.
② 'ㅜ, ㅗ'를 차례로 발음하면 혀의 높이가 점점 낮아진다.
③ 'ㅐ, ㅣ'를 차례로 발음하면 혀의 높이가 점점 높아진다.
④ 'ㅔ, ㅓ'를 차례로 발음하면 혀의 최고점이 앞쪽에서 뒤쪽으로 이동한다.
⑤ 'ㅣ, ㅡ'를 차례로 발음하면 혀의 최고점이 뒤쪽에서 앞쪽으로 이동한다.

07 〈보기〉의 문장에 사용된 모음의 개수는?

> 보기
> 별이 정말 예쁘네.

① 7개　② 8개　③ 10개　④ 15개　⑤ 17개

08 우리말의 음운에 대한 설명으로 바르지 않은 것은?

① 모음은 독립적으로 소리가 날 수 있다.
② 모음은 단모음 10개와 이중 모음 11개로 이루어진다.
③ 자음은 소리 나는 위치에 따라 안울림소리와 울림소리로 나뉜다.
④ 자음은 소리를 낼 때 공기의 흐름이 발음 기관에 의해 방해를 받으며 나는 소리이다.
⑤ 모음은 소리를 낼 때 공기의 흐름이 발음 기관에 의해 방해를 받지 않고 나는 소리이다.

09 다음 중 음운의 수가 가장 적은 단어는?

① 가치관 ② 동창생 ③ 파랑새
④ 인류애 ⑤ 애국가

10 〈보기〉의 밑줄 친 부분의 음운에 대한 설명으로 옳지 않은 것은?

보기
송알송알 싸리잎에 은구슬
조롱조롱 거미줄에 옥구슬
대롱대롱 풀잎마다 총총
방긋 웃는 꽃잎마다 송송송

① 밝고 경쾌한 느낌을 준다.
② 맑고 즐거운 느낌을 준다.
③ 목청이 울리며 나는 소리가 들어 있다.
④ 코로 공기를 내보내는 소리가 들어 있다.
⑤ 두 입술 사이에서 나는 소리가 들어 있다.

11 자음을 소리 나는 위치에 따라 분류할 때, 해당하는 자음이 바르게 연결되지 않은 것은?

① 입술소리 – ㅁ, ㅂ
② 잇몸소리 – ㅅ, ㅆ
③ 목청소리 – ㄴ, ㅎ
④ 센입천장소리 – ㅈ, ㅊ
⑤ 여린입천장소리 – ㄱ, ㅇ

12 소리를 내는 위치가 나머지 자음들과 다른 하나는?

① ㄱ ② ㅇ ③ ㄲ ④ ㅉ ⑤ ㅋ

13 밑줄 친 글자를 소리 낼 때, 입을 가장 크게 벌려야 하는 단어는?

① 개구리 ② 솔바람 ③ 나뭇가지
④ 수도꼭지 ⑤ 어린이날

14 〈보기〉의 대화로 미루어 볼 때, 다빈이네 강아지 이름으로 적절한 것은?

보기
다은: 다빈아, 너희 집 강아지 이름이 뭐였지?
다빈: 한번 맞혀 봐. 우리 집 강아지 이름은, 혀끝과 윗잇몸 사이에서 나는 소리이면서 된소리가 들어 있어.

① 쫑이 ② 핑이 ③ 탱이
④ 쏭이 ⑤ 낭이

15 〈보기〉에서 여린입천장소리가 들어 있는 단어의 개수는?

보기
기린, 나귀, 크낙새, 호랑이, 황조롱이, 뱀, 말, 고래, 까치

① 3개 ② 4개 ③ 5개 ④ 6개 ⑤ 7개

16 '미'를 발음했을 때 발음 기관에서 일어나는 현상이 아닌 것은?

① 입술이 둥글게 된다.
② 혀의 최고점이 앞쪽에 있다.
③ 두 입술이 붙었다가 떨어진다.
④ 입이 조금 열려서 혀의 높이가 높다.
⑤ 코로 공기를 내보내면서 소리가 난다.

17 〈보기〉의 조건에 맞는 동물로 적절한 것은?

보기
• 초성(첫소리): 목청소리
• 중성(가운뎃소리): 혀 뒷부분에서 나는 소리로 입술 모양이 둥글지 않은 소리
• 종성(끝소리): 여린입천장소리 중의 예사소리

① 학 ② 곰 ③ 말 ④ 삵 ⑤ 뱀

18 다음 중 거센소리와 저모음이 모두 나타나는 이름은?

① 전정국 ② 김태형 ③ 박지민 ④ 정호석 ⑤ 민윤기

03 품사의 종류와 특성

1 품사의 개념과 분류 기준

(1) 품사의 개념: 단어를 공통된 문법적 성질에 따라 분류해 놓은 갈래

(2) 품사의 분류 기준

① 형태의 변화에 따른 분류: 불변어, 가변어

② 문장에서의 기능에 따른 분류: 체언, 용언, 수식언, 관계언, 독립언

③ 의미에 따른 분류(9품사): 명사, 대명사, 수사, 동사, 형용사, 관형사, 부사, 조사, 감탄사

형태	기능	의미
불변어	체언(주체)	명사
		대명사
		수사
	수식언(수식)	관형사
		부사
	독립언(독립)	감탄사
	관계언(관계)	조사
가변어	관계언	서술격 조사 '이다'
	용언(서술)	동사
		형용사

(3) 품사 분류의 효과

- 단어의 특성을 이해하고 체계적으로 파악할 수 있다.
- 단어를 품사에 맞게 사용할 수 있다.

2 품사의 종류와 특성

(1) 체언: 주체 역할을 하는 단어들로, '명사, 대명사, 수사'를 지칭한다.

- 주로 주어, 목적어, 보어 등의 문장 성분으로 쓰인다.
- 문장에 쓰일 때 형태가 변하지 않는다.
- 조사와 결합하거나 홀로 쓰인다.

① 명사: 구체적인 대상이나 추상적인 대상의 이름을 나타내는 단어

고유 명사	특정한 사람이나 사물 하나에만 붙이는 이름 예 대한민국, 삼국사기
보통 명사	같은 종류의 모든 사물에 두루 쓰이는 이름 예 사과, 선생님

② 대명사: 사람이나 사물, 장소의 이름을 대신 나타내는 단어

인칭 대명사	사람의 이름을 대신 나타내는 단어 예 나, 너, 우리, 당신, 그녀, 누구
지시 대명사	사물이나 장소 등의 이름을 대신 나타내는 단어 예 이것, 저것, 여기, 거기

개념 확인 문제

1 단어를 공통된 성질에 따라 분류해 놓은 갈래를 (　　　)(이)라고 하는데, 이를 분류하는 기준으로 (　　　), (　　　), (　　　)이/가 있다.

2 다음 중 품사의 분류 기준이 나머지와 다른 것은?

① 명사 ② 용언
③ 부사 ④ 동사
⑤ 감탄사

3 다음 문장의 밑줄 친 단어를 명사, 대명사, 수사로 구분하시오.

> 내가 사과 다섯을 사 왔다.

(1) 명사: ________
(2) 대명사: ________
(3) 수사: ________

4 다음 밑줄 친 단어 중 품사의 종류가 나머지와 다른 것은?

① 화장실은 이쪽에 있어.
② 보건실은 어디에 있나요?
③ 네가 간다는 거기가 어디지?
④ 너는 그것도 가지려고 하니?
⑤ 우리는 오늘 동물원에 갑니다.

5 다음 제시된 단어 중 수사를 모두 찾아 쓰시오.

> 무엇, 넷, 것, 첫째, 이분

____

③ 수사: 수량이나 순서를 나타내는 단어

양수사	수량을 나타내는 수사 예 하나, 둘, 셋, 일(一), 이(二), 삼(三)
서수사	순서를 나타내는 수사 예 첫째, 둘째, 셋째

(2) 용언: 문장에서 주체의 동작, 상태, 성질을 서술하는 단어로, '동사, 형용사'를 지칭한다.

- 문장에서 주로 서술어로 쓰이며 기본형은 '어간+-다'로 끝난다.
- 어미의 형태 변화(활용)가 가능하다.

동사	사람이나 사물의 움직임을 나타내는 단어 예 먹다, 잡다, 자다
형용사	사람이나 사물의 성질이나 상태를 나타내는 단어 예 예쁘다, 아름답다, 슬프다

※ 동사와 달리 형용사는 현재형(-ㄴ다/-는다), 명령형(-아라/-어라), 청유형(-자)으로 활용할 수 없다.

(3) 수식언: 다른 단어를 꾸며 의미를 명확하게 해 주는 단어로, '관형사, 부사'를 지칭한다.

관형사	• 문장 속에서 체언을 꾸며 주는 단어 • 조사가 붙지 않음. • 관형어로만 쓰임. 예 새, 헌, 온갖, 이, 그, 저, 한, 두, 세
부사	• 문장 속에서 주로 용언을 꾸며 주는 단어 • 다른 부사, 관형사, 체언, 문장 전체를 꾸미기도 함. • 보조사와 결합하기도 함. • 문장 내 위치가 비교적 자유로움. 예 잘, 매우, 빨리, 이리, 그리, 과연, 설마, 그리고

(4) 관계언: 문장에 쓰인 단어들의 문법적 관계를 나타내는 단어로, '조사'를 지칭한다.

조사	• 주로 체언 뒤에 붙어 다른 말과의 문법적 관계를 나타내거나 특별한 의미를 더해 줌. • 부사, 형용사, 동사 뒤에 붙기도 함. • 활용하지 않으나 서술격 조사 '이다'만은 활용함. • 홀로 쓰이지 못하고, 언제나 앞의 말에 붙여 씀. 예 이/가, 을/를, 의, 에/에서, 이다, 은/는, 도, 와/과

(5) 독립언: 문장에 쓰인 다른 단어와 관련 없이 독립적으로 쓰이는 단어로, '감탄사'를 지칭한다.

감탄사	• 말하는 이의 느낌이나 놀람, 부름, 대답 등을 나타냄. • 형태가 변하지 않고, 생략해도 문장이 성립함. • 조사가 붙을 수 없고, 문장 내에서 위치가 비교적 자유로움. 예 어머나, 아이고, 야, 그래, 응

개념 확인 문제

6 다음에서 용언의 활용이 어색한 것을 모두 고르시오.

> ㉠ 매일 학교에 간다.
> ㉡ 빵을 먹어라.
> ㉢ 혜리야, 아름답자.
> ㉣ 우리 같이 놀자.
> ㉤ 너 마음이 넓어라.

7 다음 중 조사의 특징으로 바르지 않은 것은?

① 문장에서 위치가 자유롭다.
② 문장에서 형태가 변하는 것도 있다.
③ 자립성은 없지만 단어로 인정한다.
④ 문장에서 단어들의 관계를 나타낸다.
⑤ 앞말에 특별한 의미를 더해 주기도 한다.

8 ㉠~㉢의 품사를 각각 쓰시오.

> 내 의자는 ㉠아주 오래되었지만, ㉡이보다 더 ㉢편안한 것은 없어.

㉠: ______ ㉡: ______ ㉢: ______

9 다음 밑줄 친 부분이 조사이면 ○표, 아니면 ×표를 하시오.

(1) 우승은 나의 것! ( )
(2) 초가 몇 개 필요하지? ( )
(3) 저도 가고 싶어요. ( )
(4) 나는 이리로 왔다. ( )
(5) 나와 너는 같은 반이다. ( )

10 다음 중 감탄사가 사용되지 않은 것은?

① 어머나! 이게 누구야?
② 야, 너 나 좀 잠깐 보자.
③ 아차, 우산을 놓고 왔구나.
④ 응? 다시 한 번 말해 줄래?
⑤ 예가 어딘 줄 알고 함부로 말하는 것이냐?

연습 문제

01 다음 중 명사인 것을 모두 찾으시오. (　　　　　　　　　　　　)

① 책	② 저녁	③ 철수	④ 먹다	⑤ 여러분
⑥ 둘	⑦ 이르다	⑧ 고양이	⑨ 빨리	⑩ 인간
⑪ 문제	⑫ 빠르다	⑬ 강아지	⑭ 새 (옷)	⑮ 사람
⑯ 나이	⑰ 헌	⑱ 이불	⑲ 아이스크림	⑳ 셋

02 다음 제시된 단어를 고유 명사와 보통 명사로 구분하시오.

① 꿀 (　　　)	② 우유 (　　　)	③ 김준우 (　　　)
④ 야구 (　　　)	⑤ 달 (　　　)	⑥ 참외 (　　　)
⑦ 동대문 (　　　)	⑧ 여름 (　　　)	⑨ 한라산 (　　　)

03 다음 제시된 단어를 인칭 대명사와 지시 대명사로 구분하시오.

① 당신 (　　　)	② 저기 (　　　)	③ 거기 (　　　)
④ 여기 (　　　)	⑤ 그녀 (　　　)	⑥ 너희 (　　　)
⑦ 이곳 (　　　)	⑧ 그것 (　　　)	⑨ 우리 (　　　)
⑩ 누구 (　　　)	⑪ 나 (　　　)	⑫ 저것 (　　　)

04 다음 문장에서 밑줄 친 단어가 수사인 것을 모두 찾으시오. (　　　　　　)

① 둘째, 물을 아끼자.
② 선생님께서 우리 둘을 부르셨어.
③ 첫째 언니가 나를 보고 웃었다.
④ 일 더하기 이는 삼이다.
⑤ 우리 엄마에게는 동생이 셋 있다.
⑥ 이번 한 경기로 승패가 나뉜다.
⑦ 열 손가락 깨물어 안 아픈 손가락 없다더니.
⑧ 아빠가 수박 하나를 사오셨다.

05 다음 제시된 단어와 품사를 바르게 연결하시오.

① 커녕 •	• ㉠ 관형사
② 그냥 •	• ㉡ 명사
③ 하루 •	• ㉢ 조사
④ 온갖 •	• ㉣ 부사
⑤ 담다 •	• ㉤ 동사

06 다음 설명이 맞으면 ○표, 틀리면 ×표를 하시오.

① 체언은 문장에 쓰일 때 형태가 변화한다. (　　)
② 동사는 현재형, 명령형, 청유형으로 활용 가능하지만 형용사는 불가능하다. (　　)
③ 관형사는 조사와 결합할 수 없으나, 부사는 조사와 결합할 수 있다. (　　)
④ 조사는 형태가 변하지 않으나 주격 조사인 '은/는'만은 변화한다. (　　)
⑤ 감탄사는 생략해도 문장이 성립한다. (　　)

07 다음 밑줄 친 단어의 품사를 쓰시오.

① 언니가 어제 거기에 갔다는 사실을 아무도 모른다.
( ) ( ) ( )

② 무엇 때문에 빠르게 움직였는지 궁금하다.
( ) ( )

③ 넷이서 주장하면 거짓말도 사실이 된다.
( ) ( ) ( )

08 다음 제시된 단어를 동사와 형용사로 구분하시오.

① 달리다 ( )	② 깨끗하다 ( )	③ 자다 ( )
④ 아름답다 ( )	⑤ 기쁘다 ( )	⑥ 인사하다 ( )
⑦ 끝나다 ( )	⑧ 멋있다 ( )	⑨ 푸르다 ( )
⑩ 뛰다 ( )	⑪ 높다 ( )	⑫ 이야기하다 ( )
⑬ 넓다 ( )	⑭ 소리치다 ( )	⑮ 착하다 ( )

09 다음 중 조사에 대한 설명을 모두 찾으시오. ( )

① 문장에서 체언을 꾸며 주는 역할을 한다.
② 말하는 이의 느낌이나 놀람, 부름, 대답 등을 나타낸다.
③ 홀로 쓰이지 못하고, 언제나 앞의 말에 붙여 쓴다.
④ 문장에서 주체의 동작, 상태, 성질을 서술하는 단어이다.
⑤ 주로 체언 뒤에서 다른 말과의 문법적 관계를 나타내거나 특별한 의미를 더해 준다.

10 다음 밑줄 친 부분이 문법적으로 맞으면 ○표, 틀리면 ×표를 하시오.

① 이따가 나와 함께 운동장을 달리자. ( )
② 할아버지, 오래 오래 건강하세요. ( )
③ 우리 앞으로 함께 행복하자. ( )
④ 연정아, 학교에 가자. ( )

11 다음은 단어의 '의미'를 기준으로 나눈 품사 분류표의 일부이다. 빈칸에 알맞은 말을 쓰시오.

① ( )	사람이나 사물, 장소의 이름을 대신 나타내는 단어 예 그녀, 이곳
수사	수량이나 순서를 나타내는 단어 예 하나, 둘, 첫째, 둘째
② ( )	사람이나 사물의 움직임을 나타내는 단어 예 먹다, 잡다, 자다
③ ( )	사람이나 사물의 성질이나 상태를 나타내는 단어 예 예쁘다, 슬프다
관형사	문장 속에서 ④ ( )을/를 꾸며 주는 단어 예 새, 헌, 온갖
부사	문장 속에서 주로 ⑤ ( )을/를 꾸며 주는 단어 예 매우, 빨리
⑥ ( )	말하는 이의 느낌이나 놀람, 부름, 대답 등을 나타내는 단어 예 응, 그래

실전 문제

01 다음 중 품사에 대한 설명으로 올바른 것은?

① 대상의 이름을 가리키는 것은 '조사'이다.
② 수량이나 순서를 나타내는 것은 '관형사'이다.
③ 주로 용언을 꾸미는 역할을 하는 것은 '부사'이다.
④ 문장에서 형태가 변하며, 상태나 성질을 나타내는 것은 '동사'이다.
⑤ 주로 체언에 붙어 다른 말과의 문법적 관계를 나타내는 것은 '명사'이다.

02 〈보기〉를 참고할 때, '꽃'에 대한 설명으로 적절한 것은?

보기

〈명사의 분류〉

구체성	구체 명사	구체적인 대상의 이름
	추상 명사	추상적인 대상의 이름
사용 범위	고유 명사	특정한 사람이나 사물의 이름
	보통 명사	일반적인 사물의 이름
자립성	자립 명사	홀로 쓰일 수 있는 명사
	의존 명사	꾸미는 말이 와야 쓰일 수 있는 명사

① 구체 명사, 고유 명사, 자립 명사이다.
② 구체 명사, 보통 명사, 자립 명사이다.
③ 구체 명사, 보통 명사, 의존 명사이다.
④ 추상 명사, 고유 명사, 자립 명사이다.
⑤ 추상 명사, 보통 명사, 의존 명사이다.

03 다음 밑줄 친 단어 중, 수사가 아닌 것은?

① 한 사람의 욕심이 일을 그르쳤다.
② 첫째도 건강, 둘째도 건강이 최고다.
③ 일에 일을 더하면 이가 되는 법이다.
④ 하나를 가르치면 열을 아는 사람이다.
⑤ 그 부부에게는 딸 둘과 아들 셋이 있다.

04 다음 문장에 사용된 품사가 아닌 것은?

어머, 꽃밭에 예쁜 장미가 피었네.

① 조사 ② 동사 ③ 감탄사
④ 형용사 ⑤ 관형사

05 다음 밑줄 친 단어 중 품사가 나머지와 다른 것은?

① 바람이 차가웠다.
② 물이 무척 맑았다.
③ 주변이 정말 고요하다.
④ 오랜만에 본 친구들이 정겹다.
⑤ 방학 동안에 나는 키가 많이 컸다.

06 다음 문장에 대한 설명으로 알맞지 않은 것은?

참, 설마 경수가 정말 높이뛰기에서 일 등을 했니?

① 문장에서 형태가 변하는 단어는 1개이다.
② 다른 단어나 문장을 꾸미는 단어는 2개이다.
③ 문장에서 독립적으로 쓰이는 단어는 1개이다.
④ 반드시 다른 말에 붙어 쓰이는 단어는 3개이다.
⑤ 사람이나 사물의 이름을 나타내는 단어는 3개이다.

07 다음 중 체언에 대한 설명으로 적절하지 않은 것은?

① 항상 관형사와 부사의 꾸밈을 받는다.
② 홀로 쓰이거나 조사와 결합하여 쓰인다.
③ 의미상 '명사, 대명사, 수사'가 해당된다.
④ 문장에서 주로 주체가 되는 역할을 한다.
⑤ 문장에서 쓰일 때 형태가 변하지 않는다.

08 다음 중 〈보기〉와 같은 특징을 지닌 단어는?

보기

- 형태가 변하지 않는다.
- 다른 말을 꾸며 주는 역할을 한다.

①우리 집 첫째는 ②성격③이 ④매우 ⑤활달하다.

09 〈보기〉의 문장에 사용된 대명사의 개수로 알맞은 것은?

보기

"세훈아, 오늘은 엄마가 좀 바쁘니까 저녁 준비를 네가 해야겠다. 냉장고에 달걀 두 개와 감자 하나가 있으니, 그것으로 무엇이든 만들어 보렴."

① 2개 ② 3개 ③ 4개
④ 5개 ⑤ 6개

10 〈보기〉를 통해 알 수 있는 조사의 기능으로 적절한 것은?

보기
- 대휘가 강아지를 좋아한다.
- 대휘를 강아지가 좋아한다.

① 문장 내에서 위치가 비교적 자유롭다.
② 말하는 이가 어떤 감정인지를 드러낸다.
③ 다른 단어와의 문법적인 관계를 나타낸다.
④ 사람이나 사물의 움직임이나 작용을 나타낸다.
⑤ 문장 주체의 상태나 성질, 움직임 등을 서술한다.

11 〈보기〉의 밑줄 친 단어들에 대한 설명으로 적절하지 않은 것은?

보기
- 처음이 늘 중요하다. • 첫 마음이 중요하다.

① '처음'과 '첫'은 둘 다 '시작'이라는 의미를 가진다.
② '처음'의 품사는 명사이며, '첫'의 품사는 관형사이다.
③ '처음'은 '첫'이 문장에서의 쓰임에 따라 형태가 변한 것이다.
④ '처음'은 문장에서 주체의 역할을, '첫'은 꾸며 주는 역할을 한다.
⑤ '처음'은 조사와 결합할 수 있으나, '첫'은 조사와 결합할 수 없다.

12 동사와 형용사에 대한 설명으로 적절하지 않은 것은?

① 관형사의 꾸밈을 받는다.
② 둘 다 형태가 변하여 활용한다.
③ 동사는 명령형으로 활용할 수 있다.
④ 형용사는 청유형으로 활용할 수 없다.
⑤ 동사와 형용사를 묶어 '용언'이라고 한다.

13 단어들을 〈보기〉와 같이 분류한 기준으로 가장 적절한 것은?

보기
입다, 아름답다 : 비행기, 우리, 매우, 헌

① 자립적으로 쓰이는가? ② 형태가 변하는가?
③ 어떤 기능을 하는가? ④ 공통된 의미가 있는가?
⑤ 조사와 결합할 수 있는가?

14 다음 중 수식언에 속하는 두 가지 품사가 모두 사용된 문장이 아닌 것은?

① 이 자동차는 매우 빠르다.
② 그는 어느 날 갑자기 나타났다.
③ 새 옷을 세탁하여 햇볕에 바싹 말렸다.
④ 온갖 음식을 먹었더니 배가 몹시 부르군.
⑤ 깔깔깔 웃는 소리에 깜박 들었던 잠이 깼다.

15 품사의 기능상 갈래 중, 〈보기〉의 문장에서 찾아볼 수 없는 것은?

보기
우와, 민수가 상수보다 키가 크구나!

① 체언 ② 용언 ③ 수식언
④ 관계언 ⑤ 독립언

16 〈보기〉의 대화에서 독립언이 사용되지 않은 문장은?

보기
수미 : "아, 벌써 배가 고프다." ……… ㉠
지현 : "그래, 나도 배가 고파." ……… ㉡
수미 : "그러면, 우리 떡볶이 먹으러 갈까?" ……… ㉢
지현 : "응, 우리 맛나분식으로 가자." ……… ㉣
수미 : "이런, 오늘은 그 분식점이 쉬는 날이네." ……… ㉤

① ㉠ ② ㉡ ③ ㉢ ④ ㉣ ⑤ ㉤

17 다음 중 감탄사가 쓰이지 않은 문장은?

① 우아, 정말 아름다운 곳이다.
② 여보게, 제발 정신 좀 차리게.
③ 민희야, 이제 그만 일어나야지.
④ 예, 지금 바로 달려가겠습니다.
⑤ 아차, 그만 우산을 놓고 왔구나.

18 다음 중 형태를 기준으로 품사를 분류할 때, 밑줄 친 단어의 종류가 나머지와 다른 것은?

① 아름다운 가을 하늘 좀 보렴.
② 어머니께서 헌 신발을 버리셨다.
③ 성훈이가 반에서 가장 잘 달린다.
④ 동생은 자는 얼굴이 제일 예쁘다.
⑤ 소풍날도 이렇게 비가 많이 내릴까?

어휘 체계와 양상

1 어종에 따른 어휘의 체계

(1) **고유어**: 본래부터 우리말에 있었던 말이나 그것을 바탕으로 하여 만들어진 말
예 눈, 하늘, 마음
- 우리 민족의 고유한 정서를 표현하는 데 적합하다.
- 의성어나 의태어, 색채어 표현 등이 발달하였다.

(2) **한자어**: 한자를 바탕으로 하여 만들어진 말 예 강(江), 산(山), 심정(心情)
- 고유어에 비해 뜻이 구체적인 경우가 많아 고유어를 보완하는 역할을 한다.
- 추상적인 개념이나 전문 분야의 개념을 나타내는 어휘가 많다.

(3) **외래어**: 외국에서 들어와 우리말처럼 쓰이는 말 예 버스(bus), 라디오(radio), 카페(café)
- 외국과 교류하는 과정에서 외국 문물과 함께 들어온 경우가 많다.
- 우리말 어휘를 풍부하게 해 주는 장점이 있으나 무분별하게 사용할 경우 우리말의 정체성을 위협할 수 있다.

2 사용 양상에 따른 어휘의 분류

(1) **표준어**: 한 언어가 지역적 원인 또는 사회적 원인에 따라 달라진 말을 '방언'이라고 하는데, 여러 방언 가운데 공통어로서의 자격을 부여받은 하나가 '표준어'이다.

(2) **지역 방언**: 지역에 따라 다르게 쓰는 말로, 우리말의 지역 방언은 크게 동북 방언, 서북 방언, 중부 방언, 동남 방언, 서남 방언, 제주 방언으로 나뉜다.
예 붇이, 염지(함경도) / 푸초, 푼추(평안도) / 부추, 분추(강원도) / 부추(경기도) / 졸, 정구지(충청도) / 정구지, 소풀(경상도) / 솔(전라도) / 세우리(제주도)
- 같은 지역 방언을 쓰는 사람들은 서로 유대감과 친밀감을 느낀다.
- 다른 지역 사람들은 특정 지역 방언을 이해하지 못할 수도 있다.

(3) **사회 방언**: 성별이나 세대, 사회 집단 등과 같은 사회적 요인에 따라 다르게 쓰는 말
① 직업 혹은 집단에 따른 차이

전문어	• 전문 분야에서 특별한 의미로 사용되는 말로 전문 개념을 표현하기 위한 말 예 수요, 공급, 원자, 중성자, 좌창(여드름) • 한자어나 외래어인 경우가 많음. • 은어와 유사한 기능을 발휘하기도 함. • 복잡하게 설명해야 하는 내용을 압축해서 정확하고 간단하게 표현함. • 일반인들은 의미를 제대로 이해하지 못해 의사소통에 어려움을 겪기도 함.
은어	• 어떤 집단 안에서 내부의 비밀을 유지하기 위해 다른 사람들이 알아듣지 못하도록 만들어 쓰는 말 예 노래기(태양), 심(산삼), 넙대(곰) – 심마니들의 은어 • 암호의 성격이 있으며 외부로 알려지면 은어의 기능을 잃음. • 집단 구성원들 간의 결속력을 높여 주고 동료 의식을 심어 줌. • 지나친 사용은 그 집단에 속하지 않은 사람들에게 소외감과 고립감을 주며 의사소통에 장애를 일으킴.

개념 확인 문제

1 우리말은 단어의 기원에 따라 전문어와 은어로 나눌 수 있다. (○, ×)

2 고유어는 옛날부터 사용해 온 순수한 우리말이나 그것에 기초하여 만들어진 말이다. (○, ×)

3 한자어는 개념어와 전문어가 많아 고유어를 보완하는 역할을 한다. (○, ×)

4 다음 중 고유어에 해당하는 것은?
① 식당 ② 언어 ③ 연극 ④ 나이 ⑤ 학교

5 외국에서 들어와 우리말처럼 쓰이는 말을 (　　　)(이)라고 한다.

6 다음에서 설명하는 어휘의 유형을 쓰시오.

> • 글자 하나하나가 각각의 의미를 지니고 있다.
> • 추상적인 개념어가 많아서 정확한 의미를 표현할 수 있는 말이다.

7 (　　　)은/는 그 지역만의 정감을 드러내기 때문에 이 말을 쓰는 사람들은 서로 유대감과 친밀감을 느낀다.

8 의사소통의 불편을 덜기 위하여 전 국민이 공통으로 쓸 수 있게 공식적으로 정한 말은 (　　　)이다.

② 성별에 따른 차이 : 말하는 사람의 성별에 따라 어휘가 달라진다. 예 남자 – '형', 여자 – '오빠'

③ 세대에 따른 차이 : 젊은 세대는 줄임말이나 유행어를 많이 사용한다.

④ 그 밖의 사용 양상에 따른 어휘의 분류

구분	내용
유행어	• 짧은 시간에 여러 사람의 입에 오르내리는 말 예 최애, 가즈아 • 대부분 일정 기간 쓰이다가 사라지지만 일부는 보통의 단어로 자리 잡아 오래 쓰이기도 함. • 시대와 사회를 반영하여 해학성과 풍자성을 가짐. • 독특하고 신선한 느낌이 듦. • 지나치게 사용하면 개성이 없고 가벼운 사람이라는 인상을 줌.
관용어	• 둘 이상의 단어가 결합하여 특별한 의미로 사용되는 관습적인 말 예 발이 넓다, 손이 크다, 미역국을 먹다, 백지장도 맞들면 낫다. • 유래담을 갖고 있는 경우도 있음. • 관용어로 굳어진 단어 사이에 다른 단어를 첨가하기 어려움. • 일반적 표현에 비해 표현 효과가 강해 인상 깊게 표현할 수 있음. • 그 나라의 고유한 문화와 관습을 반영했기 때문에 외국인들은 이해하기 어려울 수 있음.
금기어, 완곡어	• 금기어는 불쾌하고 두려운 것(죽음, 질병, 범죄, 배설물 등)을 연상하게 하여 입 밖에 내기를 꺼리는 말이고, 이러한 말 대신에 불쾌감이 덜하도록 대체한 말을 완곡어라 함. 예 변소(금기어) – 화장실(완곡어) • 금기어를 완곡어로 대체하여 사용할 경우 상대방의 기분을 해치지 않고 의사소통을 할 수 있음. • 상황과 장면을 고려하지 못하고 금기어를 쉽게 사용하면 상대방에게 불쾌감을 주고 예의 없는 사람이라는 인상을 줄 수 있음.

3 의미 관계에 따른 어휘의 분류

(1) 유의어, 반의어, 상 · 하의어

구분	내용
유의어	말소리는 다르지만 뜻이 비슷한 단어 예 어머니 – 엄마 – 모친
반의어	서로 반대되는 뜻을 지닌 단어 예 남자 – 여자, 넓다 – 좁다
상 · 하의어	한 단어의 의미가 다른 단어의 의미에 포함되는 관계를 갖는 단어 예 예술 > 영화 > 공포 영화

(2) 다의어와 동음이의어

구분	내용
다의어	둘 이상의 의미를 지니는 단어 예 손 : 사람의 팔목 끝에 달린 부분(중심 의미), 손가락(주변 의미), 일손(주변 의미)
동음이의어	형태와 소리는 같지만 의미상으로 연관성이 없는 단어 예 배 – 신체 일부, 교통수단, 열매

개념 확인 문제

9 사회 방언은 직업, 성별, 세대 등의 사회적 요인에 따라 달라진 말이다. (○, ×)

10 전문어는 집단 내부의 비밀을 유지하기 위한 목적으로 사용되는 말이다. (○, ×)

11 암호의 성격이 있으며, 지나치게 사용할 경우 집단 외부의 사람들에게 소외감을 줄 수 있는 말은 (   )이다.

12 비교적 짧은 시간에 여러 사람들의 입에 오르내리는 말로, 당시의 사회상을 반영하기도 하는 말은?

____

13 다음 중 사회 방언에 해당하지 않는 것은?

① 은어 ② 유행어
③ 관용어 ④ 사투리
⑤ 전문어

14 다음 중 밑줄 친 말이 관용어가 아닌 것은?

① 그는 이제 머리가 굳었다.
② 그녀는 쌍꺼풀이 없어도 눈이 크다.
③ 그 물건에 손을 대다니 간이 부었군.
④ 이제 그는 손을 씻고 새사람이 되기로 했다.
⑤ 내가 너를 얼마나 목이 빠지게 기다렸는 줄 알아?

15 다음 문장에서 금기어를 대신하는 말을 찾아 기본형을 쓰시오.

> 다음 달 18일은 할아버지께서 잠드신 지 일 년이 되는 날이다.

____

연습 문제

01 다음 단어 중 고유어를 찾으시오. (   )

① 아이스크림	② 냉면	③ 떡	④ 두유	⑤ 초콜릿
⑥ 김	⑦ 나물	⑧ 빵	⑨ 오렌지	⑩ 커피

02 다음 제시된 단어를 고유어와 한자어, 외래어로 구분하시오.

① 포도 ( )	② 바나나 ( )	③ 비빔밥 ( )	④ 책 ( )
⑤ 연세 ( )	⑥ 비올라 ( )	⑦ 지우개 ( )	⑧ 쇼 ( )
⑨ 야구 ( )	⑩ 콩국수 ( )	⑪ 햄버거 ( )	⑫ 펜 ( )

03 다음 설명 중 적절한 것을 모두 찾으시오. (   )

① 우리말에는 한자어보다 고유어가 많다.
② 외래어는 우리말처럼 쓰인다는 점에서 외국어와 차이가 있다.
③ 우리말은 그 기원과 유래에 따라 고유어, 한자어, 외래어로 나눌 수 있다.
④ 외래어는 우리말의 정체성을 해칠 수 있으므로 절대로 사용해서는 안 된다.
⑤ 한자어는 세분화된 표현에 적합하며 하나의 순우리말의 의미에 대응되는 한자어는 여러 개가 있을 수 있다.

04 다음 밑줄 친 고유어와 바꾸어 쓸 수 있는 한자어를 바르게 연결하시오.

① 선생님께서 다희에게 상을 <u>주다</u>.	•	•	㉠ 선사하다
② 엉덩이에 주사를 <u>주다</u>.	•	•	㉡ 수여하다
③ 그가 우리에게 선물을 <u>주다</u>.	•	•	㉢ 투여하다

05 다음 제시된 단어 중 외래어를 모두 찾으시오. (   )

① 잔치	② 망토	③ 볼펜	④ 무용수	⑤ 시나브로
⑥ 콩트	⑦ 셔츠	⑧ 친구	⑨ 지퍼	⑩ 슈퍼마켓

06 다음 제시된 단어를 지역 방언과 사회 방언으로 구분하시오.

① 멜(멸치) ( )	② 날치(날짐승) ( )
③ 담탱이(담임) ( )	④ 강냉이(옥수수) ( )
⑤ 문상(문화 상품권) ( )	⑥ 얼짱(잘생긴 사람) ( )

07 다음 제시된 단어와 방언의 발생 요인을 바르게 연결하시오.

① 언니, 오빠, 누나, 형, 형부	•	•	㉠ 직업
② 춘부장, 중딩, 버카충, 문상	•	•	㉡ 성별
③ 뇌 지주막하 출혈, 동맥류 결찰	•	•	㉢ 지역
④ 겁나게, 쪼간, 정구지, 감재	•	•	㉣ 세대

08 다음 어휘의 유형과 그에 해당하는 설명을 바르게 연결하시오.

① 금기어 •	• ㉠ 전문 분야에서 특별한 의미로 사용된다.
② 유행어 •	• ㉡ 집단 구성원들 간의 결속력을 높이는 역할을 한다.
③ 전문어 •	• ㉢ 관습적으로 굳어진 말로 고유한 문화를 반영하기도 한다.
④ 관용어 •	• ㉣ 재치 있고 신선한 느낌을 주며 시대를 반영하기도 한다.
⑤ 완곡어 •	• ㉤ 피하고자 하는 말을 부드럽게 돌려서 표현하는 말이다.
⑥ 은어 •	• ㉥ 불길하거나 불쾌한 것을 나타내서 사람들이 피하는 말이다.

09 다음 설명이 맞으면 ○표, 틀리면 ×표를 하시오.

① '훈남', '금손'과 같은 말은 은어에 해당한다. (　　)
② 관용어는 우리의 전통적인 생활 모습과 사고방식을 엿볼 수 있다. (　　)
③ 줄임말이나 유행어를 지나치게 사용하면 세대 간 의사소통이 어려울 수 있다. (　　)
④ 전문어는 한자어나 외래어, 외국어가 많고 의미가 구체적이고 비교적 명확하다. (　　)
⑤ 은어는 특정 시기의 세태를 반영하고 있어서 적절히 사용하면 신선하고 재미있다. (　　)
⑥ 원활한 의사소통을 위해 공식적인 자리에서는 지역 방언을 절대로 사용하면 안 된다. (　　)
⑦ 은어를 자주 사용하면 외부 사람과의 의사소통을 방해하고 오해를 불러일으킬 수 있다. (　　)

10 다음 제시된 단어를 전문어와 은어로 구분하시오.

① 메타스타시스 (　　)	② 소송 (　　)	③ 짭새 (　　)	④ 산주인 (　　)
⑤ 히트 앤드 런 (　　)	⑥ 무두 (　　)	⑦ 다말 (　　)	⑧ 레가토 (　　)
⑨ 어레스트 (　　)	⑩ 삼패 (　　)	⑪ 호구 (　　)	⑫ 부비동염 (　　)

11 다음 제시된 단어들과 어휘의 유형을 바르게 연결하시오.

① 살(=6), 살본(=7), 땅(=8), 땅본(=9) •	• ㉠ 완곡어
② 상기도염(감기), 충수염(맹장염) •	• ㉡ 전문어
③ 브로맨스(남성 간의 친근한 관계), 핵노잼(재미가 없음) •	• ㉢ 은어
④ 손님(홍역), 마마(천연두) •	• ㉣ 유행어

12 다음 단어의 관계와 그 예가 바르게 연결되지 않은 것을 찾으시오. (　　)

① 유의 관계 : 뛰다 – 달리다
② 반의 관계 : 할아버지 – 할머니
③ 상하 관계 : 관공서 – 경찰서, 소방서, 우체국
④ 다의 관계 : 그 관리는 악명이 높다. – 건물이 높다.
⑤ 동음이의 관계 : 공을 세게 던진다. – 바람이 세게 분다.

실전 문제

01 〈보기〉를 참고할 때, 어휘의 유형이 나머지와 다른 하나는?

보기
고유어는 우리말에 본디부터 있던 말을 의미하고, 외래어는 다른 나라에서 들어온 말이지만 우리말처럼 쓰이는 말을 의미한다.

① 쌀 ② 가을 ③ 버스
④ 하늘 ⑤ 개나리

02 단어를 유형에 따라 바르게 분류한 것은?

	고유어	한자어	외래어
①	오늘, 내일	지금, 과거	시간
②	빨강, 파랑	초록, 검정	컬러
③	포수, 야수	피처, 배트	베이스볼
④	김밥, 떡볶이	소면, 백미	라면, 피자
⑤	슬랙스, 치마	스커트, 바지	체육복, 운동복

03 지역 방언에 대한 설명으로 알맞지 않은 것은?

① 같은 언어라도 사용하는 지역에 따라 달라져 지역 방언이 발생한다.
② 지역 방언은 옛말의 자취가 남아 있어 국어 역사 연구에 도움을 준다.
③ 지역 방언은 우리말의 어휘를 풍부하게 만들어 준다는 점에서 가치가 있다.
④ 같은 지역 방언을 사용하는 사람들은 서로 유대감과 친밀감을 느낄 수 있다.
⑤ 지역 방언을 사용하면 의사소통에 문제가 되므로 꼭 필요한 때에만 사용하도록 조심해야 한다.

04 어휘의 특성에 대한 설명으로 알맞은 것은?

① 은어 : 주로 짧은 기간 동안 사용된다.
② 전문어 : 널리 알려지면 그 성격을 잃어버린다.
③ 전문어 : 일상적인 대화에서는 잘 사용되지 않는다.
④ 유행어 : 특정 집단의 비밀을 유지하기 위해 사용된다.
⑤ 은어 : 당시 사회 현실에 대한 비판과 풍자가 드러나기도 한다.

[05~06] 다음 글을 읽고 물음에 답하시오.

민법 제760조 제3항의 ㉠'방조'라 함은 불법 행위를 용이하게 하는 직접 · 간접의 모든 행위를 가리키는 것으로서 〈중략〉 형법과 달리 손해의 전보를 목적으로 하여 과실을 원칙적으로 고의와 동일시하는 민법의 해석으로서는 과실에 의한 불법 행위의 방조도 가능하다고 할 것이며, 이 경우의 과실의 내용은 불법 행위에 도움을 주지 않아야 할 주의 의무가 있음을 전제로 하여 이 의무에 위반하는 것을 말한다.

05 이 글에 주로 사용된 어휘에 대한 설명으로 적절한 것은?

① 대상을 비하하거나 저속하게 표현한 말이다.
② 전문 분야의 지식이나 개념을 나타내는 말이다.
③ 집단 내부의 비밀 유지를 위해 만들어진 말이다.
④ 짧은 시기에 여러 사람의 입에 오르내리는 말이다.
⑤ 말의 재미를 더해 주고, 당시의 시대 상황을 반영하는 말이다.

06 ㉠과 같은 말의 주된 특성으로 알맞은 것은?

① 당시의 사회 모습을 풍자하기도 한다.
② 복잡하고 어려운 개념을 쉽게 풀어서 표현한다.
③ 특정 집단에서만 사용하는 암호의 성격을 지닌다.
④ 외국어나 외래어, 한자어로 된 경우가 많은 편이다.
⑤ 많은 사람들의 공감을 얻으면 일상 언어로 정착된다.

07 〈보기〉에 사용된 언어의 특징으로 적절하지 않은 것은?

보기
버디버디 : 하2하2, 오늘 방송 보셨3?
완존조아 : 그럼여~ 방송 잼있게 보았죠~ ^^
우주스타 : 낼 콘서트 있는 거 다들 알고 계시죠?
짱짱맨 : ㅇㅋ!

① 어법에 어긋난 말이 사용되기도 한다.
② 주로 통신상에서 사용되는 전문어이다.
③ 신속성과 효율성을 위해 줄임말이 사용된다.
④ 일상 대화에 사용되면 의사소통에 문제가 된다.
⑤ 시각적 기호로 말하는 사람의 표정을 담기도 한다.

08 전문어, 유행어, 은어를 효과적으로 사용했을 때 얻을 수 있는 장점으로 적절한 것은?

① 집단 외부 사람의 간섭을 차단할 수 있다.
② 대중들에게 지적인 사람으로 보일 수 있다.
③ 공식적인 자리에서 대화를 주도할 수 있다.
④ 말하고자 하는 내용을 정확하고 간단하게 전달할 수 있다.
⑤ 우리말의 어휘를 다양하게 하고 언어생활을 풍요롭게 할 수 있다.

09 〈보기〉의 밑줄 친 말에 대한 설명으로 알맞지 않은 것은?

보기
의학계와 병원에서는 '비대부 좌창'처럼 일반인들이 거의 알아들을 수 없는 질병 용어를 '콧등 여드름'처럼 쉽게 알아들 수 있는 말로 바꿔 사용하려는 움직임이 일고 있다.

① 전문 분야에서 특별한 의미로 사용된다.
② 일반 사람들은 그 의미를 이해하기 어렵다.
③ 외래어나 한자어를 그대로 쓰는 경향이 있다.
④ 쉬운 우리말로 바꾸어 쓰자는 움직임이 있기도 하다.
⑤ 너무 자주 사용하면 개성이 없다는 느낌을 줄 수 있다.

10 〈보기〉와 같은 말을 사용할 때의 효과로 알맞은 것은?

보기
〈시장 상인들이 숫자를 셀 때 쓰는 말〉
먹주(=1), 대(=2), 삼패(=3), 을씨(=4), 을씨본(=5)

① 말하고자 하는 바를 명확하게 나타낼 수 있다.
② 당시 사회의 모습을 풍자적으로 나타낼 수 있다.
③ 남과 구별되는 자신만의 개성을 표현할 수 있다.
④ 전문 분야의 개념을 효과적으로 전달할 수 있다.
⑤ 집단의 구성원들에게 소속감과 동료 의식을 심어 줄 수 있다.

11 〈보기〉에서 설명하는 말의 예로 알맞은 것은?

보기
- 집단 내부의 사람들에게 소속감과 동료 의식을 심어 줌.
- 외부에 널리 알려지게 되면 본래의 성격을 잃어버림.

① 훈남 ② 백업 ③ 늑막염
④ 땡물건 ⑤ 이태백

12 〈보기〉의 대화에 사용된 어휘의 유형은? (정답 2개)

보기
민아: 민우가 장난치다가 담탱이한테 걸린 것 알아?
승기: 당근이지. 참, 걔 얼짱 범생이 소개받기로 했대.
민아: 그 범생이 안습이다. 히히히.

① 은어 ② 외래어 ③ 전문어
④ 외국어 ⑤ 유행어

13 〈보기〉에서 설명하는 말에 해당하는 어휘가 아닌 것은?

보기
- 주로 대중 매체를 통해 널리 알려진다.
- 당시의 사회 모습을 반영하여 '시대의 거울'이라고 불리기도 한다.

① 항소 ② 몸짱 ③ 급식체
④ 완소남 ⑤ 경단녀

14 〈보기〉에 제시된 유행어들이 공통적으로 반영하고 있는 현실의 모습으로 적절한 것은?

보기
사람을 수저에 비유한 표현이 더 이상 낯설지가 않다. 이는 부모의 경제력에 따라 자신을 흙수저, 금수저로 나누는 것인데, 심지어 다이아몬드 수저도 있다고 한다. 또 한편으로는 '티끌 모아 태산'이 안 되는 세상인데 '탕진잼'이라도 즐겨야 한다는 목소리가 들리고 있다.

① 장애인에 대한 편견이 심함.
② 외국의 개방적 문화가 유입됨.
③ 사회의 경제적 불평등이 심화됨.
④ 자녀 교육에 대한 관심이 높아짐.
⑤ 남성과 여성을 차별적으로 대우함.

15 다음 중 전문어와 은어의 공통점으로 가장 적절한 것은?

① 시대 현실의 영향을 많이 받는다.
② 재미와 즐거움을 주는 기능을 하기도 한다.
③ 외국어를 사용해 우리말의 존재 가치를 위협한다.
④ 일반 사람들에게 어떠한 사실을 알리기 위해 사용한다.
⑤ 특정 집단에 관련된 사람이 아니면 의미를 이해하기 힘들다.

단어의 정확한 발음과 표기

표준 발음법

제1항 표준 발음법은 표준어의 실제 발음을 따르되, 국어의 전통성과 합리성을 고려하여 정함을 원칙으로 한다.

제4항 'ㅏ ㅐ ㅓ ㅔ ㅗ ㅚ ㅜ ㅟ ㅡ ㅣ'는 단모음으로 발음한다.

[붙임] 'ㅚ, ㅟ'는 이중 모음으로 발음할 수 있다.

제5항 'ㅑ ㅒ ㅕ ㅖ ㅘ ㅙ ㅛ ㅝ ㅞ ㅠ ㅢ'는 이중 모음으로 발음한다.

다만 1. 용언의 활용형에 나타나는 '져, 쪄, 쳐'는 [저, 쩌, 처]로 발음한다.

가지어 → 가져[가저]　　찌어 → 쪄[쩌]　　다치어 → 다쳐[다처]

다만 2. '예, 례' 이외의 'ㅖ'는 [ㅔ]로도 발음한다.

계집[계:집/게:집]　　계시다[계:시다/게:시다]　　시계[시계/시게](時計)
연계[연계/연게](連繫)　　메별[메별/메별](袂別)　　개폐[개폐/개페](開閉)
혜택[혜:택/헤:택](惠澤)　　지혜[지혜/지혜](智慧)

다만 3. 자음을 첫소리로 가지고 있는 음절의 'ㅢ'는 [ㅣ]로 발음한다.

늴리리　　닁큼　　무늬　　띄어쓰기　　씌어　　틔어　　희어　　희떱다　　희망　　유희

다만 4. 단어의 첫음절 이외의 '의'는 [ㅣ]로, 조사 '의'는 [ㅔ]로 발음함도 허용한다.

주의[주의/주이]　　협의[혀븨/혀비]　　우리의[우리의/우리에]　　강의의[강:의의/강:이에]

제8항 받침소리로는 'ㄱ, ㄴ, ㄷ, ㄹ, ㅁ, ㅂ, ㅇ'의 7개 자음만 발음한다.

제9항 받침 'ㄲ, ㅋ', 'ㅅ, ㅆ, ㅈ, ㅊ, ㅌ', 'ㅍ'은 어말 또는 자음 앞에서 각각 대표음 [ㄱ, ㄷ, ㅂ]으로 발음한다.

닦다[닥따]　　키읔[키윽]　　키읔과[키윽꽈]　　옷[옫]　　웃다[욷:따]
있다[읻따]　　젖[젇]　　빚다[빋따]　　꽃[꼳]　　쫓다[쫃따]
솥[솓]　　뱉다[밷:따]　　앞[압]　　덮다[덥따]

제10항 겹받침 'ㄳ', 'ㄵ', 'ㄼ, ㄽ, ㄾ', 'ㅄ'은 어말 또는 자음 앞에서 각각 [ㄱ, ㄴ, ㄹ, ㅂ]으로 발음한다.

넋[넉]　　넋과[넉꽈]　　앉다[안따]　　여덟[여덜]　　넓다[널따]
외곬[외골]　　핥다[할따]　　값[갑]　　없다[업:따]

다만, '밟-'은 자음 앞에서 [밥]으로 발음하고, '넓-'은 다음과 같은 경우에 [넙]으로 발음한다.

(1) 밟다[밥:따]　　밟소[밥:쏘]　　밟지[밥:찌]　　밟는[밥:는 → 밤:는]
밟게[밥:께]　　밟고[밥:꼬]
(2) 넓-죽하다[넙쭈카다]　　넓-둥글다[넙뚱글다]

제11항 겹받침 'ㄺ, ㄻ, ㄿ'은 어말 또는 자음 앞에서 각각 [ㄱ, ㅁ, ㅂ]으로 발음한다.

닭[닥]　　흙과[흑꽈]　　맑다[막따]　　늙지[늑찌]　　삶[삼:]
젊다[점:따]　　읊고[읍꼬]　　읊다[읍따]

다만, 용언의 어간 말음 'ㄺ'은 'ㄱ' 앞에서 [ㄹ]로 발음한다.

맑게[말께]　　묽고[물꼬]　　얽거나[얼꺼나]

개념 확인 문제

1 표준 발음법은 표준어의 실제 발음을 따르되, 국어의 전통성과 (　　　) 을/를 고려하여 정함을 원칙으로 한다.

2 'ㅏ, ㅐ, ㅓ, ㅔ, ㅗ, ㅚ, ㅜ, ㅟ, ㅡ, ㅣ'는 (　　　)(으)로 발음하고, 'ㅑ, ㅒ, ㅕ, ㅖ, ㅘ, ㅙ, ㅛ, ㅝ, ㅞ, ㅠ, ㅢ'는 (　　　)(으)로 발음한다.

3 자음을 첫소리로 가지고 있는 음절의 'ㅢ'는 [ㅣ]로 발음한다. (○, ×)

4 단어의 첫음절 이외의 '의'는 [ㅔ]로 발음함도 허용한다. (○, ×)

5 받침소리로는 (　　　　　)의 7개 자음만 발음한다.

6 다음 단어의 발음이 표준 발음법에 맞으면 ○표, 틀리면 ×표를 하시오.

(1) 밭[받] (　　)
(2) 값[갑] (　　)
(3) 짚[집] (　　)
(4) 맑다[말따] (　　)
(5) 얇고[얍:꼬] (　　)
(6) 얹다[언따] (　　)

7 다음 단어의 표준 발음을 쓰시오.

(1) 닭이 [　　　]
(2) 젊어 [　　　]
(3) 훑고 [　　　]
(4) 묽지 [　　　]
(5) 밟아 [　　　]
(6) 없지 [　　　]

제12항 받침 'ㅎ'의 발음은 다음과 같다.

1. 'ㅎ(ㄶ, ㅀ)' 뒤에 'ㄱ, ㄷ, ㅈ'이 결합되는 경우에는, 뒤 음절 첫소리와 합쳐서 [ㅋ, ㅌ, ㅊ]으로 발음한다.

놓고[노코]	좋던[조:턴]	쌓지[싸치]	많고[만:코]	않던[안턴]	닳지[달치]

[붙임 1] 받침 'ㄱ(ㄺ), ㄷ, ㅂ(ㄼ), ㅈ(ㄵ)'이 뒤 음절 첫소리 'ㅎ'과 결합되는 경우에도, 역시 두 음을 합쳐서 [ㅋ, ㅌ, ㅍ, ㅊ]으로 발음한다.

각하[가카]	먹히다[머키다]	밝히다[발키다]	맏형[마텽]
좁히다[조피다]	넓히다[널피다]	꽂히다[꼬치다]	앉히다[안치다]

[붙임 2] 규정에 따라 [ㄷ]으로 발음되는 'ㅅ, ㅈ, ㅊ, ㅌ'의 경우에도 이에 준한다.

옷 한 벌[오탄벌]	낮 한때[나탄때]	꽃 한 송이[꼬탄송이]	숱하다[수타다]

2. 'ㅎ(ㄶ, ㅀ)' 뒤에 'ㅅ'이 결합되는 경우에는, 'ㅅ'을 [ㅆ]으로 발음한다.

닿소[다:쏘]	많소[만:쏘]	싫소[실쏘]

3. 'ㅎ' 뒤에 'ㄴ'이 결합되는 경우에는, [ㄴ]으로 발음한다.

놓는[논는]	쌓네[싼네]

[붙임] 'ㄶ, ㅀ' 뒤에 'ㄴ'이 결합되는 경우에는, 'ㅎ'을 발음하지 않는다.

않네[안네]	않는[안는]	뚫네[뚤네 → 뚤레]	뚫는[뚤는 → 뚤른]

4. 'ㅎ(ㄶ, ㅀ)' 뒤에 모음으로 시작된 어미나 접미사가 결합되는 경우에는, 'ㅎ'을 발음하지 않는다.

낳은[나은]	놓아[노아]	쌓이다[싸이다]	많아[마:나]
않은[아는]	닳아[다라]	싫어도[시러도]	

제13항 홑받침이나 쌍받침이 모음으로 시작된 조사나 어미, 접미사와 결합되는 경우에는, 제 음가대로 뒤 음절 첫소리로 옮겨 발음한다.

깎아[까까]	옷이[오시]	있어[이써]	낮이[나지]	꽂아[꼬자]
꽃을[꼬츨]	쫓아[쪼차]	밭에[바테]	앞으로[아프로]	덮이다[더피다]

제14항 겹받침이 모음으로 시작된 조사나 어미, 접미사와 결합되는 경우에는, 뒤엣것만을 뒤 음절 첫소리로 옮겨 발음한다.(이 경우, 'ㅅ'은 된소리로 발음함.)

넋이[넉씨]	앉아[안자]	닭을[달글]	젊어[절머]	곬이[골씨]
핥아[할타]	읊어[을퍼]	값을[갑쓸]	없어[업:써]	

제15항 받침 뒤에 모음 'ㅏ, ㅓ, ㅗ, ㅜ, ㅟ'들로 시작되는 실질 형태소가 연결되는 경우에는, 대표음으로 바꾸어서 뒤 음절 첫소리로 옮겨 발음한다.

밭 아래[바다래]	늪 앞[느밥]	젖어미[저더미]	맛없다[마덥따]
겉옷[거돋]	헛웃음[허두슴]	꽃 위[꼬뒤]	

다만, '맛있다, 멋있다'는 [마싣따], [머싣따]로도 발음할 수 있다.

[붙임] 겹받침의 경우에는, 그중 하나만을 옮겨 발음한다.

넋 없다[너겁따]	닭 앞에[다가페]	값어치[가버치]	값있는[가빈는]

개념 확인 문제

8 받침 'ㅎ' 뒤에 'ㄱ, ㄷ, ㅈ'이 결합되는 경우에는, 뒤 음절 첫소리와 합쳐서 (   )(으)로 발음한다.

9 다음 단어의 표준 발음으로 알맞은 것에 ○표 하시오.

(1) 먹히다[먹히다, 머키다]
(2) 놓고[노꼬, 노코]
(3) 앓고[알꼬, 알코]
(4) 쌓는[싸는, 싼는]
(5) 잃어[이라, 일하]
(6) 입학[입학, 이팍]

10 'ㅀ' 뒤에 모음으로 시작된 어미나 접미사가 결합되는 경우에는 'ㅎ'을 뒤 음절 첫소리로 옮겨 발음한다. (○, ×)

11 홑받침이나 쌍받침이 모음으로 시작된 조사나 어미, (   )와/과 결합되는 경우에는, 제 음가대로 뒤 음절 첫소리로 옮겨 발음한다.

12 (   )이/가 모음으로 시작된 조사나 어미, 접미사와 결합되는 경우에는, 뒤엣것만을 뒤 음절 첫소리로 옮겨 발음한다.

13 '맛있다'는 받침 'ㅅ'을 대표음으로 바꾸어서 [마딛따]로 발음하는 것이 원칙이나, [마싣따]로 발음할 수도 있다. (○, ×)

14 다음 단어의 표준 발음을 쓰시오.

(1) 밟을 [   ]
(2) 외곬으로 [   ]
(3) 꽃 아래 [   ]
(4) 여덟이 [   ]
(5) 몫이 [   ]
(6) 값에 [   ]

연습 문제

01 다음 중 단모음으로 발음하는 것에 ○표를 하시오.

ㅏ ㅑ ㅓ ㅕ ㅗ ㅛ ㅜ ㅠ ㅡ ㅣ ㅢ ㅐ ㅒ ㅔ ㅖ ㅚ ㅘ ㅙ ㅟ ㅝ ㅞ

02 다음 단어의 발음 중 표준 발음법에 맞는 것에 ○표를 하시오.

① 무늬 → [무늬], [무니]
② 예의 → [예:의], [에:의]
③ 하늬바람 → [하늬바람], [하니바람]
④ 의사 → [의사], [이사]
⑤ 희미하다 → [희미하다], [히미하다]
⑥ 다쳐 → [다쳐], [다처]
⑦ 틔우다 → [틔우다], [티우다]
⑧ 비례 → [비:례], [비:레]

03 다음 낱말의 발음이 바르지 <u>않은</u> 것을 모두 고르시오. (   )

① 규례[규레] ② 시계[시:계] ③ 혜택[헤:택] ④ 가져[가져]
⑤ 닁큼[닝큼] ⑥ 협의[혀비] ⑦ 계산[개산] ⑧ 가례[가레]
⑨ 밀폐[밀페] ⑩ 통계[통:게] ⑪ 은혜[은헤] ⑫ 가게[가:게]

04 다음 문장의 밑줄 친 모음의 발음이 표준 발음법에 해당하면 ○표, 아니면 ×표를 하시오.

① <u>우리의[우리에]</u> 소원은 모두가 평화롭게 사는 것이다. (   )
② <u>겨울[겨울]</u>에 눈이 많이 오면 풍년이 든다. (   )
③ <u>민주주의[민주주이]</u>가 위협받는 상황이 오지 않도록 해야 한다. (   )
④ <u>띄어쓰기[띄여쓰기]</u>를 어려워하는 학생들이 많다. (   )
⑤ 그 교수님은 <u>강의[강:이]</u> 준비를 철저히 하기로 유명하다. (   )
⑥ 유아 시절의 <u>유희[유희]</u>는 교육의 일종이다. (   )
⑦ 그는 음악계에 <u>혜성[혜:성]</u>처럼 나타났다. (   )

05 다음 겹받침이 발음되는 소리를 바르게 연결하시오.

① 넋 • • ㉠ ㄱ
② 없다 • • ㉡ ㄴ
③ 밟고 • • ㉢ ㄷ
④ 읊는 • • ㉣ ㄹ
⑤ 늙고 • • ㉤ ㅁ
⑥ 곬이 • • ㉥ ㅂ

06 다음 낱말의 표준 발음을 쓰시오. (단, 장음 표시는 생략)

① 꽃 [   ] ② 좇다 [   ] ③ 밟소 [   ] ④ 맑습니다 [   ]
⑤ 맏다 [   ] ⑥ 얇고 [   ] ⑦ 젊고 [   ] ⑧ 넓죽하다 [   ]

07 다음 중 겹받침 'ㄺ'이 [ㄱ]으로 발음되는 것을 모두 고르시오. (　　　　　　　)

① 맑다	② 맑게	③ 맑지	④ 맑고	⑤ 맑거나	⑥ 늙다
⑦ 늙게	⑧ 늙지	⑨ 늙고	⑩ 늙거나	⑪ 얽어	⑫ 묽고
⑬ 닭은	⑭ 닭과	⑮ 굵게	⑯ 긁지	⑰ 흙이	⑱ 흙도

08 다음 낱말의 발음이 바르지 않은 것을 모두 고르시오. (　　　　　　　)

① 옷[옫]	② 밟지[발찌]	③ 놓아[노하]	④ 좁혀[조펴]	⑤ 핥다[할따]
⑥ 닭[닥]	⑦ 쌓지[싸치]	⑧ 넓다[넙따]	⑨ 닭을[다글]	⑩ 닳지[달치]

09 다음 문장의 밑줄 친 단어의 발음이 바르면 ○표, 바르지 않으면 ×표를 하시오.

① 그는 항상 그녀가 <u>꽃을[꼬츨]</u> 닮았다고 말했다. (　　　)
② 태형이는 <u>닭고기를[닥꼬기를]</u> 좋아한다. (　　　)
③ 날이 더워지자 <u>겉옷을[걷오슬]</u> 벗어 들고 다니는 사람이 많다. (　　　)
④ 큰형이 만든 잡채가 가장 <u>맛있다[마싣따]</u>. (　　　)
⑤ 시를 <u>읊던[읍던]</u> 동생이 갑자기 노래를 부르기 시작했다. (　　　)
⑥ 무엇인가를 얻기 위해서는 그에 맞는 <u>값을[갑슬]</u> 지불해야 한다. (　　　)
⑦ 언니는 <u>여덟[여덜]</u> 살 때부터 피아노를 배웠다. (　　　)
⑧ <u>넓은[널븐]</u> 운동장에서 혼자 달리기를 하고 있었다. (　　　)
⑨ 그 그릇은 너무 <u>넓둥글어[널뚱글어]</u> 국물을 담기에 적절하지 않다. (　　　)
⑩ 이것저것 건드리지 말고 <u>한 곬으로만[한골쓰로만]</u> 파고들어야 성공한다. (　　　)
⑪ 침대 머리맡에는 물건을 <u>얹지[언찌]</u> 말아라. (　　　)

10 다음 단어의 발음 중 표준 발음법에 맞는 것에 ○표를 하시오.

① 옮은 → [올믄], [오른]	② 값에 → [갑세], [갑쎄]
③ 없으면 → [업스면], [업쓰면]	④ 밭 아래 → [바다래], [바타래]
⑤ 밭을 → [바들], [바틀]	⑥ 값어치 → [가버치], [갑서치]
⑦ 흙과 → [흘꽈], [흑꽈]	⑧ 헛웃음 → [허수슴], [허두슴]
⑨ 넋 없다 → [넉섭따], [너겁따]	⑩ 닭 앞에 → [달가베], [다가페]

11 다음 문장의 밑줄 친 단어의 표준 발음을 쓰시오. (단, 장음 표시는 생략)

① 찬바람이 불면 <u>꽃잎은</u> 떨어지기 마련이다. [　　　　]
② 이별 후에 <u>한없이</u> 눈물을 흘렸다. [　　　　]
③ 졸업식에 <u>꽃다발</u>이 없으면 안 되지. [　　　　]
④ 지난 식목일에는 <u>앞마당</u>에 나무를 심었다. [　　　　]
⑤ 책을 강제로 <u>읽히는</u> 것은 좋은 독서 방법이 아니다. [　　　　]

실전 문제

01 다음 중 표준어에 대한 설명으로 바르지 않은 것은?

① 표준어는 현대 서울말로 정함을 원칙으로 한다.
② 표준어는 교양 있는 사람들이 두루 쓰는 말이다.
③ 표준어는 원활한 의사소통을 위해 공용어의 자격을 부여받은 말이다.
④ 서울말을 표준어로 정한 것은 서울말이 다른 지역의 말보다 언어적으로 우월하기 때문이다.
⑤ 둘 이상의 단어들이 널리 쓰이면 모두 표준어로 인정되기도 하는데, 이를 복수 표준어라고 한다.

02 〈보기〉의 단어들이 표준어가 될 수 없는 이유로 가장 적절한 것은?

보기
- 산을 뜻하는 '뫼'
- 강을 뜻하는 '가람'

① 현대에는 사용되지 않는 말이기 때문에
② 다른 나라에서 사용하는 말이기 때문에
③ 특정 계층의 사람들만 사용하는 말이기 때문에
④ 사람들이 불쾌감을 느낄 수 있는 말이기 때문에
⑤ 교양 있는 사람들이 쓰는 우리말이 아니기 때문에

03 다음 표준어 규정을 참고할 때, 표준어가 아닌 것은?

제14항 준말이 널리 쓰이고 본말이 잘 쓰이지 않는 경우에는, 준말만을 표준어로 삼는다.

① 뱀　② 똬리　③ 무우
④ 장사치　⑤ 귀찮다

04 〈보기〉의 표준어 규정을 참고할 때, 표기가 바르지 않은 것은?

보기
- 수컷을 이르는 접두사는 '수-'로 통일한다.
- 양성 모음이 음성 모음으로 바뀌어 굳어진 단어는 음성 모음 형태를 표준어로 삼는다.
- 'ㅣ' 역행 동화 현상에 의한 발음은 원칙적으로 표준 발음으로 인정하지 아니한다.
  [붙임] 기술자에게는 '-장이', 그 외에는 '-쟁이'가 붙는 형태를 표준어로 삼는다.

① 수꿩　② 멋쟁이　③ 쌍둥이
④ 아지랑이　⑤ 깡총깡총

05 〈보기〉를 참고할 때, 표준 발음법에 맞는 발음이 아닌 것은?

보기
- 겹받침 'ㄼ'은 음절 끝과 자음 앞에서 [ㄹ]로 발음한다. 다만 '밟-'은 자음 앞에서 [밥]으로 발음한다.
- 겹받침 'ㄺ'은 음절 끝과 자음 앞에서 [ㄱ]으로 발음한다. 다만 'ㄱ' 앞에서 [ㄹ]로 발음한다.

① 넓다[널따]　② 밟아[발바]
③ 밟다[밥:따]　④ 맑고[말꼬]
⑤ 읽다가[일따가]

06 〈보기〉의 표준 발음법 규정을 참고할 때, 밑줄 친 단어의 발음이 잘못된 것은?

보기
제17항 받침 'ㄷ, ㅌ(ㄾ)'이 조사나 접미사의 모음 'ㅣ'와 결합되는 경우에는, [ㅈ, ㅊ]으로 바꾸어서 뒤 음절 첫소리로 옮겨 발음한다.
제19항 받침 'ㅁ, ㅇ' 뒤에 연결되는 'ㄹ'은 [ㄴ]으로 발음한다.
제20항 'ㄴ'은 'ㄹ'의 앞이나 뒤에서 [ㄹ]로 발음한다.

① 웃기려고 한 말을 곧이듣다니[고지듣따니].
② 장마로 인해 여기저기에 물난리[물날리]가 났다.
③ 새해를 맞아 동해에서 해돋이[해도지]를 보았다.
④ 수련회에서 담력[담:녁]을 키우는 활동을 하였다.
⑤ 일제의 침략[침:냑] 이후 많은 문화재가 수탈당했다.

07 〈보기〉의 규정을 고려할 때, 발음이 바르지 않은 것은?

보기
- 받침소리로는 'ㄱ, ㄴ, ㄷ, ㄹ, ㅁ, ㅂ, ㅇ'의 7개 자음만 발음한다.
- 받침 'ㄱ(ㄲ, ㅋ, ㄳ, ㄺ), ㄷ(ㅅ, ㅆ, ㅈ, ㅊ, ㅌ), ㅂ(ㅍ, ㄼ, ㄿ, ㅄ)' 뒤에 연결되는 'ㄱ, ㄷ, ㅂ, ㅅ, ㅈ'은 된소리로 발음한다.
- 어간 받침 'ㄴ(ㄵ), ㅁ(ㄻ)' 뒤에 결합되는 어미의 첫소리 'ㄱ, ㄷ, ㅅ, ㅈ'은 된소리로 발음한다.

① 국밥[국빱]　② 덮개[덥깨]
③ 앉고[안꼬]　④ 껴안다[껴안따]
⑤ 꽃다발[꼳다발]

08 다음의 ㉠~㉢에 해당하는 예를 〈보기〉에서 찾아 바르게 연결한 것은?

제5항 'ㅑ ㅒ ㅕ ㅖ ㅘ ㅙ ㅛ ㅝ ㅞ ㅠ ㅢ'는 이중 모음으로 발음한다.
다만 1. 용언의 활용형에 나타나는 '져, 쪄, 쳐'는 [저, 쩌, 처]로 발음한다.
다만 2. '예, 례' 이외의 'ㅖ'는 [ㅔ]로도 발음한다.
다만 3. ㉠자음을 첫소리로 가지고 있는 음절의 'ㅢ'는 [ㅣ]로 발음한다.
다만 4. ㉡단어의 첫음절 이외의 '의'는 [ㅣ]로, ㉢조사 '의'는 [ㅔ]로 발음함도 허용한다.

보기
몽테스키외, 루소 등이 주장한 자유사상은 미국 독립 혁명에 큰 영향을 주었다. 1776년 7월 4일에 채택된 ⓐ미국의 독립 선언문은 개인이 ⓑ희망하는 대로 ⓒ의사를 결정할 수 있는 원리를 역설하였고, 모든 권력은 국민의 ⓓ동의에서 나와야 하며, 정부는 국민의 안전과 행복을 우선적으로 도모해야 한다고 선언하였다.

	㉠	㉡	㉢
①	ⓐ	ⓓ	ⓑ
②	ⓑ	ⓒ	ⓐ
③	ⓑ	ⓓ	ⓐ
④	ⓒ	ⓐ	ⓓ
⑤	ⓒ	ⓑ	ⓐ

09 〈보기〉의 규정에 따를 때 밑줄 친 부분의 발음이 바르지 않은 것은?

보기
• 'ㅎ(ㄶ, ㅀ)' 뒤에 'ㄱ, ㄷ, ㅈ'이 결합되는 경우에는, 뒤 음절 첫소리와 합쳐서 [ㅋ, ㅌ, ㅊ]으로 발음한다.
• 받침 'ㄱ(ㄺ), ㄷ, ㅂ(ㄼ), ㅈ(ㄵ)'이 뒤 음절 첫소리 'ㅎ'과 결합되는 경우에도, 역시 두 음을 합쳐서 [ㅋ, ㅌ, ㅍ, ㅊ]으로 발음한다.
• 'ㅎ' 뒤에 'ㄴ'이 결합되는 경우에는, [ㄴ]으로 발음한다.
• 'ㄶ, ㅀ' 뒤에 'ㄴ'이 결합되는 경우에는, 'ㅎ'을 발음하지 않는다.
• 'ㅎ(ㄶ, ㅀ)' 뒤에 모음으로 시작된 어미나 접미사가 결합되는 경우에는, 'ㅎ'을 발음하지 않는다.

① 그렇게 많던[만:턴] 일이 이제 끝났어.
② 이 학교에 입학[입팍]한 여러분들을 환영합니다.
③ 사람마다 물건을 놓는[논는] 방식이 다르더라고.
④ 이상하게도 점심 식사 후에 속이 부글부글 끓네[끌레].
⑤ 좋지 않은 습관을 끊은[끄는] 뒤부터 점점 기분이 좋아져.

10 〈보기〉의 표준 발음법을 참고하여 단어의 올바른 발음을 탐구한 내용으로 적절하지 않은 것은?

보기
제13항 홑받침이나 쌍받침이 모음으로 시작된 조사나 어미, 접미사와 결합되는 경우에는, 제 음가대로 뒤 음절 첫소리로 옮겨 발음한다.
제14항 겹받침이 모음으로 시작된 조사나 어미, 접미사와 결합되는 경우에는, 뒤엣것만을 뒤 음절 첫소리로 옮겨 발음한다.

① '깎아'는 [깍가]로 발음해야 한다.
② '읊어'는 [을퍼]로 발음해야 한다.
③ '여덟을'은 [여덜블]로 발음해야 한다.
④ '덮이다'는 [더피다]로 발음해야 한다.
⑤ '부엌이'는 [부어키]로 발음해야 한다.

11 〈보기〉를 바탕으로 탐구한 내용으로 적절하지 않은 것은?

보기
제8항 받침소리로는 'ㄱ, ㄴ, ㄷ, ㄹ, ㅁ, ㅂ, ㅇ'의 7개 자음만 발음한다.
제13항 홑받침이나 쌍받침이 모음으로 시작된 조사나 어미, 접미사와 결합되는 경우에는, 제 음가대로 뒤 음절 첫소리로 옮겨 발음한다.
제18항 받침 'ㄱ(ㄲ, ㅋ, ㄳ, ㄺ), ㄷ(ㅅ, ㅆ, ㅈ, ㅊ, ㅌ, ㅎ), ㅂ(ㅍ, ㄼ, ㄿ, ㅄ)'은 'ㄴ, ㅁ' 앞에서 [ㅇ, ㄴ, ㅁ]으로 발음한다.
제23항 받침 'ㄱ(ㄲ, ㅋ, ㄳ, ㄺ), ㄷ(ㅅ, ㅆ, ㅈ, ㅊ, ㅌ), ㅂ(ㅍ, ㄼ, ㄿ, ㅄ)' 뒤에 연결되는 'ㄱ, ㄷ, ㅂ, ㅅ, ㅈ'은 된소리로 발음한다.

① '옷이'는 제13항에 따라 [오시]로 발음한다.
② '밟아'는 제13항에 따라 [발바]로 발음한다.
③ '웃는다'는 제18항에 따라 [운는다]로 발음한다.
④ '낚다'는 제8항과 제23항에 따라 [낙따]로 발음한다.
⑤ '꽃밭'는 제8항과 제23항에 따라 [꼳빧]으로 발음한다.

12 밑줄 친 부분의 발음이 바르지 않은 것은?

① 책을 읽고 독후감을 썼다. – [익꼬]
② 잔디를 밟지 말라고 적혀 있다. – [밥:찌]
③ 여덟 명의 학생이 청소를 했다. – [여덜]
④ 맛없는 음식이어도 남겨서는 안 돼. – [마덤는]
⑤ 맛이 없어도 약이라고 생각하고 먹으렴. – [마시]

문장의 짜임

① 문장 성분

• 문장을 구성하는 데 일정한 구실을 하는 요소

주성분	주어	• 문장에서 동작 또는 상태, 성질의 주체를 나타냄. • '누가/무엇이'에 해당함. 예 나는 밥을 먹는다.
	서술어	• 주어의 동작, 상태를 풀이함. • 문장을 이루는 가장 중요한 성분으로, '어찌하다, 어떠하다, 무엇이다'에 해당함. 예 나는 밥을 먹는다.
	목적어	• 서술어의 동작 대상이 되는 문장 성분 • '무엇을/누구를'에 해당함. 예 나는 밥을 먹는다.
	보어	• 서술어 '되다, 아니다'의 의미를 보충함. • 보격 조사 '이/가'가 붙어 주로 '되다, 아니다' 앞에 위치함. 예 나는 회장이 되었다.
부속 성분	관형어	• 주로 체언을 수식함. • '어떤, 무슨, 누구의'에 해당함. 예 나는 맛있는 빵을 먹었다.
	부사어	• 주로 용언을 수식하며, 관형어, 다른 부사어, 혹은 문장 전체를 수식하거나 문장이나 단어를 이어 줌. • '어떻게, 어디서, 언제, 누구와'에 해당함. 예 빵을 맛있게 먹는다.
독립 성분	독립어	• 다른 성분과 직접 관계를 맺지 않음. • '감탄, 놀람, 부름, 응답'에 해당함. 예 아! 나의 실수다.

② 문장의 짜임

(1) 홑문장

• 주어와 서술어의 관계가 한 번만 나타나는 문장 예 하늘이 매우 푸르다.

• 간결하고 명확하게 의사를 전달할 수 있다.

(2) 겹문장

• 주어와 서술어의 관계가 두 번 이상 나타나는 문장

• 다양한 생각이나 복잡한 상황을 홑문장보다 잘 표현할 수 있다.

이어진문장	• 둘 이상의 홑문장이 대등하거나 종속적으로 이어지는 문장 • [주어+서술어]+[주어+서술어] 예 하늘도 푸르고, 바다도 푸르다.
안은문장	• 다른 문장 속에서 하나의 문장 성분처럼 쓰이는 문장을 포함하는 문장 • [주어+(주어+서술어)+서술어] 예 우리는 그가 범인임을 알고 있었다.

③ 이어진문장

• 둘 이상의 홑문장이 연결 어미에 의해 결합되는 확대된 문장

• 두 홑문장이 결합할 때 각각 절의 형태로 이어지되, 앞 절과 뒤 절에서 반복되는 내용은 생략할 수 있다.

개념 확인 문제

1 문장의 골격에 해당하는 것으로 문장을 이루는 데 꼭 필요한 성분을 (　　　)(이)라고 한다.

2 문장에서 '무엇을' 혹은 '누구를'에 해당하는 것으로 서술어의 동작 대상이 되는 문장 성분은 보어이다. (○, ×)

3 다음 문장에서 목적어를 찾아 쓰시오.
(1) 그는 사과를 좋아한다. (　　　)
(2) 그들은 푸른 바다를 보고 산으로 갔다. (　　　)
(3) 가수의 얼굴을 보기 위해 수많은 사람들이 모여들었다. (　　　)

4 부속 성분 중 주로 체언을 수식하는 것은 (관형어 / 부사어)이다.

5 독립 성분은 주성분, 부속 성분과 다르게 홀로 쓰일 수 없는 문장 성분이다. (○, ×)

6 주어와 서술어의 관계가 한 번만 나타나는 문장을 (　　　)(이)라고 한다.

7 (　　　)은/는 문장 속에서 하나의 성분처럼 쓰이는 안긴문장을 포함하는 문장을 의미한다.

8 다양한 생각이나 복잡한 상황을 잘 표현하기 위해서는 홑문장보다 겹문장을 사용하는 것이 효과적이다. (○, ×)

(1) 대등하게 이어진 문장

- 두 홑문장이 나열, 대조, 선택 등의 대등한 의미 관계를 형성하며 이어진 문장
- 대등적 연결 어미 '-고, -(으)며, -(으)나, -지만, -든(지), -거나' 등으로 연결
- 문장의 앞뒤를 바꿔도 의미가 거의 달라지지 않는다.

나열	-고, -(으)며	예 바람이 불고, 비가 온다.
대조	-(으)나, -지만	예 바람이 불지만, 춥지는 않다.
선택	-든(지), -거나, -느니	예 비가 오든지 눈이 오든지 경기는 계속된다.

(2) 종속적으로 이어진 문장

- 두 문장의 의미가 독립적이지 못하고 원인, 의도, 조건, 양보, 배경 등의 종속적인 의미 관계를 형성하는 겹문장
- 종속적 연결 어미 '-(어)서, -(으)려고, -(으)면, -(으)ㄹ지라도, -는데' 등으로 연결
- 문장의 앞뒤를 바꾸면 문장이 성립하지 않거나 의미가 완전히 달라진다.

원인, 이유	-(어)서	예 바람이 불어서 나뭇잎이 떨어진다.
의도, 목적	-(으)려고	예 학교에 가려고 우리는 일찍 집을 나섰다.
조건, 가정	-(으)면	예 봄이 되면 꽃이 핀다.
양보	-(으)ㄹ지라도	예 비가 올지라도 운동은 계속할 것이다.
배경, 상황	-는데	예 학교에 가려는데 비가 오기 시작했다.

4 안은문장과 안긴문장

(1) 안은문장: 안긴문장을 안고 있는 문장

(2) 안긴문장: 다른 문장 속에 들어가 하나의 문장 성분처럼 쓰이는 문장으로, '절'이라고도 한다.

① 명사절: 명사형 어미 '-(으)ㅁ, -기' 등이 붙어 만들어진 절로, 문장에서 주어나 목적어, 부사어 등의 기능을 한다.

주어 역할	예 그가 우산을 가져갔음이 분명하다.
목적어 역할	예 우리는 그가 당당하기를 원했다.
부사어 역할	예 지금은 전화를 걸기에 너무 늦은 시간이다.

② 관형절: 관형사형 어미 '-(으)ㄴ, -는, -(으)ㄹ, -던' 등이 붙어 만들어진 절로, 문장에서 관형어의 기능을 한다. 예 강아지는 내가 좋아하는 동물이다.

③ 부사절: 부사형 어미 '-게, -도록, -듯이' 등과 부사를 만드는 접미사 '-이' 등이 붙어 만들어진 절로, 문장에서 부사어의 기능을 한다. 예 비가 소리도 없이 내린다.

④ 서술절: 절 전체가 문장에서 서술어의 기능을 한다. 예 코끼리는 코가 길다.

⑤ 인용절: 인용격 조사 '라고(직접), 고(간접)' 등이 붙어 만들어진 절로, 다른 사람의 말이나 글을 직접 또는 간접적으로 인용하는 기능을 한다.

직접 인용	라고	예 친구가 나에게 "영화를 보러 갈래?"라고 말했다.
간접 인용	고	예 친구가 나에게 영화를 보러 가자고 말했다.

개념 확인 문제

9 (　　　　)은/는 둘 이상의 홑문장이 대등하거나 종속적으로 이어지는 문장을 의미한다.

10 두 개의 홑문장이 '-(으)나, -지만'과 같은 연결 어미를 사용해 대조의 의미 관계를 형성하며 이어진 문장은 (　　　　)이다.

11 두 개의 문장이 나열의 의미 관계를 형성하며 이어질 때 앞 문장과 뒤 문장의 서술어가 같으면 앞 문장의 서술어를 생략할 수 있다. (○, ×)

12 다음 문장 중 겹문장이 아닌 것은?

① 내가 읽은 책은 정말 재미있었다.
② 낮말은 새가 듣고 밤말은 쥐가 듣는다.
③ 이제부터는 우리가 이 구역을 담당한다.
④ 윤기가 랩을 하고 정국이가 노래를 한다.
⑤ 키가 작은 수빈이는 남들보다 동작이 빠르다.

13 다른 문장 속에 들어가 하나의 문장 성분처럼 쓰이는 문장을 (　　　)(이)라고 한다.

14 명사절은 문장 속에서 주어나 목적어, 부사어의 역할을 한다. (○, ×)

15 부사절은 부사형 어미나 접미사가 결합되어 만들어진 절로, 문장에서 주성분의 역할을 한다. (○, ×)

연습 문제

01 다음 문장에서 주어를 찾아 밑줄을 그으시오.

① 얼음이 녹아서 물이 되었다.
② 그는 이제 더 이상 소년이 아니다.
③ 병원에는 아픈 사람들이 많이 있다.
④ 넓은 집으로 이사를 가니 기분이 너무 좋다.

02 다음 밑줄 친 단어의 문장 성분을 쓰시오.

① 어머나, 그건 먹는 게 아니고 장식용이에요. (　　　　)
② 너무 빨리 말을 하면 알아들을 수가 없단다. (　　　　)
③ 성인이 된 형식이는 추억의 장소를 찾아갔다. (　　　　)
④ 제비가 온다는 소식을 듣고 그들은 기뻐했다. (　　　　)
⑤ 가뭄이 계속되자 농부들은 하늘을 원망하였다. (　　　　)
⑥ 우리들은 헌 신문을 모아 팔아서 기금을 마련했다. (　　　　)
⑦ 나는 지갑을 잃어버렸다. 그래서 집까지 걸어왔다. (　　　　)

03 다음 중 홑문장을 모두 고르시오. (　　　　)

① 이번 겨울은 몹시도 추웠다.
② 책을 빌리러 도서관에 갔다.
③ 산에 꽃이 정말 많이 피었다.
④ 꽃집에는 예쁜 꽃이 정말 많이 있다.
⑤ 멀리서 아기의 웃음소리가 들려왔다.
⑥ 눈이 너무 많이 와서 길이 통제되었다.

04 다음 중 대등하게 이어진 문장을 모두 고르시오. (　　　　)

① 늦잠을 자서 학교에 늦게 갔다.
② 지후는 노래도 잘하고 춤도 잘 춘다.
③ 광수는 청소를 했지만 혜리는 아무것도 하지 않았다.
④ 작년에는 준우승을 했지만 올해는 꼭 우승을 하겠다.
⑤ 뮤지컬 배우가 꿈이라면 춤과 노래 연습을 더 해야 한다.
⑥ 민호가 정직한 사람이라는 것은 모두가 알고 있는 사실이다.

05 다음 중 종속적으로 이어진 문장을 모두 고르시오. (　　　　)

① 비가 내리면 땅이 젖는다.
② 동생이 뜨거운 물을 바닥에 쏟았다.
③ 아침에 빵을 먹고 점심에 밥을 먹었다.
④ 수업을 안 들었더니 내용을 하나도 모르겠다.
⑤ 분리 배출을 실천해서 환경 오염을 최대한 막도록 해 보자.
⑥ 아이가 아무리 귀엽더라도 버릇없는 행동을 놔둬서는 안 된다.

06 다음의 두 문장을 제시된 의미 관계가 되도록 한 문장으로 만드시오.

① 영철이는 국어를 좋아한다. 영철이는 과학을 싫어한다. (대조)
→ ________________

② 재환이는 항상 기타를 친다. 재환이는 항상 노래를 부른다. (선택)
→ ________________

③ 비가 많이 내렸다. 강물이 넘쳤다. (원인)
→ ________________

④ 길이 미끄럽다. 우리는 산에 갈 것이다. (양보)
→ ________________

⑤ 지원이가 선물을 산다. 지원이가 백화점에 간다. (의도)
→ ________________

07 다음 중 안은문장이 아닌 것을 모두 고르시오. (   )

① 토끼는 앞다리가 짧다.
② 눈이 소리도 없이 쌓였다.
③ 바람이 불자 나무가 흔들렸다.
④ 옆집 할머니는 인정이 많으시다.
⑤ 이 책은 청소년들에게 매우 유익하다.
⑥ 어제 읽은 책에서 가장 인상 깊었던 내용을 말해 보자.

08 다음 문장의 밑줄 친 절에 대한 분석이 바르면 ○표, 바르지 않으면 ×표를 하시오.

① 그 집은 지붕이 낡았다. – 서술절 (   )
② 언니가 숙제를 하는 동생을 불렀다. – 관형절 (   )
③ 석진이는 자기가 다 먹겠다고 말했다. – 명사절 (   )
④ 친구는 말도 없이 핸드폰만 보고 있었다. – 부사절 (   )
⑤ 농부들은 비가 오기를 간절히 바라고 있다. – 명사절 (   )
⑥ 예림이는 세원이가 전학 갔다는 소식을 들었다. – 인용절 (   )
⑦ 서희는 붉게 물든 노을을 바라보며 감상에 젖었다. – 부사절 (   )

09 다음 ⓐ, ⓑ의 두 문장을 제시된 조건에 맞게 하나의 겹문장으로 만드시오.

① ⓐ 농부는 바란다. ⓑ 농사가 잘되다.
(ⓐ를 안은문장으로, ⓑ를 명사절로 만들 것)
→ ________________

② ⓐ 그는 화가의 전시회에 갔다. ⓑ 화가가 이 그림을 그렸다.
(ⓐ를 안은문장으로, ⓑ를 관형절로 만들 것)
→ ________________

③ ⓐ 남준이는 하루 종일 걸었다. ⓑ 남준이는 발에 땀이 났다.
(ⓐ를 안은문장으로, ⓑ를 부사절로 만들 것)
→ ________________

실전 문제

01 다음 중 주어와 서술어의 관계가 한 번만 나타나는 문장은?

① 가을이 가고 겨울이 왔다.
② 어제 산 책을 잃어버렸다.
③ 아버지께서 학교에 오셨다.
④ 우리가 옳았음이 밝혀졌다.
⑤ 바람이 불어 먼지가 날린다.

02 문장의 짜임이 나머지와 다른 것은?

① 와! 벌써 우리 집에 도착했구나.
② 하늘이 구름 한 점 없이 파랗다.
③ 꾀꼬리가 나무 위에서 날아다닌다.
④ 올해는 바다에 한 번도 가지 못했다.
⑤ 길가에 강아지 한 마리가 서성거리고 있다.

03 다음의 문장이 겹문장인 이유와 관련이 없는 것은?

> 용돈이 올라서 나는 정말 기쁘다.

① 나는　② 정말　③ 용돈이
④ 올라서　⑤ 기쁘다

04 다음 중 이어진문장이 아닌 것은?

① 정민이는 얼굴이 빨개졌다.
② 날이 더우니 우리 같이 수영장에 가자.
③ 지영이는 목소리가 크고 효진이는 눈이 크다.
④ 나는 열심히 공부했지만 성적이 잘 나오지 않았다.
⑤ 내가 누군가를 도와주면 나도 다른 사람에게 도움을 받는다.

05 다음 중 문장의 성격이 다른 하나는?

① 언니는 울었으나 오빠는 웃었다.
② 이것은 장미꽃이고 저것은 국화꽃이다.
③ 운동을 하려고 우리는 학교에 일찍 왔다.
④ 나는 연극을 좋아하고 너는 영화를 좋아한다.
⑤ 절약은 부자를 만들지만 절제는 사람을 만든다.

06 '문장의 짜임'에 대해 다음과 같이 정리했을 때, ㉠에 들어갈 예문으로 적절한 것은?

> 문장의 짜임
> • 홑문장 : 주어와 서술어가 한 번만 나타남.
> • 겹문장 : 주어와 서술어가 두 번 이상 나타남.
> – 안은문장 : 다른 문장 속에 들어가 하나의 성분처럼 쓰이는 문장을 포함하는 문장
> – 이어진문장 : 둘 이상의 홑문장이 대등하거나 종속적으로 이어진 문장 [㉠]

① 선영이는 성격이 좋은 친구이다.
② 형사는 그가 범인임을 알아챘다.
③ 성주가 수업 시간에 만화책을 읽었다.
④ 재주는 곰이 넘고 돈은 주인이 받는다.
⑤ 우리 집 마당에 사과가 주렁주렁 열렸다.

07 다음 밑줄 친 연결 어미의 의미가 잘못 연결된 것은?

① 새가 날고 꽃이 핀다. – 나열
② 눈이 와서 길이 미끄럽다. – 원인
③ 점심을 먹으려고 식당에 왔다. – 의도
④ 가을이 되면 낙엽이 떨어진다. – 선택
⑤ 형은 성공했으나 동생은 실패했다. – 대조

08 다음 문장에 대한 설명으로 적절하지 않은 것은?

> 학생이 없으면 학교도 없다.

① 두 개의 홑문장으로 나눌 수 있다.
② 홑문장들이 종속적으로 연결되고 있다.
③ 앞 문장이 뒤 문장의 조건이 되고 있다.
④ '주어+서술어'의 관계가 두 번 나타나고 있다.
⑤ 한 문장이 다른 문장을 문장 성분으로 안고 있다.

09 다음 중 종속적으로 이어진 문장이 아닌 것은?

① 물을 마시러 경아는 부엌으로 갔다.
② 큰 개가 따라와서 나미는 무서웠다.
③ 아이들이 떠들어서 나는 밖으로 나갔다.
④ 그는 노란 옷을 입었고 그녀는 녹색 옷을 입었다.
⑤ 네가 열심히 공부하면 좋은 결과를 얻을 수 있을 것이다.

10 다음 밑줄 친 연결 어미의 의미가 잘못 연결된 것은?

① 손님이 오시면 반갑게 맞이해라. – 조건
② 아침에 늦잠을 자서 지각을 했다. – 원인
③ 해돋이를 보려고 아침 일찍 일어났다. – 전환
④ 민재는 중학생이고 태호는 고등학생이다. – 나열
⑤ 동생은 수영을 잘하지만 형은 잘하지 못한다. – 대조

11 다음 중 〈보기〉의 안긴문장에 해당하는 것은?

보기
연주는 현정이가 아픈 사실을 몰랐다.

① 현정이가 아픈
② 연주는 사실을 몰랐다.
③ 현정이가 아픈 사실을 몰랐다.
④ 연주는 현정이가 아픈 사실을
⑤ 연주는 현정이가 아픈 사실을 몰랐다.

12 다음 중 안긴문장의 종류가 다른 하나는?

① 그가 발명가였음이 밝혀졌다.
② 주희가 고향에 가기는 어렵다.
③ 우리 집 강아지는 머리가 좋다.
④ 선수들이 비가 멈추기를 기다린다.
⑤ 우리는 그가 정당했음을 깨달았다.

13 다음 문장에 사용된 연결 어미가 나타내는 의미 관계로 적절한 것은?

봄이 가면 여름이 온다.

① 나열 ② 대조 ③ 원인 ④ 의도 ⑤ 조건

14 다음 중 문장의 짜임이 〈보기〉와 같은 것은?

보기
세라는 시험공부를 하느라 밤을 새웠다.

① 바람이 불자 낙엽이 떨어졌다.
② 송연이가 읽던 책을 빌려 왔다.
③ 나는 엄마가 오시기를 기다렸다.
④ 태연이가 인사도 없이 집에 갔다.
⑤ 가을이 왔지만 날씨는 아직 덥다.

15 다음 중 문장이 확장한 방식을 파악한 내용으로 바르지 않은 것은?

① 안개가 걷히면 비행기가 출발한다. – 이어진문장
② 진우가 몰래 선행을 했음이 밝혀졌다. – 안은문장
③ 먹구름이 잔뜩 끼었지만 비는 오지 않았다. – 안은문장
④ 소민이는 만두를 먹고 다혜는 냉면을 먹었다. – 이어진문장
⑤ 미현이는 어제 공부한 내용을 모두 잊어버렸다. – 안은문장

16 다음 문장에서 찾을 수 있는 절의 종류로 알맞은 것은?

아주머니는 "집에 누가 있느냐?"라고 물으셨다.

① 관형절 ② 명사절 ③ 부사절
④ 서술절 ⑤ 인용절

17 다음 문장의 종류로 알맞은 것은?

노래를 잘 불렀던 그는 가수가 되었다.

① 관형절을 안은 문장
② 명사절을 안은 문장
③ 부사절을 안은 문장
④ 서술절을 안은 문장
⑤ 인용절을 안은 문장

18 〈보기〉의 ㉠~㉤에 대한 설명으로 알맞은 것은?

보기
㉠ 원숭이는 엉덩이가 빨갛다.
㉡ 증거가 흔적도 없이 사라졌다.
㉢ 지수는 착하고 친구를 잘 아껴 준다.
㉣ 날이 어두워지면 하늘에는 달이 뜬다.
㉤ 엄마는 동생이 집에 왔다고 말씀하셨다.

① ㉠은 명사절을 안은 문장이다.
② ㉡은 부사절을 안은 문장이다.
③ ㉢은 관형절을 안은 문장이다.
④ ㉣은 대등하게 이어진 문장이다.
⑤ ㉤은 종속적으로 이어진 문장이다.

07 담화의 개념과 특성

정답과 해설 38 ▸▸

❶ 담화의 개념과 구성 요소

(1) 담화의 개념: 구체적인 문맥 속에 나타나는 둘 이상의 발화(문장)가 모여 이루어진 연속체로 의사소통의 주된 단위

(2) 담화의 구성 요소: 말하는 이(화자), 듣는 이(청자), 전달하고자 하는 내용(발화), 맥락

❷ 담화의 특성

(1) 맥락과 의사소통: '맥락'은 담화가 이루어지는 시간적 · 공간적 상황으로, 담화의 흐름이나 의미 해석에 결정적인 역할을 한다.

언어적 맥락		언어 자체와 관련된 맥락
비언어적 맥락	상황 맥락	의사소통이 이루어지는 구체적인 상황으로, 화자와 청자, 시간과 장소, 의도와 목적이 구성 요소임.
	사회 · 문화적 맥락	의사소통에 관여하는 역사적 혹은 사회 · 문화적 상황으로, 지역 · 세대 · 문화 등이 구성 요소임.

(2) 상황 맥락의 이해

• 화자와 청자, 시간과 장소, 의도와 목적 등을 파악해야 한다.

발화	지금이 몇 시냐?
상황 맥락	• 영화 예매를 하려고 친구에게 물어보는 상황 → 현재의 정확한 시간을 물어보는 의미 • 지각한 학생에게 선생님이 말하는 상황 → 왜 지각했는지 질책하는 의미

• 동일한 발화에 대해서도 의사소통이 이루어지는 구체적인 시간과 공간, 주제, 목적 등 상황 맥락에 따라서 그 의미 해석이 달라질 수 있다.

• 담화나 글의 의미 해석에 상황 맥락이 관여함을 알고, 이를 고려하여 효과적인 의사소통을 할 필요가 있다.

(3) 담화의 유형

정보 제공 담화	대상에 대한 정보나 지식을 전달하는 담화	강의, 뉴스, 보고서 등
호소 담화	상대의 마음을 움직이거나 설득하는 담화	광고, 설교, 연설 등
약속 담화	어떤 행위를 하겠다고 약속 · 다짐하는 담화	맹세, 선서, 계약서 등
사교 담화	인간관계 형성, 사회적 상호 작용을 위한 담화	잡담, 인사말, 문안 편지 등
선언 담화	어떤 주장이나 의견을 정식으로 표명하는 담화	선전 포고, 주례사, 임명장 등

(4) 담화 행위(발화)의 방법

직접 발화	• 발화자의 의도가 직접 표현된 것 • 문장 유형과 발화 의도가 일치함.
간접 발화	• 발화자의 의도가 간접적으로 표현된 것(요청이나 명령의 말을 정중하게 전하고자 할 때 사용하고, 의문형이나 청유형으로 표현함.) • 문장 유형과 발화 의도가 일치하지 않음.

개념 확인 문제

1 문장 단위로 실현된 둘 이상의 발화들이 모여 하나의 통일된 이야기를 이룬 것을 (　　　)(이)라고 한다.

2 하나의 완전한 담화가 이루어지기 위해서는 화자, 청자, 전달하고자 하는 내용, (　　　)이/가 필요하다.

3 다음 중 상황 맥락의 구성 요소가 아닌 것은?

① 대화가 일어나는 상황
② 듣는 사람의 배경지식
③ 대화가 이루어지는 매체
④ 동음이의 관계에 의한 중의성
⑤ 말하는 사람과 듣는 사람의 관계

4 의사소통에 관여하는 사회 · 문화적 상황은 비언어적 맥락이다. (○, ×)

5 〈보기〉의 내용에서 짐작할 수 있는 맥락의 유형을 쓰시오.

보기
(장면) 아이가 어른의 눈을 똑바로 보고 말하고 있다.
• (우리나라의 경우) 버릇없고 무례한 태도
• (서구 문화권의 경우) 진실하고 솔직한 태도

6 광고, 연설 등 상대의 마음을 움직이거나 설득하는 담화의 유형을 (　　　)(이)라고 한다.

7 선언 담화는 어떤 행위를 하겠다고 약속하는 유형이다. (○, ×)

8 발화의 방법 중에 발화의 형태와 기능이 일치하지 않는 것을 (　　　)(이)라고 한다.

정답과 해설 38 ▶▶

01

다음 중 담화의 상황 맥락을 구성하는 요소를 모두 찾으시오. (　　　　　　　　)

① 목적　② 문화　③ 성별　④ 청자　⑤ 시간　⑥ 세대　⑦ 의도
⑧ 화자　⑨ 장소　⑩ 지역　⑪ 계층

02

다음 중 담화에 대한 설명으로 적절하지 않은 것을 모두 찾으시오. (　　　　　　　)

① 화자의 의도에 따라 발화의 의미가 달라질 수 있다.
② 담화의 구성 요소로는 화자와 청자, 내용, 맥락 등이 있다.
③ 같은 말이나 글이라도 시간과 장소에 따라 의미가 달라질 수 있다.
④ 담화가 이루어지는 맥락을 떠나서는 의미를 바르게 이해할 수 없다.
⑤ 담화에 직접적으로 개입하는 맥락을 사회 · 문화적 맥락이라고 한다.
⑥ 사회 · 문화적 맥락은 담화의 의미를 이해하는 데 중요하게 작용하지 않는다.
⑦ 사회 · 문화적 맥락은 구체적인 상황과 관계없이 보편적으로 작용하는 맥락이다.
⑧ 화자의 의도를 직접적으로 표현하는 직접 발화와 간접적으로 표현하는 간접 발화가 있다.

03

"양심을 지켜 주세요."라는 문구의 제시된 장소에 따른 해석으로 잘못된 것을 찾으시오. (　　)

① (버스 정거장에서) 질서를 잘 지켜 주세요.
② (시험장에서) 부정행위를 하지 말아 주세요.
③ (도서관에서) 책을 몰래 가져가지 말아 주세요.
④ (옷 가게에서) 옷 사이즈를 정확히 알려 주세요.
⑤ (공원에서) 쓰레기를 함부로 버리지 말아 주세요.

04

다음 대화가 상황 맥락에 맞게 이루어졌으면 ○표, 그렇지 않으면 ×표를 하시오.

① 성균: 오늘 영화 보러 가지 않을래?
　혜진: 미안해. 내일 시험이 있어서 못 갈 것 같아. (　　)
② 선생님: (초겨울 창문이 열려 있는 교실에서) 태우야, 어디서 찬바람이 들어오네.
　태우: 창문에서요. (　　)
③ 엄마: (시험에서 50점을 받아온 아들에게) 아주 잘했어요, 잘했어.
　아들: 감사합니다. (　　)
④ 지민: 오늘 너희 집에 가서 같이 숙제해도 될까?
　하은: 그러자. 서로 도움이 될 수 있을 거야. (　　)
⑤ 미라: 어제 새로 산 옷인데 어떠니?
　종신: 너랑 잘 어울려. 예쁘다. (　　)

05

제시된 담화와 관련이 깊은 맥락을 연결하시오.

① "끊을게."라는 말이 전화 통화를 마친다는 의미로 사용됨. • 　• ㉠ 문화
② 사은품으로 '문상'을 받았다는 손녀의 말을 못 알아듣는 할아버지 • 　• ㉡ 매체
③ 손주를 '강아지'라고 부르는 할머니를 이해하지 못하는 외국인 • 　• ㉢ 세대
④ '무리'라고 부르는 경상도 사람과 '오이'라고 부르는 서울 사람 • 　• ㉣ 지역

실전 문제

01 효과적인 대화가 이루어지기 위해 유의해야 할 점으로 적절하지 않은 것은?

① 상대방의 처지와 입장을 고려하며 말해야 한다.
② 상대방이 하는 말의 의도를 정확하게 이해해야 한다.
③ 대화가 이루어지는 상황 맥락을 잘 고려해서 말해야 한다.
④ 상대방보다 자신의 입장을 중심으로 대화가 이루어지도록 해야 한다.
⑤ 자신이 전하고자 하는 의미를 잘 전달할 수 있도록 정확한 표현을 해야 한다.

02 담화의 유형에 대한 설명으로 적절한 것은?

① 호소 담화는 새로운 사태를 불러일으키는 기능을 한다.
② 사교 담화는 설교와 같이 상대방의 마음을 움직일 때 쓰인다.
③ 약속 담화는 맹세와 같이 일정한 행위에 대한 약속을 나타낸다.
④ 선언 담화는 강의, 뉴스와 같이 정보와 지식을 전달하는 역할을 한다.
⑤ 정보 제공 담화란 상대에 대한 친근감, 감사 등의 심리 상태를 표현한 것이다.

03 다음 상황에서 밑줄 친 말의 의미로 가장 적절한 것은?

> (수업 시간에 창밖을 보고 있는 학생에게)
> 선생님: 너 지금 뭐하고 있니?

① 창문을 닫아라.
② 무슨 걱정이 있니?
③ 수업에 집중해야지.
④ 밖에 무슨 일이 있니?
⑤ 수업이 재미없어서 졸리니?

04 다음 상황에서 ⓐ와 ⓑ의 의미로 가장 적절한 것은?

> [가] (축구 시합을 하는 우리 팀에게) ⓐ"잘한다!"
> [나] (숙제를 안 하고 TV만 보는 아들에게) ⓑ"잘한다!"

	ⓐ	ⓑ
①	걱정	비난
②	격려	책망
③	비난	응원
④	응원	격려
⑤	책망	걱정

05 다음 중 사회·문화적 맥락으로 인해 의미 차이가 생긴 경우가 아닌 것은?

① 할아버지: 춘부장께서는 잘 지내시니?
초등학생: 춘부장? 저희 집에는 아버지, 어머니만 계시고, 춘부장은 없는데요.
② 한국인: (잘 차려진 밥상을 앞에 두고) 차린 건 없지만 많이 드세요.
외국인: 이렇게 음식이 많은데 왜 차린 게 없다고 하시죠?
③ 할머니: 쌀을 사서 우리 손자 맛있는 거 사 줘야지.
손자: 할머니, 쌀이 많은데 또 사시게요? 쌀을 사서 맛있는 거 사 주신다니 무슨 말씀이세요?
④ 아들: 오늘은 동호회 정모 때문에 나가 봐야 돼요.
아버지: 정모? 정모라는 친구가 있니?
⑤ 승기: (약속 시간에 늦은 친구에게) 야, 지금이 도대체 몇 시니?
성재: 6시 35분이야.

[06~07] 다음 담화를 읽고 물음에 답하시오.

> [가] (거실에서 영화를 보고 있는 동생에게 누나가) ⓐ"재미있니?"
> [나] (거실에서 넘어진 자신을 보고 웃는 동생에게 누나가) ⓑ"재미있니?"

06 이 대화에서 ⓐ와 ⓑ의 의미 차이에 영향을 미치는 상황 맥락의 구성 요소로 가장 알맞은 것은?

① 화자　② 청자
③ 시간과 공간　④ 의도와 목적
⑤ 메시지를 전달하는 매체

07 ⓑ에서 누나가 하는 말의 의도로 가장 적절한 것은?

① 자신의 실수에 대한 부끄러움을 드러내고 있다.
② 자신이 넘어진 것을 동생의 탓으로 돌리고 있다.
③ 자신이 넘어진 상황이 예상보다 재미있는지를 묻고 있다.
④ 자신이 동생에게 웃음을 준 것에 대하여 만족해하고 있다.
⑤ 자신이 넘어진 것을 보고 웃는 동생에 대한 불만을 드러내고 있다.

[08~09] 다음 담화를 읽고 물음에 답하시오.

혜수 : 할머니, 요즘 저 가수가 ㉠잘나가요.
할머니 : 어디를 나간다는 거니?
혜수 : 요즘 인기가 많다는 뜻이에요.
할머니 : 그렇구나. 그런데 나는 도통 무슨 내용의 노래인지 알아들을 수가 없구나.
혜수 : 제가 시디(CD)로 ㉡구워 드릴게요. 계속 들어 보세요. 할머니도 좋아하시게 될 거예요.
할머니 : 구워? 시디가 뭔데 생선처럼 굽는다는 거니?
혜수 : 그런 게 있어요. 할머니는 모르셔도 돼요.

08 이 대화에서 ㉠과 ㉡의 의미 차이에 영향을 미치는 사회 · 문화적 맥락의 구성 요소로 가장 적절한 것은?

① 종교 ② 성별 ③ 세대 ④ 지역 ⑤ 취미

09 ㉠과 ㉡에 대한 설명으로 적절하지 않은 것은?

① 할머니는 ㉠을 '안에서 밖으로 자주 이동하다.'라는 의미로 생각하고 있다.
② 혜수는 ㉡을 '시디에 음악을 복제해 두다.'라는 의미로 말하고 있다.
③ 할머니는 ㉡을 '불에 익히다.'라는 의미로 이해하고 있다.
④ 혜수와 할머니는 ㉠과 ㉡을 서로 다르게 해석하고 있다.
⑤ 혜수는 할머니에게 ㉠과 ㉡의 의미를 친절하게 설명해 드리고 있다.

10 다음 대화에서 아빠가 화가 난 이유로 가장 적절한 것은?

아빠 : (국어 시험에서 많이 틀려 50점을 받아 온 민호에게) 아주 장하다, 장해.
민호 : (기쁜 표정으로) 감사합니다.
아빠 : (화난 목소리로) 뭐라고? 이 녀석이 정신을 못 차렸군.

① 민호의 태도가 공손하지 못했기 때문이다.
② 민호가 아빠에게 반항을 하고 있기 때문이다.
③ 민호가 아빠의 말을 안 듣고 딴짓을 하고 있기 때문이다.
④ 민호가 자신의 시험 점수를 부끄러워하고 있기 때문이다.
⑤ 민호가 질책하고 있는 아빠 말의 의도를 파악하지 못했기 때문이다.

11 〈보기〉의 상황에서 외국인인 다니엘이 철수의 말을 이해하지 못한 이유로 가장 적절한 것은?

보기
철수 : (뜨거운 국물을 떠먹으며) 아, 시원하다!
다니엘 : (뜨거운 국물을 떠먹으며) 이렇게 뜨거운 걸 시원하다고 하다니, 정말 이상해!

① 철수와 친근한 사이가 아니기 때문이다.
② 뜨거운 음식을 좋아하지 않기 때문이다.
③ 한국인에 대한 선입견이 있기 때문이다.
④ 철수의 성격을 파악하지 못했기 때문이다.
⑤ 사회 · 문화적 맥락을 알지 못했기 때문이다.

12 상황 맥락을 고려한 대화로 적절하지 않은 것은?

① 직원 : (영화관에 입장하는 손님에게) 휴대 전화를 확인해 주세요.
손님 : 휴대폰을 꺼야겠구나.
② 혜빈 : (빌려준 책을 가져오지 않은 호영에게) 아주 잘한다.
호영 : 미안해. 내일 꼭 가져다줄게.
③ 엄마 : (밤늦도록 게임을 하고 있는 승원에게) 내일 학교 안 갈 거니?
승원 : 이제 그만할게요.
④ 누나 : (거실에서 쿵쿵 뛰고 있는 준영에게) 아래층에 수험생이 있대.
준영 : 그래? 옆집에도 있다던데.
⑤ 간호사 : (입원해 있는 선미에게 약을 건네며) 식사한 지 30분 됐어요.
선미 : 약 먹을 시간이 되었네요.

13 〈보기〉의 상황에서 학생이 대답할 만한 내용으로 가장 적절한 것은?

보기
선생님 : (지각을 한 학생에게 화난 표정으로) 지금이 몇 시니?
학생 : ______________________________

① 지금은 9시입니다.
② 앞으로 늦지 않겠습니다.
③ 그런데 어제는 늦지 않았습니다.
④ 선생님께서는 시계가 없으십니까?
⑤ 지금 시계가 없어서 모르겠습니다.

08 한글의 창제 원리

정답과 해설 39 ▶▶

1 훈민정음의 창제

(1) 창제 동기와 목적: 한자 사용의 불편함 극복과 혼란스러운 한자음의 정리

(2) 창제 정신: 자주정신, 애민 정신, 실용 정신, 창조 정신

2 훈민정음의 제자 원리

(1) 자음의 제자 원리: 상형과 가획

- 기본자: 발음 기관의 모양을 본떠서 만든 글자
- 가획자: 획을 더할수록 소리가 세어지도록 기본자에 획을 더해 만든 글자
- 이체자: 기본자에 획을 더해 만들지만 소리가 세어지지는 않은 글자
- 종성부용초성: 종성자는 초성자를 다시 사용

소리	기본자	가획자	이체자
어금닛소리(아음)	ㄱ(혀뿌리가 목구멍을 막는 모양)	ㅋ	ㆁ
혓소리(설음)	ㄴ(혀가 윗잇몸에 닿는 모양)	ㄷ → ㅌ	ㄹ
입술소리(순음)	ㅁ(입 모양)	ㅂ → ㅍ	
잇소리(치음)	ㅅ(이 모양)	ㅈ → ㅊ	ㅿ
목구멍소리(후음)	ㅇ(목구멍 모양)	ㆆ → ㅎ	

(2) 모음의 제자 원리: 상형과 합성

- 기본자: 하늘[天], 땅[地], 사람[人]의 모양을 본떠서 만든 글자
- 초출자: 기본자끼리 합성하여 만든 글자
- 재출자: 초출자에 'ㆍ'를 합성하여 만든 글자

삼재	기본자	초출자	재출자
천(天) – 양성	ㆍ(하늘의 둥근 모양)	ㅗ, ㅏ	ㅛ, ㅑ
지(地) – 음성	ㅡ(땅의 평평한 모양)	ㅜ, ㅓ	ㅠ, ㅕ
인(人) – 중성	ㅣ(사람의 서 있는 모양)		

(3) 한글 자모의 확장 방법: 병서와 연서, 합용

구분	설명	예
병서	자음자 두 개 이상을 옆으로 나란히 씀.	각자 병서: ㄲ, ㄸ, ㅃ, ㅆ, ㅉ, ㆅ
		합용 병서: ㄺ, ㅺ, ㅴ 등
연서	'ㅇ'을 입술소리 아래 잇대어 씀.	ㅱ, ㅸ, ㅹ, ㆄ
합용	모음자를 같이 쓰거나 합하여 씀.	ㅘ, ㅝ, ㅢ, ㅚ, ㅐ, ㅒ, ㅔ, ㅖ 등

3 한글의 우수성

- 독창성: 다른 문자를 빌리지 않고 독자적으로 새롭게 만들었다.
- 과학성: 발음 기관을 상형하여 고도의 과학성과 독창성을 지닌다.
- 체계성: 같은 성질을 지닌 글자들의 공통점을 글자 모양에 반영하여 체계적으로 만들었다.
- 효율성: 음소 문자이면서도 음절 단위로 모아 씀으로써 독해의 효율을 높였다.
- 편의성: 과학적 · 체계적 구조로 학습이 쉽고, 적은 자판으로 입력할 수 있다.

개념 확인 문제

1 훈민정음은 자주, (　　　　), 실용, 창조 정신으로 창제되었다.

2 자음의 기본자는 발음 기관의 모양을 본뜬 7개의 글자이다. (○, ×)

3 훈민정음에 대한 설명으로 적절하지 않은 것은?

① 종성자는 별도의 원리로 만들었다.
② 기본자는 상형의 원리에 의해 만들어졌다.
③ 각자 병서는 같은 자음자를 나란히 쓰는 방법이다.
④ 한자 사용의 불편함을 극복하기 위해 만들어졌다.
⑤ 모음의 초출자는 기본자끼리 합성하여 만든 글자이다.

4 자음 중 (　　　　)은/는 혀가 윗잇몸에 닿는 모양을 본떠 만들어졌다.

5 자음에서 기본자에 획을 더해 만들어지며 획을 더할수록 소리가 세어지도록 만든 것은 (　　　　)이다.

6 모음의 기본자는 (　), (　), (　)의 모양을 본떠 만들어졌다.

7 초출자에 'ㆍ'를 합성하여 만든 글자는 (　　　　)이다.

8 한글은 발음 기관의 모양을 글자 모양에 반영하여 발음의 원리를 쉽게 이해할 수 있도록 만든 과학적인 글자이다. (○, ×)

연습 문제

정답과 해설 39 ▶▶

01 다음 내용에 해당하는 한글의 창제 정신을 쓰시오.

① 우리나라 말이 중국과 달라서 한자와 서로 통하지 않는다. → ________
② 이런 까닭으로 어리석은 백성이 말하고 싶은 바가 있어도 끝내 제 뜻을 펴지 못하는 경우가 많다. 내가 이것을 가엾게 여겨 → ________
③ 새로 스물여덟 글자를 만들었으니, → ________
④ 모든 사람들이 쉽게 익혀서 날마다 편안하게 쓰기를 바랄 따름이다. → ________

02 다음 빈칸에 들어갈 알맞은 내용을 쓰시오.

소리	본뜬 모양	기본자	가획자	이체자
어금닛소리	① ( )	ㄱ	ㅋ	ㆁ
혓소리	혀가 윗잇몸에 닿는 모양	ㄴ	ㄷ → ㅌ	② ( )
③ ( )	입 모양	④ ( )	ㅂ → ㅍ	
잇소리	이 모양	ㅅ	⑤ ( ) → ㅊ	⑥ ( )
목구멍소리	⑦ ( )	ㅇ	ㆆ → ⑧ ( )	

03 다음 빈칸에 들어갈 알맞은 내용을 쓰시오.

삼재	본뜬 모양	기본자	초출자	재출자
천(天)	① ( )	② ( )	ㅗ, ㅏ	ㅛ, ③ ( )
지(地)	땅의 평평한 모양	④ ( )	⑤ ( )	ㅠ, ㅕ
⑥ ( )	사람의 서 있는 모양	⑦ ( )		

04 다음 중 한글의 우수성과 관련된 설명으로 적절한 것을 모두 고르시오. (   )

① 자모를 옆으로 나열하여 자유롭게 쓸 수 있다.
② 우리나라 말뿐만 아니라 많은 소리를 표기할 수 있다.
③ 과학적이고 체계적인 원리를 통해 만들어진 문자이다.
④ 한자를 기본으로 만들어 기초가 튼튼하고 발전된 모습이다.
⑤ 자음과 모음만 익히면 어떤 글자든 읽을 수 있어서 배우기 쉽다.
⑥ 한자 문화권에서 만든 글자답게 하나하나의 글자가 일정한 뜻을 나타낸다.
⑦ 다른 문자를 모방하고 변형하여 만든 것이 아니라 독창적으로 만든 문자이다.
⑧ 휴대 전화의 문자 입력 속도가 다른 문자에 비해 빨라 정보화 시대에 적합한 문자이다.

05 다음 내용이 한글에 대한 설명으로 맞으면 ○표, 틀리면 ×표를 하시오.

① 모음의 기본자는 상형의 원리에 따라 만들어졌다. (   )
② 한글의 이체자는 기본자와 발음되는 위치가 다르다. (   )
③ 자음 중에는 옆으로 나란히 써서 만든 글자도 있었다. (   )
④ 자음과 모음은 모두 상형과 가획의 원리에 따라 만들어졌다. (   )
⑤ 한글은 자음과 모음을 음절 단위로 모아 쓰기 때문에 의미를 파악하기 쉽다. (   )

실전 문제

01 한글에 대한 설명으로 적절하지 않은 것은?

① 실제로 사용하기에 쉽고 편리하게 만들어졌다.
② 글자가 만들어진 원리가 독창적이고 과학적이다.
③ 창제 당시에는 자음과 모음을 합쳐 모두 30자가 만들어졌다.
④ 만든 주체, 만들어진 시기, 제자 원리가 분명하게 밝혀져 있다.
⑤ 원래 이름은 '백성을 가르치는 바른 소리'라는 의미의 '훈민정음'이다.

[02~04] 다음은 〈훈민정음〉 언해본의 서문을 현대어로 풀이한 것이다. 다음 글을 읽고 물음에 답하시오.

우리나라 말이 중국과 달라서 한자와 서로 통하지 않는다. 이런 까닭으로 어리석은 백성이 말하고 싶은 바가 있어도 끝내 제 뜻을 펴지 못하는 경우가 많다. 내가 이것을 가엾게 여겨 새로 ㉠스물여덟 글자를 만들었으니, 모든 사람들이 쉽게 익혀서 날마다 편안하게 쓰기를 바랄 따름이다.

02 이 글을 바탕으로 당시 백성들의 문자 생활에 대해 추측한 내용으로 가장 적절한 것은?

① 모든 사람들이 한자를 능숙하게 사용했을 것이다.
② 한자를 모르는 사람은 의사소통이 원활하지 못했을 것이다.
③ 한자를 쉽게 익혀 쓰기 위한 방법을 각자 만들었을 것이다.
④ 우리나라의 말을 한자로 표기하는 데 큰 문제가 없었을 것이다.
⑤ 한자를 사용했기 때문에 사람들이 중국어에도 능통했을 것이다.

03 이 글에 드러난 훈민정음의 창제 정신으로 적절하지 않은 것은?

① 실용 정신 ② 애민 정신 ③ 자주정신
④ 창조 정신 ⑤ 평등 정신

04 다음 중 ㉠에 해당하는 글자가 아닌 것은?

① ㅿ ② ㄹ ③ ㅆ ④ ㆍ ⑤ ㅜ

05 자음 글자의 가획의 제자 원리를 보여 주는 예로 적절하지 않은 것은?

① ㄱ → ㅋ ② ㄴ → ㄷ ③ ㅁ → ㅂ
④ ㅅ → ㅈ ⑤ ㅇ → ㆁ

06 훈민정음이 창제될 당시의 자음 17자에 포함되지 않는 것은?

① ㄲ ② ㄹ ③ ㅁ ④ ㆁ ⑤ ㆆ

07 다음 중 한글의 제자 원리에 대한 설명으로 적절하지 않은 것은?

① 자음 글자는 발음 기관의 모양을 본떠 기본자를 만들었다.
② 자음 글자 중 제자 원리에서 벗어난 글자는 모두 세 개이다.
③ 모음 글자는 '하늘, 땅, 사람'의 모양을 본떠 기본자를 만들었다.
④ 모음 글자는 소리가 거세짐에 따라 기본자에 획을 추가했다.
⑤ 모음 글자는 기본자를 활용하여 초출자와 재출자를 만들었다.

08 자음과 모음의 제자 원리와 관련된 설명으로 적절하지 않은 것은?

① 재출자는 초출자에 'ㅏ'를 더하여 만들어진다.
② 초출자는 모음의 기본자들끼리 결합한 것이다.
③ '연서'는 입술소리 아래에 'ㅇ'을 이어서 쓰는 것이다.
④ 자음의 기본자는 5개, 모음의 기본자는 3개로 만들어졌다.
⑤ '병서'에는 같은 글자를 나란히 쓰는 각자 병서와 다른 글자를 나란히 쓰는 합용 병서가 있다.

09 다음 중 혀가 윗잇몸에 붙는 모양을 본떠 만든 혓소리가 아닌 것은?

① ㄱ ② ㄴ ③ ㄷ ④ ㄹ ⑤ ㅌ

10 다음 '그림 1'과 '그림 2'에 표시된 부분을 본떠서 만든 글자를 순서대로 적은 것은?

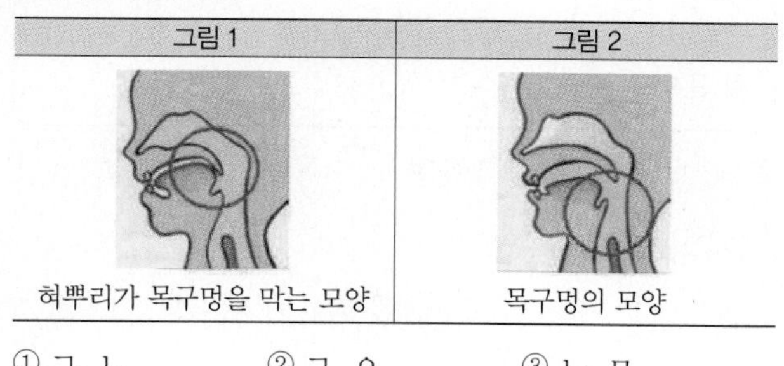

그림 1	그림 2
혀뿌리가 목구멍을 막는 모양	목구멍의 모양

① ㄱ, ㄴ　② ㄱ, ㅇ　③ ㄴ, ㅁ
④ ㅁ, ㅅ　⑤ ㅅ, ㅇ

11 〈보기〉의 설명에 해당하는 글자로 적절한 것은?

보기
혀가 윗잇몸에 붙는 모양을 본떠 만든 자음이며 기본자 'ㄴ'에 가획을 한 글자이다.

① ㅋ　② ㄷ, ㅌ　③ ㅂ, ㅍ
④ ㅈ, ㅊ　⑤ ㆆ, ㅎ

12 다음 중 이 모양을 본떠 만든 잇소리에 해당하지 않는 것은?

① ㅅ　② ㅿ　③ ㆆ　④ ㅈ　⑤ ㅊ

13 〈보기〉에서 설명하는 자음이 들어 있는 단어로 알맞은 것은?

보기
혀뿌리가 목구멍을 막는 모양을 본떠 만든 기본자를 각자 병서하여 만든 자음이다.

① 궁궐　② 꼬치　③ 짜장면
④ 오뚝이　⑤ 휘파람

14 자음과 모음의 기본자를 만들 때 공통적으로 적용된 원리는?

① 연서의 원리　② 가획의 원리
③ 병서의 원리　④ 상형의 원리
⑤ 이체의 원리

15 자음의 제자 원리 중, 가획의 원리와 가장 관계 깊은 것은?

① 소리의 길이　② 입술의 모양
③ 소리의 세기　④ 혀의 높낮이
⑤ 소리의 울림 여부

16 다음 설명에 해당하는 글자들로 적절한 것은?

입의 모양을 본떠 만든 기본자와 그 가획자이다.

① ㄱ, ㅋ　② ㄴ, ㄷ, ㅌ
③ ㅁ, ㅂ, ㅍ　④ ㅅ, ㅈ, ㅊ
⑤ ㅇ, ㆆ, ㅎ

17 다음 중 병서에 의해 만들어진 글자끼리 짝지어진 것은?

ㄲ, ㄹ, ㅁ, ㅅ, ㅉ, ㆁ, ㅿ, ㅍ, ㅸ, ㆅ

① ㅅ, ㅉ, ㅿ　② ㆁ, ㅿ, ㅸ
③ ㄲ, ㅉ, ㆅ　④ ㄹ, ㆁ, ㅿ
⑤ ㅁ, ㅍ, ㅸ

18 〈보기〉의 설명에 해당하는 자음과 모음이 모두 들어 있는 단어로 알맞은 것은?

보기
- 이의 모양을 본떠 만든 기본자
- 'ㅗ'에 하늘의 둥근 모양을 본떠 만든 기본자를 결합하여 만든 재출자

① 가요　② 성묘　③ 미소
④ 조미료　⑤ 손수건

19 모음 글자의 제자 원리에 대한 설명으로 적절하지 않은 것은?

① 초출자는 기본자를 합해서 만들었다.
② 재출자는 초출자를 합해서 만들었다.
③ 기본자 'ㆍ'는 하늘이 둥근 것을 본떴다.
④ 한글 창제 당시에 모음은 모두 11자였다.
⑤ 기본자에는 우주의 기본 요소를 반영했다.

20 다음 중 초출자의 형성 모습으로 옳지 않은 것은?

① ㆍ+ㅗ=ㅛ
② ㆍ+ㅡ=ㅗ
③ ㅣ+ㆍ=ㅏ
④ ㆍ+ㅣ=ㅓ
⑤ ㅡ+ㆍ=ㅜ

21 다음 중 자음 글자의 혓소리에 해당하지 않는 것은?

① ㄴ ② ㄷ ③ ㄹ ④ ㅁ ⑤ ㅌ

22 다음 중 재출자가 아닌 것은?

① ㅑ ② ㅕ ③ ㅛ ④ ㅘ ⑤ ㅠ

23 다음 휴대 전화의 문자 입력 방식에 대한 이해로 적절한 것은?

① 정보화 시대에는 적합하지 않은 방식이다.
② 자판은 모두 자음과 모음의 기본자로 이루어져 있다.
③ 모음은 한글 창제의 원리에 따라 글자를 입력하는 방식이다.
④ 'ㅇ'을 두 번 눌러 'ㅁ'을 만드는 것은 가획의 원리에 따른 방식이다.
⑤ 같은 발음 기관에서 소리 나는 자음은 같은 자판만 누르면 되는 방식이다.

24 〈보기〉의 설명에 해당하는 글자로 적절한 것은?

> 보기
>
> 혀뿌리가 목구멍을 막는 모양을 본떠서 만든 글자에 가획을 한 글자

① ㅋ ② ㅌ ③ ㅍ ④ ㅈ ⑤ ㅎ

25 〈보기〉에서 설명하는 자음과 모음이 모두 들어 있는 단어로 알맞은 것은?

> 보기
>
> • 혀가 윗잇몸에 붙는 모양을 본떠 만든 기본자에 획을 더한 가획자
> • 땅의 평평한 모양을 본떠 만든 기본자에 'ㆍ'를 결합하여 만든 초출자

① 다리 ② 모험 ③ 태풍
④ 공원 ⑤ 잔치

26 다음 중 글자를 만든 방법이 다른 것은?

① ㄱ ② ㅂ ③ ㅎ ④ ㅋ ⑤ ㅊ

27 다음 빈칸에 들어갈 모음 글자를 순서대로 제시한 것은?

> • ㆍ+(　　)→ㅛ　　• ㆍ+(　　)→ㅕ

① ㅗ, ㅓ ② ㅣ, ㅓ ③ ㅜ, ㅏ ④ ㅛ, ㅕ ⑤ ㅡ, ㅣ

28 〈보기〉의 내용과 가장 관계 깊은 한글의 우수성은?

> 보기
>
> 한글은 'ㄴ → ㄷ → ㅌ'과 같이 획을 더하여 글자를 만들 때 이들은 모두 같은 위치에서 발음되는 소리라는 공통점이 있다. 같은 부류의 소리를 나타내는 글자들의 모양이 비슷한 것이다.

① 한글의 예술성 ② 한글의 추상성
③ 한글의 객관성 ④ 한글의 체계성
⑤ 한글의 창의성

• 새 학년 준비 교재 •

수능까지 **생각**하는 **똑똑한 공부**

구성 ① **문학**
문학 필수 개념 정리와 중요 작품 학습

구성 ② **비문학**
독해의 원리 연습과 엄선된 지문 학습

구성 ③ **문법**
중학 문법 총정리와 실전 문제 적용

국어 **실력 향상**의 지름길

꿈틀 중학 국어

정답과 해설

국어 **실력 향상**의 지름길

정답과 해설

빠른 정답

I 문학

개념 확인 문제 p. 8~13

1 ④ 2 정형시 3 (1) ㉢ (2) ㉡ (3) ㉠ 4 ① 5 운율 6 함축적 7 ⑤ 8 ① 9 (1) 후각적 심상 (2) 공감각적 심상 (3) 미각적 심상 10 ⑤ 11 은유법 12 ③ 13 ○ 14 (1) 반어법 (2) 설의법 (3) 역설법 (4) 도치법 15 × 16 ⑤ 17 ③ 18 향찰 19 ⑤ 20 × 21 ④ 22 ○ 23 (1) ㉡ (2) ㉠ (3) ㉢ (4) ㉣ 24 이세춘 25 ⑤ 26 연시조 27 × 28 ④

현대시

01 먼 후일 p. 15
01 ④ 02 ① 03 ③ 04 ④

02 고향 p. 17
01 ⑤ 02 ⑤ 03 ① 04 ⑤

03 참회록 p. 19
01 ③ 02 ① 03 ① 04 ②

04 향수 p. 21
01 ④ 02 ① 03 ①, ② 04 ②

05 그날이 오면 p. 23
01 ③ 02 ⑤ 03 ④ 04 ②

06 가난한 사랑 노래 p. 25
01 ④ 02 ② 03 ② 04 ⑤

07 봄은 p. 27
01 ② 02 ④ 03 ② 04 ⑤

고전 시가

01 황조가 / 헌화가 p. 29
01 ③ 02 ⑤ 03 ⑤ 04 ② 05 ④

02 가시리 / 송인 p. 31
01 ① 02 ② 03 ⑤ 04 ④ 05 ⑤

03 하여가 / 단심가 / 천만리 머나먼 길에 p. 33
01 ⑤ 02 ① 03 ⑤ 04 ②

04 가노라 삼각산아 / 추강에 밤이 드니 / 묏버들 가려 꺾어 p. 35
01 ③, ⑤ 02 ③ 03 ④ 04 ①

05 동짓달 기나긴 밤을 / 마음이 어린 후니 / 어져 내 일이야 p. 37
01 ⑤ 02 ③ 03 ④ 04 ③ 05 ②

06 두꺼비 파리를 물고 / 일신이 사자 하니 / 창 내고자 창을 내고자 p. 39
01 ⑤ 02 ④ 03 ⑤ 04 ④

07 시집살이 노래 p. 41
01 ③ 02 ② 03 ① 04 ③

개념 확인 문제 p. 42~47

1 ② 2 ○ 3 인물 4 ③ 5 ○ 6 반동 인물 7 ⑤ 8 내적 갈등 9 (1) 1인칭 관찰자 시점 (2) 전지적 작가 시점 (3) 작가 관찰자 시점 10 ④ 11 ③ 12 ⑤ 13 ⑤ 14 ② 15 ① 16 ⑤ 17 ③ 18 적다 19 ② 20 해설, 대사, 지시문 21 ④ 22 ② 23 (1894년) 갑오개혁 24 ④ 25 가정 소설 26 ②

현대 소설

01 운수 좋은 날 ❶ p. 49
01 ① 02 ③ 03 ④ 04 ④

01 운수 좋은 날 ❷ p. 51
01 ① 02 ⑤ 03 ⑤ 04 ⑤

02 표구된 휴지 ❶ p. 53
01 ④ 02 ⑤ 03 ⑤ 04 ④

02 표구된 휴지 ❷ p. 55
01 ③ 02 ② 03 ③ 04 ③

03 난쟁이가 쏘아 올린 작은 공 p. 57
01 ④ 02 ⑤ 03 ② 04 ②

04 우리들의 일그러진 영웅 p. 59
01 ① 02 ⑤ 03 ⑤ 04 ④ 05 ③

수필

01 맛있는 책, 일생의 보약 p. 61
01 ③ 02 ③ 03 ③ 04 ② 05 ⑤

02 방망이 깎던 노인 p. 63
01 ⑤ 02 ⑤ 03 ⑤ 04 ④

극

01 오아시스 세탁소 습격 사건 ❶ p. 65
01 ③ 02 ② 03 ⑤ 04 ④ 05 ③

01 오아시스 세탁소 습격 사건 ❷ p. 67
01 ① 02 ④ 03 ③ 04 ④

02 웰컴 투 동막골 ❶ p. 69
01 ③ 02 ⑤ 03 ⑤ 04 ②

02 웰컴 투 동막골 ❷ p. 71
01 ④ 02 ④ 03 ④ 04 ①

03 YMCA 야구단 p. 73
01 ③ 02 ⑤ 03 ③

고전 산문

01 토끼전 ❶ p. 75
01 ③ 02 ④ 03 ⑤ 04 ① 05 ④

01 토끼전 ❷ p. 77
01 ④ 02 ② 03 ⑤ 04 ④

02 춘향전 ❶ p. 79
01 ③ 02 ③ 03 ① 04 ②

02 춘향전 ❷ p. 81
01 ④ 02 ① 03 ⑤ 04 ③

03 박씨전 ❶ p. 83
01 ① 02 ⑤ 03 ② 04 ④ 05 ②

03 박씨전 ❷
p. 85

01 ⑤ 02 ④ 03 ⑤ 04 ④

04 양반전 ❶
p. 87

01 ④ 02 ③ 03 ⑤ 04 ⑤

04 양반전 ❷
p. 89

01 ③ 02 ④ 03 ② 04 ④ 05 ②

05 운영전 ❶
p. 91

01 ④ 02 ② 03 ④ 04 ①

05 운영전 ❷
p. 93

01 ③ 02 ④ 03 ② 04 ⑤

06 규중칠우쟁론기 ❶
p. 95

01 ③ 02 ⑤ 03 ② 04 ④

06 규중칠우쟁론기 ❷
p. 97

01 ③ 02 ② 03 ⑤ 04 ①

07 벼슬아치란 무엇인가
p. 99

01 ⑤ 02 ① 03 ④ 04 ④ 05 ①

Ⅱ 비문학

p. 102~107

독해 연습 01 1 (1) ○ (2) × (3) × 2 (1) 원마다 원위전을 줌. (2) 임진왜란과 병자호란을 거치면서 3 ②

독해 연습 02 1 동물들이 잠을 자는 이유 2 사례 3 대등 4 가설과 그것의 한계(가설과 그것에 대한 반박) 5 회복설, 수면 시간, 에너지, 부동설 6 해설 참조

독해 연습 03 1 부정적(비판적) 2 문화재 관리 정책 3 출입 금지, 보존 4 ②

독해 연습 04 1 ㉮−부정적인 측면, ㉯−전기, ㉰−인정, ㉱−소비, ㉲−아동 건강, ㉳−사용 습관 2 서론−㉮, 본론−㉯, ㉰, ㉱, ㉲, 결론−㉳ 3 이렇듯 냉장고는 우리의 삶과 환경을 위협하고 있다. 4 냉장고 사용 습관을 되돌아보자. 5 귀납

독해 연습 05 1 비행기, 이산화탄소, 대형 쇼핑센터, 자연환경, 공정 여행 2 ① 현지의 환경을 해치지 않음. ② 현지인에게 경제적 혜택이 돌아감. 3 ③

독해 연습 06 1 상징 조작 2 대조 3 라틴어, 동일시, 합리화, 정서적, 이지적 4 피지배자들의 자발적인 복종을 유도 5 ④

인문 · 역사

01 매사냥의 방법과 역사
p. 109

01 ④ 02 ⑤ 03 ②

02 조선 시대 사람들은 어떻게 살았을까
p. 111

01 ③ 02 ③ 03 ④ 04 ④

03 읽기란 무엇인가
p. 113

01 ⑤ 02 ④ 03 ③ 04 ③

사회 · 경제

01 친절 강요하는 사회
p. 115

01 ② 02 ③ 03 ③ 04 ③ 05 ④

02 여성의 정치 참여
p. 117

01 ④ 02 ⑤ 03 ④ 04 ⑤

03 준거점과 손실회피성
p. 119

01 ③ 02 ② 03 ②

과학 · 기술

01 눈에 관한 오해와 진실
p. 121

01 ②, ④ 02 ③ 03 ③ 04 ④

02 3차원 프린터
p. 123

01 ⑤ 02 ⑤ 03 ⑤

03 현대 사회와 과학
p. 125

01 ③ 02 ③ 03 ⑤ 04 ③

문화 · 예술

01 보이는 것이 전부가 아니다
p. 127

01 ① 02 ④ 03 ② 04 ② 05 ⑤

02 지혜 담긴 집, 한옥
p. 129

01 ④ 02 ③ 03 ③ 04 ② 05 ③

03 웹 만화
p. 131

01 ④ 02 ③ 03 ①

Ⅲ 문법

01 언어의 본질

개념 확인 문제 p. 134

1 ④ 2 사회성 3 ⑤ 4 창조성

연습 문제 p. 135

01 ①−㉡, ②−㉠, ③−㉣, ④−㉢ 02 ① 창조성 ② 사회성 ③ 역사성 ④ 사회성 ⑤ 창조성 ⑥ 역사성 ⑦ 역사성 ⑧ 자의성 03 ①, ④, ⑤, ⑧ 04 ①, ⑤

실전 문제 p. 136~137

01 ② 02 ①, ③ 03 ② 04 ④ 05 ⑤ 06 ② 07 ④ 08 ②

02 음운의 체계

개념 확인 문제 p. 138~139

1 ○ 2 음운 3 × 4 이중 모음 5 전설 모음 6 ① 7 × 8 ③ 9 입술 10 소리, 잇몸소리, 여린입천장소리 11 입술소리(순음) 12 ⑤ 13 ○ 14 × 15 비음 16 된소리(경음) 17 ②

연습 문제 p. 140~141

01 ① ㅂ, ㅏ, ㄹ, ㅅ, ㅗ, ㄹ, ㅣ ② ㅁ, ㅏ, ㄹ, ㅌ, ㅏ, ㄱ, ㅣ ③ ㅈ, ㅣ, ㅎ, ㅖ ④ ㅣ, ㄴ, ㅎ, ㅕ, ㅇ 02 ㅏ, ㅓ, ㅗ, ㅜ, ㅡ, ㅣ, ㅐ, ㅔ, ㅚ, ㅟ 03 ②, ④, ⑥, ⑦, ⑫, ⑬ 04 ⑤ 05 ②, ③, ⑤ 06 ①−㉠, ②−㉤, ③−㉣, ④−㉥, ⑤−㉡, ⑥−㉢ 07 ① 후설 ② 혀 ③ ㅡ ④ ㅔ ⑤ ㅗ ⑥ ㅏ 08 ①−㉡, ②−㉢, ③−㉣, ④−㉠, ⑤−㉤ 09 ③, ⑪, ⑭ 10 ①, ②, ③, ⑤ 11 ⑤ 12 ①, ③, ⑥ 13 ① 잇몸소리 ② 예사소리 ③ ㄲ ④ ㅍ ⑤ 파찰음 ⑥ ㅊ ⑦ 된소리 ⑧ 울림소리 ⑨ ㄴ ⑩ 유음

실전 문제 p. 142~143

01 ③ 02 ③ 03 ② 04 ① 05 ④ 06 ⑤ 07 ① 08 ③ 09 ④ 10 ⑤ 11 ③ 12 ④ 13 ③ 14 ④ 15 ⑤ 16 ① 17 ① 18 ②

03 품사의 종류와 특성

개념 확인 문제 p. 144~145

1 품사, 형태, 기능, 의미 2 ② 3 (1) 사과 (2) 내(나) (3) 다섯 4 ⑤ 5 넷, 첫째 6 ㉢, ㉤ 7 ① 8 ㉠ 부사 ㉡ 대명사 ㉢ 형용사 9 (1) ○ (2) × (3) ○ (4) × (5) ○ 10 ⑤

연습 문제 p. 146~147

01 ①, ②, ③, ⑧, ⑩, ⑪, ⑬, ⑮, ⑯, ⑱, ⑲ 02 ① 보통 명사 ② 보통 명사 ③ 고유 명사 ④ 보통 명사 ⑤ 보통 명사 ⑥ 보통 명사 ⑦ 고유 명사 ⑧ 보통 명사 ⑨ 고유 명사 03 ① 인칭 대명사 ② 지시 대명사 ③ 지시 대명사 ④ 지시 대명사 ⑤ 인칭 대명사 ⑥ 인칭 대명사 ⑦ 지시 대명사 ⑧ 지시 대명사 ⑨ 인칭 대명사 ⑩ 인칭 대명사 ⑪ 인칭 대명사 ⑫ 지시 대명사 04 ①, ②, ④, ⑤, ⑧ 05 ①-㉢, ②-㉣, ③-㉡, ④-㉠, ⑤-㉤ 06 ① × ② ○ ③ ○ ④ × ⑤ ○ 07 ① 명사, 대명사, 대명사 ② 대명사, 형용사 ③ 수사, 명사, 동사 08 ① 동사 ② 형용사 ③ 동사 ④ 형용사 ⑤ 형용사 ⑥ 동사 ⑦ 동사 ⑧ 형용사 ⑨ 형용사 ⑩ 동사 ⑪ 형용사 ⑫ 동사 ⑬ 형용사 ⑭ 동사 ⑮ 형용사 09 ③, ⑤ 10 ① ○ ② × ③ × ④ ○ 11 ① 대명사 ② 동사 ③ 형용사 ④ 체언 ⑤ 용언 ⑥ 감탄사

실전 문제 p. 148~149

01 ③ 02 ② 03 ① 04 ⑤ 05 ⑤ 06 ②
07 ① 08 ④ 09 ② 10 ③ 11 ③ 12 ①
13 ② 14 ⑤ 15 ③ 16 ③ 17 ③ 18 ②

04 어휘 체계와 양상

개념 확인 문제 p. 150~151

1 × 2 ○ 3 ○ 4 ④ 5 외래어 6 한자어 7 지역 방언 8 표준어 9 ○ 10 × 11 은어 12 유행어 13 ④ 14 ② 15 잠들다

연습 문제 p. 152~153

01 ③, ⑥, ⑦ 02 ① 한자어 ② 외래어 ③ 고유어 ④ 한자어 ⑤ 한자어 ⑥ 외래어 ⑦ 고유어 ⑧ 외래어 ⑨ 한자어 ⑩ 고유어 ⑪ 외래어 ⑫ 외래어 03 ②, ③, ⑤ 04 ①-㉡, ②-㉢, ③-㉠ 05 ②, ③, ⑥, ⑦, ⑨, ⑩ 06 ① 지역 방언 ② 사회 방언 ③ 사회 방언 ④ 지역 방언 ⑤ 사회 방언 ⑥ 사회 방언 07 ①-㉡, ②-㉣, ③-㉠, ④-㉢ 08 ①-㉥, ②-㉣, ③-㉠, ④-㉢, ⑤-㉤, ⑥-㉡ 09 ① × ② ○ ③ ○ ④ ○ ⑤ × ⑥ × ⑦ ○ 10 ① 전문어 ② 전문어 ③ 은어 ④ 은어 ⑤ 전문어 ⑥ 은어 ⑦ 은어 ⑧ 전문어 ⑨ 전문어 ⑩ 은어 ⑪ 은어 ⑫ 전문어 11 ①-㉢, ②-㉡, ③-㉣, ④-㉠ 12 ⑤

실전 문제 p. 154~155

01 ③ 02 ④ 03 ⑤ 04 ③ 05 ② 06 ④
07 ② 08 ⑤ 09 ⑤ 10 ⑤ 11 ④ 12 ①, ⑤ 13 ① 14 ③ 15 ⑤

05 단어의 정확한 발음과 표기

개념 확인 문제 p. 156~157

1 합리성 2 단모음, 이중 모음 3 ○ 4 × 5 ㄱ, ㄴ, ㄷ, ㄹ, ㅁ, ㅂ, ㅇ 6 (1) × (2) ○ (3) ○ (4) × (5) × (6) ○ 7 (1) 달기 (2) 절머 (3) 훌꼬 (4) 묵찌 (5) 발바 (6) 업:찌 8 ㅋ, ㅌ, ㅊ 9 (1) 머키다 (2) 노코 (3) 알코 (4) 싼는 (5) 아라 (6) 이팍 10 × 11 접미사 12 겹받침 13 ○ 14 (1) 발블 (2) 외골쓰로 (3) 꼬다래 (4) 여덜비 (5) 목씨 (6) 갑쎄

연습 문제 p. 158~159

01 ㅏ, ㅓ, ㅗ, ㅜ, ㅡ, ㅣ, ㅐ, ㅔ, ㅚ, ㅟ 02 ① 무니 ② 예:의 ③ 하니바람 ④ 의사 ⑤ 히미하다 ⑥ 다처 ⑦ 티우다 ⑧ 비:례 03 ①, ④, ⑦, ⑧ 04 ① ○ ② ○ ③ ○ ④ × ⑤ ○ ⑥ × ⑦ ○ 05 ①-㉠, ②-㉥, ③-㉥, ④-㉤, ⑤-㉣, ⑥-㉣ 06 ① 끋 ② 쫀따 ③ 밥쏘 ④ 막씀니다 ⑤ 맏따 ⑥ 얄꼬 ⑦ 점꼬 ⑧ 넙쭈카다 07 ①, ③, ⑥, ⑧, ⑭, ⑯, ⑱ 08 ②, ③, ⑤, ⑧, ⑨ 09 ① ○ ② ○ ③ × ④ ○ ⑤ × ⑥ × ⑦ ○ ⑧ ○ ⑨ × ⑩ ○ ⑪ ○ 10 ① 올믄 ② 갑쎄 ③ 업쓰면 ④ 바다래 ⑤ 바틀 ⑥ 가버치 ⑦ 흑꽈 ⑧ 허두슴 ⑨ 너겁따 ⑩ 다가페 11 ① 꼰니픈 ② 하넙씨 ③ 끋따발 ④ 암마당 ⑤ 일키는

실전 문제 p. 160~161

01 ④ 02 ① 03 ③ 04 ⑤ 05 ⑤ 06 ②
07 ⑤ 08 ③ 09 ② 10 ① 11 ② 12 ①

06 문장의 짜임

개념 확인 문제 p. 162~163

1 주성분 2 × 3 (1) 사과를 (2) 바다를 (3) 얼굴을 4 관형어 5 × 6 홑문장 7 안은문장 8 ○ 9 이어진문장 10 대등하게 이어진 문장 11 ○ 12 ③ 13 안긴문장 14 ○ 15 ×

연습 문제 p. 164~165

01 ① 얼음이 ② 그는 ③ 사람들이 ④ 기분이 02 ① 독립어 ② 부사어 ③ 보어 ④ 목적어 ⑤ 서술어 ⑥ 관형어 ⑦ 부사어 03 ①, ③, ⑤ 04 ②, ③, ④ 05 ①, ④, ⑤, ⑥ 06 해설 참조 07 ③, ⑤ 08 ① ○ ② ○ ③ × ④ ○ ⑤ ○ ⑥ × ⑦ × 09 해설 참조

실전 문제 p. 166~167

01 ③ 02 ② 03 ② 04 ① 05 ③ 06 ④
07 ④ 08 ⑤ 09 ④ 10 ③ 11 ① 12 ③
13 ⑤ 14 ① 15 ③ 16 ⑤ 17 ① 18 ②

07 담화의 개념과 특성

개념 확인 문제 p. 168

1 담화 2 맥락 3 ④ 4 ○ 5 사회 · 문화적 맥락 6 호소 담화 7 × 8 간접 발화

연습 문제 p. 169

01 ①, ④, ⑤, ⑦, ⑧, ⑨ 02 ⑤, ⑥ 03 ④ 04 ① ○ ② × ③ × ④ ○ ⑤ ○ 05 ①-㉡, ②-㉢, ③-㉠, ④-㉣

실전 문제 p. 170~171

01 ④ 02 ③ 03 ③ 04 ② 05 ⑤ 06 ④
07 ⑤ 08 ③ 09 ⑤ 10 ⑤ 11 ⑤ 12 ④
13 ②

08 한글의 창제 원리

개념 확인 문제 p. 172

1 애민 2 × 3 ① 4 혓소리(설음) 5 가획자 6 천, 지, 인(하늘, 땅, 사람) 7 재출자 8 ○

연습 문제 p. 173

01 ① 자주정신 ② 애민 정신 ③ 창조 정신 ④ 실용 정신 02 ① 혀뿌리가 목구멍을 막는 모양 ② ㄹ ③ 입술소리 ④ ㅁ ⑤ ㅈ ⑥ ㅿ ⑦ 목구멍 모양 ⑧ ㅎ 03 ① 하늘의 둥근 모양 ② · ③ ㅑ ④ ㅡ ⑤ ㅜ, ㅓ ⑥ 인(人) ⑦ ㅣ 04 ②, ③, ⑤, ⑦, ⑧ 05 ① ○ ② × ③ ○ ④ × ⑤ ○

실전 문제 p. 174~176

01 ③ 02 ② 03 ⑤ 04 ③ 05 ⑤ 06 ①
07 ④ 08 ① 09 ① 10 ② 11 ② 12 ③
13 ② 14 ④ 15 ③ 16 ③ 17 ③ 18 ②
19 ② 20 ① 21 ④ 22 ④ 23 ③ 24 ①
25 ③ 26 ① 27 ① 28 ④

정답과 해설

I 문학

개념 확인 문제

p. 8~13

1 ④ 2 정형시 3 (1) ㉢ (2) ㉡ (3) ㉠ 4 ① 5 운율 6 함축적 7 ⑤ 8 ① 9 (1) 후각적 심상 (2) 공감각적 심상 (3) 미각적 심상 10 ⑤ 11 은유법 12 ③ 13 ○ 14 (1) 반어법 (2) 설의법 (3) 역설법 (4) 도치법 15 × 16 ⑤ 17 ③ 18 향찰 19 ⑤ 20 × 21 ④ 22 ○ 23 (1) ㉡ (2) ㉠ (3) ㉢ (4) ㉣ 24 이세춘 25 ⑤ 26 연시조 27 × 28 ④

1 시란 마음속에 떠오르는 생각이나 느낌을 운율이 있는 언어로 압축하여 표현한 운문 문학이다.

4 '엄마야'라고 부르는 것으로 보아 어린아이이고, '누나야'라고 부르는 것으로 보아 남자임을 알 수 있다.

7 단순히 부드러운 느낌의 음운을 사용한다고 해서 운율이 생기는 것은 아니다.

8 '하늘하늘'과 '송이송이'처럼 의태어가 반복 사용되었지만 같은 의성어가 반복 사용되지는 않았다.

16 집단 가요뿐만 아니라 개인 서정 가요도 고대 가요에 해당한다.

21 고려 가요는 구전되다가 한글 창제 뒤에 문자로 기록된 갈래이다.

25 시조는 고려 중엽에 발생하여 조선 시대에 널리 향유되었으며 오늘날까지 현대 시조로 계승되고 있다.

28 민요는 후렴구가 있는 경우도 있고 없는 경우도 있다. 또한 2음보, 3음보, 4음보 등 다양한 음보로 이루어져 있다.

현대시

01 먼 후일

p. 15

01 ④ 02 ① 03 ③ 04 ④

01 이 시에는 하나의 감각적 대상을 다른 종류의 감각으로 전이시켜 표현하는 공감각적 심상이 사용되지 않았다.

✖오답 풀이 ① '내'를 통해 알 수 있다. ② 이 시는 임에 대해 '당신', '찾으시면'의 높임 표현과 부드러운 말투를 사용하고 있다. ③ '먼 훗날', '당신이', '잊었노라'와 같은 시어를 반복하고 있다. ⑤ '찾으시면', '나무라면'에서 상황을 가정하고 있음을 알 수 있다.

02 자신의 속마음과는 반대로 표현하는 반어법을 통해 임에 대한 화자의 그리움을 더 애틋하게 표현할 수 있다.

✖오답 풀이 ④ '표면적으로 모순된 표현'은 역설법에 해당하는 설명이다.

03 이 시의 화자는 임을 잊지 못하는 마음을 반대로 표현하여 임에 대한 그리움을 더욱 애틋하게 나타내고 있다. 이러한 화자의 그리움을 통해 시의 애상적인 분위기가 형성된다. 또한 '찾으시면', '나무라면'과 같이 화자는 실제로 일어나지 않은 상황을 가정하고 있다.

✖오답 풀이 이 시에 '당신'에 대한 화자의 원망은 나타나 있지 않고, 화자에 대한 '당신'의 책망은 실제로 일어나지 않은 상황을 가정한 것이다.

04 이 시에서는 '잊었노라'라는 시어를 반복(ⓒ)하고, '먼 훗날∨당신이∨찾으시면'과 같이 3음보를 반복(ⓓ)하여 운율을 형성하고 있다.

02 고향

p. 17

01 ⑤ 02 ⑤ 03 ① 04 ⑤

01 이 시에는 처음과 끝에 비슷한 문장 구조가 나타나지 않는다.

✖오답 풀이 ① '손길은 따스하고 부드러워'에서 촉각적 심상을 활용하여 고향에 대한 화자의 그리움을 심화하고 있다. ② 이 시는 화자와 의원이 대화하는 형식의 서사적 구조로 시상을 전개하고 있다. ③ 의원의 모습을 '여래 같은 상', '관공의 수염'과 같은 비유법을 사용하여 묘사하고 있다. ④ 이 시는 부드럽고 다정다감한 어조를 사용하여 고향과 같은 따스함을 느끼고 고향을 그리워하는 화자의 정서를 나타내고 있다.

02 '나'는 진맥하는 의원의 따스한 손길에 고향과 같은 따스함을 느꼈지만 고향을 떠난 현실에 새삼 서러워했다고 볼 수는 없다.

03 '의원'은 '먼 옛적 어느 나라 신선'과 같이 동화적이고 신비로운 모습을 하고 있으며, '빙긋이 웃음을 띠고'와 '넌지시 웃고'에서 알 수 있듯이 친근한 이미지로 화자의 마음을 위로해 주는 존재이다.

04 이 시는 '나'와 의원의 대화를 통한 서사적 구조로 시상을 전개하고 있다. ⓐ, ⓒ는 의원이 한 말이고, ⓑ, ⓓ, ⓔ는 화자인 '나'가 한 말이다.

03 참회록

p. 19

01 ③ 02 ① 03 ① 04 ②

01 1연은 과거 역사에 대한 참회, 2연은 지나온 삶에 대한 현재의 참회, 3연은 현재의 참회에 대한 미래의 참회, 5연은 미래의 삶에 대한 전망을 노래하고 있다. 즉, 이 시는 '과거 → 현재 → 미래'의 시간 흐름에 따라 시상이 전개되고 있는 것이다.

✕ 오답 풀이 ④ 선경 후정이란 시의 앞부분에서 풍경을, 뒷부분에서 화자의 정서를 표현하는 방식이다. ⑤ 수미 상관은 시의 처음과 끝에 동일하거나 유사한 시구를 배열하는 방식이다.

02 1연에서 화자는 국권 상실의 역사와 그동안 무기력하게 살아온 자신의 욕됨과 부끄러움에 대해 참회를 하고 있다. 화자가 과거의 역사 속에서 자신의 가치를 발견하고 있는 것은 아니다.

✕ 오답 풀이 ⑤ '어느 운석 밑으로 홀로 걸어가는 / 슬픈 사람의 뒷모양'에서 일제 강점기라는 국권 상실의 현실에서 소명 의식을 지닌 화자가 자기희생을 통해 비극적 삶을 맞이할 것을 암시하고 있다.

03 ㉠은 자아 성찰의 매개체이다. 〈보기〉의 시에서는 화자가 '우물'을 들여다보며 아름다운 풍경 속 자신의 모습을 객관적으로 성찰하고 있다. 그러므로 ⓐ'우물'이 자아 성찰의 매개체 역할을 한다는 점에서 ㉠과 유사한 기능을 한다.

✕ 오답 풀이 ⓑ, ⓒ, ⓓ는 순수하고 아름다운 풍경으로 화자가 바라는 이상적인 세계를 형상화한 시어이다. ⓔ는 화자 자신을 객관화하여 나타낸 시어이다.

04 이 시는 치욕스러운 망국의 현실에서 무기력하게 살아가는 삶에 대한 화자의 자기 성찰과 현실 극복 의지를 보여 주고 있다. 그러나 이 시에는 어린 시절 잃어버린 소중한 것들에 대한 동경과 그리움은 나타나 있지 않다.

04 향수

p. 21

01 ④ 02 ① 03 ①, ② 04 ②

01 이 시는 고향에 대한 개인적 그리움이 드러나고 있을 뿐, 그러한 개인적 감상이 사회적인 것으로 확대되고 있는 것은 아니다.

✕ 오답 풀이 ① '실개천', '얼룩백이 황소', '질화로' 등의 향토적인 시어를 사용하여 그리운 고향의 모습을 그림 그리듯 표현하고 있다. ② 5연의 '도란도란거리는 곳'에서 단란한 가족의 모습을 알 수 있다. ③ 3연의 '함부로 쏜 화살을 찾으려 ~ 휘적시던 곳'에서 꿈을 찾던 어린 시절을 회상하며 고향에 대한 그리움을 나타내고 있다. ⑤ 4연의 '아무렇지도 않고 ~ 사철 발 벗은 아내'에서 평범하고 평화로운 모습과 함께 가난하고 소박했던 시절을 떠올리고 있다.

02 1연 '넓은 벌 동쪽 끝', 2연 '아버지가 짚베개를 돋아 고이시는 곳', 3연 '풀섶 이슬에 함추름 휘적시던 곳', 4연 '햇살을 등에 지고 이삭 줍던 곳', 5연 '서리 까마귀 우지짖고 지나가는 초라한 지붕'에서 '바깥 풍경 → 집 안의 모습 → 수풀 → 논밭 → 밖에서 본 집'으로 시선이 이동하고 있음을 알 수 있다.

03 ①은 '소의 울음소리'(청각)를 '금빛'(시각)으로 표현한 공감각적 심상이다. ②는 '밤바람 소리'(청각)를 '말을 달리고'(시각)로 표현한 공감각적 심상이다.

✕ 오답 풀이 ③ '파아란'에서 시각적 심상이 나타난다. ④ '따가운'에서 촉각적 심상이 나타난다. ⑤ '우지짖고'에서 청각적 심상이 드러난다. ③~⑤는 모두 감각적 심상이 나타나고 있지만 다른 종류의 감각으로 전이시키고 있지는 않으므로 공감각적 심상은 아니다.

04 이 시는 후렴구 '—그곳이 차마 꿈엔들 잊힐 리야.'를 통해 고향에 대한 그리움을 강조하고 있다. 그리고 후렴구가 각 연마다 반복됨으로써 형태적 안정감을 얻고 운율을 형성하고 있다.

✕ 오답 풀이 ㉡ 몽환적인 분위기란 현실이 아닌 꿈이나 환상 같은 분위기를 말한다. 후렴구의 '꿈'이라는 표현은 고향을 절대 잊지 못한다는 의미를 강조하기 위한 것으로, 몽환적 분위기를 형성하는 시어는 아니다. ㉢ 이 시는 고향을 떠올리며 그리워하고는 있으나, 불행이나 비통한 감정과 같은 비극적인 정서는 나타나지 않는다. ㉤ 토속적 시어를 통해 토속적 정서를 극대화할 수 있는데, 후렴구에는 이러한 시어가 쓰이지 않았다. 이 시에 나타난 토속적 시어는 '실개천', '얼룩백이 황소', '질화로', '짚베개' 등이다.

05 그날이 오면

p. 23

01 ③ 02 ⑤ 03 ④ 04 ②

01 이 시는 '울리오리다', '남으오리까' 등과 같이 상대 높임법인 '하오체'를 사용하여 조국 광복의 염원과 소망을 호소력 있게 표현하고 있다. 그러나 이 시에 명령형의 문장은 나타나지 않는다.

✕ 오답 풀이 ① 1연과 2연 모두 '그날'이 오는 상황을 가정하여 조국 광복에 대한 화자의 간절한 염원과 의지를 드러내고 있다. ② '두개골은 깨어져 산산조각이 나도'와 같은 과장법과 '그날이 오면 그날이 오면은'과 같은 반복법을 사용해 화자가 소망하는 광복에 대한 염원을 간절하게 드러내고 있다. ④ '삼각산이 일어나 더덩실 춤이라도 추고'에서 의인법을 사용하여 광복의 기쁨을 역동적으로 표현하고 있다. ⑤ '기뻐서 죽사오매', '몸의 가죽이라도 벗겨서' 등에서 극한적인 시어를 사용해 화자의 소망을 강하게 표현하고 있다.

02 이 시의 화자는 일제 강점기라는 부정적인 시대 상황에서 '종로의 인경을 ~ 울리오리다.'와 같이 자기희생의 태도를 보이며 현실 극복 의지를 드러내고 있다.

✖오답 풀이 ① 이 시의 화자는 일제 강점기라는 현실을 부정적으로 인식하고 이를 극복하려는 의지를 보일 뿐, 시대 상황에 대한 원망의 태도를 드러내고 있지는 않다. ② 비참한 시대 현실을 배경으로 하고 있지만 이에 대한 고발이 아니라 현실 극복 의지와 광복에 대한 염원을 드러내고 있는 작품이다. ③ 이 시는 현실에 대한 극복 의지가 강하게 나타나므로 힘든 현실을 체념적으로 받아들인다는 설명은 적절하지 않다. ④ 부정적 시대 현실이 극복될 미래를 가정하고 있으나, 미래 상황에서 자신을 염려하는 태도는 나타나 있지 않다. 오히려 '드는 칼로 이 몸의 가죽이라도 벗겨서 ~ 앞장을 서오리다.'와 같이 자기희생적 태도를 보이고 있다.

03 ㉢과 ㉤은 조국의 광복이 이루어지기만 한다면 자신은 극한적 상황에 처해도 된다는 자기희생의 실천적 의지를 표현한 부분이다.

✖오답 풀이 ㉠, ㉡ 조국 광복이 찾아올 '그날'의 환희를 역동적으로 표현한 것이다. ㉣ 조국 광복을 맞은 화자의 기쁨을 역동적으로 표현한 것이다.

04 〈보기〉를 통해 이 시의 작가는 조국의 독립을 외쳤던 3 · 1 운동에 참여하였고, 문학 작품의 연재나 시집의 간행이 일제에 의해 무산되기도 했던 시기, 즉 일제 강점기에 이 작품을 창작하였다는 것을 알 수 있다. 따라서 시의 화자가 간절히 바라는 '그날'은 조국 광복의 날임을 알 수 있다.

06 가난한 사랑 노래

p. 25

01 ④ **02** ② **03** ② **04** ⑤

01 '수미 상관'이란 시의 맨 처음 부분과 마지막 부분을 서로 유사하게 하여 운율을 형성하고, 내용을 강조하며 형태적인 안정감을 주는 표현 방법이다. 이 시는 '가난하다고 해서 ~겠는가'의 유사한 문장 구조를 반복하고 있지만 수미 상관의 기법을 사용하고 있지는 않다.

✖오답 풀이 ① '새파랗게 달빛이', '새빨간 감 바람 소리' 등의 감각적 표현이 쓰였다. ②, ③ 이 시에는 '가난하다고 해서 ~겠는가'라는 문장 구조가 반복되는데, 이러한 반복을 통해 운율이 형성되고 있다. 또한 '~겠는가'라는 설의적 표현으로 '가난하더라도 남들과 다르지 않다.'라는 의미가 강조되고 있다. ⑤ '눈 쌓인 골목길에 새파랗게 달빛이 쏟아지는데.'에서 흰색('눈')과 푸른색('달빛')의 대비가 나타난다. 이처럼 색채가 대비되는 표현으로 '너와 헤어져 돌아오는' 외롭고 쓸쓸한 '젊은이'의 상황이 더욱 부각되는 효과가 있다.

02 '어머님 보고 싶소 수없이 되어 보지만'을 통해 화자가 어머니를 그리워하고 있음을 알 수 있다. 그러나 이 시의 화자가 집 뒤의 감나무를 실제로 보고 있는 것은 아니다. '집 뒤 감나무에 까치밥으로 하나 남았을 / 새빨간 감 바람 소리도 그려 보지만.'은 화자가 고향에 대한 그리움에 고향의 모습을 떠올리고 있는 것이다.

03 [A]는 '가난하다고 해서 ~ 모르겠는가'와 '너와 헤어져 돌아오는 ~ 쏟아지는데.'의 어순을 바꾸어 가난해도 외로움을 모르지 않는다는 의미를 강조하고 있다. 〈보기〉의 밑줄 친 부분은 '누가 못 하나(를) 박아 놓았을까요.'에서 목적어 '못 하나'를 문장 끝으로 배치한 형태로, 어순을 바꿈으로써 '못 하나'를 강조하고 있다. 즉, 공통적으로 문장 성분의 정상적인 배열을 뒤바꾸어 놓음으로써 드러내고자 하는 내용을 더욱 두드러지게 하는 표현 방법인 도치법이 사용되었다.

04 〈보기〉의 밑줄 친 부분을 참고하면, 시의 부제가 '이웃의 한 젊은이를 위하여'이므로 화자를 '이웃의 한 젊은이'로 볼 수 있다. 시인은 '이웃의 한 젊은이'를 위해 '젊은이'의 목소리를 빌려 그의 삶을 시로 표현했다. 즉, 시인은 '젊은이'가 되어 그의 삶에 공감하고 함께 안타까워하면서 독자에게 호소력 있게 주제를 전달하고 있는 것이다.

✖오답 풀이 ① 〈보기〉의 밑줄 친 부분에서 시의 화자를 '이웃의 한 젊은이'라고 했으므로 시인과 화자는 동일인이라 볼 수 없다. ② 시를 통해서는 시인과 화자가 동일한 상황에 처해 있는지 확인할 수 없다. ③ 제삼자의 입장이 아닌 '젊은이'의 입장에서 젊은이의 삶을 노래하는 것이다. ④ 시의 내용은 시인이 직접 체험한 바가 아니라 '젊은이'의 삶이다.

07 봄은

p. 27

01 ② **02** ④ **03** ② **04** ⑤

01 이 시는 '봄'과 '겨울'이라는 대립적인 시어를 사용해 통일과 분단이라는 의미를 나타내면서 시상을 전개하고 있다.

✖오답 풀이 ① 이 시에 같은 문장이 반복해서 쓰인 부분은 없다. ③ 이 시에 의문형 어미는 쓰이지 않았다. 오히려 '움트리라'와 같은 단정적인 표현을 통해 화자의 확신을 나타내고 있다. ④ '바다', '대륙' 등 자연적인 소재가 등장하지만 이는 상징적 의미를 지닐 뿐, 자연 친화적 사상을 보여 주지는 않는다. ⑤ '남해'와 '북녘'은 외세를 의미한다.

02 통일의 시기를 의미하는 '봄'은 '남해'나 '북녘'에서 오는 것이 아니라 '우리가 디딘 아름다운 논밭에서 움튼다.', '우리들 가슴 속에서 움트리라.'라고 하였다. 즉, 이 시는 분단 상황을 외부 세력이 아니라 우리의 자주적이고 주체적인 노력으로 해결할 수 있다고 보고 있는 것이다.

✖오답 풀이 ① '겨울'은 남한과 북한으로 나뉜 분단 현실을 의미한다. ② 이 시에서는 우리나라의 분단 상황만을 다루고 있을 뿐, 이를 전 세계적 문제로 확대하는 부분은 나타나 있지 않다. ③ 외부 세력에 대항하는 구체적 방법은 이 시에 나타나 있지 않다. ⑤ 시간이 흐르면 모든 일이 해결된다는 태도는 나타나 있지 않다.

03 ㉡, ㉢, ㉥은 우리나라를, ㉠과 ㉣은 외부 세력을, ㉤은 분단의 아픔과 시련 및 고난을, ㉦은 폭력과 전쟁의 분단 상황을 의미한다.

04 이 시는 국토가 남북으로 분단된 시대적 상황에서, 우리 민족 스스로의 힘으로 진정한 통일을 이루기를 소망하는 시인의 창작 의도가 드러난 작품이다. 따라서 시인의 창작 동기를 파악하기 위해서는 시가 창작된 사회 · 문화적 상황을 고려하여 감상하는 것이 가장 적절하다.

고전 시가

01 황조가 / 헌화가

p. 29

01 ③ 02 ⑤ 03 ⑤ 04 ② 05 ④

01 (가)는 임을 잃은 화자의 외로운 심정을 꾀꼬리의 정다운 모습과 대비시켜 표현하고 있다. 즉, 자연물에 화자의 감정을 이입한 것이 아니라 화자의 심정과 대비되는 자연물이 객관적 상관물로 사용된 것이다.

✖오답 풀이 ① (가)는 임(치희)을 잃은 화자(유리왕)의 슬픔을 노래한 고대 가요이다. ② '외로워라, 이내 몸은'에서 화자의 정서가 직접적으로 표현되고 있다. ④ 배경 설화의 '왕이 이것을 보고 느낀 바가 있어 노래를 지어 불렀다.'에서 '노래'가 〈황조가〉이다. 이를 통해 (가)는 배경 설화 속에 삽입되어 있는 개인적 서정시인 것을 알 수 있다. ⑤ 1~2구에서는 암수 서로 정다운 꾀꼬리의 모습을 제시하였고, 3~4구에서는 이와 대비되는 임을 잃은 '나'의 외로움을 제시하여 선경 후정의 시상 전개 방식을 보이고 있다.

02 배경 설화의 내용으로 보아 (가)는 유리왕이 자신의 처지와는 대조적으로 정다운 꾀꼬리들을 보고 지은 것이다. 따라서 (가)는 화희와의 싸움으로 치희가 떠난 외로운 상황이 작품 창작의 계기가 되었다고 볼 수 있다.

03 (가)에서 암수 서로 정다운 꾀꼬리는 임을 잃고 외로운 화자의 처지와 대비되는 자연물이다. 그리고 〈보기〉의 꾀꼬리새는 사월을 잊지 않고 오는 존재로, '나'를 잊었는지 오지 않는 녹사님과 대비되어 화자의 외로움을 고조시키는 자연물이다. 따라서 (가)의 '꾀꼬리'와 〈보기〉의 '꾀꼬리새'는 모두 화자의 상황과 대조되는 객관적 상관물이라는 공통점이 있다.

04 추모의 정은 대상이 죽은 뒤에 느끼는 그리움의 감정을 의미한다. (나)는 수로 부인에게 꽃을 꺾어 바치며 부른 노래이지, 죽은 수로 부인에 대한 추모의 정을 노래하는 작품이 아니다.

✖오답 풀이 ① 수로 부인은 꽃의 아름다움을 추구하고 있고, 늙은이는 수로 부인의 아름다움을 추구하고 있다. ③ 종자는 높은 석벽 위의 꽃을 꺾을 수 없다는 점에서 일반적인 능력의 사람일 것이다. ④ 배경 설화에서 한 늙은이가 암소를 몰고 지나가다 수로 부인에게 꽃을 꺾어 주었고 노래도 지어 바쳤다고 하였으므로, 그 노래가 〈헌화가〉임을 알 수 있다. ⑤ 일반 사람들은 접근하기 어려운, 높이가 천 길이나 되는 석벽 위의 꽃을 꺾은 것으로 보아, 늙은이가 보통 사람이 아니라고 추측할 수 있다.

05 '암소'는 수로 부인의 소망인 '꽃'을 얻는 것과 직접적인 관련이 없다. 따라서 '암소'가 수로 부인이 가진 소망을 이루어 주는 매개체라고 볼 수 없다.

✖오답 풀이 ① '꽃'은 수로 부인의 입장에서는 가지고 싶은 아름다운 자연의 대상으로, 늙은이의 입장에서는 수로 부인을 향한 마음과 사랑으로 해석될 수 있다. ② 수로 부인에게 '꽃'은 가지고 싶은 자연의 아름다운 대상이다. ③ 늙은이가 높이가 천 길이나 되는 석벽 위의 꽃을 꺾어 수로 부인에게 노래와 함께 바친 것을 보면, 늙은이에게 '꽃'은 수로 부인에 대한 사랑이라고 볼 수 있다. ⑤ '암소'는 늙은이가 가진 모든 것으로, 농경 사회에서 큰 재산이자 세력을 의미한다.

02 가시리 / 송인

p. 31

01 ① 02 ② 03 ⑤ 04 ④ 05 ⑤

01 (가)의 화자는 떠나는 임을 붙잡지 못하고 슬퍼하며 임이 돌아오기를 소망하고 있다. 그리고 (나)의 화자는 남포에서 임을 보내며 눈물을 흘리고 있다. 이를 통해 (가)와 (나)가 공통적으로 이별의 정한(情恨)을 주제로 다루고 있음을 알 수 있다.

✖오답 풀이 ② (가)에서는 '가시리', '나는'의 시어와 '위 증즐가 대평성대'라는 후렴구를 반복하여 운율을 형성하고 있다. 그러나 (나)에서는 반복을 통한 운율 형성이 나타나 있지 않다. ③ (가)와 (나) 모두 자연물에 화자의 감정을 이입하여 표현한 부분은 찾아볼 수 없다. ④ (나)에서는 이별의 슬픔으로 인한 눈물이 더해져 대동강 물이 마르지 않을 것이라고 하여, 과장된 표현으로 이별의 슬픔을 강조하고 있다. 그러나 (가)에는 과장된 표현이 쓰이지 않았다. ⑤ (나)에서는 '푸른 풀빛'과 '슬픈 노래'라는 시어를 통해 봄의 생명력을 드

러내는 자연의 모습과 슬픈 이별의 상황에 처해 있는 화자의 모습을 대조적으로 제시하고, 이를 통해 이별의 정한을 효과적으로 드러내고 있다. 그러나 (가)에는 대조적 상황이 제시되어 있지 않다.

02 (가)는 분연체의 고려 가요로, 4개의 연으로 뚜렷하게 구분되어 있다.

✖오답 풀이 ① '기(이별의 확인과 안타까움)-승(임과 이별하는 슬픔의 고조)-전(감정의 절제와 체념)-결(재회에 대한 소망)'의 4단 구성으로 이루어져 있다. ③ 각 연 마지막에 '위 증즐가 대평성대'라는 후렴구가 반복되고 있다. ④ '가시리 가시리잇고 나는 / 버리고 가시리잇고 나는'에서 a-a-b-a 구조가 드러난다. ⑤ '가시리∨가시리∨잇고' 등에서 3·3·2조와 3음보의 율격을 확인할 수 있다. '나는'은 음악적 효과를 위한 의미 없는 여음으로, 음보에 포함되지 않는다. 3·3·2조와 3음보의 율격은 고려 가요의 일반적인 특징이다.

03 (가)의 화자는 임과의 이별에 대해 '날러는 어찌 살라 하고'라며 임 없이 살 수 없음을 호소하고 있다. 즉, 화자는 임을 떠나보내는 슬픈 마음을 직접적으로 표현하고 있다.

✖오답 풀이 ① 3연의 '선하면 아니 올세라'에서 화자는 임을 잡아 두고 싶지만 임이 서운하면 다시 오지 않을까 두려워 감정을 절제하고 있다. ② (가)의 화자는 사랑하는 임과의 이별로 인해 슬퍼하고 있다. ③ 화자는 '가시는 듯 돌아오소서'라고 하며 임이 다시 돌아오기를 기원하고 있다. ④ '날러는 어찌 살라 하고' 등을 통해 떠나는 임에 대한 원망을 표현하고 있다.

04 비 온 뒤 싱그러운 푸른빛으로 생명력을 드러내는 자연적 배경과 임과 이별하는 화자의 슬픈 정서가 대조되고 있다.

✖오답 풀이 ① 화자는 남포에서 임을 보내며 슬퍼하고 있으므로, (나)는 이별시의 성격을 보이는 작품이다. ② 화자는 임과의 이별로 슬퍼하고 있으므로 애상적 분위기가 느껴진다. ③ (나)는 '풀빛이 푸른데', '슬픈 노래 울먹이네', '푸른 물결에' 등에서 감각적 심상을 사용하고 있다. ⑤ (나)는 이별로 인한 눈물 때문에 대동강 물이 마를 리 없다고 하며 과장법을 통해 이별의 정한을 극대화하고 있다.

05 ㉤'푸른 물결'은 1구의 '풀빛'과 감각적으로 호응하면서 화자의 깊은 슬픔을 강조하는 역할을 한다.

✖오답 풀이 ① 배경인 ㉠'긴 언덕'은 비가 온 뒤 봄의 생명력을 드러내는 공간으로 임과 이별한 화자의 상황과 대조되어 화자의 슬픔을 더욱 부각하는 역할을 하고 있다. ② ㉡'남포'라는 구체적인 지명을 통해 시적 상황에 사실성과 구체성을 부여하고 있다. ③ ㉢'슬픈 노래'는 임을 떠나보내는 화자의 슬픈 정서가 노래라는 청각적 이미지를 통해 드러나고 있다. ④ ㉣'마를거나'는 해마다 이별의 눈물을 더하기 때문에 대동강 물은 결코 마르지 않을 것이라는 설의적 표현이다.

03 하여가 / 단심가 / 천만리 머나먼 길에

p. 33

01 ⑤ **02** ① **03** ⑤ **04** ②

01 (가)의 '우리도 이같이 얽혀져 백 년까지 누리리라.'는 시대의 흐름에 따라 살 것을 권유하는 내용이다. 이것은 (가)의 창작 당시를 고려할 때 조선 건국에 협력할 것을 회유하는 것임을 알 수 있다.

✖오답 풀이 ① (가)는 조선 건국에 협력할 것을 우회적 표현으로 권유하고 있다. ② '만수산 드렁칡'은 서로 얽혀 지내는 것으로, 충성이나 의리에 얽매이지 않는 자유로운 인간관계를 나타낸다. 화자는 이러한 드렁칡처럼 살자고 했으므로 드렁칡이 부정적인 세력을 나타내는 것으로 볼 수 없다. ③ 종장의 '우리'는 시적 화자인 이방원과 청자인 정몽주를 의미한다. ④ (가)에서 '만수산 드렁칡'이라는 자연물이 소재로 활용되었다. 그러나 이는 자연물을 활용해 자신이 말하고자 하는 것을 비유적으로 표현한 것일 뿐, 화자가 자연 속에서 자연을 즐기며 살아가는 것과 같은 자연 친화적 태도를 나타내는 것은 아니다.

02 (나)는 (가)에 대한 답가이다. 그러나 조선 건국에 협력할 것을 권유하는 (가)의 회유에 대해 (나)의 화자는 단호하게 거절하며 자신의 의지를 직설적으로 밝히고 있다.

✖오답 풀이 ② '일편단심(一片丹心)'은 한 조각의 붉은 마음이라는 뜻으로, 진심에서 우러나오는 변치 아니하는 마음을 이르는 말이다. (나)는 이처럼 한자 성어를 사용하여 고려에 대한 충절이라는 주제를 강조하고 있다. ③ (나)는 일백 번 고쳐 죽어 백골이 티끌과 흙이 되는 한이 있어도 고려에 대한 충절을 지킬 것이라고 하며 의지를 단호하게 표현하고 있다. ④, ⑤ '이 몸이 죽고 죽어 일백 번 고쳐 죽어'는 반복법과 점층법을 사용하고 실제 일어나기 어려운 상황을 과장되게 표현한 부분이다.

03 (나)의 '백골이 진토되어'는 육신이 먼지로 변하는 한이 있어도 충성심은 변하지 않는다는 것을 강조하는 표현이다. 즉, 고려에 대한 충절을 과장하여 나타낸 것이지 사람들이 희생되었음을 의미하는 것은 아니다.

04 (다)는 임금과 헤어진 후의 슬픈 마음을 담아낸 시조이다. (다)에 임금이 시적 화자를 잊지 않기를 바라는 마음은 나타나지 않는다.

가노라 삼각산아 / 추강에 밤이 드니 / 묏버들 가려 꺾어

p. 35

01 ③, ⑤ **02** ③ **03** ④ **04** ①

01 (다)의 초장 '뮈버들 가려 꺾어 보내노라 님에게.'에서 어순에 변화를 주어 표현하는 도치법이 사용되었다. 그러나 (가)와 (나)에는 도치법이 사용되지 않았다. 또한 (가)의 '가노라 삼각산아, 다시 보쟈 한강수야.'에서 비슷한 문장 구조가, (나)의 초장과 중장에서 '~니 ~매라'의 같은 문장 구조가 반복되고 있다. 그러나 (다)에는 비슷한 문장 구조의 반복이 나타나 있지 않으며, (가)~(다) 모두 동일한 시어는 반복되지 않았다.

✖오답 풀이 ①, ② (가)의 '가노라 / 삼각산아, / 다시 보쟈 / 한강수야.', (나)의 '추강에 / 밤이 드니 / 물결이 / 차노매라.', (다)의 '뮈버들 / 가려 꺾어 / 보내노라 / 님에게.'에서 알 수 있듯 (가)~(다) 모두 4음보와 3 · 4조 혹은 4 · 4조의 음수율이 나타나고 있다. ④ (가)의 '시절이', (나)의 '무심한', (다)의 '밤비에'에서 종장 첫 음보의 글자 수가 3음절로 고정되어 있음을 알 수 있다.

02 (가)에서 '삼각산'과 '한강수'는 모두 고국을 가리키는 대유적인 시어들이다(ㄱ). '가노라 삼각산아, 다시 보쟈 한강수야.'는 유사한 통사 구조를 반복한 대구법으로 운율감이 느껴진다(ㄹ).

✖오답 풀이 ㄴ. (가)에 감탄사는 사용되지 않았다. ㄷ. (가)에 설의적 표현은 나타나 있지 않다.

03 (나)의 화자는 자연 속에서 풍류를 즐기며 유유자적한 삶을 살고 있다. ④의 화자 역시 전원에서 자연을 즐기며 안빈낙도의 삶을 살고자 하고 있으므로 (나)의 화자의 태도와 유사하다.

✖오답 풀이 ① 화자는 노래로 시름을 풀고자 하고 있다. ②, ③ 화자는 임을 그리워하고 있다. ⑤ 화자는 지조와 절개를 당부하고 있다.

04 ㉠'뮈버들'은 화자의 분신으로, 화자 대신 임의 곁에 보내어져 임과 함께 지낼 수 있는 대상이다. 화자는 이를 통해 늘 임과 함께하고자 하는 자신의 사랑과 임에 대한 그리움을 드러내고 있다.

✖오답 풀이 ② '뮈버들'은 화자의 정서와 대비되는 것이 아니라, 화자의 정서를 대변하는 대상이다. ③ (다)에는 화자가 임과 이별한 원인이 구체적으로 드러나 있지 않다. ④ 화자의 분신처럼 표현되었을 뿐 의인화된 것은 아니다. ⑤ 화자의 임에 대한 원망이 아니라 간절한 그리움과 사랑을 대변하는 소재이다.

05 동짓달 기나긴 밤을 / 마음이 어린 후니 / 어져 내 일이야

p. 37

01 ⑤ **02** ③ **03** ④ **04** ③ **05** ②

01 (가), (나)의 화자는 떨어져 있는 임을 그리워하며 기다리고 있다. 그리고 (다)의 화자는 임을 떠나보낸 것을 후회하며 임을 그리워하고 있다. 따라서 (가), (나), (다) 모두 임과 이별의 상황에 처한 화자의 안타까움과 그리움의 정서를 노래하고 있다고 볼 수 있다.

02 (가)에 모순된 표현으로 진리를 드러내는 역설적 표현은 나타나 있지 않다.

✖오답 풀이 ① (가)에서는 '동짓달 기나긴 밤'이라는 추상적 개념을 '한 허리를 베어 내어'라고 함으로써 구체적인 사물로 표현하고 있다. ② '동짓달 밤'과 '춘풍'이라는 대립되는 이미지를 통해 임을 애타게 기다리는 화자의 정서를 강조하고 있다. ④ '서리서리', '굽이굽이'와 같은 의태어를 사용하여 우리말의 묘미를 잘 살리고 있다. ⑤ 임이 없는 밤을 잘라 두었다가, 임이 오신 날 밤에 펴겠다는 참신한 비유를 통해 임을 기다리는 화자의 심리를 효과적으로 구현하고 있다.

03 (나)의 화자가 임으로 착각하는 대상은 '지는 잎', '부는 바람'이다. '만중운산(萬重雲山)'은 화자가 현재 있는 곳이며, 첩첩이 겹쳐 구름이 싸여 있어 사람들이 찾아오기 힘든 곳이다. 또한 임과 화자 사이에 놓인 장애물로, 임과 화자의 거리감을 극대화하고 있다.

04 (가)의 화자는 임이 오면 베어 둔 밤을 펴겠다고 하였고, (나)의 화자는 임이 오기를 간절히 기다리다 어리석게도 떨어지는 잎과 바람 소리를 임이 오는 소리로 착각했다고 하였다. 따라서 (가)와 (나) 모두 현재 임과 떨어져 있으며 임을 그리워하고 있기는 하지만 임이 죽어서 임과 이별한 상황이라고는 볼 수 없다.

05 (다)에 다양한 이미지의 활용은 나타나 있지 않다.

✖오답 풀이 ① '제 구태여'는 중의적으로 해석할 수 있다. '제'를 '임'으로 볼 경우에는 '임이 굳이 (가셨겠냐만)'로 해석되고, '제'를 '나'로 볼 경우에는 '내가 굳이 (보내고)'와 같이 해석된다. ③ '보내고 그리는 정'에 임에 대한 화자의 그리움의 정서가 솔직하면서도 직접적으로 드러나 있다. ④ (다)는 조선 시대의 기녀였던 황진이의 시조로, 인간 본연의 정서를 절묘한 우리말 구사로 솔직하게 표현하였다. ⑤ '어져'라는 감탄사를 통해 임을 붙잡지 못했던 것에 대한 후회와 임에 대한 그리움이라는 정서를 집약하고 있다.

06 두꺼비 파리를 물고 / 일신이 사자 하니 / 창 내고자 창을 내고자

p. 39

01 ⑤ **02** ④ **03** ⑤ **04** ④

01 (가)~(다)는 모두 사설시조이다. 사설시조는 평시조에

비해 비교적 형식이 자유롭지만 일정한 형식과 규칙에 맞추어 지어야 하는 정형 시가이다. 즉, 형식이 자유로운 것은 아니다.

✖오답 풀이 ① 주로 사대부들에 의해 지어지던 평시조와 달리 사설시조는 평민들도 작자층으로 참여하였다. ② 사설시조는 주로 민중들의 삶의 애환이나 애정 문제와 같은 일상적인 내용을 진솔하게 담아내고 있다. ③ 사설시조는 초 · 중 · 종장의 3장으로 이루어져 있다. ④ 사설시조는 운율이 겉으로 드러나는 외형률을 가진 정형 시가이다.

02 (가)는 초 · 중장에서 제3자인 화자가 두꺼비를 관찰하다가 종장에서 두꺼비로 화자가 바뀐다. 두꺼비는 백송골을 보고 놀라 두엄 아래로 자빠진 것에 대해, 날쌘 자신이었기에 망정이지 하마터면 피멍이 들 뻔했다며 자신의 행동을 합리화하고 있다. 이는 두꺼비의 모습을 통해 양반의 위선과 허세를 효과적으로 풍자하기 위한 것이다.

03 (나)는 탐관오리를 '물것'에 빗대어 우의적으로 풍자함으로써 탐관오리의 횡포와 수탈 때문에 괴로워하는 백성들의 처지와 심정을 더 절실하게 드러내는 효과가 있다.

04 (다)의 화자는 답답한 마음을 나타내며 창을 내어 답답함을 해소하고 싶어 한다. 그러나 화자가 답답해하는 이유가 구체적으로 드러나 있지는 않다.

✖오답 풀이 ①, ②, ③ 화자는 답답함에서 벗어나기 위해 마음에 창을 내고 싶어 한다. 이처럼 가슴에 창을 내어서라도 답답함을 해소하겠다는 것은 현실을 극복하고자 하는 의지를 보이는 것이다. ⑤ 화자는 고통스러운 현실에서 벗어나고 싶은 마음을 가슴에 창을 내어 여닫는다는 표현을 통해 해학적으로 드러내고 있다.

07 시집살이 노래

p. 41

01 ③ 02 ② 03 ① 04 ③

01 이 작품에 계절적 상황은 나타나지 않으며, 중심인물이 되는 화자의 처지는 비유적 표현과 과장된 서술을 통해 드러나고 있다.

✖오답 풀이 ① '고추, 식기, 도리소반'처럼 전체적으로 평범한 일상어를 사용하고 있다. ② '형님 온다∨형님 온다∨분고개로∨형님 온다.'에서 알 수 있듯 이 작품은 전체적으로 4음보, 4 · 4조의 정형적인 율격으로 되어 있다. ④ 시댁 식구들의 성격을 '호랑새, 꾸중새, 할림새'와 같이 새에 빗대어 해학적으로 표현함으로써 각 대상의 속성을 강조하고 있다. ⑤ 1~3행은 사촌 언니를 마중 나간 사촌 동생의 말로, 사촌 동생은 3행에서 시집살이에 대해 물었다. 이후 사촌 언니가 시집살이에 대해 말하는 형식으로 진행되고 있다.

02 연못('소')은 화자가 흘린 눈물을, 거위와 오리는 화자의 자식을 비유한 표현이다. 즉, 소에 거위와 오리가 들어온다는 것은 화자가 자식들을 통해 위안을 받는다는 것을 표현한 것으로 이해해야 한다. 따라서 주인공이 자식들과 함께 연못의 오리를 바라보는 장면은 적절하지 않다.

✖오답 풀이 ① '시어머니 꾸중새요'와 '열새 무명 반물치마 눈물 씻기 다 젖었네.'에서 떠올릴 수 있는 장면이다. ③ '오리 물을 길어다가 ~ 열두 방에 자리 걷고'에서 떠올릴 수 있는 장면이다. ④ '배꽃 같던 요 내 얼굴 ~ 오리발이 다 되었네.'로 보아 적절한 장면이다. ⑤ '형님 마중 누가 갈까 ~ 사촌 형님 시집살이 어떱뎁까'를 통해 주인공이 사촌 동생을 만나는 장면을, '이애 이애 ~ 고추 당추 맵다 해도 시집살이 더 맵더라.'를 통해 주인공이 사촌 동생에게 하소연하는 장면을 떠올릴 수 있다.

03 화자는 고된 시집살이를 하는 자신의 처지를 해학적으로 표현함으로써 그것으로 인한 고통을 극복하고자 한다.

✖오답 풀이 ② 시댁 식구들에 대한 원망을 드러내기 위한 것이지 그들을 놀리기 위한 것으로 보기는 어렵다. ③ 이 작품에 고된 시집살이로 인한 절망감은 나타나 있다. 하지만 해학적 표현을 사용한 것은 그런 절망감을 웃음으로라도 극복하려는 의도가 반영된 것이지 절망감을 강조하기 위해서는 아니다. ④ 사촌 동생에게 시집살이가 매우 어렵다는 것을 말하고 있으므로 시집살이의 고통을 친정 식구들에게 알리지 않기 위해서라고 볼 수 없다. ⑤ 앞으로 좋은 일이 생길 것이라는 희망은 나타나지 않는다.

04 이 작품의 화자는 과도한 시집살이의 부당함을 하소연하고 있지만, 이를 개선하려는 의지를 드러내고 있는 것은 아니다. 화자는 고된 시집살이를 해학적으로 표현하고 있는데 이는 현실에 대한 체념적 수용이라고 볼 수 있다.

✖오답 풀이 ① 〈보기〉에 따르면 [A]에 나타난 상황은 당시 여성들의 일반적인 삶의 모습으로 볼 수 있다. ② '귀 먹어서 삼 년이요 ~ 말 못 해서 삼 년이요'에서 당시 여성들이 아무런 말도 하지 못한 채 부당한 속박을 참고 살아야 했음을 알 수 있다. ④ '외나무다리 어렵대야 ~ 시아지비 뾰중새요'에서 화자는 시댁 식구들과 갈등을 겪으며 고된 시집살이를 하고 있음을 알 수 있다. ⑤ 〈보기〉를 통해 조선 시대의 여성들은 남성 중심의 사회 질서 속에서 힘들게 살아야 했음을 알 수 있다. [A]에는 이러한 당시 여성들의 힘겨운 삶의 모습이 구체적으로 드러나 있다.

개념 확인 문제 p. 42~47

1 ② 2 ○ 3 인물 4 ③ 5 ○ 6 반동 인물 7 ⑤ 8 내적 갈등 9 (1) 1인칭 관찰자 시점 (2) 전지적 작가 시점 (3) 작가 관찰자 시점 10 ④ 11 ③ 12 ⑤ 13 ⑤ 14 ② 15 ① 16 ⑤ 17 ③ 18 적다 19 ② 20 해설, 대사, 지시문 21 ④ 22 ② 23 (1894년) 갑오개혁 24 ④ 25 가정 소설 26 ②

1 소설은 현실에 있을 법한 일을 작가가 상상하여 꾸며 낸 이야기로, 산문 문학에 속한다.

3 소설의 구성 요소는 인물, 사건, 배경이며 〈보기〉에서는 인물인 '소녀'에 대해 중점적으로 서술하고 있다.

4 사건 해결의 실마리가 드러나는 것은 '절정'이다.

7 ⑤는 행동을 통해 '나'의 무뚝뚝한 성격이 간접적으로 제시되어 있다. 그러나 나머지는 모두 인물의 성격이 직접적으로 제시되어 있다.

8 〈보기〉에는 아픈 사람들을 버려두고 갈 수 없다는 마음과 과거를 보기 위해서는 얼른 떠나야 한다는 마음 사이에서 갈등하는 허준의 심리가 드러나 있다.

10 작품 속 시대 상황과 오늘날의 현실 상황을 비교하며 읽는 것이 바람직하다.

12 수필은 글쓴이의 경험을 소재로 하여 그에 대한 생각과 느낌을 서술하므로 글쓴이의 허구적 대리인이 등장하지 않는다.

13 중수필은 시사적 · 사회적 문제에 대한 주제를 가지고 글쓴이의 의견을 논리적으로 쓴 수필이다.

15 희곡은 사건을 현재형으로 표현한다. / ② 시나리오에 대한 설명이다. ③ 희곡은 인물 간의 갈등과 대립을 본질로 한다. ④ 희곡은 연극의 대본으로, 문학의 갈래에 속한다. ⑤ 소설에 대한 설명이다.

16 ⑤는 해설에 대한 설명이다.

17 갈등 해소의 실마리가 나타나는 단계는 '하강'이다.

18 영화나 드라마는 무대 공연과 달리, 제작 과정에서 특수 기술을 적용하여 시나리오 내용의 거의 모든 것을 표현할 수 있다.

19 시나리오는 시간이나 공간, 인물 수의 제약을 거의 받지 않는다.

20 '막'과 '장'은 희곡의 구성단위이다.

22 희곡, 시나리오, 소설은 대립과 갈등을 본질로 한다는 공통점을 가지고 있다. / ①, ③ 희곡 ④ 시나리오 ⑤ 소설

24 고전 소설의 인물은 대체로 평면적이며 전형적인 인물이다.

26 고전 수필은 운문적인 성격보다 산문적인 성격이 강하다.

현대 소설

01 운수 좋은 날 ❶ p. 49

01 ① 02 ③ 03 ④ 04 ④

01 이 글은 인물 내면의 분열을 사실적으로 그린 것이 아니라, 일제 강점하에서 비참한 삶을 살아가는 하층민의 삶을 사실적으로 그리고 있다.

✘오답 풀이 ② 이 글은 가난한 인력거꾼 김 첨지의 하루를 소재로 하여 도시 하층민의 삶의 모습을 사실적으로 그렸다. ③ '인력거꾼', '첨지', '전찻길', '삼십 전' 등 1920년대의 사회상을 나타내는 말들이 쓰였다. ④ 겨울비가 내리는 우중충한 날씨를 묘사함으로써 음산하고 불길한 분위기와 작품 전체의 비극성을 나타내고 있다. ⑤ 주인공은 김 첨지로, 일제 강점기에 비참한 삶을 살아가는 도시의 하층민이다.

02 김 첨지는 집과 가까워질수록 아내에 대한 걱정과 불안감으로 다리가 무거워져 걸음 속도가 느려지고, 집에서 멀어질수록 근심을 잊고 돈을 벌 기쁨에 다리가 가벼워져 걸음 속도도 빨라진다.

03 ⓓ'교원'은 '각급 학교에서 학생을 가르치는 사람을 통틀어 이르는 말'로, 1920년대뿐만 아니라 현재까지도 쓰이는 단어이다. 따라서 이 글의 시대적 배경을 드러내는 소재로 볼 수 없다.

✘오답 풀이 ① ⓐ'인력거꾼'은 예전에 인력거를 끄는 사람을 이르던 말이다. ② ⓑ'첨지'는 예전에 나이 많은 남자를 낮잡아 이르던 말이다. ③ ⓒ'전찻길'은 전차가 다니는 길을 이르는 말이다. 전차는 일제 강점기의 대중교통 수단으로 현재는 존재하지 않는다. ⑤ ⓔ'삼십 전'의 '전'은 우리나라의 옛 화폐 단위이다.

04 ㉠은 겨울비가 내리는 배경 묘사를 통해 음산하고 암울한 분위기를 조성(⑤)하고 있으며, 비극적 결말을 암시(②)하고 있다. 이는 도시 빈민층인 주인공의 고단한 삶의 현실(③)과 불안한 심리(①)를 반영한 것이기도 하다. 그러나 인물이 부정적 현실에서 벗어날 것임을 암시하는 것은 아니다.

01 운수 좋은 날 ❷ p. 51

01 ① 02 ⑤ 03 ⑤ 04 ⑤

01 김 첨지가 취중에도 설렁탕을 사 온 것은 아내의 죽음을 예감해서라기보다는 아픈 아내가 설렁탕을 먹고 싶어 했기 때문이다.

✘오답 풀이 ② '떨어진 삿자리 밑에서 나온 먼지내', '빨지 않

은 기저귀에서 나는 똥내와 오줌내', '가지각색 때가 켜켜이 앉은 옷 내' 등의 갖가지 냄새를 통해 궁핍한 생활상을 사실적으로 드러내고 있다. ③ 주인공 김 첨지가 놓인 궁핍하고 비극적인 상황은 이 글의 창작 당시인 일제 강점기의 도시 하층민의 삶을 압축적으로 보여 준다. ④ 김 첨지는 아내가 죽었을지도 모른다는 두려움과 공포를 떨쳐 내기 위해 일부러 큰소리를 치는 것이다. ⑤ 김 첨지는 아내가 먹고 싶어 하던 설렁탕을 사서 집에 돌아오지만 아내의 죽음을 확인하게 된다. 아내의 죽음에 비통해하며 눈물을 흘리는 김 첨지의 행동으로 보아 김 첨지가 방 안에 들어서며 아내에게 한 욕설은 진심이 아닌 반어적 행동임을 알 수 있다.

02 이 글에서 '설렁탕'은 앓고 있는 아내를 아끼는 김 첨지의 따뜻한 성품을 엿볼 수 있는 소재(②, ④)인 동시에 결말 부분에서 작품의 비극성을 고조시키는 소재(①)이다. 또한 설렁탕을 사 먹기 힘들 정도로 가난한 하층민의 생활을 부각해 주는 소재(③)이다. 그러나 결국 아내는 설렁탕을 먹지 못하고 죽음을 맞았으므로 따뜻한 분위기를 만드는 것은 아니다.

03 이 글에는 ㉠과 같은 비속어가 많이 사용되었다. 이러한 비속어의 사용은 일제 강점기의 참담한 도시 하층민의 생활상을 사실적으로 드러내는 효과가 있다.

04 이 소설은 1920년대 가난한 도시 하층민의 삶을 사실적으로 보여 주며, 제목과는 달리 비극적으로 결말을 맺음으로써 독자로 하여금 극적 반전을 느끼게 한다. 돈을 많이 번 '운수 좋은 날'과 '아내의 죽음'이라는 비극적 결말이 서로 반대되는 상황은 일제 강점기 도시 하층민의 비참한 삶을 더욱 극적으로 나타내는 효과가 있다.

02 표구된 휴지 ❶

p. 53

01 ④ **02** ⑤ **03** ⑤ **04** ④

01 (가)의 '은행 문 앞에 지게를 벗어 세워 놓고는 매우 죄송스러운 태도로 조용히 은행 안으로 들어서는'이나 (나)의 '다음 날부터 그 청년은 매일 저녁 무렵이면 꼭꼭 들렀다.', (다)의 '청년은 뒤통수를 긁적거리며 언제나 그가 서서 기다리는 구석으로 갔다.'와 같은 행동 묘사를 통해 청년의 순박하고 성실한 성격을 드러내고 있다.

02 '기게', '기래'와 같은 사투리가 섞인 지게꾼 청년의 말을 통해 청년이 시골에서 왔으며 순박한 성격을 지녔음을 알 수 있다.

03 은행의 안내원은 지게꾼 청년의 겉모습을 보고 돈이 없을 것이라고 생각해서 청년을 막아선 것이다.

04 〈보기〉에서 '나'의 친구는 구겨진 휴지 같은 편지에서 뭉클한 감동을 받고 '나'에게 가져왔다. 그리고 그것에는 바가지에 담아 내놓은 옥수수 냄새 같은 것이 있다고 말한다. 이를 통해 볼 때, '나'의 친구는 꾸미지 않은 소박한 것의 가치를 소중히 여기는 인물이라고 볼 수 있다.

02 표구된 휴지 ❷

p. 55

01 ③ **02** ② **03** ③ **04** ③

01 이 글은 소설이지만 일반적인 소설과 달리 인물들 간의 뚜렷한 갈등 관계가 나타나지 않는다. 그리고 편지라는 일상에서 흔히 볼 수 있는 소재를 취해 신변잡기적인 성격을 지니고 있어 수필적 특성이 드러난다.

✖오답 풀이 ① 이 글은 '편지'라는 소재로 '아들에 대한 아버지의 따뜻한 사랑', '사소하고 일상적인 것에서 발견하는 삶의 아름다움'과 같은 의미를 부여하며 수필의 신변잡기적인 성격을 드러내고 있다. ② 이 글은 1인칭 서술자인 '나'를 통해 사건이 전달되고 있다. ④ 이 글에는 중심 소재인 '편지'에 대한 '나'의 심리 변화가 잘 드러나고 있다. '나'는 친구가 가져온 편지를 처음에는 가치 없고 하찮은 것쯤으로 여겼지만, 점차 그것에 담긴 참된 삶의 가치를 깨달아 간다. ⑤ 이 글은 '밤에는 솟적다 솟적다 하며 새는 운다마는…….'이라는 끝을 맺지 않은 편지의 한 구절로 결말을 처리하였다. 이를 통해 자식을 그리워하는 발신인의 마음을 드러내며 독자에게 감동과 여운을 주고 있다.

02 이 글에 인용된 편지는 내용으로 보아 시골에 사는 늙은 아버지가 도시로 간 아들에게 쓴 것으로 추측된다. 따라서 보내는 사람과 받는 사람은 친밀한 관계(⑤)라고 볼 수 있다. 또한 편지는 직접 말하는 듯한 구어체(①)로 맞춤법에 맞지 않는 표현이 많으며(④), 집 안팎의 여러 사정들(③)에 대해 특별한 형식 없이 자유롭게 쓰여 있다.

03 ⓒ는 휴지에 지나지 않았던 편지가 시간이 지나면서 '나'에게 점차 의미 있고 가치 있게 여겨졌음을 의미한다. 편지가 표구된 후 문화재로서 가치를 인정받은 것은 아니다.

✖오답 풀이 ① 표구된 편지를 보니 친구의 말대로 국보나 되는 것처럼 가치 있게 보였다는 의미이다. ② '나'는 표구된 편지를 일단 화실에 걸어 두었을 뿐, 아직 특별한 가치를 발견하지는 못하고 있다. ④ 친구가 편지에서 발견했던 가치를 '나'도 점차 깨닫고 공감하게 되었다. ⑤ ⓔ는 자식을 걱정하고 그리워하는 아버지의 마음이 담긴 편지의 마지막 구절이다.

04 표구된 편지를 이태를 보고도 가치를 모른다고 해서 '나'를 인정이 메마른 사람이라고 할 수는 없다. 또한 '나'는

처음에 편지의 가치를 깨닫지 못했지만, 표구된 편지를 화실에 걸어 두고 보면서 점차 그 의미와 가치를 알 것 같다고 하였으므로 '나'가 편지의 가치를 모른다고 보기도 어렵다.

03 난쟁이가 쏘아 올린 작은 공

p. 57

01 ④ 02 ⑤ 03 ② 04 ②

01 이 글에는 도시 재개발로 인해 삶의 터전을 잃어야 하는 도시 빈민층의 비참한 삶의 모습이 드러나 있지만 농촌에서 도시로 이주하는 현상은 나타나 있지 않다.

✖오답 풀이 ①, ②, ⑤ 도시화 · 산업화로 인한 도시 재개발에도 빈곤층은 아파트에 입주할 경제적 여유가 없어 오히려 살던 곳에서 내쫓기는 상황이 나타나 있다. ③ 철거 계고장을 받은 주민들에게 아파트 입주권을 팔라고 하는 거간꾼들에게서 타인의 어려움을 이용해 경제적인 이득을 취하려는 모습을 볼 수 있다.

02 이 글에서 난쟁이는 육체적 결핍과 함께 경제적으로 빈곤하고 소외된 계층을 상징한다. 이는 난쟁이라는 중심인물의 작고 힘없는 모습을 통해 도시 빈민의 무기력함과 왜소성을 상징적이고 시각적으로 보여 주기 위한 작가의 의도가 담긴 것이다.

✖오답 풀이 ① 가지지 못한 자들의 무력감이 드러나 있지만 작가가 이를 비판하려는 의도로 중심인물을 난쟁이로 설정한 것은 아니다. ② 공권력의 탄압에 대한 빈민층의 저항이 미약하다는 내용은 이 글에 나타나 있지 않으며, '난쟁이'를 중심인물로 설정한 의도와도 관계가 없다. ③ 빈민층의 가난이 '난쟁이'와 같은 육체적인 결함에서 비롯되었다는 내용은 나타나 있지 않다. ④ 도시 경제에서 빈민층이 차지하는 비중은 '난쟁이'를 중심인물로 설정한 것과 관계가 없다.

03 (다)에서 어머니는 집의 철거라는 현실을 받아들이고 이에 대응하기 위해 표찰을 떼어 간직하려 하고 있다. 그리고 그런 어머니를 돕고 있는 '나'의 모습을 통하여 어머니와 '나'는 현재 벌어지고 있는 상황에 순응하는 자세를 보이고 있음을 알 수 있다. 반면 영호는 그러한 어머니와 '나'의 행동에 불만을 드러내고 있으며 입주권을 팔지 않고 이 집에서 그냥 살 것이라고 하고 있다. 이로 보아 영호는 현실에 부정적이라는 것을 알 수 있다.

✖오답 풀이 ① 어머니와 아버지 모두 현실을 받아들이는 순응적이고 체념적인 모습을 보이고 있다. ③ '나'는 현실에 순응적이고 소극적인 모습을 보이고 있으며 영희는 갈 곳이 없으니 집을 떠날 수 없다는 태도를 보이고 있어 체념적이라고 볼 수 없다. ④ '나'는 현실에 순응하는 태도를 보이고 있고 영호는 그런 '나'를 못마땅해하며 현실을 받아들일 수 없다는 태도를 보이고 있다. ⑤ 아버지는 현실에 체념적인 태도를 보이고 있으며 다른 가족들은 현재의 상황에 대한 생각을 말하고 있으므로 방관적 태도를 보인다고 할 수 없다.

04 작가는 이 글을 통하여 가난과 사회적 불평등의 문제가 개인적인 문제가 아니라 사회 구조적인 문제임을 드러내고자 하였다. ㉠에서 아버지의 공구 부대가 '나'와 영호에게 옮겨지는 것은 사회 구조적인 모순으로 가난이 아버지에서 두 아들에게로 운명처럼 대물림되고 있음을 나타내고 있다.

04 우리들의 일그러진 영웅

p. 59

01 ① 02 ⑤ 03 ⑤ 04 ④ 05 ③

01 이 글의 갈래는 소설이다. 영화 상영을 목적으로 하는 것은 시나리오이다. 소설은 등장인물의 수에 제약이 없고(②), 서술자에 의해 인물의 심리를 묘사하는 것이 가능하다(③). 또한 등장인물 간의 갈등과 대립을 통해 사건이 전개되고(④), 꾸며 낸 이야기이지만 그 안에 인생의 진실을 담고 있다(⑤).

02 ㉠, ㉡의 내용과 '때로 아이들은 무언가 석대가 지운 부당한 의무와 강제를 이행하느라 고통스러워하는 듯했건만, 나는 한 번도 그런 적이 없었다.'를 통해 엄석대가 다른 아이들과는 다른 방식으로 '나'를 대하고 있다는 것을 알 수 있다. 이것은 자신에게 저항했던 '나'의 성향을 파악하고, 이를 교묘하게 이용하여 자신에게 순종하도록 만들기 위한 엄석대의 계략이다.

03 절대 권력을 가지고 있는 엄석대가 반장이라는 자신의 위치를 빼앗길까 봐 두려워하고 있다는 내용은 이 글에 나타나 있지 않다.

✖오답 풀이 ① '앞부분 줄거리'에서 엄석대는 학급 반장으로 담임 선생의 두터운 신임을 받고 있다고 하였다. ② 엄석대는 다른 아이들에게는 부당한 의무를 지우거나 무엇을 강제하고 무언가를 빼앗았지만 '나'에게는 그렇지 않았다고 하였다. ③ 학급 반장인 엄석대는 아이들에게 군림하고 있다고 하였다. ④ 엄석대가 아이들에게 거둬들인 물건을 '나'에게 주었다고 하였다.

04 '나'는 처음 전학 왔을 때에는 엄석대에게 저항했지만, 결국 그에게 굴복하고 순응, 안주하였다고 하였다. 그리고 (나)의 마지막 문장을 보면, '그의 왕국에 안주한 한 신민으로 자발적으로 바친 조세나 부역에 가까운 것인 성싶다.'라고 하였다. 이를 통해 '나'가 엄석대에게 점점 길들여져 자발적으로 충성하고 있음을 알 수 있다.

05 이 글은 시골의 한 초등학교에서 일어나는 일들을 통해 당시의 독재 권력의 횡포를 고발하고 있다. 제시된 부분에

서 '나'는 엄석대의 절대 권력에 저항하다 결국에는 그에게 순응하며 자발적으로 충성하고 있다. 따라서 부조리한 현실에 저항함으로써 정의가 결국 승리한다는 것을 보여 주고 있지는 않다.

수필

01 맛있는 책, 일생의 보약

p. 61

01 ③ 02 ③ 03 ③ 04 ② 05 ⑤

01 (가)에서 무협지와 박지원 소설의 차이점을 대조하고 있다. 그러나 이 글에 정의의 설명 방법은 사용되지 않았다.

✖오답 풀이 ①, ④ 이 글은 글쓴이가 중학교 특별 활동 시간에 박지원의 책을 읽은 경험을 회상하면서 쓴 글이다. ②, ⑤ '책을 읽으면서 내 정신세계가 무슨 보약을 먹은 듯이 한층 더 넓어지고 수준이 높아지는 듯한 느낌이 들었다.', '책은 지구 상에서 인간이라는 종만이 알고 있는, 진정한 인간으로 나아가는 통로이다.' 등의 비유를 통해 책의 가치를 표현하고 독서에 대한 글쓴이의 생각을 직접적으로 드러내고 있다.

02 글쓴이가 박지원 소설을 읽고 뿌듯함을 느낀 것은 자신이 가치를 느끼며 재미있게 읽은 최초의 고전이 우리 조상이 쓴 것이라는 점 때문이다.

✖오답 풀이 ① (다)에서 글쓴이는 '내가 지금 소설을 쓰고 있는 것은 바로 그 책 때문이라고 생각한다.'라고 하였다. ② (나)에서 글쓴이는 박지원의 작품을 두고 '읽으면 내 피와 살이 되는 고전, 맛있는 고전, 내가 재미를 들인 최초의 고전'이라고 표현하였다. ④ (나)에서 글쓴이는 '몇백 년 전 글을 쓴 사람의 숨결이 글을 다리로 하여 건너와 느껴지는 경험을 처음 해 보았다.'라고 하였다. ⑤ (가)에서 글쓴이는 '책을 읽으면서 내 정신세계가 무슨 보약을 먹은 듯이 한층 더 넓어지고 수준이 높아지는 듯한 느낌이 들었다.'라고 하였다.

03 ⓒ은 누구나 독서를 통해 일생이 바뀌는 특별한 경험을 할 수 있다는 의미이지, 그것이 특별할 것 없는 흔한 일이라는 의미는 아니다.

04 (나)에는 박지원 소설을 읽으면서 재미와 뿌듯함을 느끼고, 글쓴이인 박지원과 교감을 했음이 나타나 있다. 그러나 이 글의 글쓴이가 박지원 소설을 읽으며 상처 입은 마음에 위안을 얻은 것은 아니다.

✖오답 풀이 ① (가)에서 책을 읽으면서 정신세계가 무슨 보약을 먹은 듯이 한층 더 넓어지는 느낌이 들었다고 하였다. 이를 통해 독서가 정신세계를 풍요롭게 한다는 것을 알 수 있다. ③, ④ (다)에서 글쓴이는 자신이 소설을 쓰고 있는 것이 박지원의 책을 읽은 것 때문이라고 하였다. 따라서 독서가 진로에 대해 생각해 보는 계기를 마련해 준다는 것을 알 수 있다. 또한 독서가 인생의 전환점이 될 수도 있음을 알 수 있다. ⑤ (라)에서 책은 진정한 인간으로 나아가는 통로라고 하였다. 이를 통해 독서는 진정한 인간으로서 바람직한 가치관을 형성하는 데 도움을 준다는 것을 알 수 있다.

05 박지원의 소설이 특별했던 것은 그 책을 통해 글쓴이가 새로운 깨달음을 얻고 인생을 바꾸는 경험을 했기 때문이다. 즉, 자신이 읽은 책에서 특별한 가치를 찾았기 때문에 특별한 책이 된 것이므로 특별한 책이 따로 있다고 할 수는 없다.

02 방망이 깎던 노인

p. 63

01 ⑤ 02 ⑤ 03 ⑤ 04 ④

01 이 글은 방망이 깎던 노인의 투철한 장인 정신을 통해 옛 전통에 대한 가치를 되새기고 있다. 그러나 이 글에 옛 전통을 살리려는 구체적인 실천 방안은 나타나지 않는다.

✖오답 풀이 ① 이 글은 글쓴이가 사십여 년 전 한 노인에게 방망이를 깎았던 경험을 회상하는 형식으로 서술되고 있다. ②, ③ 이 글은 방망이 하나라도 제대로 만들고자 하는 장인 정신을 가진 노인의 태도와 차 시간에 맞추어 방망이 깎는 것을 대충 마무리하기를 원하는 글쓴이의 태도가 대비되고 있다. 그리고 이를 통해 매사에 조급하고 일에 대한 정성과 열정은 사라져 버린 현대인의 삶을 우회적으로 비판하고 있다. ④ 글쓴이는 처음에는 노인에 대해 불만스러운 감정을 가졌으나 방망이에 대한 아내의 설명을 듣고 난 뒤 반성하고 노인에게 미안함을 느끼게 되었다.

02 노인은 방망이 하나라도 제대로 깎아야 한다는 소신을 갖고 있다. 그래서 차 시간이 급한 글쓴이가 그만 깎고 달라고 하는데도 오히려 팔지 않겠다며 고집을 부리고 있다. 이를 통해 노인이 투철한 장인 정신을 지니고 소신이 강하며 고집이 있는 인물임을 알 수 있다.

03 아내가 방망이를 꼭 알맞게 깎았다며 칭찬했을 때 '나'는 노인에 대한 자신의 태도를 반성하며 미안함을 느낀다. 그러나 '나'가 자랑스러운 감정을 가졌다고는 볼 수 없다.

✖오답 풀이 '나'는 노인이 차 시간이 얼마 남지 않은 '나'의 사정은 아랑곳하지 않고 천천히 방망이를 깎자 갑갑함(ⓐ)과 초조함(ⓑ)을 느낀다. 그러다 느긋하게 자기 방식대로 방망이를 완성한 노인 때문에 다음 차로 가야 하는 상황이 되자 불쾌함(ⓒ)을 느낀다. 그러나 '나'는 집에 돌아와 방망이에 대한 아내의 설명을 듣고 노인에 대한 화가 풀리며 자신의 태도를 반성하고 미안함(ⓓ)을 느낀다.

04 ㉠은 노인의 장인 정신과 철학이 나타난 부분으로, 일은 순서와 절차에 따라 착실하게 해야 함을 뜻한다.

극

01 오아시스 세탁소 습격 사건 ❶

p. 65

01 ③ 02 ② 03 ⑤ 04 ④ 05 ③

01 (나)의 유식의 대사에서 풍을 맞아 식물인간으로 누워 지내던 할머니가 임종이 가까워지자 간신히 '세탁', '세탁'이라는 말을 했다고 하였다. 할머니의 가족들은 이 말을 듣고 세탁소에 할머니의 재산과 관련된 단서가 있다고 생각했기 때문에 오아시스 세탁소를 습격한 것이다.

02 이 글의 갈래는 희곡이다. 희곡에서 무대 장치를 지시하는 것은 대사가 아니라 무대 지시문의 역할이다.

✖오답 풀이 희곡에서는 대사를 통해 사건을 진행(①)시킨다. 그리고 대사를 통해 관객들에게 인물의 성격(③), 심리 변화, 인물 간의 관계(⑤) 등에 관한 정보를 제공(④)해 준다.

03 (다)에서 유식은 어머니의 임종을 알리는 전화를 받자, 재산의 단서를 찾지 못한 채 돌아가야 하는 것에 대해 짜증을 내고 있다. 이처럼 어머니의 임종을 슬퍼하기보다 재산을 먼저 생각하는 유식에 대해 비인간적인 사람이라고 평가할 수 있다.

✖오답 풀이 ① (나)에서 유식은 어머니의 재산에 대한 장남의 권리를 말하다가 다른 형제들의 눈치를 보고 있다. 그러나 이는 유식이 순박해서가 아니라 단지 재산 상속에 관해 형제들과 눈치 싸움을 하고 있기 때문이다. ② (나)에서 유식이 어머니의 비밀을 알아내려고 노력하는 것은 효심이 지극해서가 아니라 재산을 찾아내기 위해서이다. ③ (나)에서 유식이 가족 대표로 태국에게 이야기를 하는 것은 유식이 적극적인 사람이어서가 아니라 다른 가족들에게 떠밀려 나왔기 때문이다. ④ (나)에서 유식이 어머니의 재산을 보전해야 한다고 말하는 것은 재산을 차지하려는 마음 때문이지, 장남이라는 책임감으로 재산을 관리하려는 것이 아니다.

04 ㉣은 영분이 아니라 동생인 경우와 미숙의 눈치를 보고 다시 덧붙이는 말이다. 그리고 재산에 대한 욕심에 세탁소를 습격한 것을 자식 된 도리라고 변명하는 것이다.

05 [A]에서 자식들은 어머니의 이름도 제대로 모른 채 어머니의 재산에만 관심을 보이고 있다. 이를 통해 작가는 자식의 도리는 하지 않고 돈만 밝히는 탐욕스러운 세태를 풍자하고 있는 것이다.

01 오아시스 세탁소 습격 사건 ❷

p. 67

01 ① 02 ④ 03 ③ 04 ④

01 태국은 할머니의 재산을 찾기 위해 사람들이 세탁소에 몰래 숨어든 것을 눈치채고 사람들을 '도둑고양이'라고 표현한다. 이를 통해 작가가 탐욕에 눈이 멀어 인간의 순수한 마음을 잃은 사람들을 동물에 빗대어 풍자하고 있음을 알 수 있다.

02 (바)에서 태국은 할머니의 명복을 빌며 '우리 아버지 보시면 꿈에라도 한번 들러 가시라고 전해 주세요.'라고 하였다. 이를 통해 태국의 아버지가 돌아가셨음을 알 수 있다. 태국은 돌아가신 아버지의 세탁소를 물려받아 운영하고 있는 것이다.

✖오답 풀이 ① (라)에서 태국은 할머니의 임종도 지키지 않은 채 할머니의 재산 찾기에만 몰두하는 사람들을 짐승이라고 하며 비판한다. 이러한 모습으로 볼 때 태국은 다른 인물들과 달리 물질에 대한 욕심을 부리지 않는 것을 알 수 있다. ② (바)에서 태국은 할머니의 옷고름에 적힌 사연을 비밀로 간직하고 할머니의 마음을 헤아리며 명복을 빈다. 이를 통해 태국이 순수하고 착한 마음을 가지고 있음을 알 수 있다. ③ (바)에서 태국은 '할머니, 비밀은 지켜 드렸지요?'라고 하며 할머니의 사연이 적힌 옷고름을 태운다. 이를 통해 태국이 유일하게 할머니의 사연이 적힌 옷고름을 확인한 사람이라는 것을 알 수 있다. ⑤ (바)에서 태국은 사람들의 탐욕스러운 마음을 세탁하고, 흰 옷을 입고 빨랫줄에 걸린 사람들을 바라보며 행복하게 웃는다. 이를 통해 태국이 사람들의 마음도 세탁할 수 있다고 생각한다는 것을 알 수 있다.

03 (바)에서 할머니의 재산은 자식들이 다 써 버려 남은 것이 없지만, 할머니는 형제간에 의가 상할까 봐 혼자만 알고 아무 말을 하지 않았다고 하였다.

04 이 글에는 세탁기로 사람들을 세탁하는 비현실적인 장면이 나타나 있다. 그러나 이는 사람들의 탐욕스런 마음이 순수한 마음으로 바뀌는 과정을 상징하는 것이지, 태국이 주술적인 힘으로 사람들을 변화시키는 것이 아니다.

02 웰컴 투 동막골 ❶

p. 69

01 ③ 02 ⑤ 03 ⑤ 04 ②

01 ㉠은 이연이 뱀바위 아래에서 만난 군인들의 흉내를 내며 한 말이다. 북한 사투리가 쓰인 것으로 보아 이연이 만난 군인들이 인민군임을 알 수 있다.

02 '여긴 아직 군인들이 들어온 적이 없습니까?'라는 현철의 질문에 달수 처가 '여기까지 뭐 볼 거 있다고 오겠소? 이 높은 데서 총질하려면 숨차 못하지.'라고 답한 것을 통해 배경인 동막골이 산세가 험하고 지대가 높은 곳에 위치하고 있는 마을이라는 것을 알 수 있다.

03 (나)는 국방군과 인민군이 수류탄과 총을 들고 대치하고 있는 긴박한 상황이다. 그런데 여기서 동구가 똥을 지림으로써 웃음을 유발하고 이를 통해 등장인물 간의 긴장감이 완화된다.

04 (다)에서 군인들은 총을 겨누거나 수류탄을 손에 쥔 채 대립하는 상황에서 긴장감을 유지하고 있다. 반면 마을 사람들은 군인들의 대립 상황을 대수롭지 않게 여기며 일상적인 대화를 하고 있으므로 평온하다고 볼 수 있다.

02 웰컴 투 동막골 ❷

p. 71

01 ④ 02 ④ 03 ④ 04 ①

01 동구 모는 군인들과 스스럼없이 말하고 있다. 동구 모가 이연에게 참을 내려가서 먹자고 한 것은 옥수수밭에서 일하는 군인들이 배부르게 먹을 수 있게 하려는 것이지, 어색하고 불편해서가 아니다.

✖오답 풀이 ① (라)에서 인민군들은 상상의 손금을 봐 주려 하거나, 현철에게 '형'이라고 부르는 등 국방군과의 긴장감을 풀고자 하고 있다. ② (라), (마)에서 군인들은 옥수수밭 일을 도우며 음식을 나누어 먹고 마을 사람과 사적인 이야기를 나누고 있다. 이를 통해 마을 사람들과 군인들 사이에 친밀감이 형성되고 있음을 알 수 있다. ③ (라)에서 현철은 상상을 인민군 가까이 가지 못하게 하고, 자신을 형이라고 부르는 택기에게 계급이나 직책으로 부르라고 하고 있다. 이러한 모습을 통해 현철이 인민군에 대한 긴장과 경계를 늦추려 하지 않는다는 것을 알 수 있다. ⑤ (마)에서 동구는 아버지가 돌아가셨냐는 영희의 말에 강하게 부정하며 아버지가 얼마 안 가 올 것이라고 말하고 있다. 이를 통해 동구는 아버지가 다시 돌아올 것이라고 믿고 있음을 알 수 있다.

02 이연이 군인들을 경계심 없이 대하는 순박하고 순수한 인물이기는 하지만 군인들의 화해를 유도하고 있지는 않다.

✖오답 풀이 ① 이연이 촌장의 여식이냐고 묻는 영희의 말에 동구 모는 마을에서 떠도는 이야기라며 모른다고 한다. 이를 통해 이연의 부모가 불분명함을 알 수 있다. ② '이연이를 예쁘다 하는 것이 그 형아도 머리가 좀 안 따르나 보다.'라는 동구의 대사를 통해 이연이 지적으로 모자란 인물임을 알 수 있다. ③ 택기가 이연 머리의 꽃이 예쁘다고 하자 이연은 아이처럼 좋아하고 있다. 이를 통해 이연이 순박하고 천진난만하다는 것을 알 수 있다. ⑤ 이연은 군인들에 대한 경계심이 없는 순수한 인물로, 동막골의 순수함과 평화로움을 상징한다.

03 인민군인 택기는 이연에게 관심을 보이며 쑥스러운 듯 얼굴을 붉히고 꽃이 예쁘다고 말하고 있다. 이를 통해 인민군 역시 순수하고 평범한 사람임이 드러난다.

04 긴장감 속에서 대치하던 국방군과 인민군은 마을 사람들을 도와 옥수수밭에서 함께 일하며 참도 같이 먹고 사적인 대화도 나누고 있다. 즉, 옥수수밭은 국방군, 인민군과 마을 사람들이 친밀감을 형성하고 인간적인 유대감을 느끼게 되는 곳이다.

03 YMCA 야구단

p. 73

01 ③ 02 ⑤ 03 ③

01 '윤호'는 문학 작품을 감상할 때 작품의 내적 구성 요소를 중심으로 감상해야 한다는 입장을 드러내고 있다. 작품의 내적 구성 요소를 중심으로 감상하는 것은 작품 안의 내용이나 형식, 표현 등 작품 자체의 요소에만 주목하는 것이고, 작품 외적 요소를 바탕으로 감상하는 것은 작가나 시대 현실, 독자 자신과 관련짓는 것이다. '여은'은 작품 속 인물의 말과 행동을 바탕으로 인물의 성격을 이해하고 있으므로 '윤호'처럼 내적 구성 요소를 중심으로 작품을 감상하고 있는 것이다.

✖오답 풀이 ①은 작품의 배경이 된 시대 현실과 독자의 감상을, ②는 작품의 배경이 된 시대 현실을, ④는 영화를 제작한 감독을, ⑤는 독자(자신의 경험)를 고려한 것으로 모두 작품의 외적 구성 요소를 중심으로 감상하는 입장이다.

02 ⓜ에서 '병환'은 상놈과 양반으로 신분을 구분 짓고 있으며, 자기보다 신분이 낮았던 '성한'이 던진 공을 받을 수 없다며 불쾌해하고 있다. 이는 갑오개혁으로 신분 제도가 폐지되었음에도 여전히 신분을 따지는 인식을 갖고 그에 따라 행동하였음을 보여 주는 것이다.

✖오답 풀이 ㉢은 경기 상대를 견제하려는 의도에서 비웃고 놀리는 태도로 한 말로, 신분에 대한 인식과는 관계없다.

03 ⓐ는 '~처럼'이라는 연결어를 사용하여 나란히 선 양팀 선수들(원관념)을 젓가락(보조 관념)에 빗댄 직유법이 사용되었다. ③도 '마치 ~ 같다'라는 표현을 사용하여 무용수(원관념)를 백조(보조 관념)에 직접 빗대었다.

✖오답 풀이 ① 연결어 없이 '오월=계절의 여왕'으로 표현하였다(은유법). ② '빵'으로 음식물 전체를 나타내었다(대유법). ④ 속담을 사용하여 숨겨진 뜻을 암시적으로 드러내었다(풍유법). ⑤ 자연물이 사람처럼 손짓을 한다고 표현하였다(의인법).

고전 산문

01 토끼전 ❶

p. 75

01 ③ 02 ④ 03 ⑤ 04 ① 05 ④

01 이 글에 등장하는 토끼는 백성, 별주부는 관리, 용왕은 지배층을 대표하는 성격을 지닌 전형적 인물이다. 그리고 성격의 변화가 일어나지 않고 있으므로 평면적 인물이다.

✖오답 풀이 ① 각 등장인물의 입장에서 '헛된 욕심에 대한 경계', '위기를 극복하는 지혜의 필요성' 등의 여러 가지 교훈을 주고 있다. ② 이 글에서 별주부가 언급한 맹획을 일곱 번 풀어 주고 일곱 번 잡아들인 제갈량의 이야기가 고사에 해당한다. 또한 이 글에는 '초목금수', '능지처참' 등 한자어가 많이 쓰였다. ④ 이 글은 동물을 주인공으로 하여 인간 세상을 풍자하는 우화 소설이다. ⑤ 이 글의 시간적 배경은 구체적으로 제시되지 않은 옛날이며, 공간적 배경은 바닷속 세계인 수국으로 비현실적이다.

02 (가)에서 용왕은 자신의 병을 고치기 위해 토끼를 희생시키려 하고 있다. 그리고 미천한 신분의 토끼가 자신을 속였으니 죽는 것이 당연하다는 의식을 드러내고 있다. 이를 통해 지배 계층이 백성을 착취하는 사회에 대한 비판 의식을 드러내고 있는 작품이라고 볼 수 있다.

✖오답 풀이 ① 이 글 전체에서는 별주부와 토끼가 서로 속고 속이지만, (가)의 용왕에게서는 이러한 모습이 나타나지 않는다.

03 (나)에서 토끼는 복희씨나 신농씨, 까마귀 등을 언급하며 세상 만물의 생김새는 저마다 다르다는 말을 하고 있다. 이는 궁극적으로 자신이 간을 몸에 넣었다 뺐다 할 수 있어 지금은 간이 몸에 없다는 것을 용왕으로 하여금 믿게 하기 위한 의도의 말이다.

04 용왕이 토끼의 말에 속아 토끼를 풀어 주고 윗자리에 오르게 한 것은 극적 긴장감이 다소 누그러진 상황이다. 그런데 별주부가 용왕을 만류하며 당장 토끼의 배를 따 보라고 함으로써 다시 토끼가 위기에 빠질 수 있어 극적 긴장감을 조성한다.

05 용왕이 토끼의 거짓말에 속아 넘어간 것에서 어리석은 용왕의 성격을 알 수 있다. 이를 용왕이 토끼의 말을 존중한 것이라고 보기는 어렵다.

01 토끼전 ❷

p. 77

01 ④ 02 ② 03 ⑤ 04 ④

01 이 글의 별주부 입장에서 '항상 희망을 가지고 살아가자.'라는 주제를 확인하기는 어렵다. 토끼를 놓치고 절망하고 있는 별주부에게 '희망을 가지고 살아가자.'라는 격려의 말을 할 수는 있겠지만 이것이 이 글의 주제라고 볼 수는 없다.

✖오답 풀이 ① 신분 상승과 부귀영화를 꿈꾸며 수국으로 향한 토끼의 행동에서 알 수 있다. ② 죽음의 위기를 벗어난 토끼의 임기응변에서 알 수 있다. ③ 임금에 대한 충성심으로 토끼를 찾으러 육지에 가고, 토끼를 놓친 뒤에는 고국으로 돌아가지 않은 별주부를 통해 알 수 있는 주제이다. ⑤ 자신이 살고자 토끼를 죽이려고 하는 용왕의 모습에서 욕심과 이기심을 버려야 한다는 교훈을 얻을 수 있다.

02 ㉠~㉣은 별주부의 꼬임에 속아 수국에서 죽을 위기에 처했던 토끼가 스스로의 상황을 은유적으로 표현한 것이다. 따라서 ㉠'함정'과 ㉢'우물'은 위기 상황이 벌어진 '수국'을, ㉡'범'과 ㉣'고기'는 위험에 처했던 '토끼' 자신을 가리킨다.

03 ⓔ에서 별주부는 토끼를 놓쳐 임무를 완수하지 못했다는 죄책감으로 수국에 돌아가지 못한 것이다. 별주부가 토끼를 잡은 후에 수국으로 돌아가려 하는지는 이 글을 통해 알 수 없다.

04 ㉮와 ㉯ 모두 기존의 지배 체제가 유지되는 결말이다. ㉮에서는 용왕이 죽지만 세자가 이어 즉위하고, ㉯에서는 화타가 준 약으로 용왕이 살아날 것으로 예상되기 때문이다. 따라서 ㉮와 ㉯ 모두 현재의 지배 체제를 부정하는 마음이 드러난다고 보기 어렵다.

✖오답 풀이 ①, ② ㉮에서 구시대적 인물인 용왕이 결국 죽고 새로운 왕이 즉위하여 태평천하를 이루었다는 내용에서 알 수 있다. ③ ㉯에서는 하늘이 별주부를 도와 용왕의 병을 낫게 하였으므로 별주부의 충성심을 높게 평가하는 유교적 사상이 나타난 것이다. ⑤ 이 작품은 입에서 입으로 전해지다가 소설로 정착되었다. 이와 같은 형태(구전)의 이야기는 전하는 사람에 따라 내용이 조금씩 달라질 수 있다.

02 춘향전 ❶

p. 79

01 ③ 02 ③ 03 ① 04 ②

01 이 글은 판소리계 소설로, 설화가 오랜 세월에 걸쳐 구비 전승되다가 판소리로 만들어져 판소리 형태로 구전되다가 다시 소설로 정착한 것이다. 구비 전승되는 작품들은 그 과정에서 여러 사람이 참여하여 개작이 이루어지므로 개인의 창작물이라고 볼 수 없다.

✖오답 풀이 ① 이 글은 산문체가 주를 이루면서 '공방 불러 / 자리 단속, / 병방 불러 / 역마 단속' 등 4 · 4조의 운문체도 드러나고 있다. ② 이 글의 근원 설화로는 관탈 민녀 설

화, 신원 설화 등이 있다. 또한 이본이 120여 종으로 다양하다. ④ 비판 대상인 변 사또가 술에 취해 사리 판단을 잘 하지 못하는 모습이나, '소피 보고 들어오오.'처럼 극적 상황에서 긴장을 이완시키는 해학적인 표현을 사용한 것에서 풍자와 해학의 기법이 돋보인다. ⑤ '어사또 상을 보니 어찌 아니 통분하랴.'에서와 같이 서술자가 상황에 대한 평가를 직접 드러내기도 한다.

02 (가)에서 이몽룡이 지은 한시는 탐관오리의 횡포를 풍자하는 내용으로 극적 위기감을 조성하고 앞으로 전개될 사건을 예고하는 기능을 한다. 따라서 고조되었던 갈등을 해소하여 새로운 국면을 맞게 한다는 설명은 적절하지 않다.

✖오답 풀이 ① 이 글의 주제인 탐관오리의 횡포에 대한 비판이 시에 드러나고 있으므로 적절한 설명이다. ② 탐관오리의 착취에 고통받는 백성들을 안타깝게 바라보고 있으므로 인간 존중 사상과 애민 정신을 엿볼 수 있다. ④ 한시는 한문으로 지어진 시로, 주로 양반층에서 향유했던 문학 갈래이다. 이러한 한시가 이 작품에 삽입된 것은 판소리의 전승 과정에서 양반들의 문화가 반영된 것으로 볼 수 있다. ⑤ '금 술잔의 좋은 술, 옥쟁반의 좋은 안주'와 '수많은 사람들의 피, 만백성의 기름'이 각각 대비되어 나타나고 있다. 즉, 성대한 잔치와 백성들의 고통을 대비시킨 표현을 통해 백성을 수탈하는 탐관오리의 모습을 더욱 강조하여 드러냄으로써 풍자 효과를 높이고 있다.

03 〈보기〉의 밑줄 친 부분 '어찌 가련하지 아니리오.'에서는 길동을 가련하게 여기는 서술자의 생각이 직접 드러나고 있다. ㉠ 역시 어사또의 초라한 상에 대해 서술자가 직접 자신의 생각을 드러내었다. 이처럼 서술자가 상황이나 인물의 언행 등에 대해 직접적으로 평가하는 서술 방식을 편집자적 논평이라고 한다.

04 〈보기〉는 운봉의 행위를 요약적으로 설명하고 있으나, [A]에서는 열거와 대구를 통해 장면에 생동감과 현실감을 더해 주고 있다.

✖오답 풀이 ① 운봉의 생각과 행위를 간결하게 표현한 것은 〈보기〉에 해당한다. ③ '~ 불러 ~ 단속'의 비슷한 문장 구조를 반복하는 것은 맞지만 이를 통해 풍자 효과가 극대화되고 있는 것은 아니다. ④ '공방 불러 자리 단속 ~ 사령 불러 숙직 단속' 부분에서 긴박한 분위기를 강조하기 위해 서술 어미를 생략하고 있을 뿐, 의성어나 의태어를 사용하여 다급한 분위기를 드러내고 있지는 않다. ⑤ [A]에 상징적 의미가 더해진 부분은 나타나지 않는다.

02 춘향전 ❷

p. 81

01 ④ 02 ① 03 ⑤ 04 ③

01 이 글은 구전되던 판소리가 소설로 정착된 판소리계 소설이다. 이러한 판소리계 소설은 조선 후기 서민 의식의 성장과 함께 발달한 갈래이지 양반층에서 창작 · 향유하던 양반 소설이 아니다.

✖오답 풀이 ① 이 글은 애정 소설로, 시대를 초월한 보편적 정서인 '사랑'이라는 감정을 담고 있다. ② 이 글에는 풍자와 해학이 잘 드러나고 있다. 특히 어사출두 장면에서 관리들이 당황하여 보이는 과장된 행위나 변 사또의 '어, 추워라. 문 들어온다 바람 닫아라. 물 마르다 목 들여라.'와 같은 말에서 두드러지게 나타난다. ③ 이 글은 설화가 오랜 세월에 걸쳐 구비 전승되다가 판소리로 만들어진 후 판소리 형태로 구전되다가 소설로 정착한 판소리계 소설이다. ⑤ 이 글은 남녀 간의 지고지순한 사랑 이야기인 동시에 두 주인공이 신분 차이를 극복하는 모습에서 인간 해방의 의지도 함께 드러내고 있다.

02 [A]는 어사출두로 인해 당황한 수령들의 모습을 희화화하여 보여 주는 부분이다. 언어유희나 해학적 표현으로 웃음을 유발하는 장면으로, 진부한 느낌은 주지 않는다.

✖오답 풀이 ② '~ 잃고 ~ 들고', '~ 잃고 ~ 쓰고' 등의 유사한 문장 구조를 반복하여 리듬감을 형성한다. ③ '본관 사또 똥을 싸고~' 등에서 변 사또가 당황한 모습을 희화화하여 드러내고 있다. 이렇게 비판 대상이 되는 인물을 해학적으로 표현함으로써 독자들로 하여금 통쾌함을 느끼게 하고 있다. ④ '도장궤 잃고 ~ 깨지나니 북 · 장고라.'에서 어사출두로 당황한 수령들의 모습을 해학적으로 표현하고 있다. ⑤ [A]에 나타난 수령들과 변 사또의 두서없는 말과 행동은 어사출두에 몹시 당황하고 있음을 보여 주는 것이다.

03 (마)는 이몽룡이 춘향의 정절을 시험하기 위해 일부러 춘향을 떠보는 부분으로, 춘향의 정절을 강조하여 보여 주려는 작가의 의도가 담겨 있다. 따라서 수청을 들라는 어사또의 행위를 변 사또와 같다고 볼 수 없다.

✖오답 풀이 ① 춘향의 말 중 '층층이 높은 절벽 높은 바위가 ~ 눈이 온들 변하리까.'에서 '층층이 높은 절벽 높은 바위, 푸른 솔 푸른 대'는 '춘향의 절개'를, '바람, 눈'은 '춘향의 시련'을 비유한 은유적 표현이다. 그리고 '~가 ~ㄴ들 무너지며, ~가 ~ㄴ들 변하리까.'는 유사한 문장 구조가 반복되는 대구가 사용된 것이며, '변하리까'에서 질문을 통해 변하지 않는다는 의미를 강조하는 설의법이 쓰였다. ④ (마)는 이몽룡과 춘향의 사이를 갈라놓은 외적 난관을 모두 극복한 후의 상황이다. 따라서 이몽룡이 춘향의 마음을 떠보는 것은 둘의 사랑이 성취되기 위한 마지막 관문으로 볼 수 있다.

04 ㉠은 반어법이 쓰인 문장이다. 내려오는 관리들이 모두 명관이 아니라는 의미로, 나타내고자 하는 의도와 반대되는 표현을 하여 의미를 강조하고 있다. ③ 역시 임이 떠나가는 슬픈 상황에서 절대 눈물을 흘리지 않겠다고 표현하는 반어법이 사용되었다.

✖오답 풀이 나머지는 모두 역설적인 표현이 쓰였다. 역설법은 표면적으로는 이치에 어긋나는 표현을 사용하여 나타내고자 하는 의미를 강조하는 표현법이다. ① '괴로웠던'과 '행복한'이 모순적으로 사용되었다. ② '임은 갔지만 보내지 않았다'는 모순된 상황이 드러나 있다. ④ '찬란한 슬픔의 봄'에서 '찬란한'과 '슬픔'이 서로 모순된다. ⑤ '소리 없는 아우성'이 모순된 표현이다.

03 박씨전 ❶

p. 83

01 ① 02 ⑤ 03 ② 04 ④ 05 ②

01 이 글은 고전 소설이다. 고전 소설은 사건이 필연적이고 개연성 있게 전개되기보다는 우연적이고 비현실적으로 일어나는 경우가 많다.

02 '앞부분 줄거리'를 보면 이시백은 박씨의 용모가 천하의 박색임을 알고 실망하여 박씨를 멀리하였다고 했다. 즉, 이시백은 박씨가 자신보다 뛰어난 재주를 지녀서가 아니라 흉한 외모를 지녔기 때문에 멀리한 것이다.

✖오답 풀이 ① 박 처사는 백학을 타고 다니고 박씨는 몸을 날려 구름을 타는 등 두 인물 모두 비범한 능력을 가지고 있다. ② 이 상공은 박 처사의 신비한 재주를 보고 박씨와 아들 이시백의 혼인을 허락했다고 하였다. 그리고 박씨가 친정이 있는 금강산에 다녀오겠다고 하자 걱정을 하면서도 며느리의 재주를 알고 허락했다. 이로 보아 이 상공은 박 처사와 박씨의 재주를 알고 있는 것이다. ③ 박씨는 이시백이 자신을 멀리하고 가족들도 비웃고 욕을 하자 후원에 피화당을 짓고 시비 계화와 거처했다고 하였다. 즉, 박씨는 가족들과의 갈등으로 후원에서 외롭게 지낸 것이다. ④ 박 처사는 박씨의 액운이 다하여 앞날에 행복만이 무한할 것이라고 말하며 박씨에게 앞으로 일어날 일을 미리 알려 준다.

03 '환골탈태'는 사람이 보다 나은 방향으로 변하여 전혀 딴사람처럼 됨을 의미하므로 얼굴이나 모습이 이전에 비해 몰라보게 좋아져 박색에서 절세가인이 된 박씨의 변신을 표현하기에 적절하다.

✖오답 풀이 ① '포복절도'는 배를 안고 넘어질 정도로 몹시 웃음을 의미한다. ③ '주객전도'는 사물의 경중 · 선후 · 완급 따위가 서로 뒤바뀜을 이르는 말이다. ④ '좌정관천'은 우물 속에 앉아서 하늘을 본다는 뜻으로, 사람의 견문이 매우 좁음을 의미한다. ⑤ '풍수지탄'은 효도를 다하지 못한 채 어버이를 여읜 자식의 슬픔을 의미한다.

04 (라)에서 박씨는 허물을 벗고 미인이 되는데, '앞부분 줄거리'를 통해 남편 이시백과 가족들이 박씨의 외모를 비웃고 멀리하였음을 알 수 있다. 따라서 (라)에서 이루어지는 박씨의 변신은 못생긴 외모를 이유로 박대했던 남편을 비롯하여 가족들과 박씨의 갈등이 해소될 것을 의미한다.

05 ⓑ'영랑(令郞)'은 남의 아들을 높여 이르는 말이다. 박 처사가 이 상공에게 축하 인사를 건네며 이 상공의 아들인 이시백을 가리켜 말하고 있는 상황이므로 낮추어 일컫는 말이라는 설명은 적절하지 않다.

03 박씨전 ❷

p. 85

01 ⑤ 02 ④ 03 ⑤ 04 ④

01 이 글에서 박씨는 왕비를 구했지만 세자와 대군을 구출하지는 못했다. 이것은 박씨 능력의 한계를 보여 주는 것이 아니라, 세자와 대군이 청나라에 끌려간 역사적 사실을 작품에 반영한 것이다.

✖오답 풀이 ① 용골대가 박씨에게 하는 말을 통해 태도 변화를 알 수 있다. (마)에서는 용골대가 박씨를 비웃으며 '참으로 가소롭구나.'라고 했으나, (바)에서는 용골대가 박씨에게 무릎을 꿇고 애원하며 자신을 낮추어 '소장'이라고 표현하고 있다. ② 이 글의 주인공 박씨는 뛰어난 도술을 부려 왕비를 구하는 등의 영웅적 면모를 보인다. ③ (사)에서 박씨의 말 '하지만 내 사람 목숨 죽이는 것을 좋아하지 않기에'를 통해 알 수 있다. ④ 실제로 병자호란 직후 소현 세자와 봉림 대군이 청나라에 볼모로 잡혀가게 된다. 이 글은 이러한 역사적 사실을 반영한 것이다.

02 [A]는 박씨가 계화를 시켜 용골대의 군사들을 물리치는 부분으로 박씨의 비범한 능력이 발휘되는 장면이다. 여기서는 갑자기 비가 내리거나 얼음이 얼고 눈이 날려 오랑캐 군사들의 말발굽이 땅에 붙는 등 비현실적이고 전기적인 요소가 두드러진다.

03 ㉠은 박씨가 직접 나서지 않고 계화를 통해 용골대에게 말하고 있는 부분이다. 이를 통해 당시는 양반가 여인의 외부 활동에 제약이 있었음을 알 수 있다.

04 이 글에서 지배층인 남성, 즉 위정자는 무능하게 그려진 반면 여성인 박씨가 영웅적으로 활약하고 있다. 따라서 봉건적 지배 체제에 여성들이 어떻게 순응했는지를 분석하는 것은 이 글의 내용에서 벗어난 것으로, 심화 학습 내용으로 적절하지 않다.

✖오답 풀이 ① 이 글의 갈래인 고전 소설은 문어체와 한자어가 많이 쓰인다. 이는 현대 소설과 구분되어 나타나는 고전 소설의 문체상의 특징이다. ② 이 글은 역사적 사건인 병자호란을 배경으로, 여성 영웅인 박씨가 적장을 무찌르고 왕비를 구해 낸다는 허구적 이야기이다. 이는 전쟁에서의 패배의 아픔을 문학 작품을 통해 극복하려는 민중의 의지가 나타난 것이라고 볼 수 있다. ③ 이 글의 이시백, 임경업, 용골대 등

은 실존 인물이다. 이와 같이 실존 인물이 작품 속에 등장하는 것은 이야기에 현실감을 부여하는 효과가 있다. ⑤ 이 글은 병자호란을 배경으로 하고 있으며, 전쟁에 패하여 소현 세자와 봉림 대군이 볼모로 잡혀가는 내용은 역사적 사실을 그대로 반영한 부분이다. 반면 박씨의 도술로 청나라 장수를 벌하는 부분은 역사적 사실과 다른 허구이다.

서 군수가 양반을 안타깝게 여겨 가두지 못했으나 어찌할 길이 없었다는 내용을 통해 알 수 있다. ③ (마)에 나타난 군수의 말 '아무리 그렇기는 하지만 ~ 군수인 나도 당연히 손수 수결을 할 것이다.'를 통해 알 수 있다. ④ (나)에서 아내는 '당신은 한평생 ~ 한 푼도 못 되는 그놈의 양반!'이라며 경제적으로 무능한 양반을 비판하고 있다.

04 양반전 ❶

p. 87

01 ④ 02 ③ 03 ⑤ 04 ⑤

01 이 글에서 양반들이 군수에게 열등감을 가지고 있었다고 판단할 수 있는 내용은 없다. (라)에서 양반이 군수에게 머리를 조아리는 것은 부자에게 양반 신분을 팔아 더 이상 양반이 아니기 때문이다.

✖오답 풀이 ① 이 글에서는 체면과 겉치레를 중시하고 비생산적인 양반의 무능한 모습을 비판하고 있는데, 이것은 실사구시(實事求是)의 실학사상을 바탕으로 하고 있기 때문이다. ② (다)의 '우리가 그 양반을 사서 가져 보자.'라는 부자의 말을 통해 신분을 사고팔았음을 알 수 있다. ③ (나)에서 양반의 아내가 한 말을 통해 알 수 있듯 이 글은 양반들의 경제적 무능력과 허례허식을 비판하고 있다. ⑤ (가)의 '집이 가난해서 해마다 관청의 환곡을 빌려 먹다 보니'를 통해 당시에 가난한 백성들에게 곡식을 빌려주는 제도가 있었음을 알 수 있다.

02 (다)에서 부자는 '양반은 아무리 가난해도 늘 높고 귀하며 우리는 아무리 잘살아도 늘 낮고 천하다.'라고 한 뒤 양반이 아니라는 이유로 겪은 수모를 이야기하고 있다. 따라서 부자는 양반의 신분을 사 더 이상 수모를 겪지 않길 바라는 것임을 알 수 있다.

✖오답 풀이 ①, ②, ④ 모두 이 글에 나타나 있지 않은 내용이다. ⑤ 부자는 처음부터 양반 신분을 사는 것을 목적으로 대신 빚을 탕감해 준 것이므로 양반의 미안함을 덜어 주기 위한 행동으로 볼 수 없다.

03 ⓜ'수결(手決)'은 자신의 성명이나 직함 아래에 도장을 대신하여 자필로 글자를 직접 쓰던 행위를 말한다. 군수가 양반 매매의 증서를 만들겠다고 말하는 상황이므로 ⓜ에 '빼어나게 깨끗함.'을 의미하는 '수결(秀潔)하다'의 어근이 쓰였다고 보기 어렵다.

04 (다)에서 부자는 자신의 재산으로 양반의 빚을 대신 갚고 그 대가로 양반이 되려고 한다. 하지만 이것만을 보고 부자가 신분 상승을 위해 재산을 모두 바쳐도 아깝지 않다고 생각하는지는 알 수 없다.

✖오답 풀이 ① 양반은 가난하여 곡식을 꾸어다 먹고 갚을 능력이 없으므로 비생산적이고 무능력한 인물이다. ② (나)에서 군수가 양반을 안타깝게 여겨 가두지 못했으나 어찌할 길이 없었다는 내용을 통해 알 수 있다.

04 양반전 ❷

p. 89

01 ③ 02 ④ 03 ② 04 ④ 05 ②

01 (바)의 '더러운 일을 끊어 버리고 ~ 줄줄 외워야 한다.'에서 알 수 있듯 매매 증서에 제시된 양반의 의무와 규범들은 겉으로 보이는 모습을 중시하는 형식적 행위이다. 따라서 (바)의 매매 증서에는 무능력하면서도 형식과 겉치레만 중시하는 양반들의 생활에 대한 작가의 비판적 시선이 담겨 있다고 볼 수 있다.

02 (사)에서 부자는 '제가 듣기로 양반은 신선 같다던데 ~ 바라건대 좀 더 이익이 될 수 있도록 고쳐 주십시오.'라고 하였다. 이를 통해 볼 때, '부자'가 양반만이 누릴 수 있는 특권을 가지고 싶어 하고 있음을 알 수 있다.

✖오답 풀이 ①, ②, ③ 이 글의 내용을 통해 확인할 수 없다. ⑤ 부자는 양반의 특권을 가지고 싶어 했으므로 이익에 대한 내용이 나타나지 않는 증서의 내용이 만족스럽지 않았을 것으로 추측할 수 있다.

03 (아)는 양반이 되면 누릴 수 있는 특권에 관한 내용이다. 그런데 그 내용을 살펴보면 '횡포 부려 이웃 소로 밭을 갈고 일꾼 뺏어 김을 맨들 누가 나를 거역하리.'라고 하여 진정한 의미의 '특권'이라기보다 우월한 신분을 이용한 비도덕적 횡포라고 볼 수 있다.

04 '하느님이 백성을 내니, 그 백성은 넷이다.'에서 알 수 있듯 당시에는 네 개의 신분 계층 모두 하늘이 정해 주는 것으로 여겼다.

✖오답 풀이 ⑤ 신분의 구분이 태어날 때부터 하늘에 의해 정해진다는 인식으로 인해 당시의 봉건적 신분 질서를 유지할 수 있었다.

05 ⓛ에서는 생산적인 일을 하지 않고 놀고 있는 양반의 모습이 풍자되어 있다. 따라서 하는 일 없이 놀고먹는다는 의미인 '무위도식'이 적절하다.

✖오답 풀이 ① '풍월주인'은 맑은 바람과 밝은 달 따위의 아름다운 자연을 즐기는 사람을 의미한다. ③ '안빈낙도'는 가난한 생활을 하면서도 편안한 마음으로 도를 즐겨 지킨다는 뜻이다. ④ '주경야독'은 낮에는 농사짓고, 밤에는 글을 읽는다는 뜻으로, 어려운 여건 속에서도 꿋꿋이 공부함을 이

르는 말이다. ⑤ '살신성인'은 자기의 몸을 희생하여 인(仁)을 이룸을 뜻한다.

05 운영전 ❶

p. 91

01 ④ 02 ② 03 ④ 04 ①

01 이 글은 현실의 인물인 유영이 수성궁 터에서 잠을 자다가 깨어 운영과 김 진사를 만나 그들의 비극적인 사랑 이야기를 듣는 내용이다. 즉, 유영이 직접 겪은 사랑 이야기가 아니다.

✖오답 풀이 ① 이 글은 액자식 구성으로, 선비 유영이 수성궁 터에서 술을 마시다가 운영과 김 진사를 만나는 외화 속에, 운영과 김 진사의 비극적인 사랑 이야기인 내화가 들어 있다. '앞부분 줄거리'의 '조선 선조 때 ~ 그들의 슬픈 사랑 이야기를 듣는다.' 부분이 외화, (가)~(라)가 내화에 해당한다. ② 이 글의 주동 인물은 운영과 김 진사이고, 둘의 사랑에 방해가 되는 안평 대군과 특은 주동 인물에 맞서는 반동 인물에 해당한다. ③ 안평 대군의 궁녀인 운영의 신분이 김 진사와의 사랑을 방해하는 제약이 된다. ⑤ 운영과 김 진사는 서로를 향한 사랑에도 불구하고 사랑을 이루지 못하였으므로 욕망을 실현하지 못하는 비극적 인물이다.

02 (가)에서 김 진사는 편지를 품속에 넣고 운영을 바라보다가 나갔다고 하였으므로, 둘이 함께 있다가 헤어진 것이다. 따라서 김 진사는 운영의 편지를 하인인 특을 통해서가 아니라 운영으로부터 직접 받은 것으로 볼 수 있다.

✖오답 풀이 ① (다)의 '진사는 편지를 다 읽지도 못한 채 ~ 쓰러졌는데'에서 알 수 있다. ③ (다)에서 특이 '궁녀가 궁 밖으로 나오지 못했으니 ~'라며 혼잣말을 하는 부분을 통해 운영의 재물을 탐내고 있음을 알 수 있다. 그러므로 (라)에서와 같이 특이 거짓말을 하는 것은 운영의 재물을 가로채기 위해서이다. ④ (라)의 '말을 마친 특은 ~ 가슴을 치면서 통곡하였습니다.'에서 알 수 있듯, 특은 과장된 행동을 하는데 이는 도적에게 습격을 당했다는 자신의 거짓말을 김 진사가 믿게 만들기 위해서이다. ⑤ (나)의 '제 의복과 재물은 모두 팔아서 ~ 삼생연분이 후생에서 다시 이어질 수 있도록 해 주십시오.'를 통해 알 수 있다.

03 ㉠은 벼슬에 올라 이름을 남기라는 내용으로, 출세하여 세상에 이름을 떨친다는 뜻의 '입신양명'과 의미가 통한다.

✖오답 풀이 ① '곡학아세'는 학문을 굽히어 세상에 아첨한다는 뜻으로, 정도를 벗어난 학문으로 세상 사람에게 아첨함을 이르는 말이다. ② '표리부동'은 겉으로 드러나는 언행과 속으로 가지는 생각이 다름을 의미한다. ③ '고진감래'는 쓴 것이 다하면 단 것이 온다는 뜻으로, 고생 끝에 즐거움이 옴을 이르는 말이다. ⑤ '각주구검'은 융통성 없이 현실에 맞지 않는 낡은 생각을 고집하는 어리석음을 이르는 말이다.

04 ㉡은 운영의 재물을 가로채려는 특의 속마음으로, 특을 믿고 일을 맡긴 김 진사가 배신당할 것을 암시한다. 따라서 믿었던 사람이 배반하여 오히려 화를 입음을 비유적으로 이르는 '믿는 도끼에 발등 찍힌다.'가 충고하는 말로 적절하다.

✖오답 풀이 ② '중이 제 머리를 못 깎는다.'는 자기가 자신에 관한 일을 좋게 해결하기는 어려운 일이어서 남의 손을 빌려야만 이루기 쉬움을 비유하는 말이다. ③ '원숭이도 나무에서 떨어진다.'는 아무리 익숙하고 잘하는 사람이라도 간혹 실수할 때가 있음을 비유하는 말이다. ④ '오르지 못할 나무는 쳐다보지도 마라.'는 자기의 능력 밖의 불가능한 일에 대해서는 처음부터 욕심을 내지 않는 것이 좋다는 말이다. ⑤ '콩 심은 데 콩 나고 팥 심은 데 팥 난다.'는 모든 일은 근본에 따라 거기에 걸맞은 결과가 나타나는 것임을 비유하는 말이다.

05 운영전 ❷

p. 93

01 ③ 02 ④ 03 ② 04 ⑤

01 이 글은 운영과 김 진사의 비극적인 사랑 이야기를 통해 남녀 간의 자유로운 사랑을 방해하는 신분 제도와 궁녀의 사랑을 금하였던 봉건적 사회 제도 및 관습을 비판하고 있다. 그러나 이 글에 부패한 양반층의 모습은 나타나지 않았으며, 운영과 김 진사의 사랑이 비극적 결말을 맺는 것과 양반층의 횡포 · 착취는 관련이 없으므로 이를 비판 대상으로 보기 어렵다.

✖오답 풀이 ① 안평 대군은 세종의 셋째 아들로 실존 인물이다. 이처럼 허구적 이야기인 소설에 실존 인물을 등장시키면 실제 이야기처럼 현실감을 줄 수 있다. ② 이 글은 주인공 운영과 김 진사가 사랑을 이루지 못하고 죽는 비극적 결말을 취한다. 이는 일반적으로 행복한 결말을 맺는 고전 소설과 다른 점이다. ④ 고전 소설은 보통 권선징악을 주제로 전개되는 경우가 많으나, 이 글은 운영과 김 진사의 자유연애 사상을 보여 준다. ⑤ 김 진사와 운영의 사랑을 방해하는 요소는 둘의 신분 차이와 궁녀의 사랑을 금지했던 당시의 제도이다. 따라서 이를 뛰어넘어 사랑을 이루고자 한 운영을 현실에 저항하는 인물로 보는 것은 적절하다.

02 (사)에서 운영은 '지난날 주군께서 제가 지은 시를 의심하셨는데도 끝내 사실대로 아뢰지 못한 것이 저의 두 번째 죄입니다.'라고 하였다. 이를 통해 운영이 자신의 사랑을 떳떳하게 고백하지 못했음을 알 수 있다.

✖오답 풀이 ① (바)에서 옥녀는 '제가 이미 서궁의 영광을 ~ 죽을 곳을 얻은 것입니다.'라고 하였으므로 다른 궁녀들과 운명을 같이하려는 것을 알 수 있다. 이러한 옥녀에 대해 의리 있다고 평가할 수 있다. ② 안평 대군은 운영의 탈출 시도 사실을 알게 되자 궁녀들을 모두 죽이려 하고 있다. ③ (마)의 '그를 내당으로 끌어들인 사람은 ~ 주군이셨습니다.'

를 통해 안평 대군이 운영과 김 진사가 만나는 계기를 만들었음을 알 수 있다. 따라서 두 사람이 사랑에 빠지게 된 것에 안평 대군도 어느 정도 책임이 있다고 볼 수 있다. ⑤ (마)의 '저의 어리석은 생각으로는 ~ 주군의 은혜가 이보다 더 클 수 없을 것입니다.'를 통해 자란이 죽음을 앞두고도 소신 있게 자신의 의견을 밝히는 것을 알 수 있다.

03 (마)에서 자란은 이성을 그리워하는 마음에 대해 이야기하며 '목왕', '항우'의 예를 들었다. 그리고 이를 통해 김 진사를 사랑하는 운영의 마음이 인간이라면 누구나 느끼는 자연스러운 감정임을 강조하고 있다.

04 운영은 김 진사와의 사랑을 이루기 위해 궁궐을 탈출하려고 계획했었다. 따라서 운영이 남녀 간의 사랑은 비극적일수록 아름답다고 생각했다고 보기 어렵다.

✖오답 풀이 ① (사)에서 운영은 안평 대군의 은혜가 산, 바다와 같다고 했다. 그런데 자신이 정절을 지키지 못했고 자신이 지은 시로 대군이 자신을 의심했을 때에도 사실대로 말하지 못했다고 하였다. 따라서 운영은 대군을 볼 면목이 없다고 느꼈을 것이다. ② (사)의 '그런데도 능히 정절을 지키지 못한 것이 저의 첫 번째 죄입니다.'에서 알 수 있다. ③ (사)의 '죄 없는 서궁 사람들이 ~ 저의 세 번째 죄입니다.'에서 알 수 있다. ④ 운영이 자결한 근본적인 이유이다.

06 규중칠우쟁론기 ❶

p. 95

01 ③ 02 ⑤ 03 ② 04 ④

01 이 글에서 일곱 벗은 남을 헐뜯고 각자 자신의 공을 자랑하고 있다. 서술자는 이러한 일곱 벗의 모습을 통해 남을 헐뜯고 공치사만 일삼는 인간 세태에 대해 비판적인 시각을 드러내고 있다. 즉, 대상에 대해 부정적인 면을 부각하고 있는 것이지 긍정적인 면을 예찬하고 있는 것은 아니다.

✖오답 풀이 ①, ④ 이 글은 옷 만드는 일에 쓰이는 일곱 가지 사물을 의인화하여 타인을 헐뜯고 자신의 공치사만 일삼는 인간 세태를 풍자하고 있다. ② (가)에서는 서술을 통해 상황을 설명하였다. 그리고 (나)에서는 일곱 벗이 서로 자신의 공이 최고라고 주장하는 대화를 중심으로 글이 전개되고 있다. ⑤ (나)의 일곱 벗이 자신의 공을 이야기하는 부분에서 생김새와 용도를 알 수 있다. 척 부인의 경우 '긴 허리를 재며'에서 생김새가 길다는 것과, 길이를 재는 용도로 쓰인다는 것을 알 수 있다. 또한 척 부인의 말 '길고 짧음과 넓고 좁음 ~ 어찌 이루겠는가?'를 통해서도 척 부인의 용도를 알 수 있다. 그밖에도 교두 각시, 세요 각시, 청홍흑백 각시 등의 생김새와 용도를 대화를 통해 알 수 있다.

02 일곱 벗의 이름 소개는 (가)에 나타나 있다. 인화 부인은 불에 달구어 사용하는 인두로, 이러한 쓰임새에 따라 '불을 당기다, 불을 이끌다'라는 의미의 한자를 써서 인화(引火)라고 이름을 붙인 것이다.

✖오답 풀이 ① 세요 각시의 세요(細腰)는 '가는 허리'라는 뜻으로, 바늘의 허리가 가늘어서 붙인 이름이다. 이는 (나)의 '세요 각시가 가는 허리를 구부리며'를 통해 짐작할 수 있다. ② 척 부인은 자의 한자인 '자 척(尺)'의 음을 따온 이름이다. ③ 청홍흑백 각시는 '푸른색, 붉은색, 검은색, 하얀색'이라는 의미로, 실의 색깔 때문에 붙인 이름이다. (나)의 '청홍흑백 각시가 얼굴이 붉으락푸르락 하며'를 통해 이를 짐작할 수 있다. ④ 감투 할미는 손가락 끝을 보호하는 골무가 감투의 생김새와 비슷하여 붙인 이름이다.

03 (나)에서 일곱 벗은 저마다 자신의 공이 가장 크다고 내세우며 논쟁을 하고 있다. 이러한 상황은 '여러 사람이 서로 자신의 주장을 내세우며 상대방의 주장을 반박함.'을 뜻하는 '갑론을박'으로 표현할 수 있다.

✖오답 풀이 ① '교언영색'은 아첨하는 말과 알랑거리는 태도를 뜻한다. ③ '지록위마'는 윗사람을 농락하여 권세를 마음대로 함을 이르는 말이다. ④ '전전긍긍'은 몹시 두려워서 벌벌 떨며 조심한다는 뜻이다. ⑤ '타산지석'은 본이 되지 않은 남의 말이나 행동도 자신의 지식과 인격을 수양하는 데에 도움이 될 수 있음을 의미한다.

04 이 글은 내간체 수필로, 부녀자들의 일상에서 흔히 볼 수 있는 바느질 도구를 소재로 하였다. 그리고 바늘은 '세요 각시', 자는 '척 부인' 등으로 부르며 사물을 의인화하고 있다. 글쓴이는 이러한 의인화된 사물을 통해 타인을 헐뜯고 자신의 공치사만 일삼는 인간 세태에 대해 비판, 풍자하고 있다. 한편 〈보기〉는 바늘을 소재로 한 내간체 수필로, 바늘을 '너'라고 부르며 의인화하고 있다. 또한 '미묘한 품질과 특별한 솜씨를 ~ 어찌 인력의 미칠 바리요.'에서와 같이 바늘에 대한 애정을 드러내며 바늘의 공을 예찬하고 있다. 그러나 〈보기〉에 어떤 교훈을 전하고자 하는 내용은 나타나 있지 않다.

06 규중칠우쟁론기 ❷

p. 97

01 ③ 02 ② 03 ⑤ 04 ①

01 일한 만큼 보상을 받고 싶어 하는 모습은 이 글에서 찾을 수 없으며, 이 글을 통해 비판하고자 하는 모습이라고도 볼 수 없다.

02 앞부분에서 일곱 벗은 서로 자신의 공을 자랑하고 있었다. 그런 상황에서 규중 부인이 등장하여 모든 것은 인간이 어떻게 쓰느냐에 달려 있다고 말한다. 그러자 일곱 벗은 공치사를 멈추고 규중 부인에 대한 원망과 불평을 늘어놓는다. 따라서 규중 부인의 개입은 내용을 전환하는 역할을 한다.

03 (다)에서 '매정한 것은 사람이오 공 모르는 것은 여자로다.'라고 한 척 부인을 비롯하여 교두 각시, 세요 각시는 사람의 공만 내세우고 자신들을 함부로 여기는 규중 부인을 원망하고 있다.

04 규중 부인은 자신을 원망하며 불평하는 일곱 벗을 질책한다. 이에 감투 할미가 반성하며 용서를 구하자 규중 부인은 감투 할미의 공만을 칭찬하고 있다. 즉, 규중 부인은 일곱 벗의 수고와 노력을 몰라준 것을 미안해하고 있지 않다.

✖오답 풀이 ②, ③ (라)의 '젊은 것들이 망령되어 ~ 용서해 주심이 옳을까 하나이다.'를 통해 알 수 있듯, 감투 할미는 규중 부인의 기분을 풀어 주기 위해 노력하고 있다. 이는 감투 할미가 처세술이 뛰어나다고 평가할 수도 있고, 이와 반대로 곤경에서 벗어나기 위해 아첨하는 인물이라고 평가할 수도 있다. ④ 일곱 벗은 부녀자들이 가까이 두고 사용하는 물건이라는 점에서 당시 규방 여성들을 나타낸 것으로 볼 수도 있다. 그런 점에서 일곱 벗이 자신의 의견을 당당히 말하고 있는 것은 남성 위주의 봉건 사회에서 조선 시대 여성들이 자신의 목소리를 내기 시작했다는 것을 보여 주는 것이라고 평가할 수도 있다. ⑤ (다)에서 규중 부인은 일곱 벗의 공을 인정하지 않았다. 그런데 (라)에서는 '내 손끝이 성한 것이 ~ 몸에 지녀 서로 떠나지 않게 하겠다.'라며 용서를 빌고 아첨한 감투 할미만을 칭찬하고 있다. 이는 아첨하는 사람에게만 이익을 주는 당시 지배층의 잘못된 모습을 풍자한 것으로 볼 수 있다.

07 벼슬아치란 누구인가

p. 99

01 ⑤ **02** ① **03** ④ **04** ④ **05** ①

01 글쓴이는 (가)에서 백성과 목민관의 관계가 뒤바뀐 현실에 대해 문제를 제기하고, (나)와 (다)에서 목민관은 백성을 위해 존재하는 것인데 현실은 그렇지 않음을 이야기하고 있다. 따라서 이 글은 잘못된 현실을 비판하기 위해 쓴 것으로 볼 수 있다.

✖오답 풀이 ① 목민관이 분쟁을 해결하는 역할을 한다는 내용은 확인할 수 있다. 그러나 이 글에 분쟁의 해결 단계가 구체적으로 제시되어 있는 것은 아니며, 글쓴이가 주장하고 있는 내용도 아니다. ②, ③ (나)에서 목민관과 법이 생겨난 유래를 확인할 수 있지만 이를 소개하는 것을 글의 목적으로 볼 수는 없다. ④ 글쓴이의 주장과 반대되는 내용이다.

02 ㉠에서는 목민관과 백성의 관계에 대해 독자에게 질문을 던지고 있다. 이러한 서술 방식은 독자의 관심을 유도하는 효과가 있다.

03 글쓴이는 통치자는 백성을 위해 존재한다고 주장하며, 그렇지 못한 현실을 비판하고 있다. 따라서 조선이 신분 사회이니까 백성보다 통치자가 중요하다는 것이 글쓴이의 생각이라고 이해한 것은 적절하지 않다.

✖오답 풀이 ① 이 글은 백성을 다스리는 존재를 목민관으로 통칭하고 있다. 따라서 '목민관'이 백성들을 다스리는 벼슬아치를 이르는 말임을 알 수 있다. ② 이 글의 글쓴이는 목민관의 올바른 자세를 이야기하고 있는데, (다)의 '백성이 목민관을 위하여 있는 것이 아니라 목민관이 백성을 위하여 있는 것이다.'에서 글쓴이의 주장을 직접적으로 드러내고 있다. ③ 글쓴이는 목민관이 백성을 위하여 있다고 주장하고 있다. 따라서 글쓴이는 '백성을 근본으로 생각하는 사상'인 '민본주의'를 바탕으로 정치가 이루어져야 한다고 생각하고 있는 것이다. ⑤ 이 글에서 글쓴이는 가렴주구를 일삼는 탐관오리를 비판하고 있다. 따라서 이와 같은 주제 의식을 갖고 백성들의 고충에 대해 쓴 글쓴이의 다른 작품을 읽는 것은 이 글을 더 잘 이해하는 데 도움이 된다고 볼 수 있다.

04 (다)에서 한 사람이 다투다가 해결을 위하여 수령에게 가면 수령이 불쾌한 표정을 짓는다는 내용은 나오지만, 이를 통해 당시에 백성들 간의 다툼이나 마을 사이의 분쟁이 극심했다고 볼 수는 없다.

✖오답 풀이 ① '지금의 수령은 ~ 사람을 겁주기에 충분하다.'를 통해 수령의 권한과 위세가 대단했음을 짐작할 수 있다. ② '백성들이 곡식이나 옷감을 생산하여 ~ 전답과 집을 장만하며'를 통해 수령들이 백성을 착취하여 부를 축적했음을 알 수 있다. ③ '한 사람이 굶어 죽기라도 하면, "네가 잘못해서 죽었다." 한다.'를 통해 통치자들이 백성의 어려움을 백성의 탓으로만 돌렸던 것을 알 수 있다. ⑤ '한 사람이 다투다가 해결을 위하여 수령에게 가면 ~ "왜 그리도 시끄럽게 구느냐?" 하고'를 통해 백성들은 다툼이 있어도 공정한 판결을 받지 못했음을 알 수 있다.

05 '추대'란 '윗사람으로 떠받듦.'을 의미한다. 백성들이 다툼을 해결해 준 어른을 '이정'이라 불렀다는 내용이므로 ⓐ를 나이 어린 사람을 대접했다는 의미로 볼 수 없다.

비문학

p. 102~107

독해 연습 01 1 (1) ○ (2) × (3) × 2 (1) 원마다 원위전을 줌. (2) 임진왜란과 병자호란을 거치면서 3 ②

독해 연습 02 1 동물들이 잠을 자는 이유 2 사례 3 대등 4 가설과 그것의 한계(가설과 그것에 대한 반박) 5 회복설, 수면 시간, 에너지, 부동설 6 해설 참조

독해 연습 03 1 부정적(비판적) 2 문화재 관리 정책 3 출입 금지, 보존 4 ②

독해 연습 04 1 ㉮-부정적인 측면, ㉯-전기, ㉰-인정, ㉱-소비, ㉲-아동 건강, ㉳-사용 습관 2 서론-㉮, 본론-㉯, ㉰, ㉱, ㉲, 결론-㉳ 3 이렇듯 냉장고는 우리의 삶과 환경을 위협하고 있다. 4 냉장고 사용 습관을 되돌아보자. 5 귀납

독해 연습 05 1 비행기, 이산화탄소, 대형 쇼핑센터, 자연환경, 공정 여행 2 ① 현지의 환경을 해치지 않음. ② 현지인에게 경제적 혜택이 돌아감. 3 ③

독해 연습 06 1 상징 조작 2 대조 3 라틴어, 동일시, 합리화, 정서적, 이지적 4 피지배자들의 자발적인 복종을 유도 5 ④

독해 연습 01

3 원이 민간인들에게 숙식을 제공하는 경우도 있었지만, 원은 기본적으로 공공 업무를 위한 시설이었기 때문에 민간인 여행자들이 언제든지 원을 이용할 수 있었던 것은 아니다.

독해 연습 02

6 동물들이 잠을 자는 이유에 대한 여러 가지 가설들이 있지만 어떤 가설도 잠을 자는 이유를 정확하게 설명하지 못하고 있다.

인문 · 역사

01 매사냥의 방법과 역사

p. 109

01 ④ 02 ⑤ 03 ②

01 [A]에서는 매사냥은 '매를 이용해 꿩, 토끼 같은 야생 동물을 잡는 사냥법'이라고 그 뜻을 풀이하였다. 그리고 동물이 주인의 사냥을 돕는 보조적인 역할만 하는 일반적인 사냥과 달리 매사냥에서는 주인 대신 매가 사냥꾼의 역할을 한다고 설명하며 일반 사냥과 매사냥 사이의 차이점을 드러내었다.

02 글의 마지막 문단에 위치한 ㉤은 '지금까지 매사냥의 방법과 역사에 대해 살펴보았다.'라고 하며 앞의 내용을 정리하고 있다. 따라서 ㉤의 뒤에는 앞의 내용을 요약하며 마무리하는 내용이 이어질 것임을 예측할 수 있다. 매사냥 전승 방식의 변화에 대한 설명은 이 글에 드러나 있지 않다.

✖오답 풀이 ① ㉠에서는 '매사냥에 대해 알아보자.'라고 하며 글에서 설명할 대상을 소개하고 있다. 따라서 ㉠ 뒤에는 매사냥이 어떤 것인지에 대한 구체적인 내용이 이어질 것임을 예측할 수 있다. ② ㉡에서는 '아무 매나 매사냥의 주인공이 될 수는 없다.'라고 하며 매사냥에 사용될 수 있는 매가 정해져 있음을 설명하고 있다. 따라서 ㉡ 뒤에는 매사냥에 사용될 수 있는 매는 어떤 매인지에 대한 내용이 이어질 것임을 예측할 수 있다. ③ ㉢에서는 '그렇다면 이러한 매사냥은 언제, 어디에서 시작되었을까?'라고 하며 매사냥의 기원에 대한 궁금증을 불러일으키고 있다. 따라서 ㉢ 뒤에는 ㉢에 대한 답인 매사냥의 기원에 대한 내용이 이어질 것임을 예측할 수 있다. ④ ㉣에서는 '우리나라는 어떠했을까?'라고 하며 앞서 설명한 다른 나라의 매사냥의 기원에 이어 우리나라의 경우는 어떤지에 대한 궁금증을 유발하고 있다. 따라서 ㉣ 뒤에는 우리나라 매사냥의 유래에 대한 내용이 이어질 것임을 예측할 수 있다.

03 '고려 충렬왕은 매사냥을 담당하는 응방이라는 관청을 두었고'에서 '두다'는 '직책이나 조직, 기구 따위를 설치하다.'라는 의미이다. 이와 같은 의미로 사용된 것은 ② '이 학교는 학생 자치 위원회를 두고 있다.'의 '두다'이다.

✖오답 풀이 ① '가져가거나 데려가지 않고 남기거나 버리다.'라는 의미로 쓰였다. ③ '행위의 준거점, 목표, 근거 따위를 설정하다.'라는 의미로 쓰였다. ④, ⑤ '일정한 곳에 놓다.'라는 의미로 쓰였다.

02 조선 시대 사람들은 어떻게 살았을까

p. 111

01 ③ 02 ③ 03 ④ 04 ④

01 (다)에서 동아시아 지역에서는 손 대신에 숟가락을 쓰기 시작하다가 이어서 젓가락을 만들어 숟가락과 함께 썼다고 하였다. 즉, 동아시아 지역에서는 젓가락보다 숟가락을 먼저 사용하기 시작했으므로 ③은 적절하지 않다.

✖오답 풀이 ① (마)에서 고려 후기에 몽고풍의 요리가 전해져 고기를 물에 넣고 삶아 그 우러난 국물과 고기를 함께 먹는 지금의 설렁탕, 곰탕이 생겨났다고 하였다. ② (나)에서 포크는 16세기에 이탈리아 상류 사회로 전해졌고 신분이나 지역에 관계없이 전 유럽에 보편화된 것은 18세기라고 하였다. ④ (다)에서 동아시아 지역에서는 숟가락과 젓가락을 함께 쓰다가, 우리나라 고려 후기 즈음 중국과 일본에서는 젓가락만 쓰기 시작했다고 하였다. ⑤ (마)에서 우리나라의 국은 대개 건더기가 많고 밥을 말아 먹는 국이어서 숟가락이 필요하다고 하였다.

02 제시된 내용은 조선 시대에 우리나라 사람이 중국과 일본에서 숟가락을 쓰지 않는 것을 보고 기이하게 여겼다는 것이다. 이러한 내용은 (다)의 중국과 일본에서는 숟가락을 쓰지 않고 젓가락만 쓰기 시작했다는 내용과 관련이 있다. 따라서 제시된 내용을 넣기에 가장 적절한 곳은 ⓒ이다.

03 [A]에서는 우리의 국은 국물을 마시는 것도 있으나 대개는 건더기가 많고 밥을 말아 먹는 국이라고 설명하였다. 그리고 미역국, 된장국, 해장국 등을 구체적인 예로 제시하여 내용에 대한 독자의 이해를 돕고 있다.

04 '손 대신에 숟가락을 쓰기 시작했고'에서 '쓰다'는 '어떤 일을 하는 데에 재료나 도구, 수단을 이용하다.'라는 의미이다. 이와 같은 의미로 사용된 것은 ④ '문서 작성에 컴퓨터를 쓰지 않는 사람이 드물다.'의 '쓰다'이다.

✖오답 풀이 ① '머릿속의 생각을 종이 혹은 이와 유사한 대상 따위에 글로 나타내다.'라는 의미로 쓰였다. ② '사람이 죄나 누명 따위를 가지거나 입게 되다.'라는 의미로 쓰였다. ③ '몸이 좋지 않아서 입맛이 없다.'라는 의미로 쓰였다. ⑤ '먼지나 가루 따위를 몸이나 물체 따위에 덮은 상태가 되다.'라는 의미로 쓰였다.

03 읽기란 무엇인가

p. 113

01 ⑤ 02 ④ 03 ③ 04 ③

01 (바)에서 글 읽기는 속도가 느리고 다양한 감각을 구체적으로 느끼게 하는 데 한계가 있다고 하였다.

✖오답 풀이 ① (가)에서 인간은 글을 읽음으로써 과거나 미래를 자유로이 넘나드는 초월적인 삶을 누릴 수 있다고 하였다. ② (바)에서 글 읽기는 스스로 결정하고 판단하여 자기만의 세계를 만들어 가는 과정이라고 하였다. ③ (다)에서 글을 읽는 이유는 인간과 사회, 그리고 자연에 대해 새롭게 이해하고 그에 관한 지식을 얻기 위해서라고 하였다. ④ (라)에서 재미로 글을 읽는 것은 생활의 수단으로서 지식이나 정보를 얻는 읽기와 달리 인간의 본성을 되찾게 하는 읽기라고 하였다.

02 (바)에서 '적극적으로 글을 읽는 사람은 글의 선택에서부터 읽기 속도, 내용의 이해, 그리고 감상까지 모든 것을 스스로 결정한다.'라고 하였다. 즉, 적극적인 책 읽기는 글의 선택, 읽기 속도, 감상까지 스스로 결정하는 것이다.

03 (사)에서 읽기의 생활화 방법으로 매일 필독 도서를 읽는 것에 대해 언급한 내용은 찾을 수 없다.

✖오답 풀이 ① 읽기를 생활화하는 첫째 방법은 읽기의 중요성과 가치를 깨닫는 것이라고 하였다. ② 읽기를 생활화하는 둘째 방법은 읽고 싶은 마음가짐을 갖추는 일이라고 하였다. ④ 읽기를 생활화한 사람을 보고 배우는 것도 하나의 방법이 될 수 있다고 하였다. ⑤ 읽기를 생활화하는 것은 글을 읽는 사회를 만드는 지름길이 될 것이라고 하였다.

04 ㉠'깨달음의 즐거움'이란 삶의 지혜를 터득하는 것이다. ③에서 완서가 〈소음 공해〉를 읽고 이웃에게 관심을 가져야겠다고 생각한 것은 다른 사람을 이해하고 이웃을 되돌아보는 것이므로 삶의 지혜를 터득하는 '깨달음의 즐거움'에 해당한다.

✖오답 풀이 ①, ② 새로운 지식을 발견하는 '앎의 즐거움'이 나타난다. ④, ⑤ 가슴이 설레거나 눈물이 핑 도는 듯한 '감동의 즐거움'이 나타난다.

사회 · 경제

01 친절 강요하는 사회

p. 115

01 ② 02 ③ 03 ③ 04 ③ 05 ④

01 이 글은 논평으로, 지나친 친절을 강요하는 사회에 대한 글쓴이의 비판적 견해를 담고 있다.

02 (다)는 지나친 친절을 강요하는 사회 현상 때문에 서비스업 종사자들이 감정 노동에 시달리고 있음을 지적하는 내용이다. 지나친 친절을 강요하는 현상이 가져온 문제점을 밝히고 있을 뿐, 바람직한 방향을 제시하고 있지는 않다.

✖오답 풀이 ① (가)에서는 일방적인 고객의 요구를 들어주어야 했던 종업원을 목격한 글쓴이의 구체적인 경험을 이야기하여 독자의 흥미를 끌고 있다. ② (나)에서 글쓴이는 서비스 제공자들에게 지나친 친절을 강요하는 사회에 대해 문제를 제기하고, 소비자들이 서비스의 범위를 정확히 인식해야 한다는 견해를 밝히고 있다. ④ (라)에서 글쓴이는 문제의 발생 원인이 기업들의 과열된 경쟁 때문이라고 분석하고 있다. ⑤ (마)에서 글쓴이는 질 높은 서비스는 사용자와 제공자가 모두 서로를 배려하고 존중할 때 생겨난다는 해결 방안을 제시하며 글을 마무리하고 있다.

03 서비스 제공자의 지나친 친절이 구매자와의 충돌을 일으키는 것이 아니라 무례한 구매자의 태도 때문에 충돌이 일어나는 것이다.

✖오답 풀이 ①, ⑤ (나)에서 글쓴이는 고객이 돈을 냈기 때문에 무례하게 굴어도 된다거나 서비스 제공자들의 감정까지 살 수 있다고 생각해서는 안 된다고 하였다. 이를 통해 글쓴이가 무례한 고객의 태도에 대해 부정적임을 알 수 있다. ② (다)에서 글쓴이는 서비스업 종사자들이 높은 수위의 감정 노동을 요구받는다며 상담할 때마다 신경증에 걸릴 것 같다는 상담 도우미 친구의 이야기를 하였다. 이를 통해 서비

스업 종사자의 감정 노동이 심각한 수준임을 알 수 있다. ④ (다)에서 손님들 가운데 무리한 요구를 하는 이들도 많은데, 상부에서는 회사 이미지를 위해 묵인하고 결국 종업원의 책임으로 돌린다고 하였다. 이를 통해 기업이 긍정적 이미지를 얻기 위해 고객의 무리한 요구를 묵인하기도 한다는 것을 알 수 있다.

04 ⓒ는 무례한 고객으로 인해 서비스업 종사자가 요구받는 감정 노동의 어려움을 드러낸 부분이지, 육체노동과 감정 노동의 어려움을 비교하고 있는 것은 아니다.

05 (라)에서 글쓴이는 고객 유치와 이익 창출이라는 과열된 경쟁 속에서 서비스 만족도의 기준이 높아져 지나친 친절이 강요되고 있다고 하였다.

02 여성의 정치 참여

p. 117

01 ④ **02** ⑤ **03** ④ **04** ⑤

01 이 글에서 말하는 ㉠'정치 참여'란 정치 분야에 진출하여 정치인으로서 활동하는 것을 의미한다. (가)에서 스웨덴과 미국, 한국의 여성 의원 비율을 언급한 것과 (나)에서 선거구당 한 명의 의원만을 뽑는 선거 제도에 대해 이야기한 것을 통해 정치 참여의 의미가 국회나 지역구의 '의원'이 되는 것임을 알 수 있다.

✖오답 풀이 나머지는 모두 정치인으로서가 아닌 민주주의 사회의 시민으로서 주어진 정치적 권리를 행사하는 것이다.

02 이 글은 (가)에서 여성의 정치 참여율이 낮은 것을 문제로 인식하고, (나)에서 그 원인을 분석한 뒤, (다)와 (라)에서 해결 방안을 제시하고, (마)에서 여성의 정치 참여의 폭을 넓혀야 한다고 주장하고 있다. 따라서 글쓴이의 의도를 '여성의 정치 참여를 어떻게 확대할 것인가'로 보는 것이 가장 적절하다.

03 [A]에서는 여성의 정치 참여를 늘리는 방법의 하나로 정치에 대한 기존의 생각을 바꾸는 것을 제시하고 있다. 따라서 정치에 대한 사람들의 인식을 바꿀 수 있는 구체적인 실천 방안을 제시하는 것이 설득력을 높이기 위한 내용으로 가장 적절하다.

✖오답 풀이 ⑤ [A]는 (나)에서 제시한 여성의 정치 참여가 낮은 이유 중 정치의 성격 자체가 여성과 친숙하지 않다에 대한 해결 방안으로 볼 수 있다. 그런데 여성도 경쟁과 권력을 지향할 수 있다는 것은 글쓴이의 견해에 반박하는 내용이므로 글쓴이의 주장에 설득력을 높이지 못한다.

04 ㉤을 삭제한 이유는 ㉤이 글쓴이의 논지에서 벗어난 문장이기 때문이다. 글쓴이가 여성의 정치 참여를 확대해야 한다고 주장하는 것은 여성의 인구 비율 대비 정치 참여율이 낮기 때문이다. 미래에는 여성이 남성보다 앞설 것이라는 전망이나 여성이 남성보다 우월하다는 인식은 이 글에 나타나 있지 않으므로, 불필요한 반복을 피하기 위해 ㉤을 삭제했다는 것은 적절하지 않다.

03 준거점과 손실회피성

p. 119

01 ③ **02** ② **03** ②

01 (다)는 손실을 기피하는 사람들의 심리를 설명한 뒤 중심 화제인 '손실회피성'의 개념을 정의하고 있다. 즉, (다)는 설명을 먼저 한 뒤 화제의 개념을 정의하고 있다.

✖오답 풀이 ① (가)는 경제 활동 시 나타나는 이해하기 어려운 현상을 예로 들고, 그 이유가 무엇일까라는 문제를 제기하고 있다. 그리고 그 원인을 설명해 줄 수 있는 개념이 '준거점'과 '손실회피성'이라고 언급하며 화제를 제시하고 있다. ② (가)에 제시된 화제는 '준거점'과 '손실회피성'인데, (나)에서 예시와 함께 '준거점'의 개념을 설명하고, (다)에서 관련 설명과 함께 '손실회피성'의 개념을 정의하고 있다. ④ (라)에서는 (다)의 화제인 '손실회피성'을 주식에 투자하는 사람들의 행동을 예로 들어 설명하고 있다. ⑤ (마)의 '요컨대, 준거점은 ~ 회피하려는 경향이다.'는 (나)~(라)에서 설명한 '준거점'과 '손실회피성'의 개념을 요약하는 문장이다.

02 ㉡'그러나'는 앞의 내용과 뒤의 내용이 상반될 때 사용하는 접속 부사이다. ㉡의 앞 문장은 주식 투자에서 오만 원을 잃고 그만두면 확실한 손실을 택한 것이라는 내용이다. 그런데 ㉡이 속한 문장은 주식 투자를 계속하면 오만 원이 확실한 손실이 아닐 수 있다며 손실회피성이 드러나는 상황을 설명하고 있다. 따라서 ㉡ 뒤에 손실회피성이 드러나지 않는 원인이 나오겠다고 추측한 탐구 내용은 적절하지 않다.

✖오답 풀이 ① ㉠이 속한 문장은 손실회피성이 나타나는 예로 주식 투자의 상황을 제시하였다. 그리고 '가정'이라는 말을 통해 실제 일어난 상황이 아님을 알 수 있다. ③ '왜냐하면'의 뒤에는 앞 문장의 이유가 나와야 한다. ㉢의 앞 문장은 주식 투자를 계속하면 오만 원을 잃은 것이 확실한 손실이 아닐 수 있다는 내용이고, ㉢이 속한 문장은 그 이유를 설명하고 있으므로 ③의 탐구 내용은 적절하다. ④ ㉣'이러한'은 앞 문장을 지시하는 것이므로 돈을 다시 벌 수 있는 가능성이 있는 상황을 가리키는 것이다. ⑤ '이때'는 앞서 제시된 경우를 가리킨다. ㉤의 앞 문장은 손실회피성 때문에 주식 투자를 그만두지 못하는 상황을 설명하고 있으므로 ㉤은 손실회피성이 작용하는 때를 의미하는 것이다.

03 (나)에 제시된 예에 따르면, A와 B 두 사람의 용돈이 동일하게 천 원 오를 때 기존의 용돈이 A보다 적었던 B가 천 원의 가치를 크게 느끼기 때문에 B의 만족감이 더 크다. 이

를 바탕으로 할 때, 선택지에 제시된 다섯 사람의 용돈이 모두 만 원씩 동일하게 올랐으므로 기존의 용돈이 가장 적었던 영희가 만 원의 가치를 가장 크게 느낄 것이다. 따라서 만족감이 가장 클 것으로 기대되는 사람은 영희이다.

과학 · 기술

01 눈에 관한 오해와 진실

p. 121

01 ②, ④ 02 ③ 03 ③ 04 ④

01 글을 읽기 전에는 글을 읽는 목적을 설정(④)하고 제목을 통해 글의 내용을 예측(②)해 보는 것이 좋다.

✖오답 풀이 ①, ③은 읽는 중, ⑤는 읽은 후에 해야 하는 활동이다.

02 (나)에서 사람들은 책을 오래 보거나 텔레비전이나 컴퓨터 모니터를 많이 보면 시력이 나빠진다고 여기지만 그렇지 않으며 시력의 좋고 나쁨에 가장 큰 영향을 주는 것은 유전적 요인이라고 하였다. 따라서 텔레비전과 눈이 나빠지는 것의 상관관계에 대한 오해와 진실을 다루는 〈보기〉의 내용은 (나)의 뒤에 이어지는 것이 자연스럽다.

03 (라)에서 가성 근시인 아이가 안경을 쓰면 영영 근시가 된다고 하였다. 그리고 일시적으로 근시가 생기는 가성 근시일 때는 안경을 쓰는 것이 아니라 약물 치료로 해결할 수 있다고 하였다.

✖오답 풀이 ① (다)에서 어두운 상태에서 공부나 작업을 할 경우 능률이 떨어지고 눈이 쉽게 피로해질 수는 있지만, 어두운 환경과 시력은 직접적인 연관이 없다고 하였다. ② (라)에서 근시인 아이들은 성장과 함께 안구의 길이도 늘어나기 때문에 시력도 점점 나빠진다고 하였다. 따라서 주기적으로 검사를 통해 안경 도수를 조절해 주는 것이지, 안경을 썼기 때문에 눈이 더 나빠진 것은 아니다. ④ (마)에서 눈알을 씻어 눈물을 없애는 것은 일종의 자해 행위이며, 올바른 세수 방법은 눈을 감고 눈꺼풀을 지그시 누르며 눈곱만 가볍게 떼어 내는 것이라고 하였다. ⑤ (바)에서 눈을 자주 깜빡이면 정서가 불안하다는 핀잔을 들을 수 있지만, 사실 눈을 자주 깜빡임으로써 눈물샘을 자극해 눈물이 나오게 하는 것이 눈 건강에 좋다고 하였다.

04 (사)에서는 '지금까지 눈에 대한 여러 가지 오해를 살펴보았다.'라고 하며 앞에서 설명한 내용 전체를 요약 · 정리하였다. 그리고 눈에 대해 정확히 알아야 눈을 지킬 수 있다며 글쓴이의 당부로 마무리하고 있다.

✖오답 풀이 ①, ② 처음 부분에 대한 설명이다. ③, ⑤ 중간 부분에 대한 설명이다.

02 3차원 프린터

p. 123

01 ⑤ 02 ⑤ 03 ⑤

01 3문단에서 글쓴이는 3차원 프린터의 장점 중 하나로 빠른 시간 안에 적은 비용으로 시제품을 만들 수 있다는 점을 들었으며 그러한 장점을 바탕으로 마지막 문단에서 3차원 프린터의 적용 분야가 무한히 확대될 수 있을 것이라고 전망하고 있다.

02 ㉠'빛을 발한다'는 '제 능력이나 값어치를 드러낸다.'라는 의미의 관용 표현으로, 소규모 제품 생산 시 3차원 프린터의 장점이 뚜렷하게 드러난다는 의미를 나타낸다. ⑤의 '두드러진다'는 '겉으로 뚜렷하게 드러난다.'라는 뜻이므로 ㉠의 문맥적 의미로 적절하다.

✖오답 풀이 ① 여러 가지로 많아진다. ② 바르고 확실해진다. ③ 갈피를 잡기 어려울 만큼 여러 가지가 얽히게 된다. ④ 전과 달리 생생하고 산뜻하게 느껴진다.

03 글을 쓰는 목적은 신입생들에게 '3차원 프린터 활용 동아리'에 가입하도록 권유하는 것이다. 그런데 ㉣에서 우리 학교 동아리의 종류를 다양하게 제시하는 것은 그러한 목적에 맞지 않으므로 적절하지 않다.

✖오답 풀이 ① 예상 독자의 흥미를 고려한 내용 계획으로 적절하다. ② 건물 구조나 세부 위치에 익숙하지 않을 예상 독자의 배경지식을 고려할 때 '내용 2'에서 지원서 제출 장소를 그림으로 알려 주는 것은 적절한 계획이다. ③ 홍보문은 많은 사람에게 널리 알리기 위한 목적의 글이므로 이를 위해 인상적인 제목을 만드는 것은 적절한 계획이다. ④ 동아리에서 제작한 우수 작품을 소개하는 것은 동아리의 주요 활동을 알릴 수 있는 좋은 방법이다.

03 현대 사회와 과학

p. 125

01 ③ 02 ③ 03 ⑤ 04 ③

01 글쓴이는 (마)에서, 현대 사회를 사는 지식인들이 과학을 싫어하거나 피하려 하지 말고 과학을 이해하려고 노력하는 것이 중요하다고 하면서 과학에 대한 관심을 촉구하였다. 이는 '그렇다면 일반 지식인에게 과학에 관심을 갖게 할 방법은 무엇일까?'라는 질문으로 연결될 수 있으므로, 이 글과 관련하여 더 학습해 볼 과제로 적절한 것은 ③이다.

02 ㉠의 예로는 현대 사회에서 발생한 문제에 대해 과학을 탓하는 내용이 적절하다. ③은 기상학이라는 과학 분야의 연구로 태풍 예측이 가능하다는 객관적 사실을 서술한 것이므로 오히려 과학의 중요성을 보여 주는 사례이다.

✖오답 풀이 ①, ②, ④, ⑤는 각각 '방사능 오염', '세균전이

일어난 것', '생명을 경시하는 풍조', '우주 쓰레기가 많아진 것'이라는 현대 사회의 문제의 원인을 과학으로 보고 과학에 책임을 돌리고 있다.

03 이 글에 따르면 '과학이 가치 중립적이라는 말'에는 개인적 취향에 따라 과학적 결론을 취사선택할 수 없다는 의미가 포함된다. 즉, 연구를 통해 얻은 과학적 결론에 대해 주관적 취향이나 가치관을 개입시키지 않는다는 것이다. 따라서 '연구자의 취향에 따라 결론이 달라질 수 있다'는 내용은 ㉡에 대한 이해로 바르지 않다.

04 ⓐ의 앞부분에는 '과학이 가치 중립적이라는 말'의 둘째 의미를 수긍하지 않는 사람들이 제기할 수 있는 반론 내용이, ⓐ의 뒷부분에는 그 반론 내용이 타당하지 않다는 글쓴이의 반박이 제시되어 있다. ⓐ의 앞뒤 내용이 상반되게 연결되므로 ⓐ에는 역접 관계를 나타내는 접속어 '그러나'가 들어가는 것이 적절하다. ⓑ의 앞부분에는 과학 지식이 가치 판단을 내리는 일을 돕는다는 내용이, ⓑ의 뒷부분에는 현대 사회의 지식인들에게 과학 지식이 절대적으로 필요하다는 내용이 제시되어 있다. ⓑ의 앞부분 내용이 과학 지식이 절대적으로 필요한 원인이 되므로 ⓑ에는 인과 관계를 나타내는 접속어 '따라서'가 들어가는 것이 적절하다.

문화 · 예술

01 보이는 것이 전부가 아니다

p. 127

01 ① **02** ④ **03** ② **04** ② **05** ⑤

01 ㄱ. 직접 말하지 않고도 말하고자 하는 바를 드러내는 그림과 시의 표현법에 대해 (라)~(바)에서 송나라 휘종 황제와 관련된 그림 이야기를 예로 들어 설명하고 있다. 이렇듯 예시를 활용하여 설명을 하면 내용을 보다 쉽게 이해시킬 수 있다. ㄴ. (사)에서 '입상진의'라는 용어의 뜻을 풀이한 뒤 그림과 한시의 공통된 표현 방법에 대해 설명하고 있다.

02 이 글에서는 시와 그림은 표현 방법이 유사하므로 가까운 사이라고 하였다. 그러나 이 글에 화가가 시의 창작에도 뛰어나다는 내용은 없다.

✖오답 풀이 ① (나)와 (다)에서 시인과 화가는 하고 싶은 말을 직접적으로 표현하지 않음을 알 수 있다. 그리고 (아)의 '뛰어난 화가는 ~ 말하지 않으면서 다 말한다.'를 통해 그림과 시의 표현 원리가 유사함을 알 수 있다. ② (나)의 '한 편의 시를 읽는 것은 ~ 숨겨 둔 말을 찾아내는 일이다.'를 통해 알 수 있다. ③ (다)에서 '화가는 색채나 풍경의 표정을 통해 자신의 생각을 담는다.'라고 하였다. ⑤ (사)의 '시인은 결코 직접 말하지 않는다. 이미지를 통해서 말한다.'를 통해 확인할 수 있다.

03 젊은 화가의 그림은 '꽃향기'를 '나비 떼'로 형상화한 것이다. 이는 (사)의 '나비 떼라는 형상으로 ~ 충분히 전달할 수 있다는 것이다.'에서 확인할 수 있듯, 황제가 낸 그림의 제목을 잘 표현한 것이다. 따라서 황제에게 좋은 평가를 받았을 것으로 추측할 수 있다.

✖오답 풀이 ① 다른 화가들은 향기를 어떻게 그려야 할지 몰라 쩔쩔매고 있었는데 젊은 화가는 향기를 '나비 떼'로 표현하는 사고의 전환을 보였다. 그러므로 재치와 기발함으로 난제를 해결했다고 볼 수 있다. ③ 젊은 화가의 그림은 향기를 그린 것은 아니지만 '나비 떼'로 꽃향기를 표현했으므로 '그리지 않고 그린 그림'이라고 할 수 있다. ④ (사)의 '나비 떼라는 ~ 충분히 전달할 수 있다는 것이다.'를 통해 알 수 있듯, 젊은 화가의 그림은 '나비 떼'라는 형상으로 나타내려는 바인 '꽃향기'를 잘 표현했다고 볼 수 있다. ⑤ (사)의 "젊은 화가는 말을 따라가는 나비 떼로 ~ 한시에서는 '입상진의'라고 한다."를 통해 화가의 그림에 나타난 표현법이 한시의 표현 방법인 '입상진의'와 유사함을 알 수 있다.

04 ㉠은 '말하지 않으면서'와 '말한다'라는 상반된 의미가 동시에 쓰였다. 즉, 논리적으로는 이치에 맞지 않지만, 그 속에 진실을 담는 표현 방법인 역설법이 쓰인 것이다. ② 또한 '떠들썩하게 기세를 올려 지르는 소리'인 '아우성'을 '소리 없다'라고 표현하는 역설법이 쓰였다.

✖오답 풀이 ① '나'를 '찬밥'으로 비유한 직유법이 쓰였다. ③ '꽃이 피네'를 반복한 반복법이 쓰였다. ④ 원관념 '구름'을 연결어 없이 바로 보조 관념인 '장미'에 비유한 것으로 은유법이 쓰였다. ⑤ '갈대'가 '울고 있었다'라며 사물에 인격을 부여하여 사람처럼 표현하는 의인법이 쓰였다.

05 글쓴이는 (아)에서 그림과 시는 말하고자 하는 바를 숨겨 표현하고, 그 숨은 의미를 잘 찾는 것이 좋은 독자라고 이야기하였다. 따라서 그림이나 시의 주제를 잘 파악하는 방법에 대해 '화가가 그리지 않은 것까지 보고, 시인이 말하지 않은 것까지 들어야 한다.'라고 할 것이다.

02 지혜 담긴 집, 한옥

p. 129

01 ④ **02** ③ **03** ③ **04** ② **05** ③

01 이 글은 한옥의 각 구조가 갖는 특성과 그 효과를 중심으로 하여 한옥의 과학다움을 설명하는 설명문이다. 설명문의 목적은 객관적인 내용(①)을 바탕으로 한 정보 전달(⑤)이다. 따라서 대상에 대한 이해와 지식(③)을 토대로 한 사실적 정보가 글쓴이의 의견보다 중심(②)이 된다. 독자의 생각이나 행동의 변화를 촉구하는 글이라는 것은 글쓴이가 주장과 근거를 제시하며 독자를 설득하는 논설문에 해당하는 설명이다.

02 이 글은 처마나 방, 대청, 창과 문 등 한옥을 이루는 각 부분에 담긴 과학다움을 설명하고 있다. 이렇듯 대상을 개별 요소나 부분으로 나누어 설명하는 방식은 '분석'이다. ③ 역시 자동차를 이루는 엔진, 바퀴 등의 구성 요소별로 나누어 설명하고 있으므로 '분석'의 방식이 사용되었다.

✖오답 풀이 ① 명절 음식의 구체적인 예를 들고 있으므로 '예시'가 사용되었다. ② 시와 소설의 공통점을 설명하고 있으므로 '비교'가 사용되었다. ④ 희곡과 시나리오의 차이점을 드러내고 있으므로 '대조'가 사용되었다. ⑤ 지혜의 의미를 설명하고 있으므로 '정의'가 사용되었다.

03 (다)의 '특히 추운 겨울 ~ 방의 깊이를 얕게 짓는다.'를 통해 알 수 있듯 한옥은 햇빛의 양을 조절하기 위해 방의 깊이를 얕게 짓는다. 방의 깊이가 얕을수록 방의 끝까지 햇빛이 머무를 수 있기 때문이다.

✖오답 풀이 ① 햇빛의 양을 조절하기 위해 방의 깊이를 얕게 짓는다고 설명한 후 '대청도 마찬가지이다.'라고 하였다. 따라서 대청 역시 햇빛의 양을 조절하기 위해 얕게 짓는다는 것을 알 수 있다. ② '무려 6시간 동안 대청 가득 머물다 간 햇빛은 한옥에 온기를 더해 준다.'를 통해 겨울에는 대청에 햇빛이 오래 머물수록 난방의 효과가 커진다는 것을 알 수 있다. ④ '특히 추운 겨울 ~ 난방과 소독에도 도움을 준다.'를 통해 알 수 있다. ⑤ '하나는 처마를 적절히 돌출시키는 것이다. ~ 겨울에는 햇빛을 통과시킨다.'에서 알 수 있다.

04 (라)의 '집의 끝에서 끝까지 일직선으로 뚫려 있다. 바람에게 돌아 가라거나 쉬어 가라거나 꺾어 가라거나 하는 따위의 실례를 범하는 법이 절대 없다.'를 통해 알 수 있듯, 한옥은 바람길이 막히거나 꺾이지 않도록 창의 위치를 일직선으로 배치하였다.

✖오답 풀이 ① (라)의 '집의 끝에서 끝까지 일직선으로 뚫려 있다. ~ 따위의 실례를 범하는 법이 절대 없다.'를 통해 알 수 있듯, 한옥의 바람길에는 막힘이 없다. ③ (마)의 '창의 위치가 모두 일직선으로 놓여 있기 때문이다.'를 통해 알 수 있다. ④ (라)의 '한반도의 여름에는 남동풍이 ~ 여름을 위해 한옥에 남동 방향으로 바람길을 만들었다.'를 통해 알 수 있다. ⑤ (마)의 '또한 바람길은 하나가 아니다. ~ 십(十)자 구도를 기본으로 여러 개의 사선이 교차한다.'를 통해 바람길이 여러 개임을 알 수 있다.

05 이 글은 창, 처마, 방, 대청 등 한옥의 각 부분별 특성을 통해 한옥의 과학다움을 설명하고 있다. 따라서 ③의 질문에 대한 답은 이 글에 이미 나타나 있으므로 '더 알고 싶은 내용'으로 정리하는 것은 적절하지 않다.

✖오답 풀이 ① (다)에서 햇빛을 조절하기 위해 처마를 적절히 돌출시킨다고 했지만 처마를 얼마나 튀어나오게 하는 것이 적절한지는 나와 있지 않다. 따라서 '이해가 가지 않는 내용'으로 질문하기에 적절하다. ② (마)에서 바람길이 x축과 y축이 이루는 십(十)자 구도를 기본으로 여러 개의 사선이 교차한다고 했다. 그러나 x축과 y축에 대한 구체적인 설명이 없으므로 '이해가 가지 않는 내용'으로 질문할 수 있다. ④ 한옥의 과학적 측면이 현대 건축에 어떻게 응용되고 있는지는 이 글에 나타나 있지 않으므로 '더 알고 싶은 내용'으로 질문하기에 적절한 내용이다. ⑤ 글쓴이는 (바)에서 우리는 편리함만을 추구하지 말고 한옥에 담긴 조상의 지혜를 활용해야 한다고 당부하였다. 이를 통해 한옥이 현대인의 주거 형태로 계승되지 않은 이유가 생활에 불편한 점이 있기 때문이라고 볼 수 있으므로 한옥이 과학적임에도 불편하다는 사실을 한옥의 문제점으로 제기할 수 있다.

03 웹 만화

p. 131

01 ④ 02 ③ 03 ①

01 이 글은 출판 만화와의 대조를 통해 웹 만화의 특징을 설명하고 있다. 출판 만화와 웹 만화의 읽기 형식, 공간 및 색채 사용의 제약 여부를 중심으로 차이점이 두드러지게 나타난다.

✖오답 풀이 ① 이 글에 전문가의 의견은 나타나 있지 않다. ② 웹 만화가 갖는 특성이 표현력을 풍성하게 한다는 내용이 있지만 어떤 현상의 원인과 결과를 중심으로 내용을 전개하고 있는 글은 아니다. ③ 이 글에 설명 대상인 출판 만화와 웹 만화의 뜻과 의미를 정의하는 부분은 없다. ⑤ 사실을 바탕으로 정보를 전달하는 글로, 옳고 그름을 증명하는 내용은 없다.

02 (다)에서는 칸을 자유롭게 사용하는 웹 만화의 지면 활용과 관련된 특징을 설명하고 있다. 긴장감 유지가 가능한 것은 세로 읽기 형식에 따른 웹 만화의 특징으로, (나)에서 설명하고 있다.

✖오답 풀이 ① (가)는 웹이라는 새로운 통로를 거쳐 웹 만화가 등장하여 출판 만화와는 다른 자신만의 독창적인 성격으로 성장하고 있다는 내용이다. ② (나)에서는 웹 만화가 세로 읽기 형식을 취하여 독자의 흥미를 배가시키며 장면을 연속적으로 이어 볼 수 있어 긴장감을 지속적으로 유지해 나갈 수 있다고 설명하고 있다. ④ (라)에서 웹 만화는 출판 만화와 달리 색채를 사용해도 경제적 부담이 없기 때문에 자유롭게 필요한 색을 사용하는 것이 특징이라고 하였다. ⑤ (마)에서는 자유로운 색채 사용이 가능한 웹 만화는 시각적 효과를 극대화한 표현이 가능하다고 설명하고 있다.

03 (나)를 보면, '출판 만화는 한 편을 오른쪽에서 왼쪽으로 장을 넘겨 가며 읽는 책의 형식인 반면, 웹 만화는 마우스를 이용해 위에서 아래로 내려가며 읽는 형식을 취하고 있다.'라고 하였다. 즉, ㉠은 출판 만화가 아니라 웹 만화의 특징이다.

Ⅲ 문법

01 언어의 본질

개념 확인 문제 p. 134

1 ④ 2 사회성 3 ⑤ 4 창조성

1 '하늘'이라는 하나의 대상을 한국어에서는 '하늘[하늘]'이라고 표현하고, 영어에서는 'sky[스카이]'라고 다르게 표현하는 것은, 언어의 내용과 그것을 표현하는 형식 사이에 필연성이 없기 때문이다. 이는 언어의 본질 중 자의성과 관련된 예이다.

2 제시된 문장이 어색한 이유는 '눈'이라는 단어를 마음대로 '우산'이라고 바꾸어 표현했기 때문이다. 이와 관련 있는 언어의 본질은 사회성이다.

3 언어의 역사성이란, 언어가 시간의 흐름에 따라 변한다는 특성이다. 그러나 개인이 마음대로 단어를 바꿀 수 있다는 것은 아니다.

4 어린 동생이 한정된 단어를 사용하여 계속 문장을 만들어 냈다는 것은, 인간이 새로운 단어, 문장 등을 끝없이 창조할 수 있다는 언어의 창조성과 관련된다.

연습 문제 p. 135

01 ①-㉡, ②-㉠, ③-㉣, ④-㉢ 02 ① 창조성 ② 사회성 ③ 역사성 ④ 사회성 ⑤ 창조성 ⑥ 역사성 ⑦ 역사성 ⑧ 자의성 03 ①, ④, ⑤, ⑧ 04 ①, ⑤

실전 문제 p. 136~137

01 ② 02 ①, ③ 03 ② 04 ④ 05 ⑤ 06 ② 07 ④ 08 ②

01 ㉠ 언어가 나타내는 내용과 그것을 표현하는 형식의 관계는 필연적이지 않고 임의적이다. 이러한 언어의 특성을 자의성이라고 한다. ㉡ 언어는 시간의 흐름에 따라 사라지기도 하고 변하기도 하며, 새로운 말이 생겨나기도 한다. 이러한 언어의 특성을 역사성이라고 한다. ㉢ 언어는 사회 구성원들 사이의 약속이며, 따라서 개인이 마음대로 바꿀 수 없다. 이러한 언어의 특성을 사회성이라고 한다. ㉣ 인간은 새로운 단어나 문장을 끊임없이 만들어 낼 수 있다. 이러한 언어의 특성을 창조성이라고 한다.

02 ㉠에서 프랑스 사람들이 침대를 '리', 책상을 '타블', 그림을 '타블로', 의자를 '쉐즈'라고 하는 것은 언어가 나타내는 내용과 그것을 표현하는 형식 사이에는 필연적인 연관성이 없다는 언어의 자의성과 관련된 것이다. 또한 프랑스 사람들끼리 그 단어들을 서로 알아듣는다는 것은 언어는 그 언어를 사용하는 사람들 사이의 사회적 약속이라는 언어의 사회성과 관련된 것이다. '바다'를 한국어로는 [바다]라고 부르지만, 영어로는 'sea[씨]'라고 부른다는 점에서 '바다'를 꼭 [바다]라고 불러야 하는 것은 아님을 알 수 있다. 따라서 ①은 언어의 자의성과 관련된 예임을 알 수 있다. ③은 '자전거'를 '무지개'라고 마음대로 바꾸면 다른 사람들과의 의사소통이 어려워진다는 점에서 언어의 사회성과 관련된 예임을 알 수 있다.

✖오답 풀이 ② '불휘'라는 단어가 시간의 흐름에 따라 소리가 변해 '뿌리'로 바뀐 것이므로 언어의 역사성과 관련 있는 예이다. ④ '어리다'라는 단어의 의미가 시간의 흐름에 따라 '어리석다'에서 '나이가 적다'로 바뀐 것이므로 언어의 역사성과 관련 있는 예이다. ⑤ 춤을 이용해 꿀의 위치를 나타내는 꿀벌의 언어와 달리 한정된 음운이나 단어로 새로운 단어나 문장을 무한히 만들 수 있는 인간 언어의 특성은 창조성과 관련 있는 것이다.

03 '침대'를 '사진'이라고 부르지 않는 이유는, '침대'라는 대상을 '침대'라고 부르는 것은 사회적으로 약속된 것이고, '침대'를 '침대'라고 부를 때 언어로서의 구실을 할 수 있기 때문이다. 또한 '침대'를 '사진'이라고 부르는 것은 사회에서 인정한 것이 아니므로 '침대'를 '사진'이라고 부르면 다른 사람들과의 의사소통이 어려워진다. 외국인이 배우기 힘들다는 것은 '침대'를 '침대'라고 불러야 하는 이유와 관계가 없다.

04 이 글의 '남자'와 같이 언어의 사회성을 지키지 않으면 다른 사람들과 의사소통을 할 수 없어 결국 사회에서 고립될 것이다.

05 이 글은 닉에 의해 '펜' 대신 '프린들'이라는 말을 사용하는 열풍이 불고, 결국 '프린들'이 단어의 지위를 얻어 사전에 오르는 과정을 보여 주고 있다. ㉮는 [마], ㉯는 [라], ㉰는 [나], [다], ㉱는 [가]에 나타나 있다.

06 ㉠은 언어가 변화하는 것을 말하고 있으므로 역사성을, ㉡은 '프린들'이 사람들의 인정을 받아 언어로서의 구실을 하게 된 것을 말하고 있으므로 사회성을 나타낸다.

07 언어는 시간이 지남에 따라 새로운 말이 생겨나거나, 소리나 뜻이 달라지기도 하고, 이제까지 쓰이던 말이 사라지기도 한다. 이러한 특성을 언어의 역사성이라고 한다.

✖오답 풀이 ①은 언어의 사회성, ②는 언어의 창조성, ③은 언어의 자의성, ⑤는 언어의 사회성에 대한 설명이다.

08 〈보기〉에서는 내용과 형식의 관계가 필연적이지 않고, 임의적 · 자의적으로 이루어지는 언어의 자의성에 대해 설명하고 있다.

02 음운의 체계

개념 확인 문제 p. 138~139

1 ○ 2 음운 3 × 4 이중 모음 5 전설 모음 6 ① 7 × 8 ③ 9 입술 10 소리, 잇몸소리, 여린입천장소리 11 입술소리(순음) 12 ⑤ 13 ○ 14 × 15 비음 16 된소리(경음) 17 ②

연습 문제 p. 140~141

01 ① ㅂ, ㅏ, ㄹ, ㅅ, ㅗ, ㄹ, ㅣ ② ㅁ, ㅏ, ㄹ, ㅌ, ㅏ, ㄱ, ㅣ ③ ㅈ, ㅣ, ㅎ, ㅖ ④ ㅣ, ㄴ, ㅎ, ㅕ, ㅇ 02 ㅏ, ㅓ, ㅗ, ㅜ, ㅡ, ㅣ, ㅐ, ㅔ, ㅚ, ㅟ 03 ②, ④, ⑥, ⑦, ⑫, ⑬ 04 ⑤ 05 ②, ③, ⑤ 06 ①-㉠, ②-㉤, ③-㉣, ④-㉥, ⑤-㉡, ⑥-㉢ 07 ① 후설 ② 혀 ③ ㅡ ④ ㅔ ⑤ ㅗ ⑥ ㅏ 08 ①-㉡, ②-㉢, ③-㉣, ④-㉠, ⑤-㉤ 09 ③, ⑪, ⑭ 10 ①, ②, ③, ⑤ 11 ⑤ 12 ①, ③, ⑥ 13 ① 잇몸소리 ② 예사소리 ③ ㄲ ④ ㅍ ⑤ 파찰음 ⑥ ㅊ ⑦ 된소리 ⑧ 울림소리 ⑨ ㄴ ⑩ 유음

실전 문제 p. 142~143

01 ③ 02 ③ 03 ② 04 ① 05 ④ 06 ⑤ 07 ① 08 ③ 09 ④ 10 ⑤ 11 ③ 12 ④ 13 ③ 14 ④ 15 ⑤ 16 ① 17 ① 18 ②

01 '달'과 '돌'은 모음 하나의 차이로 뜻이 달라지고, '골'과 '볼'은 자음 하나의 차이로 뜻이 달라진 경우이다. 이처럼 음운은 자음과 모음 중 하나의 음운 차이로도 뜻이 달라질 수 있다.

✖오답 풀이 ① 우리말의 음운에는 자음 19개와 모음 21개가 있다. 참고로, 자음과 모음은 분절 음운이며 소리의 길이와 같은 비분절 음운도 있다. ② '감'은 'ㄱ', 'ㅏ', 'ㅁ' 3개의 음운으로 이루어졌다. ④ 음운끼리 결합해 다양한 말들을 만들 수 있다. ⑤ 말의 뜻을 구별해 주는 소리의 가장 작은 단위가 바로 음운이다.

02 목청의 울림 여부에 따라 자음을 구분할 경우, 'ㅁ'은 발음할 때 목청이 울리며 나는 소리이므로 '울림소리'에 해당한다. '입술소리'는 소리 나는 위치에 따른 분류이다.

03 〈보기〉는 울림소리 중 '유음'에 대한 설명이다. 여러 자음 중에서 유음은 'ㄹ'뿐이다. 따라서 유음이 사용된 글자는 '사람'이다.

04 제시된 단어들은 자음이 소리의 세기에 따라 '예사소리 – 된소리 – 거센소리'로 나타나면서 그 느낌이 점점 강해지고 있다.

05 〈보기〉의 '얄리얄리 얄랑셩 얄라리 얄라'는 소리 내어 읽으면 밝고 경쾌한 느낌이 난다. 이것은 울림소리 중 유음인 'ㄹ'이 사용되었기 때문이다.

06 'ㅣ'는 전설 모음이고, 'ㅡ'는 후설 모음이기 때문에 'ㅣ, ㅡ'를 차례로 발음하면 혀의 최고점이 앞쪽에서 뒤쪽으로 이동한다.

07 모음의 개수는 곧 글자의 개수이기도 하다. 〈보기〉의 문장에는 차례로 'ㅕ, ㅣ, ㅓ, ㅏ, ㅖ, ㅡ, ㅔ' 7개의 모음이 사용되었다.

08 자음은 소리 나는 위치가 아니라 소리를 낼 때 목청의 울림 여부에 따라 울림소리와 안울림소리로 나뉜다. 소리 나는 위치에 따라 자음을 나눌 때는 입술소리, 잇몸소리, 센입천장소리, 여린입천장소리, 목청소리로 나뉜다.

09 ①은 'ㄱ, ㅏ, ㅊ, ㅣ, ㄱ, ㅘ, ㄴ'의 7개, ②는 'ㄷ, ㅗ, ㅇ, ㅊ, ㅏ, ㅇ, ㅅ, ㅐ, ㅇ'의 9개, ③은 'ㅍ, ㅏ, ㄹ, ㅏ, ㅇ, ㅅ, ㅐ'의 7개, ④는 'ㅣ, ㄴ, ㄹ, ㅠ, ㅐ'의 5개, ⑤는 'ㅐ, ㄱ, ㅜ, ㄱ, ㄱ, ㅏ'의 6개이다. 따라서 음운의 수가 가장 적은 단어는 ④이다.

10 〈보기〉의 밑줄 친 단어에는 유음과 비음인 'ㄹ, ㅇ'이 들어 있는데, 이러한 울림소리는 밝고 경쾌하며 맑고 즐거운 느낌을 준다. 두 입술 사이에서 나는 소리는 입술소리인 'ㅁ, ㅂ, ㅃ, ㅍ'이다.

11 자음은 소리 나는 위치에 따라 입술소리, 잇몸소리, 센입천장소리, 여린입천장소리, 목청소리로 나눌 수 있다. 'ㅎ'은 목청소리이지만, 'ㄴ'은 잇몸소리에 해당한다.

12 'ㄱ, ㅇ, ㄲ, ㅋ'은 모두 여린입천장소리이고, 'ㅉ'은 혓바닥과 센입천장 사이에서 내는 소리인 센입천장소리이다.

13 모음은 발음할 때 혀의 높이에 따라 고모음, 중모음, 저모음으로 나누어진다. '고모음'은 입을 조금 벌리고 혀의 위치를 높여 발음하는 모음으로 'ㅜ, ㅟ, ㅡ, ㅣ'이다. '중모음'은 입을 보통으로 벌리고 혀의 높이를 중간으로 하여 발음하는 모음으로 'ㅓ, ㅔ, ㅗ, ㅚ'이다. '저모음'은 입을 크게 벌리고 혀의 위치를 낮춰 발음하는 모음으로 'ㅏ, ㅐ'이다. 따라서 입을 가장 크게 벌려야 하는 모음이 포함된 단어는 '나뭇가지'이다.

14 혀끝과 윗잇몸 사이에서 나는 소리에 해당하는 자음은 'ㄷ, ㄸ, ㅌ, ㅅ, ㅆ, ㄴ, ㄹ'이다. 이 중 된소리에 해당하는 것은 'ㄸ'과 'ㅆ'이다. 따라서 다빈이네 강아지의 이름은 '쏭이'이다.

15 여린입천장소리는 'ㄱ, ㄲ, ㅋ, ㅇ'이다. 〈보기〉에서 이

자음이 들어 있는 단어는 '기린, 나귀, 크낙새, 호랑이, 황조롱이, 고래, 까치'로 7개이다.

16 '미'는 자음 중 울림소리 가운데 비음이면서 입술소리인 'ㅁ'과 모음 중 고모음이며 평순 모음이자 전설 모음인 'ㅣ'가 결합된 것이다. 모음 'ㅣ'는 평순 모음이므로 입술을 둥글게 하지 않고 평평하게 하여 소리 내야 한다.

17 목청소리는 'ㅎ'이고, 혀 뒷부분에서 나는 소리로 입술 모양이 둥글지 않은 소리는 'ㅏ, ㅓ, ㅡ'이며, 여린입천장소리 중 예사소리는 'ㄱ'이다. 따라서 〈보기〉의 조건에 맞는 동물은 '학'이다.

18 자음 중 거센소리는 'ㅍ, ㅌ, ㅋ, ㅊ'이고, 저모음은 'ㅏ, ㅐ'이다. 따라서 거센소리와 저모음이 모두 나타나는 이름은 '김태형'이다.

03 품사의 종류와 특성

개념 확인 문제

p. 144~145

1 품사, 형태, 기능, 의미 2 ② 3 (1) 사과 (2) 내(나) (3) 다섯 4 ⑤ 5 넷, 첫째 6 ㉢, ㉤ 7 ① 8 ㉠ 부사 ㉡ 대명사 ㉢ 형용사 9 (1) ○ (2) × (3) ○ (4) × (5) ○ 10 ⑤

2 용언은 단어의 '기능'에 따른 분류이다. 명사, 부사, 동사, 감탄사는 단어의 '의미'에 따라 분류한 것이다.

3 '내'는 대명사 '나'가 문장에서 주어로 쓰일 때의 형태이다.

4 '우리'는 말하는 이를 포함한 여러 사람을 가리키는 인칭 대명사이다. '이쪽, 어디, 거기, 그것'은 사물이나 장소를 대신 가리키는 지시 대명사이다.

5 수량이나 순서를 나타내는 단어는 '넷'과 '첫째'이다. 나머지 '무엇'은 대명사, '것'은 의존 명사, '이분'은 대명사이다.

6 ㉢, ㉤의 기본형 '아름답다'와 '넓다'는 형용사이다. 형용사는 현재형, 명령형, 청유형으로 활용할 수 없다. '가다', '먹다', '놀다'는 모두 동사이므로 현재형, 명령형, 청유형으로 활용이 가능하다.

7 조사는 항상 체언 등의 앞말에 붙어서 사용된다. 조사는 형태가 변하지 않는 것이 일반적이나, 서술격 조사 '이다'는 형태가 변한다.

9 '몇'은 관형사, '이리'는 부사이다.

10 감탄사는 놀람, 부름, 대답 등을 나타내는 말이다. ⑤의 '예'는 '여기'의 줄임말로, 장소를 대신 표현하는 대명사이다. '어머나, 야, 아차, 응'은 모두 감탄사이다.

연습 문제

p. 146~147

01 ①, ②, ③, ⑧, ⑩, ⑪, ⑬, ⑮, ⑯, ⑱, ⑲ 02 ① 보통 명사 ② 보통 명사 ③ 고유 명사 ④ 보통 명사 ⑤ 보통 명사 ⑥ 보통 명사 ⑦ 고유 명사 ⑧ 보통 명사 ⑨ 고유 명사 03 ① 인칭 대명사 ② 지시 대명사 ③ 지시 대명사 ④ 지시 대명사 ⑤ 인칭 대명사 ⑥ 인칭 대명사 ⑦ 지시 대명사 ⑧ 지시 대명사 ⑨ 인칭 대명사 ⑩ 인칭 대명사 ⑪ 인칭 대명사 ⑫ 지시 대명사 04 ①, ②, ④, ⑤, ⑧ 05 ①–㉢, ②–㉣, ③–㉡, ④–㉠, ⑤–㉤ 06 ① × ② ○ ③ ○ ④ × ⑤ ○ 07 ① 명사, 대명사, 대명사 ② 대명사, 형용사 ③ 수사, 명사, 동사 08 ① 동사 ② 형용사 ③ 동사 ④ 형용사 ⑤ 형용사 ⑥ 동사 ⑦ 동사 ⑧ 형용사 ⑨ 형용사 ⑩ 동사 ⑪ 형용사 ⑫ 동사 ⑬ 형용사 ⑭ 동사 ⑮ 형용사 09 ③, ⑤ 10 ① ○ ② × ③ × ④ ○ 11 ① 대명사 ② 동사 ③ 형용사 ④ 체언 ⑤ 용언 ⑥ 감탄사

실전 문제

p. 148~149

01 ③	02 ②	03 ①	04 ⑤	05 ⑤	06 ②	07 ①
08 ④	09 ②	10 ③	11 ③	12 ①	13 ②	14 ⑤
15 ③	16 ③	17 ③	18 ②			

01 부사는 주로 용언(형용사, 동사)을 꾸며 준다.

✖오답 풀이 ①은 명사, ②는 수사, ④는 형용사, ⑤는 조사에 대한 설명이다.

02 '꽃'은 구체적인 대상을 가리키므로 구체 명사, 일반적인 사물을 가리키므로 보통 명사, 홀로 쓰일 수 있으므로 자립 명사에 해당한다.

03 ①의 '한'은 뒤의 '사람'을 꾸며 주는 관형사이다. 나머지는 수량이나 순서를 나타내는 수사이다. 일반적으로 단어 뒤에 조사가 오면 '수사', 뒤의 단어를 꾸며 주면 '관형사'이다.

04 '어머(감탄사), 꽃밭(명사)에(조사) 예쁜(형용사) 장미(명사)가(조사) 피었네(동사).'이므로 제시된 문장에 관형사는 쓰이지 않았다.

05 ⑤의 '컸다'는 기본형이 '크다'로, '크다'는 '동식물이 몸의 길이가 자라다.'라는 의미의 동사이다. 참고로, '철수는 키가 크다.'에서와 같이 '사람이나 사물의 외형적 길이, 넓이, 높이, 부피 따위가 보통 정도를 넘다.'라는 의미로 사용되는 '크다'는 형용사임에 주의해야 한다.

✖오답 풀이 ①~④의 밑줄 친 단어는 모두 상태 또는 성질을 나타내는 형용사이다.

06 다른 단어나 문장을 꾸미는 단어는 관형사와 부사이다. 제시된 문장에서 '설마, 정말'은 부사, '일'은 관형사이므로 모두 3개의 꾸미는 말이 사용되었다.

✖오답 풀이 ① 활용을 하는 단어는 동사인 '했니'이다. ③ 독립적으로 쓰이는 감탄사는 '참'이다. ④ 반드시 다른 말에 붙어 쓰이는 말은 조사이며 '가, 에서, 을'이 해당된다. ⑤ 이름을 나타내는 단어는 명사로, '경수(고유 명사), 높이뛰기(보통 명사), 등(의존 명사)'이 사용되었다.

07 체언은 '명사, 대명사, 수사'를 묶어서 부르는 말로, 관형사나 부사의 꾸밈을 받는다. 그러나 체언이 항상 관형사나 부사의 꾸밈을 받아야 되는 것은 아니다. 체언은 관형사나 부사의 꾸밈이 없어도 문장에 쓰일 수 있다.

08 〈보기〉의 내용은 수식언의 특징으로, 부사와 관형사가 이에 해당한다. 제시된 문장에서 수식언에 해당하는 것은 부사인 '매우'이다.

✖오답 풀이 ① 대명사(체언) ② 명사(체언) ③ 조사(관계언) ⑤ 형용사(용언)

09 〈보기〉의 문장에 사용된 대명사는 '네(너)', '그것', '무엇'의 3개이다. '네'는 대명사 '너'에 조사 '가'가 붙을 때의 형태이다.

10 〈보기〉의 두 문장은 '대휘', '강아지', '좋아한다'로 이루어져 있으나 조사 '가'와 '를'이 어디에 붙느냐에 따라 주어와 목적어가 달라져 문장의 의미가 다르게 나타나고 있다. 이를 통해 체언에 붙는 조사에 따라 단어 간의 문법적인 관계가 달라짐을 알 수 있다.

11 '처음'은 명사이고, '첫'은 관형사이다. 명사와 관형사는 문장에서 쓰일 때 형태가 변하지 않는 불변어이다.

12 동사와 형용사는 부사의 꾸밈을 받는다. 관형사는 체언(명사, 대명사, 수사)을 꾸민다.

13 '입다, 아름답다'는 문장에서 사용될 때 형태가 변하는 가변어이며, '비행기, 우리, 매우, 헌'은 형태가 변하지 않는 불변어이다.

✖오답 풀이 ① '입다, 아름답다, 비행기, 우리, 매우, 헌'은 모두 자립적으로 쓰이는 단어이다. ③ '기능'에 따라 분류할 경우 '입다, 아름답다'는 용언, '비행기, 우리'는 체언, '매우, 헌'은 수식언으로 총 세 갈래이다. ④ '의미'에 따른 분류로 볼 때, '입다'는 동사, '아름답다'는 형용사, '비행기'는 명사, '우리'는 대명사, '매우'는 부사, '헌'은 관형사로 모두 다른 품사이다. ⑤ 관형사인 '헌'은 조사가 붙을 수 없다.

14 수식언에 속하는 품사는 부사와 관형사이다. ⑤는 '깔깔깔(부사) / 웃는(동사) / 소리(명사) / 에(조사) / 깜박(부사) / 들었던(동사) / 잠(명사) / 이(조사) / 깼다(동사)'로 분석되므로, 수식언 중에서 부사만 나타나고 관형사는 쓰이지 않았다.

✖오답 풀이 ① '이'(관형사), '매우'(부사) ② '어느'(관형사), '갑자기'(부사) ③ '새'(관형사), '바싹'(부사) ④ '온갖'(관형사), '몹시'(부사)

15 〈보기〉의 문장에서는 관형사나 부사와 같은 수식언은 나타나지 않는다. 〈보기〉의 문장은 '우와(감탄사) / 민수(명사) / 가(조사) / 상수(명사) / 보다(조사) / 키(명사) / 가(조사) / 크구나(형용사)'로 분석할 수 있다. 여기서 감탄사는 독립언에, 명사는 체언에, 조사는 관계언에, 형용사는 용언에 속한다.

16 독립언은 놀람, 반가움 등의 감정이나 부름, 대답을 나타내는 감탄사를 지칭한다. ㉢의 '그러면'은 부사에 해당하므로, ㉢에 독립언(감탄사)은 사용되지 않았다.

17 감탄사는 놀람, 부름, 느낌, 대답 등을 나타내는 품사이다. '민희야'는 부름의 감탄사가 아니라 명사 '민희'에 호격 조사 '야'가 붙어서 이루어진 말이다.

18 단어는 형태 변화 여부에 따라 가변어와 불변어로 품사를 분류할 수 있다. ②의 '헌'은 관형사로, 형태가 변하지 않는 불변어에 속한다.

✖오답 풀이 ① '아름다운(아름답다)'은 형용사, ③ '달린다(달리다)'는 동사, ④ '자는(자다)'은 동사, ⑤ '내릴까(내리다)'는 동사로, 모두 가변어에 해당한다.

04 어휘 체계와 양상

개념 확인 문제

p. 150~151

1 × 2 ○ 3 ○ 4 ④ 5 외래어 6 한자어 7 지역 방언 8 표준어 9 ○ 10 × 11 은어 12 유행어 13 ④ 14 ② 15 잠들다

13 사투리는 지역 방언에 해당한다.

14 '눈이 크다.'는 사전적 의미 그대로를 나타내므로 관용어가 아니다. / ① '머리가 굳다.'는 '사고방식이나 사상 따위가 완고하다.'라는 의미의 관용어이다. ③ '간이 붓다.'는 '지나치게 대담하다.'라는 의미의 관용어이다. ④ '손을 씻다.'는 '부정적인 일이나 찜찜한 일에 대하여 관계를 청산하다.'라는 의미의 관용어이다. ⑤ '목이 빠지게 기다리다.'는 '몹시 안타깝게 기다리다.'라는 의미의 관용어이다.

15 '잠드신'의 기본형 '잠들다'는 '죽다'를 대신하여 사용한 완곡어이다.

연습 문제 p. 152~153

01 ③, ⑥, ⑦ 02 ① 한자어 ② 외래어 ③ 고유어 ④ 한자어 ⑤ 한자어 ⑥ 외래어 ⑦ 고유어 ⑧ 외래어 ⑨ 한자어 ⑩ 고유어 ⑪ 외래어 ⑫ 외래어 03 ②, ③, ⑤ 04 ①-㉡, ②-㉢, ③-㉠ 05 ②, ③, ⑥, ⑦, ⑨, ⑩ 06 ① 지역 방언 ② 사회 방언 ③ 사회 방언 ④ 지역 방언 ⑤ 사회 방언 ⑥ 사회 방언 07 ①-㉡, ②-㉣, ③-㉠, ④-㉢ 08 ①-㉥, ②-㉣, ③-㉠, ④-㉢, ⑤-㉤, ⑥-㉡ 09 ① × ② ○ ③ ○ ④ ○ ⑤ × ⑥ × ⑦ ○ 10 ① 전문어 ② 전문어 ③ 은어 ④ 은어 ⑤ 전문어 ⑥ 은어 ⑦ 은어 ⑧ 전문어 ⑨ 전문어 ⑩ 은어 ⑪ 은어 ⑫ 전문어 11 ①-㉢, ②-㉡, ③-㉣, ④-㉠ 12 ⑤

01 '빵'은 포르투갈어 'pão(팡)'에서 온 말이다.

05 '망토'와 '콩트'는 프랑스어에서 온 말이다.

실전 문제 p. 154~155

01 ③ 02 ④ 03 ⑤ 04 ③ 05 ② 06 ④ 07 ② 08 ⑤ 09 ⑤ 10 ⑤ 11 ④ 12 ①, ⑤ 13 ① 14 ③ 15 ⑤

01 대중교통 중 하나인 '버스(bus)'는 우리말처럼 쓰이는 외래어이며, 나머지는 모두 고유어이다.

02 '김밥, 떡볶이'는 고유어, '소면, 백미'는 한자어, '라면, 피자'는 외래어이다.

✖오답 풀이 ① '오늘'은 고유어, '내일, 지금, 과거, 시간'은 모두 한자어이다. ② '빨강, 파랑, 검정'은 고유어, '초록'은 한자어, '컬러'는 외래어이다. ③ '포수, 야수'는 한자어, '피처, 배트, 베이스볼'은 외래어이다. ⑤ '치마, 바지'는 고유어, '체육복, 운동복'은 한자어, '슬랙스, 스커트'는 외래어이다.

03 지역 방언은 표준어와 다른 차원에서 문화적으로 가치가 있으며 지역 방언을 적절히 사용할 경우 친밀감과 유대감을 높일 수 있으므로 꼭 필요한 때에만 사용하도록 해야 하는 것은 아니다.

04 전문어는 전문 분야에서 특별한 의미로 사용되므로, 일상적인 대화에서는 잘 사용되지 않는다.

✖오답 풀이 ①, ⑤ 유행어 ②, ④ 은어

05 이 글은 법원의 판결문으로, 전문어가 주로 사용되었다.

✖오답 풀이 ① 비속어 ③ 은어 ④, ⑤ 유행어

06 전문어는 전문 분야의 학술 · 기술적 교류를 통해 들어오는 경우가 많기 때문에 외국어나 외래어, 한자어를 그대로 사용하는 경향이 있다.

07 통신 언어는 통신상에서 사용되는 언어로 전문어가 아니라 은어, 혹은 유행어의 일종이다.

08 전문어, 유행어, 은어를 무분별하게 사용했을 때에는 의사소통에 방해가 되지만, 이를 효과적으로 사용했을 때에는 언어생활을 풍요롭게 할 수 있다.

09 '비대부 좌창'은 의학 분야의 전문어이다. 전문어는 뜻이 정밀하고 다의성이 적기 때문에 업무의 효율성을 높여 주지만 일반인들에게 사용하면 의사소통에 어려움이 생길 수 있으므로 전문어를 잘 모르는 사람과 대화할 때는 가능한 쉽게 풀어서 사용해야 한다. ⑤는 유행어에 대한 내용이다.

10 〈보기〉는 상인들이 사용하는 은어이다. 은어를 사용하면 소속 구성원 사이에 소속감과 친밀감, 강한 동료 의식 등을 형성할 수 있다.

11 〈보기〉는 은어에 대한 설명이고, '땡물건'은 '재고를 모아 싸게 파는 물건'을 뜻하는 상인들의 은어이다.

✖오답 풀이 ①, ⑤ '훈남'은 '아주 잘생기지는 않았지만 외모 이외의 매력으로 보는 사람의 마음을 훈훈하게 하는 남자'라는 뜻의 유행어이고, '이태백'은 '이십 대의 태반이 백수'라는 뜻의 유행어이다. ②, ③ '백업(back-up)'은 '데이터 손실에 대비한 파일 복사'를, '늑막염'은 '가슴막에 생기는 염증'을 의미하는 전문어이다.

12 '담탱이(담임)', '범생이(모범생)'는 은어, '당근이지(당연하지)', '얼짱(얼굴이 다른 사람들보다 뛰어나게 잘생겼거나 예쁜 사람)', '안습(안구에 습기가 차다 – 안타깝거나 불쌍하여 눈물이 난다)'은 유행어이다.

13 〈보기〉는 유행어에 대한 설명이다. '항소'는 '재판에서 판결에 불복하여 상소함.'이라는 뜻의 전문어이다.

✖오답 풀이 ② '몸짱'은 '몸이 다른 사람들보다 뛰어나게 좋은 사람', ③ '급식체'는 '주로 청소년들 사이에서 유행하는 말하기 방식', ④ '완소남'은 '완전 소중한 남자', ⑤ '경단녀'는 '경력 단절 여성'을 뜻하는 유행어이다.

14 〈보기〉에 나타난 유행어 '흙수저, 금수저, 다이아몬드 수저'는 부모의 경제력이 이후 세대의 삶에 결정적 영향을 끼치는 사회 현상을 나타내는 말이다. '탕진잼'은 '소소하게 낭비하며 느끼는 재미'를 의미하는 유행어로, 모아 봐야 얼마 되지 않으니 소소하게 소비하는 재미라도 누리자는 의식을 드러내는 말이다. 이러한 유행어는 한국 젊은이들이 겪고 있는 경제적 어려움과 그것이 극복될 미래가 보이지 않는 현실을 반영한 것이라고 볼 수 있다.

15 전문어와 은어는 특정 분야나 집단에서 사용하므로, 관련된 사람이 아니면 의미를 이해하기 힘들다.

✖오답 풀이 ①, ② 유행어에 해당하는 설명이다. ③ 외국어를 사용하는 것은 전문어이다. ④ 전문어와 은어는 일반 사람들이 아닌 특정 분야나 직업의 사람들이 사용한다.

05 단어의 정확한 발음과 표기

개념 확인 문제

p. 156~157

1 합리성 2 단모음, 이중 모음 3 ○ 4 × 5 ㄱ, ㄴ, ㄷ, ㄹ, ㅁ, ㅂ, ㅇ 6 (1) × (2) ○ (3) ○ (4) × (5) × (6) ○ 7 (1) 달기 (2) 절머 (3) 홀꼬 (4) 묵찌 (5) 발바 (6) 업:찌 8 ㅋ, ㅌ, ㅊ 9 (1) 머키다 (2) 노코 (3) 알코 (4) 싼는 (5) 아라 (6) 이팍 10 × 11 접미사 12 겹받침 13 ○ 14 (1) 발블 (2) 외골쓰로 (3) 꼬다래 (4) 여덜비 (5) 목씨 (6) 갑쎄

연습 문제

p. 158~159

01 ㅏ, ㅓ, ㅗ, ㅜ, ㅡ, ㅣ, ㅐ, ㅔ, ㅚ, ㅟ 02 ① 무니 ② 예:의 ③ 하니바람 ④ 의사 ⑤ 히미하다 ⑥ 다처 ⑦ 티우다 ⑧ 비:례 03 ①, ④, ⑦, ⑧ 04 ① ○ ② ○ ③ ○ ④ × ⑤ ○ ⑥ × ⑦ ○ 05 ①-㉠, ②-㉥, ③-㉥, ④-㉤, ⑤-㉣, ⑥-㉣ 06 ① 꼳 ② 쫀따 ③ 밥쏘 ④ 막씀니다 ⑤ 맏따 ⑥ 얄꼬 ⑦ 점꼬 ⑧ 넙쭈카다 07 ①, ③, ⑥, ⑧, ⑭, ⑯, ⑱ 08 ②, ③, ⑤, ⑧, ⑨ 09 ① ○ ② ○ ③ × ④ ○ ⑤ × ⑥ × ⑦ ○ ⑧ ○ ⑨ × ⑩ ○ ⑪ ○ 10 ① 올믄 ② 갑쎄 ③ 업쓰면 ④ 바다래 ⑤ 바틀 ⑥ 가버치 ⑦ 흑꽈 ⑧ 허두슴 ⑨ 너겁따 ⑩ 다가페 11 ① 꼬니픈 ② 하넙씨 ③ 꼳따발 ④ 암마당 ⑤ 일키는

실전 문제

p. 160~161

01 ④ 02 ① 03 ③ 04 ⑤ 05 ⑤ 06 ② 07 ⑤ 08 ③ 09 ② 10 ① 11 ② 12 ①

01 서울말을 표준어로 정한 것은 서울이 정치, 경제, 사회, 문화 등의 중심지인 만큼 영향력이 크고 보급이 쉬운 이점이 있기 때문이지, 서울말이 다른 지역 방언보다 언어적으로 우월해서가 아니다.

02 표준어 사정 원칙에 따르면 표준어는 교양 있는 사람들이 두루 쓰는 현대 서울말로 정한다고 하였다. '뫼'와 '가람'은 현대에는 사용되지 않는 옛말이기 때문에 표준어가 될 수 없다.

03 '무우'는 준말인 '무'가 표준어이다.

04 양성 모음이 음성 모음으로 바뀌어 굳어진 단어는 음성 모음 형태를 표준어로 삼는다는 규정에 따라 '깡충깡충'이 표준어이다.

05 겹받침 'ㄺ'은 음절 끝과 자음 앞에서 [ㄱ]으로 발음해야 한다. 따라서 '읽다가'의 'ㄺ'은 자음 'ㄷ' 앞에서 [ㄱ]으로 발음해야 하므로, [익따가]가 맞는 발음이다.

06 표준 발음법 제20항에 따르면 'ㄴ'은 'ㄹ'의 앞이나 뒤에서 [ㄹ]로 발음한다. '물난리'는 'ㄴ'의 앞과 뒤에 각각 'ㄹ'이 있으므로 모두 [ㄹ]로 발음해야 한다. 따라서 [물랄리]가 맞는 발음이다.

07 받침소리로는 'ㄱ, ㄴ, ㄷ, ㄹ, ㅁ, ㅂ, ㅇ'의 7개 자음만 발음하므로 '꽃다발'은 음절의 끝에 오는 'ㅊ'이 'ㄷ'으로 바뀌어야 한다. 그리고 뒤에 연결되는 'ㄷ'은 된소리로 발음해야 하므로, [꼳따발]이 맞는 발음이다.

08 ⓐ의 '의'는 조사이므로 ㉢에 따라 [ㅔ]로 발음함도 허용하고, ⓑ의 '희'는 자음을 첫소리로 가지고 있는 음절의 'ㅢ'이므로 ㉠에 따라 [ㅣ]로 발음해야 한다. 그리고 ⓒ의 '의'는 제5항에 따라 이중 모음으로 발음해야 하며, ⓓ의 '의'는 단어의 첫음절 이외의 '의'이므로 ㉡에 따라 [ㅣ]로 발음함도 허용한다.

09 '입학'은 받침 'ㅂ' 뒤에 'ㅎ'이 결합하는 경우이므로 두 음을 합쳐서 [ㅍ]으로 발음해야 한다. 따라서 [입팍]이 아니라 [이팍]이 맞는 발음이다.

✖오답 풀이 ① '많던'은 'ㄶ' 뒤에 'ㄷ'이 결합되는 경우이므로 뒤 음절 첫소리와 합쳐서 [ㅌ]으로 발음해야 한다. 따라서 [만:턴]이 맞다. ③ '놓는'은 'ㅎ' 뒤에 'ㄴ'이 결합되는 경우이므로 [ㄴ]으로 발음해야 한다. ④ '끓네'는 'ㅀ' 뒤에 'ㄴ'이 결합되는 경우이므로 'ㅎ'을 발음하지 않아야 한다. 따라서 [끌네]가 되어야 하는데 이후 뒤의 'ㄴ'이 'ㄹ'의 영향을 받아 [ㄹ]로 소리 나므로 [끌레]가 맞는 발음이다. ⑤ '끊은'은 'ㄶ' 뒤에 모음으로 시작된 어미가 결합되는 경우이므로 'ㅎ'을 발음하지 않아야 한다. 그리고 'ㄴ'은 뒤 음절의 첫소리로 소리 나므로 [끄는]이 맞는 발음이다.

10 '깎아'의 'ㄲ'은 쌍받침이고 모음으로 시작된 어미 '-아'와 결합되는 경우이므로 제13항의 규정에 따라야 한다. 따라서 '깎아'는 쌍받침 'ㄲ'을 제 음가대로 뒤 음절의 첫소리로 옮겨 [까까]로 발음해야 한다.

✖오답 풀이 ②, ③ '읊어'와 '여덟을'은 제14항에 따라 [을퍼], [여덜블]로 발음해야 한다. ④, ⑤ '덮이다'와 '부엌이'는 제13항에 따라 [더피다], [부어키]로 발음해야 한다.

11 '밟아'는 [발바]가 맞는 발음이다. 그러나 '밟아'는 겹받침 'ㄼ' 뒤에 모음으로 시작하는 어미 '-아'가 연결되는 경우이므로 홑받침이나 쌍받침의 경우에 해당하는 제13항의 적용을 받는 단어가 아니다.

✖오답 풀이 ① '옷이'는 홑받침 'ㅅ'이 모음으로 시작된 조사와 결합되는 경우이므로 제13항에 따라 받침을 제 음가대로

뒤 음절 첫소리로 옮겨 [오시]로 발음해야 한다. ③ '웃는다'는 'ㄴ' 앞에서 'ㄷ(ㅅ)'을 [ㄴ]으로 발음한다는 제18항에 따라 [운는다]로 발음해야 한다. ④ '낚다'는 제8항과 제23항에 따라 [낙다] → [낙따]로 발음해야 한다. ⑤ '꽃밭'은 제8항에 따라 받침소리 'ㅊ'과 'ㅌ'을 [ㄷ]으로 발음해야 하고, 제23항에 따라 그 뒤에 연결되는 'ㅂ'을 된소리로 발음해 [꼳빧]으로 발음해야 한다.

12 '읽고'는 겹받침 'ㄺ'이 'ㄱ' 앞에 사용된 경우이다. 일반적으로 겹받침 'ㄺ'은 어말 또는 자음 앞에서 [ㄱ]으로 발음하지만 용언의 어간 말음 'ㄺ'은 'ㄱ' 앞에서 [ㄹ]로 발음한다. 따라서 '읽고'는 [일꼬]가 맞는 발음이다.

06 문장의 짜임

개념 확인 문제 p.162~163

1 주성분 2 × 3 (1) 사과를 (2) 바다를 (3) 얼굴을 4 관형어 5 × 6 홑문장 7 안은문장 8 ○ 9 이어진문장 10 대등하게 이어진 문장 11 ○ 12 ③ 13 안긴문장 14 ○ 15 ×

연습 문제 p.164~165

01 ① 얼음이 ② 그는 ③ 사람들이 ④ 기분이 02 ① 독립어 ② 부사어 ③ 보어 ④ 목적어 ⑤ 서술어 ⑥ 관형어 ⑦ 부사어 03 ①, ③, ⑤ 04 ②, ③, ④ 05 ①, ④, ⑤, ⑥ 06 해설 참조 07 ③, ⑤ 08 ① ○ ② ○ ③ × ④ ○ ⑤ ○ ⑥ × ⑦ × 09 해설 참조

06 ① 영철이는 국어를 좋아하지만 과학을 싫어한다. ② 재환이는 항상 기타를 치거나 노래를 부른다. ③ 비가 많이 내려서 강물이 넘쳤다. ④ 길이 미끄럽더라도 우리는 산에 갈 것이다. ⑤ 지원이가 선물을 사려고 백화점에 간다.

09 ① 농부는 농사가 잘되기를 바란다. ② 그는 이 그림을 그린 화가의 전시회에 갔다. ③ 남준이는 발에 땀이 나도록 하루 종일 걸었다.

실전 문제 p.166~167

01 ③ 02 ② 03 ② 04 ① 05 ③ 06 ④ 07 ④ 08 ⑤ 09 ④ 10 ③ 11 ① 12 ③ 13 ⑤ 14 ① 15 ③ 16 ⑤ 17 ① 18 ②

01 '아버지께서 학교에 오셨다.'는 주어('아버지께서')와 서술어('오셨다')의 관계가 한 번만 나타나는 문장이다.

✖오답 풀이 ① 대등하게 이어진 문장 ② 관형절('어제 산')을 안은 문장 ④ 명사절('우리가 옳았음')을 안은 문장 ⑤ 종속적으로 이어진 문장

02 ②는 '구름 한 점 없다.'라는 문장이 '하늘이 파랗다.'라는 문장에 부사절로 안긴 문장이다. 나머지는 모두 주어와 서술어의 관계가 한 번만 나타나는 홑문장이다.

03 겹문장은 둘 이상의 홑문장이 결합한 문장으로, 주어와 서술어의 관계가 두 번 이상 이루어진다. 제시된 문장은 '용돈이(주어)+올라서(서술어)'와 '나는(주어)+기쁘다(서술어)'처럼 주어와 서술어의 관계가 두 번 나타난다. '정말'은 부사어로 겹문장을 이루게 된 조건과는 관련이 없다.

04 '정민이는 얼굴이 빨개졌다.'는 서술절 '얼굴이 빨개졌다'를 안은 문장이다.

✖오답 풀이 ②, ⑤ 종속적으로 이어진 문장이다. ③, ④ 대등하게 이어진 문장이다.

05 ③은 종속적으로 이어진 문장이고, 나머지는 대등하게 이어진 문장이다.

06 '재주는 곰이 넘고 돈은 주인이 받는다.'는 '재주는 곰이 넘는다.'와 '돈은 주인이 받는다.'라는 문장이 대등하게 이어진 문장이다. 따라서 ㉠에 들어갈 예문으로 적절하다.

✖오답 풀이 ① 관형절을 안은 문장이다. ② 명사절을 안은 문장이다. ③, ⑤ 홑문장이다.

07 '가을이 되면 낙엽이 떨어진다.'의 '-(으)면'은 조건의 의미 관계를 갖는 연결 어미이다.

08 한 문장이 주어와 서술어의 구조를 지닌 다른 문장을 하나의 성분으로 안고 있는 것을 안은문장이라고 한다. 그러나 제시된 문장은 두 홑문장이 종속적으로 이어져 있는 문장이다.

✖오답 풀이 ①, ④ 제시된 문장은 '주어('학생이') + 서술어('없다')', '주어('학교도') + 서술어('없다')'처럼 주어와 서술어의 관계가 두 번 나타나는 문장이다. 따라서 '학생이 없다.'와 '학교도 없다.'라는 두 개의 홑문장으로 나눌 수 있다. ②, ③ '학생이 없다.'가 '학교도 없다.'의 조건이 되면서 두 문장이 종속적으로 이어지고 있다.

09 ④는 '그는 노란 옷을 입었다.'와 '그녀는 녹색 옷을 입었다.'라는 두 홑문장이 나열의 관계로 대등하게 이어진 문장이다.

✖오답 풀이 ① 앞 절이 의도의 의미를 갖는 종속적으로 이어진 문장이다. ②, ③ 앞 절이 원인 · 이유의 의미를 갖는 종속적으로 이어진 문장이다. ⑤ 앞 절이 조건의 의미를 갖는 종속적으로 이어진 문장이다.

10 '해돋이를 보려고 아침 일찍 일어났다.'의 '-려고'는 앞 문장이 뒤 문장의 '의도 · 목적'이 되도록 연결하고 있다.

11 '안긴문장'이란, 홑문장이 전체의 문장에서 하나의 성분으로 사용되는 경우를 말한다. 이때, 안긴문장을 포함한 전체의 문장을 '안은문장'이라고 한다. 〈보기〉의 문장에서 '현정이가 아픈'은 뒤에 오는 '사실'을 꾸며 주는 관형어의 역할을 한다. 따라서 〈보기〉의 안긴문장은 관형절인 '현정이가 아픈'이다.

12 ③의 '머리가 좋다'는 서술절로 안긴 문장이다. 나머지는 모두 안긴문장이 명사절이다.

✖오답 풀이 ① '그가 발명가였음'이라는 명사절이 주어의 역할을 하고 있다. ② '주희가 고향에 가기'라는 명사절이 주어의 역할을 하고 있다. ④ '비가 멈추기'라는 명사절이 목적어의 역할을 하고 있다. ⑤ '그가 정당했음'이라는 명사절이 목적어의 역할을 하고 있다.

13 '-면'은 앞 절과 뒤 절을 '조건'의 관계로 연결하는 어미이다.

14 〈보기〉는 '세라는 시험공부를 했다.'와 '세라는 밤을 새웠다.'가 종속적으로 이어진 문장이다. '바람이 불자 낙엽이 떨어졌다.' 역시 '바람이 분다.'와 '낙엽이 떨어졌다.'가 종속적으로 이어진 문장이다.

✖오답 풀이 ② 관형절('송연이가 읽던')을 안은 문장이다. ③ 명사절('엄마가 오시기')을 안은 문장이다. ④ 부사절('인사도 없이')을 안은 문장이다. ⑤ '가을이 왔다.'와 '날씨는 아직 덥다.'가 대등하게 이어진 문장이다.

15 '먹구름이 잔뜩 끼었지만 비는 오지 않았다.'는 '먹구름이 잔뜩 끼었다.'와 '비는 오지 않았다.'라는 두 홑문장이 대등하게 이어진 문장이다.

✖오답 풀이 ① 종속적으로 이어진 문장이다. ② 명사절을 안은 문장이다. ④ 대등하게 이어진 문장이다. ⑤ 관형절을 안은 문장이다.

16 제시된 문장은 안긴문장인 "집에 누가 있느냐?"라는 말에 '라고'라는 조사를 붙여서 직접 인용하고 있다.

17 제시된 문장은 '그는 노래를 잘 불렀다.'가 '노래를 잘 불렀던'의 형태로 안은문장의 주어 '그는'을 꾸며 주는 관형어의 기능을 하고 있다. 따라서 〈보기〉의 문장은 관형절을 안은 문장이다.

18 〈보기〉의 ㉠, ㉡, ㉤은 안은문장이고 ㉢, ㉣은 이어진 문장이다. ㉡의 '흔적도 없이'는 '사라졌다'를 수식하는 부사절이므로 ㉡은 부사절을 안은 문장이다.

✖오답 풀이 ① ㉠은 '엉덩이가 빨갛다'라는 서술절을 안은 문장이다. ③ ㉢은 '지수는 착하다.'와 '지수는 친구를 잘 아껴 준다.'라는 두 홑문장이 대등하게 이어진 문장이다. ④ ㉣은 '날이 어두워지다.'와 '하늘에는 달이 뜬다.'라는 두 홑문장이 종속적으로 이어진 문장이다. ⑤ ㉤은 '동생이 집에 왔다'가 간접 인용의 형태로 안긴 문장이다.

07 담화의 개념과 특성

개념 확인 문제

p. 168

1 담화　2 맥락　3 ④　4 ○　5 사회 · 문화적 맥락　6 호소 담화　7 ×　8 간접 발화

연습 문제

p. 169

01 ①, ④, ⑤, ⑦, ⑧, ⑨　02 ⑤, ⑥　03 ④　04 ① ○ ② × ③ × ④ ○ ⑤ ○　05 ①-㉡, ②-㉢, ③-㉠, ④-㉣

02 담화에 직접적으로 개입하는 맥락은 상황 맥락이다. 그리고 사회 · 문화적 맥락은 담화에 간접적으로 영향을 주는 요소이다.

실전 문제

p. 170~171

01 ④　02 ③　03 ③　04 ②　05 ⑤　06 ④　07 ⑤　08 ③　09 ⑤　10 ⑤　11 ⑤　12 ④　13 ②

01 대화가 효과적으로 이루어지기 위해서는 상대방의 처지와 입장을 고려하며 말해야 한다. 상대방을 고려하지 않고 자신의 입장만을 중심으로 대화를 할 경우 원활한 대화가 이루어지지 않을 수 있다.

02 약속 담화는 일정한 행위에 대한 약속으로 '맹세, 계약서, 선서' 등으로 나타난다.

✖오답 풀이 ① 새로운 사태를 불러일으키는 역할을 하는 것은 '선언 담화'이다. ② 상대방의 마음을 움직이는 역할을 하는 것은 '호소 담화'이다. ④ 정보와 지식을 전달하는 역할을 하는 것은 '정보 제공 담화'이다. ⑤ 상대에 대한 친근감, 감사의 심리를 표현하는 것은 '사교 담화'이다.

03 학생이 수업 시간에 창밖을 본다는 것은 수업을 제대로 듣고 있지 않은 상황이라고 할 수 있다. 따라서 선생님은 창밖을 보고 있는 학생에게 수업에 집중하라는 의미로 "너 지금 뭐하고 있니?"라는 말을 한 것이다.

04 ⓐ는 축구 시합을 하는 선수들을 응원하고 격려하는 의미의 말이며, ⓑ는 숙제를 안 하는 아들을 책망하고 비난하는 의미를 담고 있다.

05 ⑤에서 승기는 약속에 늦은 상대방을 질책하려는 의도로 시간을 묻고 있다. 그런데 성재는 이러한 의도를 파악하지 못하고 승기가 단순히 시간을 묻는 것이라고 생각해 답하고 있다. 이것은 상황 맥락으로 인해 의미의 차이가 생기는 경우이다.

✖오답 풀이 ①, ③, ④ 세대로 인한 사회 · 문화적 맥락 차이를 보여 준다. ② 문화로 인한 사회 · 문화적 맥락 차이를 보여 준다.

06 [가]에서 누나는 거실에서 동생이 보는 영화가 재미있는지를 물어보고 있으며, [나]에서 누나는 거실에서 넘어진 자신을 보고 웃는 동생에 대한 불만을 표현하고 있다. 이는 같은 말이라도 의도와 목적에 따라 의미 차이를 보이는 경우에 해당한다.

07 [나]에서 누나는 "재미있니?"라는 말을 통해 자신이 넘어진 상황에서 자신을 걱정하거나 도와주지 않고 재미있어하며 웃는 동생에 대한 불만과 야속함을 표현하고 있다.

08 ㉠의 '잘나가다'는 인기가 많다는 뜻으로 쓰였지만 할머니는 이를 밖으로 자주 이동하다의 뜻으로 받아들였다. 그리고 ㉡의 '굽다'는 비어 있는 콤팩트디스크에 음악이나 영상 따위의 정보를 기록한다는 뜻이지만, 할머니는 불에 익힌다는 뜻으로 받아들였다. 이를 통해 같은 말이라도 세대에 따라 다른 의미로 쓰일 수 있음을 알 수 있다.

09 혜수는 ㉠에 대해서는 인기가 많다는 뜻이라고 할머니께 설명해 드렸다. 그러나 ㉡에 대해서는 친절히 설명하지 않고 몰라도 된다고 하였다. 이것은 할머니를 배려하지 않은 말하기로 대화에서 주의해야 하는 태도이다.

10 아빠는 민호의 시험 성적을 질책하기 위해 반어적으로 "아주 장하다, 장해."라는 말을 사용했다. 그러나 민호는 아빠의 말에 담긴 의도를 제대로 파악하지 못하고 "감사합니다."라고 말하고 있다. 즉, 아빠는 질책하는 자신의 말의 의도를 제대로 파악하지 못한 민호 때문에 화가 난 것이다.

11 〈보기〉에서 외국인인 다니엘은 철수가 한 '시원하다'라는 말이 '뜨거우면서 속을 후련하게 하다.'라는 의미임을 알지 못하고 문자 그대로 해석하며 이상하게 여기고 있다. 이것은 한국의 사회 · 문화적 맥락을 알지 못했기 때문이다.

12 거실에서 뛰고 있는 준영에게 아래층에 수험생이 있다고 말하는 누나의 의도는 뛰지 말라는 것이다. 그런데 준영이 "옆집에도 있다던데."라고 한 것은 뛰지 말라는 누나의 의도를 이해하지 못했기 때문이다.

13 선생님은 지각을 한 학생을 꾸짖는 의미로 시간을 묻고 있다. 따라서 상황 맥락을 제대로 이해한 학생이라면 앞으로 늦지 않겠다고 대답하는 것이 가장 적절하다.

08 한글의 창제 원리

개념 확인 문제 p. 172

1 애민 2 × 3 ① 4 혓소리(설음) 5 가획자 6 천, 지, 인(하늘, 땅, 사람) 7 재출자 8 ○

연습 문제 p. 173

01 ① 자주정신 ② 애민 정신 ③ 창조 정신 ④ 실용 정신 02 ① 혀뿌리가 목구멍을 막는 모양 ② ㄹ ③ 입술소리 ④ ㅁ ⑤ ㅈ ⑥ ㅿ ⑦ 목구멍 모양 ⑧ ㅎ 03 ① 하늘의 둥근 모양 ② · ③ ㅑ ④ ㅡ ⑤ ㅜ, ㅓ ⑥ 인(人) ⑦ ㅣ 04 ②, ③, ⑤, ⑦, ⑧ 05 ① ○ ② × ③ ○ ④ × ⑤ ○

실전 문제 p. 174~176

01 ③	02 ②	03 ⑤	04 ③	05 ⑤	06 ①	07 ④
08 ①	09 ①	10 ②	11 ②	12 ③	13 ②	14 ④
15 ③	16 ③	17 ③	18 ②	19 ②	20 ①	21 ④
22 ④	23 ③	24 ①	25 ③	26 ①	27 ①	28 ④

01 한글은 창제 당시에는 자음 17개, 모음 11개로 모두 28자였다.

02 제시된 글에서 우리나라 말이 한자와는 서로 통하지 않아서 백성들이 제 뜻을 말하지 못하는 경우가 많다고 하였다. 이에 모든 사람들이 쉽게 익혀 편하게 쓸 수 있도록 훈민정음을 만들었다고 하였다. 이를 통해 ②를 확인할 수 있다.

03 〈훈민정음〉 언해본의 서문에 평등 정신은 나타나지 않는다.

04 'ㅆ'은 같은 글자를 가로로 나란히 쓴 병서에 해당하는 글자로 자음 17자에 해당하지 않는다.

✖오답 풀이 ① 'ㅿ(반치음)'은 잇소리에 해당하는 자음이다. ② 'ㄹ'은 혓소리에 해당하는 자음이다. ④ 'ㆍ'는 하늘의 모양을 본떠 만든 모음이다. ⑤ 'ㅜ'는 초출자에 해당하는 모음이다.

05 'ㆁ(옛이응)'은 혀뿌리가 목구멍을 막는 모양을 본떠 만든 'ㄱ'의 이체자이다. 'ㅇ'에 가획을 한 글자는 'ㆆ'과 'ㅎ'이다.

06 훈민정음이 창제될 당시의 자음 17자에는 병서자인 'ㄲ'이 포함되지 않는다.

07 모음자는 천지인(天地人)의 모양을 본떠서 만든 기본자를 다시 서로 합해서 초출자와 재출자를 만들었다. 소리의

세기에 따라 획을 더한 가획의 원리는 자음의 창제 원리에 해당한다.

✖오답 풀이 ① 자음 기본자 'ㄱ, ㄴ, ㅁ, ㅅ, ㅇ'은 모두 발음 기관의 모양을 본떠서 만들었다. ② 자음 글자 중에서 이체자인 'ㆁ, ㄹ, ㅿ'은 자음의 제자 원리에서 벗어난 글자들이다. ③ 모음의 기본자 'ㆍ, ㅡ, ㅣ'는 각각 '천(天), 지(地), 인(人)'의 모양을 본떠 만들었다. ⑤ 모음 글자는 기본자끼리 합성한 초출자와 기본자에 'ㆍ'를 합성한 재출자가 있다.

08 재출자는 초출자에 'ㆍ'를 더하여 만들어진 것이다.

09 'ㄱ'은 혀뿌리가 목구멍을 막는 모양을 본뜬 어금닛소리이다.

10 '그림 1'은 혀뿌리가 목구멍을 막는 모양이므로 어금닛소리에 해당한다. 'ㄱ'은 어금닛소리의 기본자이므로 '그림 1'을 본떠서 만든 글자이다. '그림 2'는 목구멍의 모양이므로 목구멍소리에 해당하고, 'ㅇ'이 목구멍소리의 기본자이다.

11 혀가 윗잇몸에 붙는 모양을 본뜬 혓소리의 기본자는 'ㄴ'이고, 여기에 가획을 한 글자는 'ㄷ'과 'ㅌ'이다.

12 'ㆆ(여린히읗)'은 잇소리가 아닌 목구멍소리의 가획자에 해당한다.

13 혀뿌리가 목구멍을 막는 모양을 본떠 만든 것은 어금닛소리이고, 어금닛소리의 기본자는 'ㄱ'이다. 이것을 각자 병서한 것은 'ㄲ'이므로 '꼬치'가 〈보기〉에서 설명하는 자음이 들어 있는 단어이다.

14 자음의 기본자는 발음 기관의 모양을 본뜬 상형의 원리로 만들어졌고, 모음의 기본자는 하늘과 땅, 사람의 모양을 본뜬 상형의 원리에 의해 만들어졌다.

15 가획의 원리는 소리의 세기에 따라 획을 더하여 글자를 만드는 것을 말한다.

16 입의 모양을 본떠 만든 글자는 입술소리로, 기본자는 'ㅁ'이며 그 가획자는 'ㅂ'과 'ㅍ'이다.

17 병서는 글자를 나란히 쓰는 것으로, 'ㄲ, ㄸ, ㅃ, ㅆ, ㅉ, ㆅ'과 같은 글자를 말한다.

18 이의 모양을 본떠 만든 기본자는 'ㅅ'이고, 'ㅗ'에 하늘의 둥근 모양을 본떠 만든 기본자 'ㆍ'를 결합하여 만든 재출자는 'ㅛ'이다. 따라서 '성묘'가 〈보기〉의 설명에 해당하는 자음과 모음이 모두 들어 있는 단어이다.

19 모음 글자의 재출자는 기본자를 합성해서 만든 초출자에 기본자인 'ㆍ'를 더해서 만들었다.

✖오답 풀이 ① 초출자는 기본자 3자를 조합해서 만들었다. ④ 모음 글자는 창제 당시에 'ㆍ, ㅡ, ㅣ, ㅗ, ㅏ, ㅜ, ㅓ, ㅛ, ㅑ, ㅠ, ㅕ'의 11자였다.

20 기본자 'ㆍ, ㅡ, ㅣ'에 대한 초출자는 'ㅗ, ㅏ, ㅜ, ㅓ'이다. 'ㅛ'는 초출자 'ㅗ'에 'ㆍ'를 합성한 재출자이다.

21 'ㅁ'은 자음자의 입술소리의 기본자이다.

✖오답 풀이 ① 'ㄴ'은 혓소리의 기본자이다. ②, ⑤ 'ㄷ'과 'ㅌ'은 혓소리의 가획자이다. ③ 'ㄹ'은 혓소리의 이체자이다.

22 재출자는 초출자에 'ㆍ'를 다시 결합하여 만든 것으로, 'ㅑ, ㅕ, ㅛ, ㅠ'가 있다. 'ㅘ'는 초출자 'ㅗ'와 'ㅏ'를 결합하여 만든 것으로 합용에 해당한다.

23 제시된 휴대 전화의 모음 자판은 'ㅣ, ㆍ, ㅡ' 세 개뿐이다. 'ㅏ'를 입력하기 위해서는 'ㅣ'와 'ㆍ'를 누르면 되는데 이것은 한글 창제의 원리 중 모음의 제자 원리에 따라 글자를 입력하는 방식이다.

✖오답 풀이 ① 10개의 자판만으로 모든 글자를 만들 수 있으므로 정보화 시대에 적합한 방식이다. ② 'ㅋ, ㄷ, ㅌ, ㅂ, ㅍ, ㅎ, ㅈ, ㅊ'은 자음의 기본자가 아니라 가획자이다. ④ 'ㅇ'은 목구멍소리의 기본자이고 'ㅁ'은 입술소리의 기본자이므로 둘은 가획의 원리에 따른 것이 아니다. ⑤ 'ㅅ, ㅎ'과 'ㅇ, ㅁ'은 같은 발음 기관에서 소리 나는 자음이 아니다.

24 혀뿌리가 목구멍을 막는 모양을 본떠서 만든 글자는 'ㄱ'이고 여기에 가획을 한 글자는 'ㅋ'이다.

✖오답 풀이 ② 혀가 윗잇몸에 붙는 모양을 본뜬 글자인 'ㄴ'에 가획한 글자이다. ③ 입의 모양을 본뜬 글자인 'ㅁ'에 가획한 글자이다. ④ 이의 모양을 본뜬 글자인 'ㅅ'에 가획한 글자이다. ⑤ 목구멍의 모양을 본뜬 글자인 'ㅇ'에 가획한 글자이다.

25 혀가 윗잇몸에 붙는 모양을 본떠 만든 기본자는 'ㄴ'이고, 여기에 획을 더한 가획자는 'ㄷ'과 'ㅌ'이다. 한편 땅의 평평한 모양을 본떠 만든 기본자는 'ㅡ'인데 여기에 'ㆍ'를 결합하여 만든 초출자는 'ㅗ'와 'ㅜ'이다. 따라서 '태풍'이 〈보기〉에서 설명한 자음과 모음이 모두 들어 있는 단어이다.

26 'ㄱ'은 기본자로 상형의 원리에 따라 만든 글자이다. 나머지는 모두 가획자로 가획의 원리에 따라 만든 글자이다.

27 모음 'ㅛ'는 'ㆍ'와 초출자 'ㅗ'가 결합하여 만들어지고, 'ㅕ'는 'ㆍ'와 초출자 'ㅓ'가 결합하여 만들어진다.

28 일정한 성질에 따라 분류할 수 있고, 글자들을 만들 수 있다는 것은 한글의 체계성을 보여 준다.

www.ggumtl.co.kr

청소년들 모두가 아름다운 꿈을 이룰 그날을 위해
꿈을담는틀은 오늘도 희망의 불을 밝힙니다.

내신과 수능을 모두 잡을 수 있는 국어 기본 완성

- 문학, 비문학, 문법의 세 가지 영역을 한 권으로 모두 학습
- 중학교 문학, 문법 필수 개념 총정리
- 수능 공부의 바탕이 되는 독해력 향상 학습
- 엄선된 지문과 문제로 국어 실력 향상